TRAITÉ
DU SAINT-ESPRIT

SOURCES CHRÉTIENNES

N° 386

DIDYME L'AVEUGLE

TRAITÉ
DU SAINT-ESPRIT

*INTRODUCTION, TEXTE CRITIQUE, TRADUCTION
NOTES ET INDEX*

par

Louis DOUTRELEAU, s.j.

*Ouvrage publié avec le concours
du Centre National de la Recherche Scientifique*

LES ÉDITIONS DU CERF, 29, Bᴅ ᴅᴇ ʟᴀᴛᴏᴜʀ-ᴍᴀᴜʙᴏᴜʀɢ, PARIS
1992

*La publication de cet ouvrage a été préparée avec le concours
de l'Institut des Sources Chrétiennes
(U.R.A. 993 du Centre National de la Recherche Scientifique)*

BT
120
.D5214
1992

AVANT-PROPOS

Hommage soit rendu, au seuil de ce travail, au chanoine Gustave BARDY, pionnier des études didymiennes en France. Outre sa thèse sur Didyme, qui parut en 1910, il comptait aussi éditer le *De Spiritu Sancto*. Je dirai plus bas ce qu'il en a été. Mais je tiens à saluer sa mémoire.

*

Je n'ai cherché qu'à rajeunir l'apparence d'un vieux texte. En des temps plus anciens, il a beaucoup servi. Aujourd'hui, la théologie a quelque raison de l'avoir délaissé puisqu'elle a d'autres objectifs et d'autres adversaires, et qu'elle est spécifiquement armée pour dialoguer avec le temps présent. N'empêche! Didyme, après la découverte de Toura, est revenu à la surface de l'histoire et les quelques leçons qu'il a inspirées à son siècle ne sont pas à dédaigner du nôtre. Didyme ne parle pas comme nous, c'est vrai, mais il a « parlé ». C'est une « voix »! Et c'est précisément les efforts et les accords de cette voix dans un monde ancien qu'il m'a plu de rechercher et de faire descendre jusqu'à nous.

J'avais donc ouvert ce dossier dès 1963, — le savent bien les lecteurs de KYRIAKON, cet article important qui le laissait entendre en 1970. Je pensais qu'après la recherche des manuscrits et les heureux résultats où elle m'avait conduit, quelqu'un viendrait remplir le vœu que je formulais pour lui à la fin de l'article, celui de le voir devenir l'éditeur du texte dans un prochain avenir. Nul n'a relevé cet espoir. Après de longues années, après de longs travaux, j'ai rouvert le dossier en sursis et me suis mis sur le tard à accomplir ce qui, dans ma pensée, devait être le lot d'un autre....

*

On peut considérer Didyme comme un chaînon important de la théologie du Saint Esprit au cours de la seconde moitié du IVᵉ siècle. C'est pourquoi j'ai rappelé succinctement pour le lecteur moins initié les étapes et les auteurs principaux du développement de la pneumatologie jusqu'au Concile de Constantinople en 381. On saura mieux ainsi les motivations et les sources du traité didymien. On trouvera ensuite une longue analyse du traité lui-même, sorte de guide traçant des routes et des chemins dans un texte massif, celui-ci nous ayant été transmis par l'antiquité comme un bloc indistinct, sans chapitres ni alinéas. Ainsi seront plus facilement mis en évidence, au long du parcours, essor et limites théologiques. Ces dernières proviennent assurément, chez Didyme, d'un langage conceptuel assez pauvre, impropre à détailler les mystères de la Trinité ; s'y ajoutent, pour nous, les embûches d'une traduction latine, due, certes, à un expert, saint Jérôme ; mais celui-ci n'était pas en mesure d'empêcher que la finesse du grec souffrît d'être vêtue du manteau latin et que ses préférences occidentales l'amènent parfois à des choix ou à des refus malheureux. On le verra mieux plus bas. On verra aussi que des copistes sans scrupules n'ont pas toujours respecté son texte. Malgré tout, la traduction de Jérôme, infiltrée par lui en Occident, s'acclimata si bien dans les temps qui suivirent, qu'au Concile de Florence, en 1439, on eut encore recours à elle.

*

Qu'on me permette de remercier ici pour leur aide amicale et savante les PP. B. Sesboüé, s.j. et G.-M. de Durand, o.p.

Les *Sources Chrétiennes* ont abrité et suivi ce travail de bout en bout. Elles l'ont aidé avant l'interruption ; elle l'ont encouragé à la reprise. Elles ont droit, je veux dire ceux qui les conduisent et ceux qui les composent, à toute ma gratitude.

BIBLIOGRAPHIE

Cette bibliographie est réduite à un minimum. Elle voudrait n'envisager que la pneumatologie et seulement, s'il se peut dire, la pneumatologie didymienne, celle qui éclaire les années où Didyme fut appelé à parler du Saint Esprit. On a donc signalé, selon cette visée, les grands textes anciens contemporains de Didyme et un petit nombre d'ouvrages et articles actuels, utiles à l'histoire et à l'intelligence du Traité que nous éditons.

ATHANASE D'ALEXANDRIE, *Lettres à Sérapion*, traduction J. Lebon, SC 15, Paris Cerf 1945.

BASILE DE CÉSARÉE, *IIIᵉ Livre contre Eunome* (sur le Saint-Esprit), traduction B. Sesboüé, SC 305, p. 144-175, Paris Cerf 1983.

BASILE DE CÉSARÉE, *Sur le Saint-Esprit*, traduction B. Pruche, SC 17 bis, Paris Cerf 1968. Bibliographie, p. 241-248.

GRÉGOIRE DE NAZIANZE, *Discours 31* (du Saint-Esprit, dit Vᵉ disc. théolog.), SC 250 ; *Discours 41* (pour le jour de la Pentecôte), SC 358 ; traduction P. Gallay, Paris Cerf 1978 et 1990.

GRÉGOIRE DE NYSSE, *Contre les Macédoniens. — Qu'il n'y a pas trois dieux. — A Eustathe sur la Sainte Trinité.* Ces trois opuscules édités par Fr. Müller dans l'éd. Jaeger, III, 1, Leyde Brill 1958.

BARDY, G., *Didyme l'Aveugle,* Paris Beauchesne 1910. Contient p. vi-xi une bibliographie didymienne selon son époque.

BOUYER, L., *Le Consolateur. Esprit Saint et vie de grâce*, Paris Cerf 1980. Spécialᵗ ch. IX, La pneumatologie du IVᵉ siècle, p. 167-192 (mais Didyme n'y est pas nommé).

CONGAR, Y.M.-J., *Je crois en l'Esprit Saint*, Tome III, Chap. I-III, p. 1-93 (Historique d'une théologie de la Troisième Personne), Paris Cerf 1980.

DOUTRELEAU, L. avec KOENEN, L., *Nouvel inventaire des Papyrus de Toura* dans RSR 55 (1967), p. 547-564.

DOUTRELEAU, L., *Le 'De Trinitate' est-il l'œuvre de Didyme l'Aveugle ?* dans RSR 45 (1957), p. 514-557. Voir infra, la note au texte du § 65, (p. 000).

— *Le 'De Spiritu Sancto' de Didyme et ses éditeurs,* dans RSR 51 (1965), p. 383-406.

— *Incohérence textuelle du 'De Spiritu Sancto' de Didyme dans le Parisinus lat. 2364,* dans « Sacris erudiri » 18, (1967-1968), p. 372-384.

— *Étude d'une tradition manuscrite : le « De Spiritu Sancto de Didyme,* dans Kyriakon, Festschrift J. Quasten, Münster 1970, t. I, p. 352-389.

— *Le prologue de Jérôme au 'De Spiritu Sancto' de Didyme,* dans Alexandrîna, Mélanges Mondésert, Paris Cerf 1987, p. 297-311.

D.S. art. *Esprit Saint II, chez les Pères grecs,* (J.Gribomont) 1961 ; *chez les Pères latins,* (P. Smulders) 1961.

D.T.C. art. *Hypostase,* (A. Michel), 1927 ; art. *Processions divines,* (A. Michel), 1936 ; art. *Esprit-Saint,* (A. Palmieri), 1913 ; art. *Consubstantiel,* (H. Quilliet), 1923.

HERON, A. *Studies in the Trinitarian Writings of Didymus the Blind,* Diss. Tübingen, 1972.

KELLY, J.N.D., *Initiation à la doctrine des Pères de l'Église,* trad. de l'anglais (Early christian doctrines) par C. Tunmer, Paris Cerf 1968.

LEBRETON, J., *Histoire du dogme de la Trinité,* 2 vol. Paris Beauchesne 1927. Utile pour le développement de la pneumatologie aux premiers siècles ; le De Trinitate de Didyme y a deux mentions, mais le *De Spiritu Sancto* n'y est pas cité.

ORTIZ DE URBINA, I. *Nicée et Constantinople.* Coll.« Histoire des Conciles œcuméniques » publiée sous la direction de Gervais Dumeige, I, Paris, éd. de l'Orante, 1963.

QUASTEN, J., *Initiation aux Pères de l'Église*, T. III, Paris Cerf 1963. Les Cappadociens, p. 294-420 : une idée des problèmes ; des citations ; des bibliographies.

RÉGNON, Th. de, *Études de théologie positive sur la sainte Trinité*, 4 vol. Paris 1892-1898. T. III et IV : Théories grecques des processions divines.

STAIMER, E. *Die Schrift « De Spiritu Sancto » von Didymus dem Blinden von Alexandrien,* München 1960.

TIXERONT, J., *Histoire des dogmes*, II, De saint Athanase à saint Augustin, Paris Gabalda 1909.

Grégoire NOVAK, membre de l'Institut Français des Études Byzantines, et I.T. PAMPOUKI, Custos de la Bibliothèque de l'Académie d'Athènes, ont retraduit en grec néohellénique le latin de Jérôme, sans vouloir revenir au grec ancien. Leur traduction peut aider celui qui voudrait retrouver plus scientifiquement la rédaction grecque sous-jacente à la traduction hiéronymienne. — On lira cette version néohellénique au *Tome 49 de la « Bibliothèque des Pères grecs et des Écrivains ecclésiastiques »* éditée (en grec) par la Diaconie Apostolique de l'Église de Grèce, Athènes 1975, p. 203-264.

INTRODUCTION

VERS LE CONCILE
DE CONSTANTINOPLE DE 381
LA THÉOLOGIE DU SAINT ESPRIT

SOMMAIRE DE L'INTRODUCTION

CHAPITRE I

LES PROGRÈS DE LA DOCTRINE PNEUMATOLOGIQUE

Du début jusqu'au milieu du IVᵉ siècle   La théologie du Saint Esprit ne s'est pas faite en un jour. Il y avait dans le Nouveau Testament toutes les indications nécessaires. Mais tant que, pour des raisons que l'histoire enseigne, on prêta à l'Esprit moins d'attention qu'au Christ, l'esprit humain n'éprouva pas le besoin de disserter spécifiquement sur l'Esprit Saint.

Les Apôtres avaient fait cas de la sainteté, de la puissance et du rôle de l'Esprit Saint : à titre de révélation, ils les consignèrent dans les Épîtres et les Évangiles ; à titre de témoignage, ils dirent dans les Actes comment ils en éprouvèrent les effets. Les chrétiens, ensuite, ne purent en ignorer la réalité. Ils avaient retenu que l'Esprit assurait, d'âge en âge, la sanctification de l'Église, et qu'il la guidait dans le chemin de la vérité et de la justice, s'opposant aux puissances mauvaises qui s'efforcent de la détruire. Les allusions à la sainteté et à la sanctification, à l'enseignement et aux dons de l'Esprit ne manquent pas dans la littérature chrétienne des débuts[1].

---

1. Renvoyons seulement à ces passages d'IRÉNÉE DE LYON, *Contre les hérésies*, III, 17,1-3 ; IV, 24,1 ; V, 9,4 ; 11,1.

Et la liturgie enseignait que l'entrée dans l'Église ne s'ouvrait que par le baptême *au nom du Père et du Fils et du Saint Esprit*. Mais il faudra attendre assez longtemps pour qu'une théologie de l'Esprit se construise.

Ainsi, quand Origène eut à débattre, vers les années 250, d'une importante question trinitaire avec un évêque d'Arabie, Héraclide, dont la pensée n'admettait qu'au prix du polythéisme la divinité du Père et celle du Fils, ce n'est pas sans étonnement que l'on trouve en titre de cette Conférence : « Entretien...sur le Père, le Fils et l'âme » ; le lecteur moderne attend, en effet, comme allant de soi après la mention du Père et du Fils, celle de l'Esprit Saint. Mais il s'agissait bien de débattre de l'âme, de l'âme humaine, car sur le Saint Esprit, la spéculation n'était pas mûre. Les fidèles d'Arabie et leurs évêques en étaient encore à la phase initiale de la réflexion trinitaire, celle qu'on peut qualifier de christologique ; graduellement ensuite, devaient s'approfondir les données de la révélation ; chaque chose en son temps ! Comme dit Grégoire de Nazianze : « Il n'était pas prudent...quand la divinité du Fils n'était pas encore admise, d'ajouter l'Esprit Saint comme un fardeau supplémentaire » ; il fallait laisser l'histoire progresser par des « avancées » et des « ascensions » successives, laisser « la lumière de la Trinité éclater en clartés de plus en plus brillantes » (*Orat.*, 31,26).

Cela valait pour un public peu averti. Car en ce qui concerne Origène lui-même, il était loin d'en être resté au niveau des simples qu'il était tenu d'enseigner. Il avait consigné sa doctrine sur l'Esprit Saint, entre autres traités, dans celui des *Principes (I, 3,1-8 ; II, 7,1-4)*, où l'on trouve des réflexions dont on pouvait s'inspirer dans les temps qui ont suivi. Car il reconnaît fermement que l'Esprit Saint n'est pas une créature *(I, 3,3)* ; qu'il est unique *(II, 7,1)* ; qu'il se trouve dans l'unité de la Trinité

(I, 3,4) et que son rôle essentiel est la sanctification *(I, 3,7)*, le renouvellement de la face de la terre, le don de la grâce administrée par le Christ et opérée par le Père *(id.)*. Bref l'Esprit est le sanctifiant par excellence.

Cependant, dans l'intervalle de temps qui va s'écouler jusqu'au Concile de Nicée, c'est-à-dire durant trois quarts de siècle, les esprits ne seront guère retenus par les considérations d'Origène sur le Saint Esprit dont nous venons de faire état ; ils en resteront à l'étude des relations qui unissent Père et Fils au sein de la Trinité, ce qui débouchera, après disputes d'écoles et de tendances[2] plus ou moins accusées, sur les définitions christologiques de Nicée. Mais quand on en vint, au Concile, en 325, à ce qui concernait le « troisième » de la Trinité, l'Esprit Saint, et qu'il fallut rendre compte de son identité au regard de la foi, on pensa qu'il n'y avait pas autre chose à dire que de le nommer, et on le fit, comme allant de soi, avec le Père et le Fils.

Les responsables des Églises, les évêques, mais aussi, hors du concile, les pasteurs et prédicateurs de toute sorte se trouvaient indéniablement, vis à vis de l'Esprit Saint, en retrait par rapport aux progrès de la pensée christologique. Du Christ, on avait, en effet, très tôt reconnu, et coulé dans les concepts appropriés, l'origine et la nature divines, tout autant que l'action et les vertus. Les luttes suscitées par les progrès de l'arianisme, d'autre part, avaient centré la réflexion et aiguisé les intelligences sur ces aspects. C'est pourquoi, au Concile de Nicée tout occupé du langage à tenir en parlant des prérogatives divines du Christ, il ne fut presque pas question de l'Esprit, au sujet duquel on se contenta de dire dans le

2. Il s'agit surtout de la controverse entre Denys d'Alexandrie de tendance subordinatianiste, et le Pape, son homonyme. Nous n'avons pas à nous en mêler ici.

Credo solennel qui fut alors promulgué : « Nous croyons... en l'Esprit Saint ». C'était court. Il fallait donc encore du temps pour que la théologie en arrivât, en ce qui concerne l'Esprit, au niveau où elle en était pour le Christ.

Entre 325 et 381, c'est-à-dire entre le Concile de Nicée et celui de Constantinople, la prise de conscience eut lieu. Des événements de tous ordres vont forcer l'intelligence à pénétrer dans le mystère de l'Esprit Saint, ou, pour mieux dire, à dégager les concepts qui serviront de base à la doctrine pneumatologique. La bataille contre l'arianisme eut ici d'heureux effets, car c'est au courant des luttes sur ce front que vont se faire jour et se formuler les principes nouveaux. On sait les discussions, les mises au point, les réunions conciliaires, mêlées d'actes de la puissance impériale, qui se sont déroulées en cette seconde moitié du IVème siècle. Nous ne reviendrons pas sur leur aspect christologique, mais, attentifs à ce qui regarde l'Esprit, nous voudrions signaler quelques-uns des écrits élaborés à cette époque en Orient qu'on peut considérer comme des étapes vers le Concile de Constantinople. Les *Catéchèses* de Cyrille de Jérusalem, datées d'environ 350, sont de ces écrits ; leur préoccupation n'est pas uniquement pneumatologique, mais leur doctrine sur ce point est très juste et déjà très avancée. Nous serons retenus ici, d'abord quelque peu par Hilaire de Poitiers, puis par les Lettres d'Athanase à Sérapion, et enfin, puisque c'est l'objet de notre volume, par le *Traité du Saint Esprit* de Didyme l'Aveugle qui fut écrit une quinzaine d'années après Hilaire, non sans s'inspirer des Lettres d'Athanase.

En 381, après maints écrits d'Épiphane et des cappadociens Basile et Grégoire de Nazianze, on aboutira à un déploiement d'idées important, car à la place de la toute simple formule du Concile de Nicée : « Nous croyons en l'Esprit Saint », voici ce que les Pères du Concile de Constantinople formulèrent à leur tour : « Nous croyons... en l'Esprit Saint, qui est Seigneur, qui vivifie, qui procède du Père, qui avec le Père et le Fils est conjointement adoré et glorifié, qui a parlé par les prophètes ». Cette formule, toute concise qu'elle soit, déploie les attributs de l'Esprit Saint : sa divinité, son action sanctifiante, son mode d'origine, sa consubstantialité avec les autres Personnes de la Trinité, l'effet de son action parmi les hommes. En elle, peut-on dire, le niveau de la pneumatologie a rejoint celui de la christologie.

Un auteur inattendu en Orient, Hilaire de Poitiers Paradoxalement, c'est un auteur occidental, Hilaire de Poitiers, qu'il faut évoquer d'abord pour jalonner les débuts orientaux de l'histoire doctrinale du Saint Esprit. Car Hilaire, exilé, arrive en Phrygie à l'automne de 356 et entreprend aussitôt un ouvrage contre les ariens, pour mettre au clair ses idées et pour aider dans leur résistance à l'arianisme ses collègues les évêques de Gaule, dont il est momentanément séparé. Il écrit donc en forme de *libelli,* comme il dit, un *De Fide* — ou *De Trinitate* selon le titre qu'on lui donne aujourd'hui — qu'il achèvera en douze livres au début de 360, en même temps que prendra fin son exil. Dans le sillage des problèmes trinitaires concernant les rapports du Père et du Fils, sur lesquels il a lieu de s'étendre à cause de leur actualité — sous Constance, en effet, les attaques ariennes ont redoublé d'intensité —, il aborde les questions particulières qui regardent l'Esprit Saint. Il n'y serait probablement pas venu, si elles n'avaient pas été présentes au cours des conversations qu'il a menées avec les évêques orientaux du territoire où il était confiné. A force d'abaisser le Fils, les ariens dans leur logique ne pouvaient que faire de même pour l'Esprit : Hilaire a-t-il entendu des insinuations à ce sujet ?

Le fait est qu'on trouve la pensée d'Hilaire sur le Saint Esprit à la fin du Livre II du *De Trinitate*, chapitres 29-35, rédigés en 356-357, puis au Livre VIII, chapitres 19-32, et enfin au Livre XII, chapitres 55-57, livres rédigés vers la fin de 359, alors que prend corps une attaque en règle contre la divinité du Saint Esprit. Tout cela est excellent en qualité, mais représente peu de chose en quantité : tout au plus une quinzaine de pages de la présente édition des S.C.

Si nous retenons ici ces quelques chapitres, c'est qu'ils nous paraissent comme une des premières portes ouvertes sur la réflexion pneumatologique. Certes, en 356-357, Hilaire ne rédige pas un « traité » du Saint Esprit, ce serait prématuré ; il ne peut que frayer des pistes, situer les points d'ancrage de la doctrine et remuer les thèmes communément reçus. Les évêques gaulois et, après eux, le monde latin pour qui ces pages avaient été écrites surent y reconnaître, en conformité avec la doctrine de Nicée, les principes qui menèrent à la définition de Constantinople.

Hilaire donc ne construit pas un système ; ses idées sont issues de l'Écriture, Ancien et Nouveau Testament. Les textes sur lesquels il s'appuie, que Tertullien, Cyprien, Lactance, mais Origène aussi qu'il connaissait bien, avaient déjà utilisés avant lui, reviendront encore dans les traités de ses successeurs ; mais, en les groupant, il les sort de l'ombre en quelque sorte : les chapitres 14 et 16 de l'*Évangile de Jean* en fournisssent un grand nombre, ainsi que le chapitre VIII de l'*Épître aux Romains*. Il faut citer également *Gal.* 4,6 (Abba, Père !), *I Cor.* 2,12, *I Cor.* 12,3-4, *II Cor.* 3,17, pour nous en tenir aux plus cités. Tous textes que nous retrouverons dans le Traité de Didyme.

Hilaire ne polémique pas, non plus. Car les « pneumatomaques » n'ont pas encore fait parler d'eux, ou du moins leur nom, pas plus que celui de macédoniens, n'a pas encore été forgé. Athanase n'a pas encore reçu l'interrogation inquiète de Sérapion. Eunome n'est pas encore évêque et n'a pas encore diffusé ses « blasphématoires » apologies, qui viendront en 360. C'est donc sereinement qu'Hilaire s'entretient de l'Esprit Saint. Celui-ci est une réalité fortement affirmée dans l'Écriture. Il vit inséparablement avec le Père et le Fils, mais sans être confondu avec eux. Il désigne quelqu'un et il est un don. Il est le Paraclet, à la fois Défenseur et Esprit de vérité. Il n'est pas une créature ; il n'est pas extérieur à la nature divine ; il a même substance que le Père et le Fils. Il reçoit tout ce qu'il est du Fils et, par le Fils, du Père. Hilaire ne dit pas : *Deus est*, mais *Dei est*, on va voir pourquoi. L'Esprit illumine, inspire ; il oriente les intelligences. Il est présent en tout et partout. Il ne se laisse ni circonscrire ni enfermer, il déborde tout. Comme don, il nous vient du Christ et il est accessible à tous jusqu'à la consommation des temps. Il est « la consolation de notre attente, le gage de notre espérance, la lumière des esprits, la splendeur des âmes ». Pour nous, son intercession est comme une alliance.

Présentée sous cette forme, dont toutes les expressions sont équivalemment dans le *De Trinitate,* la réflexion pneumatologique d'Hilaire apparaît dénuée de cette subtilité théologique que les pneumatomaques vont déployer dans les années qui suivront. Ramenée aux concepts ordinaires, elle tiendra dans ces quelques mots : reconnaissance de la divinité, de la consubstantialité, des relations avec le Père et le Fils, de la puissance et des charismes du Saint Esprit. Mais on notera, comme l'ont fait tous les historiens qui se sont occupés des auteurs de cette époque, la sorte de réticence qui accompagne la mention de *Dieu*, ainsi que celle de *divinité* et de *consubstantialité*, alors que tout le contexte permet de les attribuer franchement au Saint Esprit. Non pas qu'Hilaire ignorât les mots, encore moins les notions — il suffit de lire son *De Synodis*, qui est de cette époque, pour se convaincre du contraire —, mais peut-être par timidité pastorale en face du discours nouveau à faire entendre à des ouailles non prévenues, ce que l'on a appelé d'un mot emprunté à Athanase et à Grégoire de Nazianze, un principe d'« économie », économie à laquelle le grand Basile, que nous citons ici à titre d'exemple remarquable, n'a pas craint de se conformer[3], ainsi qu'Athanase lui-même *(cf. Sérap. III, 1.2)* comme nous allons le voir, mais que Didyme, qui n'a pas de charge pastorale, ne semble pas avoir eu peur d'enfreindre (v. *infra, p. 44)*.

3. Sur ce « principe d'économie » appliqué par saint Basile, voir B. PRUCHE, Introduction au *Traité sur le Saint Esprit*, ch. III, *S.C.* 17bis, p. 79-110. — THÉODORE DE MOPSUESTE (*Hom. Catéch.* IX, 14, éd. R. Tonneau-R. Devreesse, *St. e T.* 145, p. 235), réprobateur, n'a pas hésité à dire, quelques années après le Concile de Constantinople, sinon de Basile lui-même, du moins de ceux qui pratiquèrent un silence semblable, qu'ils étaient, vis-à-vis du Saint Esprit, de la catégorie de ceux « qui ne purent se résoudre à le dire Dieu ».

CHAPITRE II

ATHANASE ÉCRIT A SÉRAPION

Hilaire n'avait pas plus tôt quitté l'Orient (début de 360) que, sans qu'il y eut quelque relation avec ce départ, d'étonnantes opinions concernant l'Esprit Saint s'en vinrent atteindre Athanase au fond du désert où il avait été contraint de se réfugier. Elles lui étaient transmises par Sérapion, évêque de Thmuis dans le delta du Nil : un groupe de chrétiens, atteints par la propagande arienne mais rebutés par ses excès, alors qu'ils reconnaissaient pleinement la divinité du Fils, hésitaient sur la nature de l'Esprit. Celui-ci leur avait été présenté comme une créature venue du néant à l'existence, jouissant d'un statut particulier mentionné par l'Écriture, esprit serviteur de la divinité, ange d'un rang plus élevé que celui des autres anges. Sérapion demandait à Athanase de lui fournir des arguments pour s'opposer à ces gens qui « nourrissaient des pensées hostiles » au Saint Esprit (*Sérapion* 1,1).

Athanase répondit ; trop longue réponse, que Sérapion, à l'instigation de ses fidèles, lui demande de résumer ; Athanase essaye de le faire, puis revient sur le point qui lui tient à cœur, essentiel pour fonder la divinité de l'Esprit, à savoir l'unité dans la Trinité ; et comme Sérapion lui signale que, pour autant, les hérétiques ne baissent point pavillon, il reprend sa démonstration sur un mode polémique, plus vif, non moins long. C'est ainsi que nous avons quatre[1] « *Lettres à Sérapion* », dont l'ensemble équivaut à un véritable Traité du Saint Esprit. J. Lebon les a éditées dans les « *Sources Chrétiennes* » en 1947 sous le n° 15.

Ces *Lettres*, que l'on date communément de 359, retentissent comme une sonnette d'alarme. Du fond du désert où lui sont parvenus les échos des nouvelles disputes, Athanase constate, première dénonciation d'importance à cet égard dans la littérature, que les négations des ariens sont en train de passer du Fils, qu'ils ont abondamment décrié, à l'Esprit Saint, qu'ils abaissent maintenant à son tour selon la logique de leur position, en en faisant une simple créature, ce qui, malgré les apparences nouvelles, est « le même blasphème contre la sainte Trinité » *(Sérap. I, 1)*. Athanase, qui a vaillamment lutté pour la divinité du Fils, est donc bien armé pour prendre position dans la nouvelle bataille.

Argumentation d'Athanase L'argumentation d'Athanase est simple : Nier l'Esprit Saint c'est renier l'Écriture : celle-ci, à condition d'être bien comprise, révèle, intimement unie à celle du Fils, l'existence de l'Esprit Saint, Esprit de Dieu, « qui procède du Père », « qui est propre au Fils » et qui est donné par le Fils à ceux qui croient en lui *(Sérap. I, 2)*. La nature de cet Esprit se conclut des enseignements de l'Écriture.

Mais Athanase doit combattre une secte locale, un « clan », qui n'est pas arien au sens ordinaire puisqu'il dénie la divinité à l'Esprit sans cesser de la revendiquer pour le Fils. Ces adversaires de l'Esprit — qu'Athanase

---

1. *Quatre*, quelles que soient les distinctions plus subtiles — mais inutiles pour notre point de vue — qu'il faille mettre entre les Lettres dites II et III et entre la Lettre IV,7 et sa finale 8-23. On trouvera les explications nécessaires dans l'édition de J. LEBON, *SC 15*, p. 31-39.

appelle des « Tropistes », car ils détournent de leur vrai sens[2] les paroles de l'Écriture — ne semblent pas avoir été très nombreux, mais leur conviction est fortement arrêtée ; Athanase l'a bien senti, car il reconnaît que les trois premières de ses Lettres, quelque « fortes qu'aient été leurs démonstrations », n'ont rien pu sur leur esprit « dément », « perverti » et « rompu à la bataille des mots » (*Sérap. IV, 1*). Cependant s'inscrire en faux, de la part de ce clan, au sujet de la nature divine de l'Esprit Saint et faire coïncider cette dénégation avec l'acceptation exacte de la nature du Fils lui paraît relever d'une incohérence totale, puisque la divinité de l'un est substantiellement liée à celle de l'autre, si bien qu'il est impie d'en parler différemment. C'est pourquoi Athanase va employer tous ses soins à démontrer et redémontrer par l'Écriture que l'Esprit n'est pas une créature et qu'il ne peut pas l'être, étant donné l'unité reconnue, affirmée, répétée du Fils et de l'Esprit, étant entendu aussi que cette unité au sein de la Trinité spécifie ce qu'Athanase appelle la « nature » de l'Esprit Saint. Sur cette « nature », il y a beaucoup à dire, car le mot recouvre à la fois la nature et la personne. A l'époque où Athanase prend la plume, les deux concepts ne sont pas encore bien distingués : le mot d'*hypostase,* ὑπόστασις, qui servira à la personne, opposé à celui d'*ousia,* οὐσία, réservé à la nature, ne prendra son sens technique que plus tard sous

---

2. Le mot τρόπος en grec signifie « tournure » et peut aussi bien s'appliquer à la tournure d'esprit. Tropikoi « τροπικοί » a donné en français « tropistes » (cf. Littré, 1885, citant Calvin ; le Nouveau Larousse Illustré, en 7 vol. 1905, définit les « tropistes » comme sectaires qui prennent les textes sacrés au figuré). On les a aussi dénommés « tropiques » (DTC, 1913), malencontreusement, puisque le mot, bien connu, est pris par l'astronomie et la géographie ; d'autres les ont aussi appelés « tropicistes » (Tixeront, 1909 ; le traducteur de Quasten, J. Laporte, 1963), ce qui nous paraît moins bon. Le Larousse d'aujourd'hui en 10 volumes, ainsi que le (petit et grand) Robert les méconnaissent.

l'influence de Basile. Il en est de même pour le mot
prosopon, πρόσωπον. On verra plus loin que Didyme
est également assujetti à cette insuffisance du vocabulaire.

Pneumatologie   Les prérogatives de l'Esprit, qu'Atha-
d'Athanase   nase tire de l'Écriture, sont d'être
                      unique (*Sérap. I,20*), d'être immuable,
immense, éternel (*id. I, 26*), bref de posséder les attributs
ordinaires qu'on reconnaît à Dieu. Cela exclut qu'il soit
une créature (motif répété sept fois au cours des sept
premiers numéros de la *Lettre III*), et fait qu'il participe
à l'acte créateur (*id. I, 24*) ; il est saint et participe à
l'action sanctificatrice (*id. 22*) ; il agit en somme comme
Dieu lui-même. En survolant rapidement le texte athanasien, on se procure une sorte de paysage étendu de
l'état et des opérations de l'Esprit : Athanase déroule
sans ordre les parcelles de ce paysage en leur accolant
les textes scripturaires qui leur conviennent : l'Esprit Saint
est et est dit « de Dieu » et non de l'homme (*I, 5-6*) ; il
vient aux prophètes (*I,5*), dans l'Ancien Testament et
dans le Nouveau (panoplie abondante de textes scripturaires en *I, 5-6,* dont on ne retrouvera pas le détail chez
Didyme, car celui-ci dit qu'il ne groupera pas ces textes,
puisque tout lecteur peut aisément les trouver de lui-
même, *Did. § 5*). L'Esprit tient son rôle dans la Trinité :
le Père est lumière, le Fils est l'éclat, l'Esprit illumine
(Sérap. I, 19) ; le Père est source, le Fils est fleuve, on
boit à l'Esprit *(id.)* ; le Père est seul sage, le Fils est
Sagesse, l'Esprit est *de* Sagesse *(id.)* ; etc., les divers
aspects de l'Esprit qui découlent des textes de saint Jean
ou de saint Paul sont ainsi groupés en *Sérap. I, 19-28.*
On remarque l'abondance des textes johanniques et pau-
liniens apportés en témoignage de la vie divine accordée
à ceux qui deviennent, grâce à l'Esprit, des enfants de
Dieu : Athanase, comme les Pères Grecs d'une manière
générale, est sensible à l'aspect de nouveauté, de renou-

vellement de la créature sous l'action de « la donation du Fils qui est l'Esprit ». Or, dit-il, comme le Fils est unique, « unique, parfaite et pleine doit être sa vivante efficience sanctificatrice et illuminatrice » *(I,20)*. Les aspects personnels de l'Esprit, son origine, la distinction avec le Fils, la communication avec lui, tous ces problèmes sont abordés dans les *Lettres III-IV*, avec un apport important de citations scripturaires.

Il n'est pas dans notre propos de développer la pneumatologie d'Athanase au cours des *Lettres à Sérapion* ; J. Lebon l'a très bien fait dans les pages 56-77 de son édition. Mais nous ne pouvons pas nous empêcher de reconnaître avec lui qu'il est étrange que « dans cette discussion qui porte spécifiquement sur la divinité du Saint Esprit, l'auteur s'arrête si fréquemment et si longuement à la considération de la doctrine touchant le Fils » *(p. 56)*. De même, Lebon ajoute : « La proposition formelle et explicite de sa doctrine est toujours négative : le Saint Esprit *n'est pas* une créature, *n'est pas* un ange » *(p. 57)*.

Il faut garder en mémoire ces remarques, car cela explique que dans l'itinéraire vers Constantinople où les Pères étaient engagés, il ait fallu de nombreuses étapes, soigneusement mesurées, pour avancer. Or Athanase, ce grand lutteur, aujourd'hui traîne le pas : il est encore attaché, rivé à Nicée ; c'est en « christologue » qu'il s'intéresse au Saint Esprit, lequel, de façon indirecte, confirme et précise la position du Fils au sein de la Trinité, donne du poids par conséquent aux formules de Nicée. Ce qui l'intéresse encore et toujours, c'est le combat contre ceux qui humilient le Fils de Dieu. Ne dit-il pas lui-même au début de la troisième *Lettre à Sérapion* : « Tu me vois en quelque sorte délaisser ce sujet [du Saint Esprit] et écrire contre ceux qui tournent leur impiété contre le Fils de Dieu et disent qu'il est une créature. » C'est un aveu dont il faut prendre acte.

Après les « Lettres à Sérapion »   A partir de cette époque, le feu de l'hérésie couve et risque de flamber à tout instant. Précisément, voici qu'en 360, à deux mille kilomètres du désert d'Athanase, à Cyzique dans le Pont sur le bord de la mer Noire, Eunome, arien notoire, accède, « pour prix de son impiété » dira saint Basile[3], à l'épiscopat. Eunome vient de composer son *Apologie* et c'est sans ménagement qu'il a divulgué ses idées du haut de la chaire. Le trouble qui s'en est suivi parmi les fidèles est tel qu'il amène sa déposition. Il ne sera resté qu'un an en charge, mais n'a-t-il pas déjà trop parlé et certains ne l'ont-ils pas trop bien écouté, surtout quand il disait que le Paraclet était « la première créature du Monogène, la plus grande de toutes et la seule qui soit telle »[4] ? Les historiens anciens nous laissent entendre que, de ce jour, l'hérésie nouvelle, qu'ils dénomment maintenant macédonienne, appuyée évidemment sur les formules diverses de l'arianisme, devint contagieuse et gangrena toute l'Asie, de Constantinople à Antioche et jusqu'en Égypte.

Un peu plus tard, au Synode d'Alexandrie de 362, les évêques réunis autour d'Athanase, conscients des erreurs de doctrine qui entretiennent la discorde au sein de la communauté d'Antioche, conviennent que « l'Esprit Saint n'est ni créature, ni étranger [à la divinité], mais qu'il est propre [à la divinité] et qu'il est indivisible du Fils et du Père pour la substance »[5]. Cela n'aurait pas été dit s'ils n'avaient pas eu connaissance qu'à Antioche des gens étaient conquis à la nouvelle erreur ; ce nous est une preuve que les pneumatomaques, comme on les appellera plus tard, sont à l'œuvre dès maintenant[6].

---

3. *Contre Eunome,* I,2 ; *SC* 299, p. 154.
4. *Apologie,* 25 ; *SC* 305, p. 286.
5. ATHANASE, *Tomus ad Antiochenos,* 5, *PG* 26, 802 B. Les antiochiens de l'époque étaient, on le sait, très divisés. En dehors

En 363, nouveau synode à Alexandrie : nouvelle mise en garde à propos de ceux « qui blasphèment contre le Saint Esprit, disant qu'il est une créature, une chose faite par le Fils », et, de la part du synode, nouvelle affirmation qu'on ne peut séparer l'Esprit Saint du Père et du Fils, puisqu'il n'y a qu'une seule divinité en la Trinité[7].

Un peu plus tard, vers 366, mais cette fois en dehors de la mouvance alexandrine, Basile, réfutant Eunome (Livre III du *C.Eun., SC* 305) produit de son côté une vigoureuse défense « du caractère divin de la nature du Saint Esprit » (*l.c.* p. 161). Il ne semble pas que Basile ait connu les *Lettres à Sérapion*.

En 369, synode, encore, de 86 évêques à Alexandrie pour attirer l'attention sur ceux qui voudraient contourner les formules de Nicée ; au dernier paragraphe de la lettre des 86 membres du synode, envoyée aux évêques africains, une affirmation renouvelée de la divinité du Saint Esprit au sein de la Trinité[8].

Ces réunions d'évêques à Alexandrie témoignent de la vigilance d'Athanase. L'auteur des *Lettres à Sérapion*, en

des ariens, qui avaient détenu une église et agissaient encore, deux partis orthodoxes se partageaient l'influence : les eustathiens, favorisés par l'Égypte et l'Occident, et les méléciens, soutenus par les catholiques orientaux. Le synode d'Alexandrie essaya de rapprocher les uns et les autres en définissant au mieux les notions sous-jacentes aux discussions religieuses.

6. On les appelle abusivement, en se conformant aux historiens de l'époque, des « macédoniens », du nom de Macedonius, cet évêque remuant (et intrigant) qui occupa un moment le siège de Constantinople, en fut déposé en 360, mais dont la doctrine, homœousienne, ne paraît pas aujourd'hui avoir spécifiquement visé le Saint Esprit. Le terme de macédonien est commode pour désigner les adversaires de l'Esprit Saint durant les quelque vingt ans qui nous séparent du Concile de Constantinople. Nous ne ferons pas de difficulté à l'employer.

7. ATHANASE, *Epist. ad Jovin.* 1, *PG* 26, 815 B ; 4, 819 A.

8. ATHANASE, *Epist. ad Afros,* 11, *PG* 26, 1047 B.

les écrivant, avait considérablement développé la doctrine pneumatologique, qui, jusque là, était restée dans les limbes. Il avait mis au point, en les noyant un peu, il est vrai, au milieu de considérations secondaires, les notions essentielles de divinité, de consubstantialité (ces deux mots n'apparaissaient pas, nous l'avons déjà dit), d'opération de l'Esprit Saint ; il avait extrait de l'Écriture les textes qui les fondaient et fourni de ceux-ci l'exégèse authentique qui reléguait au bêtisier l'interprétation des hérétiques. C'était un livre utile, une sorte de catalogue d'arguments contre les hérétiques, et l'on peut penser que plus d'un évêque en dehors de Sérapion eut la possibilité de lire ou de faire transcrire à son usage les *Lettres* qui avaient été adressées à l'un des leurs.

Ces circonstances, avec les rapprochements entre les textes que nous serons amenés à constater, permettent de penser à juste titre que Didyme a lu les *Lettres à Sérapion* avant d'écrire son propre Traité du Saint Esprit.

Or Athanase avait sa manière. Écrivant à un correspondant, il adopte un ton familier et didactique à la fois. Il ne se sent pas tenu à un exposé méthodique. Il sait pourtant que ses lettres seront lues à un public qui attend de lui une formule de vérité simple et nette. A ses yeux, la nouveauté de la question demande des explications. C'est alors qu'Athanase s'étire sur la divinité du Fils et que le public ne le suit plus. Sérapion le rappelle donc à la brièveté. Athanase dit bien : « Les frères ont demandé que je résume encore mon exposé... » *(Sérap. II, 1)*, mais la suite de la Lettre montre qu'il n'a pas su le faire ; il se rattrape un peu dans la troisième Lettre, longue encore mais bien sur le sujet. Didyme n'a pas les mêmes impératifs : il écrit pour tout le monde et il ne se sent pas tenu à la brièveté.

CHAPITRE III

DIDYME DANS LE SILLAGE D'ATHANASE

Quoi qu'il en soit des ouailles de Sérapion et de leur accueil aux lettres d'Athanase, Didyme, le moment venu, prit à son tour connaissance des *Lettres à Sérapion*. A lui, celles-ci fournissent une forêt d'arguments et d'idées dont il tirera, à sa manière, ses propres réflexions. On va voir, dans quelques cas précis, comment il se sert de son grand prédécesseur et comment il s'en distingue. Envisageant ensuite l'ensemble des Lettres de l'un et du Traité de l'autre, nous marquerons plutôt les contrastes.

Quelques cas de similitude   • *l'objection des anges.* Les Tropistes, mus par la perversité de leur esprit qui vise à tordre le sens de l'Écriture *(Sérap. I, 10. 21. 30. 32)*, ont lu que saint Paul adjurait Timothée *(I Tim. 5,21)* « devant Dieu, Jésus Christ et les anges... ». Cela avait pour conséquence, disaient-ils, que l'Esprit était compté parmi les anges, qu'il était de leur rang tout en étant supérieur à eux, et que les anges étaient placés auprès du Père, appartenant ainsi à la Trinité *(Sérap. I, 10)*. — Pour s'opposer à « la folie extrême de ces gens » et réfuter les « insanités » qu'imagine « leur cœur corrompu », Athanase ne prend pas moins de neuf pages de l'édition des « Sources Chrétiennes » : elles sont bourrées de textes scripturaires (environ quarante citations, *Sérap. I, 11-14*), qui viennent à bout de cette question des anges. Mais Didyme ne ressent plus l'urgence de l'objection, qu'il connaît cependant. Il lui consacre une demi-page et la tient pour réglée après avoir tout simplement affirmé que les anges n'ont de sainteté que par participation et que, par conséquent, ils ne peuvent pas être de la même substance que la Trinité (*Did.* § *25-26*).

• *l'argument de l'article en grec.* Pour prouver que la Bible distingue l'Esprit Saint de l'esprit ordinaire, Athanase met au défi les hérétiques de trouver un texte où le mot *pneuma* sans article, ou sans addition des mots voulus, puisse signifier l'Esprit divin (*Sérap. I, 4.5.6.7*). Didyme s'est emparé, dès le début, de cet argument qui lui semble péremptoire et il s'en sert une seconde fois au cours de son *Traité* (§ *8 et 73*), mais alors avec une certaine retenue qu'atteste l'emploi d'expressions comme « presque toujours » ou « rarement ».

• *l'objection d'Amos.* Un verset d'Amos à l'usage des hérétiques paraissait une véritable pierre de fronde, car comment les défenseurs de la divinité pourraient-ils échapper à un texte aussi contraignant, littéralement, que celui-ci, où les mots sont mis (*Amos 4,13*) dans la bouche de Dieu : « Me voici, moi,... créant l'Esprit (*pneuma*) et annonçant parmi les hommes son Christ » (*Sérap. I, 3.9.10*). Ce texte est fameux, car il contient deux chausse-trapes, la création de l'Esprit et la subordination du Christ à l'Esprit. Il eût été naïf de s'y laisser prendre : l'intelligence doit sauver de la lettre. Cependant Didyme accorde de l'importance à l'objection (*Did.* § *67-71*), il regroupe les éléments de réponse qu'Athanase avait laissés dispersés et il en profite pour donner une petite leçon d'exégèse. Tous deux estiment, en somme, que l'objection a de la portée et que l'ignorance des fidèles les oblige à une sérieuse réponse. Chez Basile, un peu plus tard (*C.Eun. III,7*), il n'y aura plus qu'une allusion rapide à ce texte ; de même, mais bien plus tard, chez Grégoire de Nazianze (*Disc. 30, 11*)

• *l'argument de la pluralité des sens du mot « pneuma »*. On relève dans les *Lettres à Sérapion, I, 7-8*, un groupe de citations de l'Écriture où apparaissent les divers sens du mot « esprit », sorte de défilé d'une vingtaine de textes où le mot prend des sens différents. Même sorte de défilé chez Didyme (*§ 237-253*), mais plus nourri, plus étudié, plus significatif. On sent que Didyme a travaillé là après Athanase et d'après ce qu'il avait déjà dit.

• *l'objection du « grand-père »*. Qu'on excuse ce raccourci dans le sous-titre ! J'appelle ainsi une interprétation absurde, plutôt bouffonne, des hérétiques, qui, à bout d'arguments, infligent à la Trinité les catégories de la généalogie humaine. Le Père joue donc le rôle d'un Grand-Père qui a un Fils qui lui-même en a un qui s'appelle l'Esprit... Pour reprendre quelques lignes de Didyme, on dira : « Si l'Esprit Saint n'est pas créé, il est ou bien frère de Dieu le Père et oncle du Fils Unique Jésus Christ, ou bien Fils du Christ et petit-fils de Dieu le Père, ou bien lui-même Fils de Dieu et alors Jésus Christ, ayant un autre frère, ne sera plus le Fils Unique » (*§ 269*). Athanase voudrait ne pas prendre au sérieux cette objection, mais il y répond par deux fois (*Sérap. I, 15. 16 ; IV, 2-6*). Il la traite de « plaisanterie impudente » et dit à juste titre qu'en la divinité les choses ne vont pas comme dans la génération humaine : un Dieu transcendant ne saurait entrer en tant que tel dans les catégories humaines. Quant à Didyme, il balaye plutôt d'un revers de la main (*§ 270*) cette ineptie qu'il n'a énoncée que pour qu'on comprenne bien qu'il se tiendrait déconsidéré s'il devait en discuter.

Ces quelques exemples sont suffisants pour inscrire Didyme dans la continuité d'Athanase. Tous deux se tiennent par la doctrine, certes ! — on le voit bien —, mais aussi Didyme recoupe souvent, malgré un itinéraire de pensée un peu différent, le texte d'Athanase pour les idées, les citations bibliques, les arguments, le vocabulaire même. Quand il s'agit des étapes pneumatologiques qui doivent mener à « Constantinople », tous deux y vont du même pas, il n'y a pas à les séparer.

Contrastes entre les deux rédacteurs   Cependant, après qu'Athanase a occupé sa vie à défendre « Nicée » comme une place forte, il est temps pour nous, par delà les querelleurs ariens, ariomanites, tropistes, par delà les Eunome, Eudoxe, Eusèbe, tous nommés par Athanase *(Sérap. I, passim ; II, 3 ; IV, 5)*, et d'autres encore, il est temps de rencontrer un auteur qui libère les intelligences du rationalisme disputeur et ouvre la porte au mystère vivant de l'Esprit. Didyme va rendre ce service à l'âme chrétienne. Il joue de ce fait un rôle important au sein de la communauté alexandrine.

Mais nous aimerions que Didyme marque sa continuité avec Athanase. Or, pas un mot chez Didyme sur Athanase. Didyme ne le cite jamais. D'où vient ? Athanase a pourtant été son évêque. Il est vrai qu'Ambroise, de son côté, n'a pas cité Didyme, dont il s'est abondamment servi pour son *De Spiritu Sancto*. Jérôme s'en est aperçu — ses motifs ne sont pas que littéraires ! — et il n'a pas manqué de dire ce qu'il en pensait... ! Que faut-il penser du silence de Didyme ?

Sérénité   Ce qui frappe d'abord, c'est la *sérénité* de Didyme. Un ton irénique. Plutôt courtois et poli envers ses adversaires.

Alors qu'Athanase est prodigue de ces dénominations ignominieuses ou insultantes qui déconsidèrent l'adversaire (langue de bois de l'époque !), Didyme, sur ce point, est d'une sobriété exemplaire. J'ai relevé dans la seule première *Lettre à Sérapion* plus d'une trentaine de ces locutions venimeuses à l'adresse des hérétiques : audace satanique, démence, disputeurs infectés par la morsure du serpent arien, folie extrême, invention d'impiété, gens infâmes, intelligence corrompue, etc.

Or il n'y a presque rien de cela chez Didyme. Il ne veut pas avoir l'air de prendre la plume contre des adversaires. S'il a quelque occasion de rabrouer l'hérétique, il le fera en termes pondérés. Ces gens-là ont-ils des pensées anthropomorphiques, il leur dira : « Prenez garde de tomber dans la bassesse..., d'aller imaginer... », *§ 89* ; auraient-ils l'idée impensable de baptiser en omettant les prescriptions trinitaires, il dira qu'ils ont « l'esprit complètement dérangé » et qu' « ils s'opposent en législateurs au Christ » lui-même, *§ 101-102*. Sans céder aux exigences de la vérité, c'est mieux considérer la personne de l'objectant. A tant faire que d'avertir ou de reprendre, mieux vaut y mettre les formes !

Aussi bien, exceptionnellement, en témoins du XXème siècle, sommes-nous choqués — mais non pas surpris étant donné le peu de retenue que certains anciens ont parfois donné à leurs propos sur le sujet qui va nous occuper — choqués d'entendre Didyme appliquer « aux Juifs qui crucifièrent le Seigneur Sauveur » ces épithètes, — qui, soit dit en passant, ne nous eussent pas étonnés sous la plume de celui qui sera l'adversaire de Rufin, c'est-à-dire Jérôme, et qui sait s'il n'y a pas un peu du sien dans le choix des mots ! — de gens « sanguinaires et constamment emportés par une frénésie délirante », *§ 216*. Ce style est rare chez Didyme ; à la fin du Traité, lorsqu'il signale l'objection stupide que j'ai appelée celle du « grand-père », il n'a pour les objecteurs que ces mots, des mots de commisération en somme : « Les malheureux ! les misérables ! », *§ 270*. Il savait raison garder.

Étude positive   Sous le ton adouci, *quel ressort d'argumentation* ?

Dans le sillage d'Athanase, la pensée de Didyme ne pouvait pas ne pas recourir, du moins en ce qui concerne la seconde partie de sa démonstration, *§ 74 ss.*, à la structure de la Trinité pour réaffirmer le caractère divin que les hérétiques refusaient au Saint Esprit. Didyme, comme Athanase, invoquera sans cesse l'unité de la Trinité et ne voudra pas utiliser d'autre argument pour s'opposer aux abaissements où les adversaires entendaient maintenir l'Esprit. En cela il est logique, et fidèle à Athanase.

Mais là où il se distingue de son prédécesseur, c'est lorsqu'il se place d'emblée non pas face à une objection, mais en témoin de l'existence et du rôle du Saint Esprit tels que les lui a transmis l'Écriture. Une fois là, il s'y maintient imperturbablement comme seul poste valable d'observation. Il n'ouvre pas un arsenal de combat propre à pulvériser l'adversaire, mais un cours de théologie spirituelle propre à nourrir la foi et l'intelligence du croyant. Il se contentera d'être théologien : il ne dira pas : « détruire la folie de leur hérésie » (*Sérap. II, 1*), mais : « trouver des arguments en faveur de notre foi », *§ 91*.

Athanase craignait toujours que la christologie de Nicée ne sorte affaiblie des atteintes hérétiques supportées par Sérapion. Il lui fallait à tout prix rester sur les positions de Nicée ; il les avait chèrement défendues au prix de ses exils ; il n'allait pas les quitter. Aussi ne peut-on pas lui faire grief d'avoir, dans ses réponses à Sérapion, « délaissé l'Esprit » pour se retourner contre les attaquants du Fils, ainsi qu'il l'avouait lui-même, nous l'avons dit.

Didyme, au contraire, ne dévie pas du sujet qu'il s'est imposé en commençant son livre, *§ 1* : il parlera avec beaucoup d'attention du Saint Esprit. Ce sera son seul sujet. Mais ce qui frappe, c'est à la fois sa tranquillité pour défendre, discuter, argumenter, couper, en somme, les mailles du filet hérétique enserrant le Saint Esprit, et ses efforts lucides pour déployer les états et les richesses de l'Esprit, fixer son origine et ses relations divines, pour proclamer ses charismes, le montrer à l'œuvre dans l'âme des fils de Dieu, et agiter au besoin les sanctions redoutables.

Nous avons de ce fait une étude positive et spirituelle qui va au delà de ce que nous avons rappelé d'Hilaire et d'Athanase. Ces deux auteurs avaient leur manière, plus spéculative et concise chez Hilaire, plus défensive et passionnée chez Athanase ; Didyme a la sienne, plus didactique, un peu traînante, plutôt contemplative. Par ce dernier aspect, nous entendons rejoindre le Prologue de Jérôme selon lequel Didyme « possède l'œil de l'épouse et les lumineux regards que Jésus a prescrit de lever sur les moissons blanchissantes ». Mais s'il est moins habile dans l'art de la présentation, du moins s'est-il efforcé de penser juste, de ne rien laisser en demi-vérité, d'apporter à la foi le témoignage de l'Écriture, et de donner un Traité complet. On ne peut pas lui reprocher d'avoir gardé le silence sur un aspect qui sera mis en lumière au Concile de Constantinople peu d'années après, celui de l'égalité d'adoration et d'honneur due à l'Esprit comme aux autres Personnes de la Trinité. Basile avait forgé le mot qui porte cette signification, *homotimie*. Mais si ce mot avait fleuri sous la plume de Basile, on ne peut pas faire grief à Didyme de ne l'avoir pas employé ; l'Égypte n'est pas la Cappadoce, et ce qui a fleuri là-bas n'était pas encore semé à Alexandrie quand Didyme s'est mis à écrire. Didyme n'était pas hostile à l'unité de glorification, comme pouvaient l'être les adversaires de Basile ; aussi n'a-t-il pas besoin de développer une chose qui allait de soi par tout ce qu'il avait dit sur l'unité de substance. A défaut du mot, Didyme n'a pas ignoré la chose. N'est-elle pas incluse, par exemple, dans ce passage du *§ 131* : « Le mot de Dieu apposé à celui de Père et celui de Seigneur apposé à celui de Fils n'enlève ni au Père la Seigneurie ni au Fils la Divinité, puisque c'est pour la même raison que le Père est Seigneur et que le Fils est Dieu ; de même l'Esprit Saint porte aussi le nom de Seigneur ; et s'il est Seigneur, il est aussi par conséquent Dieu. »

Sérénité et positivité dans l'étude du Saint Esprit caractérisent Didyme et le différencient d'Athanase. Chacun parle selon son caractère et son époque ; selon sa fonction aussi, car le professeur, le chercheur, a une autre visée que l'évêque, maître de doctrine, berger et défenseur du troupeau. L'argumentation peut être la même de part et d'autre, mais les tempéraments apportent des différences. Athanase a parlé le premier, il a arpenté à grande foulée des étendues nouvelles ; Didyme prend la parole quinze ans après, il pèse, il range, il émonde : ainsi apparaît l'antériorité du texte d'Athanase, une emprise rapide sur le terrain ; ensuite, c'est un autre qui vient tirer de plus justes cordeaux. Peut-être Didyme est-il moins habile, moins vif, mais il est bien dans le sillage d'Athanase. Il profite de lui, mais s'efforce et chemine autrement. Des années — quinze peut-être — ont passé entre les deux : le style a changé. Influence étrangère ? Non, car celui qui aurait pu prétendre à cette influence, Basile, est en train d'écrire son *Traité du Saint Esprit*, de l'achever peut-être, mais Didyme ne le connaît pas. Pas encore. Plus tard, l'égyptien appréciera le cappadocien. Pour le moment, inutile de chercher des interférences avec les cappadociens. Ce ne sont que des recoupements avec Athanase qu'il est possible et utile de signaler.

CHAPITRE IV

LE TRAITÉ DE DIDYME SUR LE SAINT ESPRIT

Occasion Si l'on connaît bien l'occasion qui fit écrire Athanase sur le Saint Esprit, il n'en est pas de même pour Didyme. Ce que nous pouvons savoir à ce sujet est tiré du Traité lui-même. Les documents extrinsèques ne nous fournissent aucun renseignement : ni Jérôme, qui traduisit après 385 le traité en latin — et de qui, seule, la traduction nous est restée au détriment de l'original grec perdu —, ni Ambroise, qui utilisa le texte grec, abondamment, pour son propre traité du Saint Esprit en 380, ni Basile qui écrivit en 375 son *Traité du Saint Esprit* à peu près en même temps que Didyme écrivait le sien, ne nous ont rien dit à ce sujet.

Didyme, quant à lui, fait comprendre seulement que ce n'est pas le premier de ses ouvrages, puisqu'il dit avoir déjà composé un volume *De sectis* (*§ 19 et 93*) et un *De dogmatibus* (*§ 145*), dans lesquels il avait touché à des questions pneumatologiques. D'autre part, dès l'entrée en matière *§ 2*, il fait allusion à un groupe de « frères », familiers ou disciples, ceux-là mêmes, peut-on penser, que les papyrus de Toura nous montrent interrompant l'exégète au cours de l'interprétation des Livres Saints ; ces « frères » zélés et avides de vérité le pressent de faire entendre une doctrine exacte et ferme sur le Saint Esprit, car beaucoup de fidèles, moins instruits de l'Écriture, ont

besoin de textes et d'arguments pour résister aux détrac-
teurs du Saint Esprit ou, comme il le suggère à la fin du
§ 2, pour ne pas naïvement emboîter le pas à leurs
adversaires. Cette sollicitation pressante de l'entourage
de Didyme fait conjecturer une situation semblable à
celle où l'on se trouvait au temps de Sérapion quelques
années plus tôt. Mais, aujourd'hui, le territoire où règne
la contestation a pris de l'importance : la petite ville de
Thmuis a cédé la place à Alexandrie, où réside notre
aveugle, et les adversaires, qu'aucun nom ne désigne —
Didyme ne connaît apparemment ni « tropistes » ni « macédoniens » —, sont probablement plus avisés et certainement plus nombreux. Athanase est mort en 373 ; n'est-
t-on pas en droit de s'étonner que Didyme ne fasse
mention nulle part de celui qui écrivit avant lui et qui
était encore son évêque dans des années toutes récentes... ? Didyme donc entreprend d'expliquer de manière orthodoxe le mystère chrétien de l'Esprit Saint ;
malgré sa timidité et le sentiment de son insuffisance, *§ 2
et 277*, il fera de son mieux, *§ 174*. Il le fera dans le
respect de la Tradition et de l'Écriture : de la Tradition,
car il sait que plus d'un Ancien — est-ce Athanase auquel
il pense ? — a déjà parlé sur le sujet, *§ 2*, et de l'Écriture,
car, malgré sa cécité, il la connaît assez et possède assez
le sens de la foi, *§ 277*, pour ne pas céder aux subtilités
des dialecticiens, *§ 172*, et se laisser entraîner « dans le
gouffre de l'erreur », *§ 256*. S'il faut ensuite donner
d'autres explications, il est prêt à le faire si le Christ veut
bien le lui accorder quand le moment sera venu, *§ 251*.

Peut-être annonce-t-il par là quelque développement
qu'il a pour lors en tête. En tout cas, il n'a pas manqué
l'occasion, plus tard, vers les années 385, dans son grand
ouvrage *Sur la Trinité*[1], de renvoyer explicitement deux

---

1. Je reviens sur l'authenticité de cet ouvrage plus bas, à la
note 1 du *§ 65*, considérant actuellement qu'il appartient à Didyme.

fois à son *Traité du Saint Esprit*[2] et de formuler ici et là avec plus de précision, ou plus de développements, des idées reprises du *Traité du Saint Esprit*. Plus bas, des notes de la traduction française mèneront utilement le lecteur à la comparaison entre les textes parallèles des deux livres, et il sera possible de mesurer les progrès de la rédaction postérieure.

Composition Le *De Spiritu Sancto* se développe tout d'une pièce. Les manuscrits ne connaissent ni division en trois chapitres[3], ni partage en 63 paragraphes comme on trouve dans Migne ; ceux-ci ont été le fait progressif des éditeurs : Margarin de la Bigne en créa huit en 1575, Martianay fit les autres en 1706, Vallarsi les numérota en 1735. Migne ne fait que les reprendre à Vallarsi. Ils sont trop longs pour servir commodément aux renvois ; ils ne sont pas, non plus, tous judicieusement coupés, voyez ici aux *§ 108 et 257*. Il nous a donc semblé utile d'habiller le texte en paragraphes courts et de les tailler en suivant à petit pas autant que possible la marche des idées[4]. Nos 277 numéros supplantent donc, dans l'usage des références, les 63 numéros de Vallarsi ; mais nous avons maintenu ces derniers dans le texte, en italique et entre crochets.

A première vue, l'œuvre se découpe en trois blocs, qui offrent autant d'aspects différents : le premier *§ 1-174*,

2. Cf. *De Trinitate*, III, 16, *PG* 39, 872 B ; III, 31, id. 949 C.
3. Il y en eut toutefois dans la première édition de 1500, ils sont dus à un seul manuscrit, tardif, le *Vaticanus Reginensis lat. 228*, de la fin du XVe siècle ; ce manuscrit appartient à Jean, puis Guillaume Budé. C'est sur lui qu'apparaît l'essai de division en trois chapitres et c'est de lui que cette division passa dans l'édition de Benet en 1500 ; cf. mon article dans les *Rech.Sc.Rel.* Tome LI, 1963, p. 392-393.
4. Nous reconnaissons qu'il a été parfois difficile d'établir la césure entre deux numéros, la fin de l'un pouvant servir de début à l'autre, ou inversement.

d'exposition ; le second *§ 175-230*, d'exégèse ; le troisième *§ 231-277*, de réflexions complémentaires à tendance légèrement polémique. Cette tripartition, accusée en *§ 174* par une conclusion provisoire et en *§ 231* par une transition particulière, indique que Didyme ne rédigea pas l'ensemble d'un seul élan.

Premier bloc Quand il eut fait le tour des problèmes théologiques posés par l'existence du Saint Esprit, d'abord considéré à part, *§ 10-73*, puis en communauté de Trinité, *§ 74-174*, expliquant la nature, les attributs, le mode d'opération, l'origine, l'envoi, la mission de l'Esprit *§ 10-131*, fouillant les textes, principalement johanniques, qui confirmaient et prolongeaient les notions exposées dans les pages précédentes, *§ 132-173*, et que, de tout cela, ressortait à l'évidence que l'Esprit était Dieu, *§ 131, 139, 159, 166*[5], et qu'il l'était indivisiblement avec le Père et le Fils, Didyme s'arrêta, comme s'il avait enfin accompli sa tâche, et il dicta une conclusion *§ 174* : il en avait assez dit, il laissait la plume à d'autres, il demandait pour lui l'indulgence de ses lecteurs.

Cette longue rédaction du premier bloc, enfermée entre les *§ 10-174*, uniquement occupée à décrire et établir l'identité et l'action divines de l'Esprit, apparaît comme un tout homogène. D'allure théologique, utilisant avec modération, selon la nécessité, des notions communes de philosophie, de dialectique, de grammaire, de sciences naturelles, elle donne l'impression d'un traité complet, appliqué à détailler et démontrer les richesses de la foi en l'Esprit, sans se soucier beaucoup de l'ordre et de l'organisation du discours (cf. la finale *§ 277*) ; elle en arrive par le jeu même des associations d'idées à quelques

5. Autre affirmation de cette divinité au *§ 224*, hors du cadre ici envisagé.

approches nouvelles du mystère, spécialement de la procession divine, sans que jamais ce mot n'apparaisse. Les idées principales toutefois sont à peu près mises en ordre, comme on le verra dans le plan succinct donné plus bas, et elles sont scrupuleusement appuyées sur de nombreuses citations de l'Écriture. Il semble qu'il n'y ait rien à ajouter ou du moins que ce que l'on ajoutera viendra de surcroît.

Deuxième bloc C'est précisément ce qui apparaît à la suite, dans le deuxième bloc, *§ 175-230* : le ton et l'allure de la rédaction laissent comprendre que l'on se trouve en présence d'un nouvel apport rédactionnel, exégétique celui-là.

Nous nous posons alors les questions suivantes : Didyme a-t-il trouvé que le début, *§ 10-174*, noyau de sa pensée, était trop grêle pour la publication d'un sujet si important ? A-t-il été averti que son rouleau de papyrus était insuffisamment entamé, puisque c'est seulement au *§ 257* qu'il constatera que « la dimension de son volume » arrive vers la fin ? ou bien avait-il tout prêts par occasion des essais d'exégèse — il sera grand exégète plus tard — sur l'*Épître aux Romains*, *§ 175*, et sur *Isaïe*, *§ 197*, et lui a-t-il suffi de quelques adroits arrangements pour les glisser dans le cadre de son discours[6] ? Il faut avouer que, si le chapitre de saint Paul, *§ 179*, ne détonne en aucune façon par son sujet, bien qu'il soit exégétiquement étudié pour lui-même comme un morceau indépendant, le texte d'Isaïe, par contre, est dans son ensemble étranger au sujet du Saint Esprit, voyez par exemple, *§ 204*, les réflexions sur le juste juge-juge bon ; cependant Didyme

6. Remarquer, par exemple, cette expression au *§ 204* : « le texte du prophète dont nous nous occupons maintenant » ; c'est une formule de commentaire, comme si Didyme, indifférent au Saint Esprit, n'avait dans l'idée que l'explication en cours d'un prophète, — Isaïe en l'occurrence.

l'y rattache — très artificiellement —, car il a saisi au verset 10 le nom de l'Esprit Saint, ce qui lui permet honorablement, *§ 212*, de légitimer à peu de frais des explications que nous jugeons, nous, entièrement inutiles, et que lui-même, du reste, a taxées de « digression », *§ 231*. Car les développements sur l'unité des deux Testaments, *§ 203-205*, sur le Sauveur du monde, *§ 206-210*, et bien davantage l'excursus sur l'errance du peuple juif, *§ 215-220*, comme aussi l'enseignement sur l'Homme-Seigneurial, *§ 226 ss.*, n'ont rien à faire dans un *Traité du Saint Esprit*. On ne peut que regarder cet ensemble comme une pièce rapportée.

Troisième bloc Si bien que, au *§ 231*, nous nous trouvons au commencement d'un troisième apport rédactionnel, qui, malgré son disparate, peut prendre l'allure d'un tout. Il se scinde en effet lui-même en trois éléments :

— d'abord quelques mots de récapitulation (« nous savons que... », *§ 231* ; « plus haut nous avons montré... », *§ 234* ; « nous avons déjà exposé plus haut... », *§ 236*) avec une sorte d'essai ouvrant sur le rôle sanctificateur des trois Personnes divines ; sans prolongement.

— ensuite une transition banale accroche le mot *esprit* et nous amène à des explications supplémentaires sur la polysémie de ce mot, *§ 237-257*. Didyme avait pu en trouver l'idée embryonnaire dans les *Lettres à Sérapion* (*Sérap. I,7-8*). A l'évidence, le sujet intéresse Didyme qui le développe largement, tout en le traitant d'une manière plus stricte à la fois et plus étoffée que saint Athanase, et en demandant au Christ de lui permettre de revenir plus tard sur cette question, *§ 251*. Nous avons affaire, là, à la curiosité de Didyme, toujours en éveil sur les particularités du langage[7], comme nous avons déjà re-

7. Cf. *§ 67-73, 155-156, 167, 200, 225*.

marqué son penchant pour l'exégèse. Ici, c'est avec une sorte d'alacrité intellectuelle qu'il développe la polyvalence du mot *esprit*, ce lui sera donc un appendice tout trouvé pour un traité de pneumatologie.

— Après cette question de polysémie, nous abordons une sorte de corollaire, qui semble avoir été suggéré à Didyme par une personne de son entourage, une de celles qui devaient subvenir à la défaillance de ses yeux : comment le diable, qui n'est pas une substance incréée, peut-il pénétrer dans les âmes, alors que Didyme avait réservé cette capacité, *§ 30-34*, à l'Esprit Saint ? La réponse était facile à donner, mais elle permit à Didyme de fournir l'exégèse de quatre cas bibliques, — encore un trait de son penchant d'exégète-commentateur.

— Un quatrième élément pourrait être ajouté à notre bloc. Mais il est repoussé par Didyme avec tant d'indignation qu'il est inutile d'en faire grand cas. C'est ce que nous avons appelé l'*objection du « grand-père »*.

A la suite de quoi, comme dans une bonne dissertation, prend place la conclusion, *§ 272-277*, une conclusion sobre et modeste, qui rappelle la manière de l'Introduction, *§ 1-2*, et suscite finalement de notre part une juste sympathie.

Répartition   Cette présentation des trois grands blocs accolés n'empêche pas que Didyme ait su les agencer de manière à procurer une unité à l'ensemble. Recollés sans discontinuité, ils forment un tout. Pour la présentation moderne dans notre édition, nous nous sommes senti autorisé par la transition du *§ 132* à marquer une section, que nous avons intitulée « Témoignages scripturaires ». En réalité, dans cette nouvelle section, les *§ 132-174* sont plus étroitement liés à ce qui précède que les *§ 175-230*, qui nous apparaissent comme des ajouts postérieurs (tout en étant bien de Didyme lui-même). De la sorte, les grands textes de *Jn*

15, *Jn* 16, *Rom.* 8 et *Isaïe* 63, qui se succèdent comme quatre études d'exégèse, apparaîtront groupés par leur nature même.

Nous aurons donc la répartition suivante pour l'ensemble du Traité :

I. — Introduction, § 1-9.

II. — Nature et activité du Saint Esprit, § 10-131.

Le Saint Esprit en lui-même, § 10-73.

Le Saint Esprit au sein de la Trinité, § 74-131.

III. — Témoignages scripturaires, § 132-230.

Jean 15, *Jean* 16, § 132-174.

Romains 8, *Isaïe* 63, § 175-230.

IV. — Réflexions complémentaires, § 231-271.

V. — Conclusion, § 272-277.

Après ce plan de masse, voici le plan détaillé dans les pages qui vont suivre. Nous y avons inscrit en titres et sous-titres les principales idées qui se dégagent à la lecture et qui pourront servir de fil directeur. Le développement, chez Didyme, progresse lentement. Son texte est en effet souvent coupé de citations scripturaires sur lesquelles il s'attarde. Il revient sur les mêmes thèmes selon le jeu des citations. Il n'a cure de la complication de ses syllogismes : c'est tout un art que de le suivre dans les méandres de sa pensée aux prises avec l'interprétation des textes.

AVIS AU LECTEUR

Avant le plan détaillé, nous attirons l'attention sur ses énoncés : titres et sous-titres indiqués ici ne sont pas — pas toujours — ceux-là mêmes qui sont indiqués en manchette dans le texte français. Les manchettes résument parfois toute une séquence que nous avons fractionnée ici dans le plan ; d'autres fois, elles cernent mieux une idée particulière. De toute façon, les numéros des paragraphes favorisent la rapidité de la recherche.

CHAPITRE V

PLAN DU TRAITÉ

INTRODUCTION [1-9]
Traiter du Saint Esprit, affaire importante et redoutable [1-2]
Notion religieuse, propre à la Sainte Écriture, A.T. et N.T. [3-9]

L'ESPRIT SAINT [10-131]

A. — NATURE [10-73]
   – Incorporel [10-15].
   – Immuable, il se donne sans s'appauvrir [16-20].
   – Sans limitation, il est présent à tous ceux qu'il sanctifie [21-24].
   – Il est différent des anges, qui sont des créatures [25-26].
   Prise à partie de « certains hérétiques » [27].
   – Il peut « remplir » les créatures sans s'aliéner [29-34].
   – Il est la substance des dons de Dieu [35-39].
   Il donne la sagesse, qui est spirituelle [40-43].
   Il donne tous les autres biens de Dieu [44-49].
   Il est l'« effusion », ou abondance du don [50-53].
   – Il est participable, donc incréé [54-59].
   – Il ne se « connumère » ni avec les créatures visibles [60-61], ni avec les invisibles [62-64].
Objection des hérétiques, tirée d'*Amos 4,13* : « Dieu a créé l'esprit » [65-66] !
   Réponse : il faut savoir interpréter l'Écriture [67-72] ;
      – chez Amos, « *spiritus* » = le vent [67] ;
      – Amos exalte le rôle du Créateur [71] ;
      – il faut tenir compte de l'article en grec [73].

B. — AU SEIN DE LA TRINITÉ [74-95]
 – Avec Père et Fils communauté d'action pour la communication de la grâce [74-80].
  De l'unité d'opération à l'unité de substance [81].
   Appui sur *Actes 5,3-4*, et sur *Luc 21,14* [82-84].
 – Avec Père et Fils communauté de nature et de volonté
  dans la transmission de la sagesse. D'où unité de substance
  [85-86].
 – Avec Père et Fils communauté de puissance [87].
   L'Esprit Saint, doigt de Dieu, *Luc 11,19-20* [88].
   « Doigt » à ne pas interpréter anthropomorphiquement
   [89].
 – Avec Père et Fils communauté de sagesse [92].
   Communauté substantielle [93-94].
   Sceau de l'image de Dieu, sceau de la foi [95].

C. — OPÉRATION [96-110]
 – Avec Père et Fils communauté de distribution des dons.
   Le Fils par l'Esprit multiplie la multiplicité des dons
   [96-97].
 – L'Esprit jouit de la même autorité que le Père et le Fils
  [98] :
   pour appeler des apôtres au ministère [99] ;
    d'où reconnaître la « non-différence » en la Trinité
    [100].
   dans l'octroi du baptême [101-103] ;
   dans l'organisation ecclésiastique selon *I Cor.12,28*
   [104] ;
    une seule approbation fait conclure à une seule substance [105] ;
   dans l'inhabitation divine au cœur des croyants [106-
   108] ;
    inhabitation substantielle seule possible à l'incréé
    [109].
  Tout cela fait dire que l'Esprit est co-incorruptible et coéternel [110].

D. — ORIGINE, ENVOI ET MISSION [110-131]
 – Issu du Père, l'Esprit envoyé par le Fils est le Consolateur,
  Jn 15,26 [110].

– La « sortie » [111-116] :
  – telle que peut le faire un être ayant avec le Père et le
  Fils une nature indivise, mais étant envoyé sans en être
  séparé ni divisé [111] ;
  – ni locale ni corporelle [112],
  – mais d'une manière ineffable semblable à celle dont le
  Fils a porté l'attestation pour lui-même [113-114].
  – sortie d'auprès du Père comme parent [114-116].
– L'envoi :
  L'Esprit provient d'une même volonté du Père et du
  Fils [117].
  L'Esprit est envoyé d'en haut avec le Fils [118-119].
  Différence d'opération, non de nature, entre l'envoi d'un
  autre Paraclet par le Père et l'envoi par le Fils [120-
  121].
– Différence d'opération, non de nature, entre rôle du Fils,
  légat, et rôle de l'Esprit, consolateur [122].
  Ou rôle de l'Esprit légat et rôle du Fils consolateur
  [123].
– Le Père, Dieu de toute consolation, donne l'Esprit conso-
  lateur avec le Sauveur [124].
– Mission de l'Esprit : inspirer les prophètes dans l'opération
  prophétique [125-129].
  Or toute prophétie vient du Seigneur (*Isaïe*) ; le Seigneur
  et l'Esprit n'ont qu'une seule volonté et une seule nature
  [130].

EN CONSÉQUENCE DE QUOI :
  L'Esprit est SEIGNEUR ; il est DIEU [130-131].

TÉMOIGNAGES SCRIPTURAIRES [132-230]
Jn 15,26 [132-145] ; *Jn 16,12-15* [146-174] ; *Rom.8,4-17* [175-
196] ; *Isaïe 63,7-12* [197-230]

A. — Retour à *Jn 15,26* [cf. 110] dont Didyme s'est écarté
[132].
Alors que le Fils vient au nom du Père, l'Esprit est envoyé par
le Père au nom du Fils ; il est Esprit du Fils [133-139].
Envoyé, l'Esprit enseigne, comme le Fils, non par méthode mais
par nature, en tant que Dieu [140-143].

Envoyé, l'Esprit possède, comme le Fils, la puissance divine d'opération : il est créateur puisqu'il est « de même substance » que le Père et le Fils [144-145].

B. — Témoignage de *Jn 16,12-15* sur l'Esprit de vérité [146-174].

Envoyé, l'Esprit rend spirituels les croyants en les faisant accéder à toute la vérité [146-152].

Envoyé, l'Esprit de vérité ne parle qu'en accord avec la volonté du Père et du Fils [153-154].

Leçon de langage pour expliquer comment Dieu parle [155-157].

L'Esprit, étant lui-même ce qui est proféré par le Fils, ne peut que dire et agir comme il voit dire et agir Père et Fils [158-163].

L'Esprit reçoit du Fils sa substance, comme le Fils reçoit la sienne du Père ; ils ont tous trois la même nature [164-166].

Impropriété du langage humain pour parler de la Trinité [167].

Glorification réciproque du Père, du Fils et de l'Esprit [168-169].

Possession réciproque des biens à l'intérieur de la Trinité [170-173].

Didyme marque un temps d'arrêt après cette exégèse de l'Évangile et s'excuse des « pauvres résultats » atteints [174].

C. — Témoignage de l'Apôtre : l'adoption divine par l'Esprit [175-196]

Texte de *Rom.8,4-17* [175-179]

Les aspirations de l'Esprit tendent à nous unir au Seigneur [180-184].

Etre au Christ ou être à Dieu, c'est avoir en soi l'Esprit Saint, à cause de leur communauté inséparable [185-191].

L'Esprit d'adoption, qui nous fait passer de la mort au péché à la vie d'enfants de Dieu, nous rend héritiers de Dieu et cohéritiers du Christ [192-196].

D. — Témoignage d'Isaïe : l'enseignement de l'A.T. sur l'Esprit Saint est conforme à celui du N.T. [197-230].

– Texte d'*Isaïe 63,7-12* [198].

– Justice, miséricorde : bienfaits du Seigneur [199-202].

- Dénonciation des hérétiques qui dénient la bonté au Dieu de l'A.T. [203-205].
- Bonté du Seigneur qui sauve par lui-même et par son Fils livré à la mort [206-211].
- Irritation de l'Esprit devant les péchés des hommes (*Isaïe 63,10*) [212-214].
- Conséquence de cette irritation :
  a) exil, errance et châtiment des Juifs en attendant la plénitude du salut [215-219].
  b) les prévaricateurs perdent l'Esprit Saint [219-223].
- L'Esprit Saint dans les croyants [224-225].
- Explication à propos de la « droite » de Dieu, puissance qui s'exerce en faveur du Fils Unique, « Homme-Seigneurial », qui a reçu communication de l'Esprit Saint et qui le répand [225-230].

RÉFLEXIONS COMPLÉMENTAIRES [231-271].

A. — Consubstantialité de l'Esprit avec Père et Fils prouvée par le rôle sanctificateur de l'Esprit [231-237].

B. — Les divers sens du mot « esprit » [237-253] :
- le vent [238] ;
- l'âme [239] ;
- l'esprit de l'homme [240-243] ;
- les puissances supérieures raisonnables, bons anges [244] ;
- les esprits impurs [245] ;
- les démons [246] ;
- la volonté humaine et le jugement personnel [247-248] ;
- l'intelligence des Écritures (opp. à la « lettre ») [249-250] ;
- le Fils de Dieu [252].
Homonymie et synonymie [253].
Honte et châtiment pour les hérétiques qui confondent impudemment les sens du mot « esprit » [254-257].

Deux objections :

C. — Satan est dit « remplir le cœur » : il agit donc comme l'Esprit Saint. Or en 30 et 34, en 106-110, Didyme a dit que c'était impossible. Qu'en penser ? [258]
- Cas d'Ananie, *Act.5,3* [259-260].

- Cas d'Élymas, *Act.13,10* [261].
- Cas de Judas, *Jn 13,27* [262-265].
- Cas des vieillards, accusateurs de Suzanne [266-267].
  Réponse : Seule, la Trinité pénètre quelqu'un substantiellement [268].

D. — Autre objection, « inepte et abominable » : l'Esprit Saint est frère du Christ ou petit-fils de Dieu le Père [269-271].
   Réponse : La Trinité transcende les catégories humaines [271].

CONCLUSION [272-277]

Rappel de l'irrémissibilité du blasphème contre l'Esprit, c'est-à-dire contre Dieu [272-276].
L'auteur proteste de sa foi, de sa bonne volonté, des limites de son langage et demande l'indulgence de son lecteur [277].

CHAPITRE VI

LA THÉOLOGIE DU TRAITÉ

Le militantisme d'Athanase ne convient pas au pacifique Didyme. La théologie du *Traité du Saint Esprit* peut donc être évaluée sans que l'on ait à éliminer à tout instant les heurts avec des adversaires. Nous avons relevé dans une note du *§ 2* les quelques déviations hérétiques que Didyme signale en cours de rédaction ; en comparaison d'Athanase, il y en a peu et, en dehors de Sabellius, *§ 161*, elles ne comportent pas de nom propre ou de nom de secte ; il y en aura, au contraire, beaucoup dans le *De Trinitate*, qui sera écrit après 390, une quinzaine d'années plus tard. Et nous ne savons pas ce que comportait le *De sectis*, évoqué deux fois par Didyme dans le *De Spiritu Sancto*.

Didyme parle dans la foi, selon la catéchèse qu'il a reçue. Mais comme il a passé par les écoles, sa culture profane lui donne le moyen d'exprimer sa pensée selon les normes de la rhétorique. Il fera plusieurs fois des réflexions à teneur grammaticale ou logique, *§ 66, 67, 73, 189, 193, 253* ; en prenant congé de son lecteur, il s'excusera d'être dépourvu « d'aisance dans le maniement de la rhétorique », *§ 277* ; mais ce qui lui importe est de « comprendre les textes selon la foi », *§ 277*.

Il annonce donc son sujet : « L'Esprit Saint » ; le sujet est délicat, redoutable même, dit-il, par crainte des erreurs toujours possibles qui pourraient tourner au blasphème. C'est pourquoi Didyme prendra garde à être fidèle à l'Écriture Sainte et à la Tradition, cette dernière étant signifiée par l'évocation de l'« Ancien » qui figure au *§ 2*.

L'Écriture lui fournit son donné. Elle mentionne, elle seule à l'exclusion des livres profanes, un *Esprit*, qui est *Saint* et qui *se communique* à des personnages de l'Ancien et du Nouveau Testament, à David aussi bien qu'à saint Paul. Inutile de fournir des citations ; la Bible en foisonne ; le lecteur saura bien, écrit Didyme, les trouver tout seul, *§ 5*.

Or cet Esprit est *unique*. Hier et aujourd'hui c'est le même. Il n'y en a pas deux. La langue grecque, à travers saint Paul, indique bien qu'il est seul et unique, car elle emploie à son sujet l'article défini, et non l'article indéfini qui vaudrait pour plusieurs, *§ 8*.

Cela étant, il s'agit maintenant de définir cet Esprit. Remarquer que, par méthode, Didyme le considère d'abord seul, à part, indépendamment du complexe trinitaire ; il se réserve une place plus étendue dans la seconde section, pour en traiter comme élément de la Trinité ; il le laisse entendre à demi-mot au *§ 9*.

I. L'ESPRIT SAINT EN LUI-MÊME

Un être spirituel Qu'est-ce donc qu'un esprit ? qu'est donc l'Esprit Saint ?

Les qualités de l'être spirituel auxquelles Didyme se reporte, *§ 10* et suivants, ne présentent pas de nouveauté par rapport à ce qu'ont dit ses prédécesseurs ; elles sont cependant groupées et ordonnées d'après ce que lui ont suggéré ses lectures, qu'elles fussent de l'Écriture, ou d'Origène — source certaine mais lointaine de notre aveugle — ou d'Athanase.

Nous savons d'autre part que les écoles enseignaient les catégories d'Aristote ; c'est de là que parvenaient à Didyme, comme aux autres, par les voies de la connaissance ordinaire, toutes ces notions philosophiques qui lui sont si utiles comme soubassement de sa pensée. Elles joueront leur rôle jusqu'à la fin : ce que nous appelons la « procession » par exemple, mais que Didyme ne nomme pas, ne pourra être établi que sur la base de la substance incréée, *§ 111* et suivants.

Énumérons ici toutes celles qui apparaissent dès les premières pages et qui sont indispensables pour les raisonnements de la suite : notions de substance incréée et créée, d'incorporel et de corporel, d'immuable et de changeant, d'illimité et de circonscrit, de participable et de participant, toutes notions qui peuvent être dites de philosophie. Mais Didyme ne s'attarde pas sur le plan profane. Chacune de ces notions se trouve étoffée de textes scripturaires et de considérations chrétiennes qui la haussent au niveau de la théologie.

Le don de Dieu Dans ce contexte, une des idées maîtresses du théologien Didyme est d'affirmer selon l'Écriture que le Saint Esprit est substantiellement le don de Dieu, non pas *un* don, mais *le* don par excellence, en lequel se trouvent tous les biens spirituels qu'une âme peut recevoir en participation, et tout spécialement la sainteté, *§ 11, 14, 16*, etc.

Mais ce qui intéresse Didyme pour le moment, ce n'est pas la réception de ces dons par une créature, — il y viendra, brièvement, beaucoup plus tard, notamment dans ses exégèses de *Rom.*8,4-16, *§ 179-196*, et d'*Isaïe* 63,7-12, *§ 199-223*, qui représentent en quelque façon la partie morale de son Traité ; ici, il entend rester sur un plan fondamental — ; il veut donc affirmer l'existence d'un réservoir infini de grâces, inépuisable, continuellement offert et continuellement répandu, dont la substance et toutes les modalités sont divines. Cela établi, il replacera spéculativement, à partir du *§ 74*, l'Esprit Saint dans son cadre naturel, au sein de la Trinité ; il en fera alors aussi le distributeur par excellence de ses biens, *§ 96-97*.

Cependant l'Écriture et la réflexion permettent de pousser plus loin la connaissance de l'Esprit considéré en lui-même. En fonction des notions énumérées plus haut, le voici dans sa nature d'incorporel et d'invisible, *§ 10*, de sanctificateur immuable et dispensateur de la science divine, *§ 11*, de substance de tous les biens, *§ 12*, de créateur de la sanctification à laquelle il fait participer, *§ 14*, donnant tous ses biens sans s'appauvrir d'aucun, *§ 18-19*, et, parce qu'il est indivisible, atteignant tous les lieux et tous les participants à la fois, *§ 21, 36*, — ce en quoi les anges, qui ne peuvent y aspirer, sont tout à fait différents de lui par la nature, *§ 25-26* ; ce dernier point s'adresse aux hérétiques, *§ 27* ; on se souvient du ton et des longueurs d'Athanase à ce sujet ; mais, comme on peut le lire ici, Didyme interpelle les hérétiques sans bravade, avec le seul souci de leur opposer par sa démonstration même des arguments péremptoires ; voir le dilemme au *§ 27* et le cours sur les anges, *§ 58-60*.

Communication du don   A la communication de l'Esprit, Didyme accorde une grande importance et met en valeur un mot qui qualifie l'action de l'Esprit : il « remplit ». Le mot vient de l'Écriture, *§ 32-33*. Nous pouvons donc, sans timidité, passer à l'idée de « remplissage ». Remplissage qui est, ou qui peut être, suivant la diversité des actions, *§ 36* : de sagesse, de science, de foi, de vertu, *§ 34* ; d'habileté dans les discussions sur la foi et de force dans la réfutation des contradicteurs, *§ 41* ; de sagesse spirituelle et intellectuelle, *§ 43* ; de rectitude dans la foi, *§ 44* ; de tous ces dons que saint Paul a énumérés, *§ 38* ; en un mot, de la grâce, qui est la profusion de tous les biens de Dieu, *§ 35*. Plus loin, récapitulant cette notion de la grâce pour manifester le caractère absolument plénier du don et le placer au dessus de tout ce qu'on imagine, Didyme s'exprime de la sorte : « Le Père par son opération produit en plénitude la multiplicité des dons et, toute subsistante qu'elle soit, le Fils la multiplie par l'Esprit Saint », *§ 96*. En somme, l'infini multiplié par l'infini. Nous savons mieux désormais comment Didyme « élève bien plus haut ses regards », comme le disait Saint Jérôme.

Ce n'est pas tout. Dans son énumération, assez difficile à mettre en ordre, des dons, des biens, des bienfaits, des largesses de l'Esprit — tous ces mots s'équivalent en libéralité — Didyme ajoute, comme pour donner un environnement psychologique et social aux interventions de l'Esprit, le climat de joie et d'allégresse, de paix et de sérénité, d'espérance — ce dernier mot au *§ 44* n'est pas un des mots forts de Didyme, raison de plus pour le souligner — , dans lequel elles se produisent, *§ 44*, et il cite d'autre part comme une grâce qui lui paraît particulièrement importante l'introduction par l'Évangile de la vocation des Gentils, *§ 46*. Élargissant encore le cercle des bienfaits de l'Esprit, c'est à « toute chair », *§ 49*, à « toutes les nations », *§ 52*, qu'il nous demande de songer, puisque Joël a dit au nom de Dieu : « Je répandrai de mon Esprit sur toute chair », *§ 49*.

L'effusion   De là à se résumer, Didyme se fixe sur le mot de « répandre » que Joël a employé, et c'est par lui qu'il aboutira au mot d'« effusion » pour indiquer le mode spécial par lequel tous les dons spirituels parviennent aux hommes. « Le mot d'*effusion*, dit-il *§ 52*, indique qu'il s'agit de l'abondance du don, de son ampleur et de sa richesse », et en *§ 53* : « Le mot répandre indique une large communication de l'Esprit. » Pour couronner le tout, il n'omet pas le sceau de l'Esprit, empreinte et gage de notre héritage spirituel, *§ 20.*

« Répandre », « effusion », « profusion », « abondance », à ces mots l'imagination religieuse de Didyme entre en action, oh ! sobrement, et il recourt pour se faire comprendre — dans la longue série des Pères de l'Église, il n'est pas le premier à le faire, ni le dernier... — à l'image du parfum répandu, que lui propose le *Cantique des Cantiques 1,2.* Mais il soigne sa comparaison ; l'aveugle en lui tressaille à ce qui touche son odorat : il nomme l'onguent, le flacon, le parfum, l'exhalaison, *§ 51.* Il nous est ainsi permis de humer ici, exceptionnellement, quelque chose de la vitalité sensible de Didyme enfermée derrière l'opacité de ses regards.

Caractère incréé de l'Esprit Saint C'est à la suite, ou peu après ces réflexions, que Didyme entame l'exégèse d'*Amos 4,13,* dont nous avons parlé. Elle n'ajoute rien à la démonstration précédente, mais, résolvant une objection, elle confirme le caractère non-créé, divin par conséquent, de l'Esprit Saint. Il est donc bien entendu au terme de cette première partie, *§ 10-73*, que l'Esprit Saint est Dieu. Si la formule n'est pas dite ici, on en trouve pourtant l'équivalent sous d'autres formes sur le sens desquelles un esprit ordinaire ne peut pas hésiter.

Cependant la démonstration de Didyme portait sur le point précis où les hérétiques avaient concentré leurs attaques : ils disaient, utilisant toute espèce de sophismes, *§ 172*, que l'Esprit Saint était une créature, *§ 65.* Il fallait donc leur enlever le moyen de démontrer une telle contre-vérité.

De quelle façon ? En rendant lumineux par la vérité affirmée, démontrée, expliquée, tous les chemins par lesquels l'Écriture avait fait passer l'Esprit Saint. C'est pourquoi le débroussaillage d'idées et de citations en ce début du Traité a pu paraître long et confus ; mais aux yeux de Didyme, toutes les issues ont été maintenant visitées et obturées contre l'hérésie. « D'après ce que je viens de rappeler, écrit-il *§ 74*, et bien d'autres textes, la démonstration a été faite que l'Esprit Saint n'est pas une créature. »

Quant à nous, nous dirons que la finalité de la première section est atteinte, car il nous a été démontré que l'Esprit Saint est Dieu puisqu'il possède en substance et en puissance tout ce qui fait qu'il est Dieu. Cela nous laisse augurer qu'il aura désormais, pour la démonstration et en supplément à ce qui a été dit, une place au sein de la Trinité.

II. L'ESPRIT AU SEIN DE LA TRINITÉ

Nous voici dans un autre monde, celui de la Trinité.

C'est entendu depuis la démonstration précédente : l'Esprit Saint est Dieu. Il est donc connumérable avec le Père et le Fils. D'autre part, la Trinité est indivisible. Il faut donc montrer maintenant qu'en considérant l'Esprit au sein de la Trinité, on lui rend la place qui lui revient par sa nature même, celle d'être intimement, substantiellement, indissolublement lié à l'ensemble trinitaire ; nous n'osons pas dire : aux deux autres « Personnes », car Didyme ne connaît pas ce mot dans son vocabulaire ; il le craindrait plutôt, et nous dépasserions sa pensée en l'employant trop tôt. La formule initiale de Didyme est celle-ci, au début de cette seconde partie : « Le Saint Esprit étant toujours placé avec le Père et le Fils, voyons quelle sorte de « **non-différence** » (*indifferentia*) il y a entre lui et eux », *§ 74*. Ce qui suppose, sans que Didyme le dise, que l'Esprit est une Personne à l'égal du Père et du Fils, mais cet aspect avec les relations personnelles qu'il comporte ne sera envisagé, *§ 133ss*, qu'après une solide démonstration de sa divinité.

L' « indifferentia » *(absence de différence)* **dans la Trinité** — Ce terme d'*indifferentia*, que nous traduisons faute de mieux par « *non-différence* », signifie d'abord que c'est par la substance que tous trois sont sans différence, unis par conséquent dans et par la substance, et que la substance ne supporte pas que l'on distingue en elle quoi que ce soit qui pourrait la diviser. Mais cela signifie aussi, à nos yeux, que si grande que soit la force du lien substantiel, ce dernier n'est pas tel qu'il ne laisse pas de place à « une sorte de distinction » entre des réalités dans la nature unique, distinction qui permet précisément à ces réalités de porter les noms qui leur sont propres de Père, de Fils et d'Esprit. Didyme, à ce point du raisonnement, n'a pas entrevu la possibilité de passer du concept de « *non-différence* » *substantielle* à celui de *personne distincte*, ce qui l'aurait fortement aidé à poursuivre sa réflexion sur l'unité dans la Trinité.

Il pouvait craindre qu'accorder de sa part trop d'autonomie à la représentation de chacune des Personnes ne le fît taxer de trithéisme. Pour le moment, il estimait que l'unité était plus importante que la distinction, la substance que les acteurs. Il lui fallait donc continuer dans l'esprit du combat d'Athanase à souder la Trinité, à consolider l'unité ; en l'absence de contreforts, les hérésies qui rôdaient eussent trop vite fait de la faire éclater.

De la Trinité
« sans-différence »
aux Personnes

On mesure ici la distance entre deux manières d'apporter une solution au problème de l'unité dans la Trinité. Après avoir fourni une bonne description de l'essence de l'Esprit Saint, *§ 10-64*, Didyme, maintenant, part de la Trinité, qui lui est donnée, à travers la « non-différence », comme une substance indivisible, et s'en vient aux Personnes ; mais, de celles-ci, il a quelque hésitation à trop bien les établir dans leur rôle et leur fonction, car il craint de leur accorder individuellement une part d'indépendance qui pourrait être comprise *comme* une part de substance dont chacune des autres ne jouirait pas.

Didyme est prudent. Au reste, il ne pense pas autrement que ne le fait Athanase quand il s'agit d'administrer la preuve de la divinité de l'Esprit. Tous deux, Athanase et Didyme, mais Basile aussi, sont obligés, en vertu de la réflexion commune de leur époque, d'agir, quand ils raisonnent sur l'Esprit, en sens inverse de ce qu'ils font pour le Fils. Le Fils, en effet, est donné dans l'Écriture comme issu du Père, par génération, et il est reçu de ce fait comme consubstantiel à Dieu : son origine fonde sa divinité. Mais l'Écriture est muette sur l'origine de l'Esprit Saint. Basile le reconnaît quand il dit dans le *Contre Eunome (III, 6* ; Sesboüé, *SC* 305, p. 169) : « ...nous confessons sans rougir notre ignorance concernant le Saint Esprit ». Aussi, de l'Esprit, faut-il, comme nous avons vu Didyme le faire et comme le font Athanase et Basile, minutieusement récolter dans l'Écriture les noms, les prérogatives, les activités, pour en tirer la conséquence de sa divinité ; Basile dit son « homotimie » (ὁμοτιμία : égalité d'honneur) ; Didyme dira qu'il est « consubstantiel », ὁμοούσιος (ce mot que Jérôme semble ne pas aimer...). Et c'est de là que la réflexion théologique se poursuivra et reconnaîtra, mais après Didyme, l'*origine* divine, la « procession », dans le fameux texte de *Jean 15,26*, dont nous aurons à parler.

L'opération confirme l'unité de la Trinité Cette deuxième section, *§ 74-95*, que nous avons intitulée « Au sein de la Trinité », à laquelle il faut joindre, comme étant de la même veine, la troisième, intitulée « Opération », *§ 96-110*, va donc se présenter comme symétrique de la première, avec cette différence que chaque détail abordé, sans cesser de conclure au caractère incréé et divin de l'Esprit, aboutira à un renforcement de l'unité de la Trinité précisément à cause de la présence de l'Esprit. La chose se marque par le fait qu'aux dires de l'Écriture, la Trinité n'est conforme à elle-même que lorsque l'Esprit y joue entièrement son rôle. On dirait que Didyme a entendu la réflexion d'Hilaire : « Qu'il manque quelque chose au tout et le tout est imparfait pour nous ! » (*De Trin. II, 29*). C'est par conséquent à fixer le Saint Esprit dans le tout de manière à l'en rendre indétachable, que va s'employer Didyme, au moyen de l'Écriture Sainte.

Nous passerons vite, car le principe de la démonstration nous intéresse plus que les détails, qui peuvent de leur côté, nourrir avantageusement la lecture personnelle. On remarque au passage que reviennent plusieurs des thèmes déjà mis en œuvre dans la première section ; nous l'avons dit, c'est l'effet de symétrie. Que le lecteur n'en tire pas l'impression du « déjà-vu-déjà-dit », mais qu'il considère que le but, à savoir la présentation d'un Esprit tout à fait incréé et tout à fait intégré à la Trinité, ce but-là n'a pas été atteint. Il faut donc encore fouiller l'Écriture.

Les modalités de l'opération Maintenant que nous savons que l'Esprit Saint appartient à la Trinité (qu'il est connuméré avec les autres Personnes), qu'il est Dieu de Dieu, vivant de son intimité, associé substantiellement à son activité, *§ 74*, que dit donc l'Écriture ?

Elle dit que rien ne se fait, ne se donne, ne s'accomplit sans lui :

La grâce ? Le Saint Esprit en fait largesse comme le Père et le Fils, *§ 75-76* ; il n'y a qu'une grâce, donc qu'une seule substance en la Trinité, *§ 76*.

La charité ? Dieu (Père et Fils) a tant aimé le monde... *Jn* 3,16, *§ 77*. Cet amour est le fruit de l'Esprit, *Gal.* 5,22. Il n'y a donc qu'un amour en la Trinité, donc qu'une seule substance.

La communauté de sainteté ? Participer à l'Esprit Saint, *Phil.* 2,1, — on se rappelle l'insistance de la première section sur la participation —, c'est être en union avec le Père et le Fils, *I Jn* 1,3, *§ 79-80*.

Le doigt de Dieu ? Cette image de l'Écriture, *Lc* 11, 19-20 et *Matth.* 12,28, renvoie à la substance de Celui dont elle est le doigt, Dieu, *§ 87-89*.

La communauté de sagesse ? Sur ce point, « il y a pour l'Esprit Saint...même cercle d'unité et de substance » que pour Père et Fils, *§ 94*.

Le sceau de Dieu ? L'Esprit Saint nous configure à l'image de Dieu, *Col. 1,15,* qui est le Fils inséparable du Père, *§ 95*.

A la suite de cette énumération, il est évident que ce n'est pas le rôle du Saint Esprit à l'intérieur de la Trinité que Didyme s'attache à mettre en valeur, mais plutôt sa parfaite *consubstantialité* — le mot n'est pas employé (sauf en grec *§ 145*), mais le traducteur a constamment écrit, dans ce cas, *eadem natura* — avec les autres Personnes de la Trinité. Il dit lui-même équivalemment, *§ 81* : « De tout cela se tire la preuve qu'il n'y a qu'une même opération du Père, du Fils et de l'Esprit Saint. Or des

L'origine paternelle   Ces réflexions et cette ques-
de l'Esprit chez Didyme tion, depuis si longtemps portées et résolues dans la foi, ne
nous troublent plus guère aujourd'hui. Mais pour Didyme, c'était un des points délicats sur lesquels il devait
s'exprimer sans erreur. Il fallait sauvegarder toutes les
qualités de l'Esprit mises en lumière aux premières pages
du Traité. Mais il fallait en même temps faire droit aux
énoncés de l'Évangile de saint Jean, selon lesquels cette
substance incréée, incorporelle, immuable, infinie, éternelle, trésor des dons divins, devait sans rien perdre ni
transformer d'elle-même, venir, sortir, être envoyée, devenir le bien de l'humanité. En somme, lui trouver une
origine et un mode de venir qui ne portent pas atteinte
à son identité divine.

Pour son époque, cinq ou six ans avant le Concile de
Constantinople, Didyme donne une réponse remarquable.
Les mots, comme nous le disions tout à l'heure pour la
« personne », lui manquent, mais la réalité ne lui échappe
pas. On peut retenir cette excellente définition de la
procession en l'appliquant, comme le demande Didyme,
au Saint Esprit : « Envoyé par le Père, le Fils n'en est
pas séparé ni disjoint : il demeure en lui comme il le
porte en lui-même », *§ 111*. La formule est dense ; elle
convient à toute catéchèse sur le Saint Esprit. Le *§ 112*
éclaire sur l'erreur qu'il y aurait à considérer la chose
matériellement[2]. Les mystères de Dieu ne se pénètrent
bien que sous le regard de la foi.

2. On sait combien, plus tard, cette notion de *procession* et
particulièrement de procession *a Patre Filioque,* a donné lieu à
disputes et querelles.... La lecture des manuscrits du *De Spiritu
Sancto* a curieusement fait apparaître sur la plus grande partie
d'entre eux (quatre familles, γ δ ε ζ, sur six, soit 47 manuscrits
sur 61, voir *infra*, app. crit, p. 250) une grande lacune à cet
endroit, qui pourrait être le témoignage des difficultés ou hésitations rencontrées à ce sujet au cours de la copie des manuscrits.

Car après la définition qu'il en a donnée, Didyme n'est pas quitte de son problème. La procession des Personnes divines au sein de la Trinité, quand il s'agit du Fils ou de l'Esprit, fait surgir des questions ardues, dans lesquelles l'absence d'un vocabulaire adéquat l'oblige à se tenir au plus près des formules de l'Évangile. Celles-ci sont mystérieuses et le restent après l'évocation qu'en fait notre auteur. Ainsi dit-il au *§ 114* : « Il faut croire qu'il a été dit dans une parole ineffable et que la foi seule fait connaître, que le Sauveur est sorti de Dieu et que l'Esprit de vérité sort du Père, puisqu'il [le Père] dit : « L'Esprit qui sort de moi » (*Is.* 57,16). L'Écriture aurait pu dire : (qui sort) « de Dieu » ou « du Seigneur » ou « du Tout-Puissant » ; elle n'en a rien fait, mais elle a dit « du Père »... « Il est dit que l'Esprit de vérité sort de lui en conformité avec la propriété de Père et conformément à la portée du terme de parent (*secundum proprietatem Patris et intellectum parentis*). » Nous avons traduit au mieux ce dernier membre de phrase, sans être sûr qu'on comprendra Didyme à travers les mots.

Il y a là comme un essai d'explication du phénomène de la procession en ce qui concerne l'Esprit Saint, explication qui doit, pour Didyme, sauvegarder la *non-différence* sur laquelle il a fait porter ses efforts en *§ 74*. Cette explication est tirée de la puissance paternelle du Père, qui s'exerce non plus vis-à-vis d'un Fils que Didyme sait Unique, mais vis-à-vis de son Esprit, Esprit de Vérité, pour lequel la puissance paternelle, *secundum intellectum parentis, § 114,* s'exerce aussi.

Mais comment ? C'est ce que Didyme ne sait pas dire ; il s'en rapporte « à la parole ineffable et que la foi seule fait connaître », *§ 114*, et nous restons sur cette impression que la « sortie de l'Esprit » — c'est-à-dire sa procession — est quelque chose de *semblable*, mais non identique à ce qui se produit en ce qui concerne le Fils.

Le Fils, en effet, « revendique la propriété et la familiarité » du Père en disant : « Je suis dans le Père et le Père
est en moi, *Jn* 14,10 », *§ 115*, tandis que l'Esprit, qui ne
jouit pas de cette familiarité, est dit seulement « recevoir
du Père le témoignage semblable à celui qu'il lui rend
lui-même », *§ 116*. Pour marquer cette origine paternelle
de l'Esprit qui est bien proche de celle du Fils, sans en
avoir cependant tous les caractères, Didyme dira encore :
« Comme l'Esprit Saint possède le caractère propre du
Fils en tant que [le Fils est] Dieu, mais pas toutefois la
filialité qui ferait de lui son Fils, il montre par là l'unité
qui le conjoint au Fils », *§ 139*. A travers ce langage
d'Évangile, les idées sont nettes : l'Esprit sort du Père,
mais pas comme le Fils ; sans la particularité d'être le
Fils, mais avec celle d'être l'Esprit du Père. La théologie
moderne de la procession se trouve à l'aise dans ces
formules.

Les Personnes Tout un ensemble de passages, qui
concourent principalement à l'exégèse
de *Jn* 14,26, *Jn* 15,26, *Jn* 16,12-15, nous aide à aller plus
loin dans la pensée de Didyme sur la « procession » :
§ 114-120, 133-139, 153, 158-173, et, par le fait même, à
envisager à partir de maintenant la distinction des personnes. Mais nous allons voir que Didyme y vient diffi-
cilement. Sauf en un cas (douteux), le mot « *personne* »
n'est pas employé.

Un double envoi ? Donc, arrivé là dans sa réflexion
Un double esprit ? sur la « sortie » (procession), Didyme se heurte au texte de *Jn* 14,16,
où il est dit que le Père enverra au nom du Fils « un
autre Paraclet que celui qui est envoyé par le Fils »,
§ 120. Ce double envoi peut mettre le trouble dans la
pensée, car il paraît contredire ce qui a été déclaré peu
avant : y aurait-il donc deux Esprits et pas seulement

celui du Père ? Didyme répond vite : « Ne pense pas qu'il faille, à cause d'une distinction d'opération entre le Fils et l'Esprit Saint, conclure à des natures différentes », *§ 122*. Il avait déjà dit au début du Traité : « Selon la diversité des actions et des aspects (*efficientias et intellectus*), l'Esprit reçoit les noms multiples des biens », *§ 36*. Nous voilà rassurés. Pour confirmer qu'il n'y a pas de différence de nature, Didyme recourt ensuite à des textes de l'Écriture qui montrent que les missions reçues par le Fils et l'Esprit sont en quelque sorte interchangeables. Tous deux, suivant les cas, intercèdent ou consolent ; des textes de l'A.T. et du N.T. leur donnent tour à tour ces deux rôles, Sauveur ou Paraclet : Didyme met à profit Isaïe, les Psaumes, l'Épître aux Romains, l'Épître aux Hébreux, *§ 121-123*. Merveilleuse solution chiasmatique offerte par l'Écriture à l'observation de Didyme ! et merveilleuse opportunité de trouver également un texte où le Père est appelé « le Dieu de toute consolation », *II Cor.* 1,3, participant ainsi comme source à l'opération du Fils et de l'Esprit, *§ 124*. — Mais ce n'est pas seulement par cette dualité et interchangeabilité des opérations que nous allons fonder la propriété des Personnes au sein de la Trinité.

La nécessité d'attribuer selon l'Écriture missions et rôles différents au Fils et à l'Esprit, oblige Didyme à donner du relief aux traits respectifs et distinctifs qui les caractérisent, ce faisant à cerner leur personnalité ; autrement dit, après les avoir nommés maintes fois par leur nom propre, il est obligé de les considérer sous le jour de leur existence distincte et d'atteindre ainsi la racine originelle qui permet de les désigner comme Personnes dans la Trinité, et par là d'établir sur le plan divin leurs relations mutuelles. Mais toutes les fois que Didyme se reporte à la Trinité, il s'y reporte en pensant à la « nature » ou à la « substance » ; ces deux mots sont synonymes pour lui et le hantent (à moins que ce ne soit Jérôme qui, pour les mots... !) ; ces deux mots employés en toute circonstance désignent implicitement la « personne », mais ne la distinguent pas. L'imprécision qui en résulte nous oblige à chercher la clarté au delà du texte, mais, pensons-nous, pas au delà de la pensée de Didyme. Jérôme, malgré quelques soupçons (tel celui que nous émettrons à propos de la *proprietas personarum § 133* (v. *infra*, p. 75 et 98), Jérôme comme traducteur semble avoir, d'une manière générale, respecté le vocabulaire de Didyme.

La propriété des personnes Quelle est donc, pour Didyme, la propriété des Personnes dans le complexe trinitaire, et spécialement celle du Saint Esprit dans son rapport avec le Père et le Fils ?

Que le Père engendre et que le Fils soit engendré du Père, c'est une donnée de la foi, indubitable, définie à Nicée. Question réglée. Sauf en *§ 271*, il n'en sera pas parlé ; ce n'est pas là le problème de Didyme, cela ne doit pas le retenir. En ce cas, Didyme, qui a déjà parlé comme il convient de l'origine en expliquant la procession, devrait donc concentrer sa réflexion sur l'identité de l'Esprit Saint, sur ses particularités, sur ses communications internes avec le Fils. Sujet difficile, mais qu'Athanase, malgré tout, dans les *Lettres à Sérapion* (*Sérap. II, 1 ; IV, 3 ;...*) n'a pas éludé. Que fait donc Didyme à ce sujet ?

Ce qu'il fait ? il ne cesse, maintenant encore, d'établir la divinité de l'Esprit Saint, de le dire substantiellement digne de la Trinité. Au point où nous en sommes et où, semble-t-il, la chose a été largement établie, nous devrions pouvoir entrer dans une réflexion nouvelle et, comme dit Athanase (*Sérap. III, 3 et 4*), « tirer du Fils la connaissance de l'Esprit », donner un tour nouveau à la connaissance approfondie de sa Personne divine.

La crainte de sortir de l'unité de substance Or un coup d'œil sur le reste du texte de Didyme pris ici et là nous montre que Didyme ne progresse pas. Il piétine ; il ne se décide pas à quitter la substance trinitaire pour les Personnes de la Trinité. Il a toujours cette crainte qu'en traitant de la Personne, de son origine et de ses opérations propres, il ne glisse à lui donner une autonomie qui la priverait ou la séparerait de la divinité.

Ainsi, reportons-nous à ces quelques textes, extraits de la suite :

§ 166 : « La nature de l'Esprit Saint est la même que celle du Père et du Fils. » — *§ 185* : « Toujours dans notre texte, nous apprenons la communauté que forme l'Esprit Saint avec le Christ et avec Dieu. » — *§ 191* : « Tous ces textes prouvent que la substance de la Trinité est indissociable et indivisible. » — *§ 197* : « L'Esprit Saint est inséparable du Père et du Fils, comme nous l'avons déjà souvent montré en maints endroits. » — *§ 231* : « De cela tirons encore l'enseignement que l'Esprit est d'une même et unique substance (*unius substantiae*) que le Père et le Fils. » — *§ 237* : « L'Esprit est rangé avec le Père et le Fils parce qu'il ne possède avec eux qu'une seule nature. » — *§ 271* : « Celui (l'Esprit) dont la substance n'est pas créée fait partie de plein droit de la communauté du Père et du Fils. » — On dirait que la consubstantialité, ce mot que Jérôme s'est obstiné à ne pas écrire, reste le but visé par Didyme, qu' « il lui colle à la peau » et que le tout de son Traité est là... !

Si bien que ce ne sera qu'en passant que nous atteindrons quelque indication sur les relations entre elles des

Personnes divines, notamment quand les textes johanniques viendront à être rencontrés. C'est ce qui va se
produire au début de la section que nous avons intitulée
Témoignages scripturaires, § 132-230.

La « sortie »
de l'Esprit
Alors vient sur le tapis, *§ 132*, le texte
de *Jn* 14,26, qui est semblable à celui déjà
cité en *§ 110* de *Jn* 15,26. La différence
entre les deux ne retient pas Didyme, puisque le texte
est substantiellement le même. Le développement qu'il
lui donne dans la vingtaine de paragraphes qui séparent
les deux citations va à établir et confirmer que l'Esprit
Saint, qui n'est pas une créature, est issu du Père de qui
il sort, *§ 110*, la sortie excluant tout mouvement spatial,
§ 111-113, et supposant que « l'Esprit demeure dans le
Père comme il le porte en lui-même », *§ 111*. Alors,
défilent, liés à la présence du Père et du Fils, les autres
aspects de la sortie de l'Esprit : l'Esprit sort du Père,
§ 114, mais aussi le Fils sort du Père, *§ 115* ; l'Esprit est
envoyé par le Père et par le Fils, car il n'y a qu'une
volonté entre eux deux, *§ 117* ; l'Esprit est donné par le
Père avec le Fils, *§ 119*. Nous avons craint d'employer le
mot « procéder », mais Didyme en a défini le contenu et
fourni l'explication, sans le vocable ; dans le texte, on
trouvera soit « envoyer » soit « sortir » suivant les cas.

Ainsi à travers ce chassé croisé d'envois et de sorties,
il ressort que l'Esprit est toujours envoyé et qu'il n'envoie
jamais ; que le Père envoie toujours et n'est jamais envoyé ; que le Fils est envoyé et envoie en même temps ;
que le Fils envoie au nom du Père et en son propre
nom ; que l'Esprit est envoyé par le Père, par le Fils et
par les deux ; que le Fils n'est envoyé jamais seul, mais
toujours avec l'Esprit. Ces conclusions se dégagent,
comme il convient, à la suite d'une lecture minutieuse de
l'Évangile. Mais Didyme ne sait pas accéder à la conci-
sion : il avance lentement, ne se résume guère, met en

place des citations, se laisse entraîner par elles en des
méandres où l'on oublie le point de vue de la procession
pour repartir vers celui de l'opération ; ainsi, nous l'avons
vu, de l'interchangeabilité entre le rôle de légat et celui
de consolateur, § 121-123 ; ainsi encore de la présence
du Fils et de l'Esprit aux prophètes, § 126-129.

Malgré tout, il y a là une théologie implicite.

Entre les § 133-143, nous arrivons aux expressions les
plus achevées sur la Trinité que Didyme ait pu formuler
jusqu'à présent dans ce Traité.

**Doute sur le vocable
de « personne »**

En § 133, — si ce n'est pas
Jérôme qui s'est substitué à Didyme pour forger l'expression (v.
plus loin p. 98-99) — on peut admettre que *la « propriété
des personnes »* est formellement reconnue et exprimée.
D'abord en ce qui concerne le Fils. Le nom de Fils, en
effet, attribué au Sauveur est, selon Didyme, une indication de sa personne. Mais Didyme, qui exprime ici
pour la première fois ce mode d'être, a quelque peine à
le dégager notionnellement de la substance environnante
à laquelle il se rattache. Il le confond volontiers avec
elle, puisqu'il dit que le nom de Fils manifeste « *la
communauté de nature* », avant d'ajouter : « *et, pour ainsi
dire, (ut ita dicam), la propriété des personnes* ». Le Père
Th. de Régnon (IV, p. 134) a bien vu la confusion, mais
il lui a donné, dans la traduction qu'il a faite de ce
passage, un relief excessif et un tour affiné qu'elle n'a
pas. Il écrit en effet : « Ce mot [de Fils] signifie à la fois
et la communauté de nature et la propriété personnelle ».
C'est trop dire. Didyme n'a pas encore affiné sa notion
par une distinction des deux aspects, nature et personne,
mais il se hasarde simplement à dire, comme une excuse,
ut ita dicam, que « la nature » lui semble prendre ici un
sens différent qu'il serait mieux de désigner par le mot

de « personne ». Cette manière de voir apporterait de la clarté si Didyme voulait continuer à l'exprimer. Or le mot a jailli comme un éclair qui éblouit, et il n'est pas revenu....

C'est pourquoi il convient de mettre une restriction à l'éloge ainsi décerné à Didyme. Si l'on devait être sûr que l'expression « *proprietas personarum* », avec l'atténuation *ut ita dicam*, est de Jérôme, Didyme n'en serait pas diminué. L'expression manquerait, mais pas la saisie de l'idée. Car nous savons que plus tard, au gré de la maturation de sa pensée, le concept de personne, celui de l'hypostase divine, a conduit une grande partie de sa réflexion lors de la rédaction du *De Trinitate*. Mais ici c'est un hapax de taille qu'on a beaucoup de peine à garder. Si nous le laissons, dans le texte, c'est pour faire droit à la mince couche de doute qui repose encore au fond de notre esprit.

Pour étayer cette discussion d'authenticité avant d'en venir à nos *Réflexions sur le traducteur latin*, on peut se reporter à la lettre de Jérôme au pape Damase *(Ep. XV, 3-4)*, — écrite, il est vrai, dix ans plus tôt que la traduction du *De Spiritu Sancto*. Il y est question de la confusion qui s'est établie chez les Grecs à propos du mot *hypostase,* auquel on fait signifier tantôt la nature et tantôt la personne. Jérôme est d'avis que l'on dise *unam substantiam* et *tres personas subsistentes* : « Qu'on ne parle pas de trois hypostases, s'il te plait, et qu'on n'en conserve qu'une — *taceantur tres hypostases, si placet, et una teneatur.* » Ici, bien évidemment, Didyme ne parle pas d'hypostase, mais il apparaît que le *consortium naturae* auquel il a fait allusion confond dans le seul mot de *natura,* si l'on exclut la précision que nous attribuons à Jérôme, la personne et la nature. — Didyme était-il dans l'incapacité d'écrire en 375 : ἡ ἰδιότης τῶν προσώπων ? Nous ne pouvons pas l'affirmer. Cessons donc de discuter. Disons avec Didyme, *§ 174,* que d'autres seront probablement amenés à poursuivre la discussion et que nous avons confiance qu'ils le feront bien.

Les relations interpersonnelles

La suite des idées conduit donc Didyme à donner l'explication de l'expression de *Jean* 15,26 : « que le Père enverra en mon nom », *§ 132.* L'explication de la phrase évangélique avait été interrompue en *§ 121,* et, depuis — nous l'avons fait sentir —, Didyme a fait un progrès considérable dans la pénétration du mystère trinitaire, notamment en ce qui concerne l'existence propre des personnes. Et cela, en conséquence de la sortie ou envoi, dont il a fallu préciser le mode selon qu'il s'agissait du Fils ou du Saint Esprit. Or rien ne précise mieux le rôle et la situation des Personnes les unes vis-à-vis des autres, du moins aux yeux de Didyme, que cette expression : « au nom de ».

Venir au nom de...

Venir au nom de quelqu'un, pour Didyme, veut dire qu'on emporte de celui-là sa dignité et la nature du lien par lequel on lui est relié. C'est pour cela que l'Esprit Saint, Esprit du Père, envoyé par le Père au nom du Fils, ne peut pas être le Fils, mais n'en est pas séparé non plus, puisqu'il vient au nom de ce dernier, *§ 133.* L'Esprit Saint a donc un caractère propre qui est le sien et n'est pas celui des autres : c'est sa personne d'être Esprit. — D'autre part, Didyme distingue entre les envois, car autre est l'envoi par le Père et autre l'envoi par Dieu : un envoyé de Dieu, comme le furent bien des justes dans l'Ancien Testament, n'est qu'un serviteur appelé à une mission religieuse : *§ 137.* Or, l'Esprit Saint n'est pas dit envoyé par Dieu, mais par le Père au nom du Fils ; c'est tout autre chose que d'être serviteur, *§ 133.* L'Esprit n'étant pas serviteur, n'étant pas hétérogène au Fils, mais de même origine que lui dans le Père, a le pouvoir considérable de donner la qualité de Fils de Dieu par adoption à qui en est digne, permettant à celui-là de dire à Dieu en toute vérité : *Abba, Père ! § 139.*

Enseigner sagesse et vérité En continuant son exégèse du texte de *Jean* 14,26, Didyme relève que l'Esprit Saint « enseignera toute chose ». Il précise qu'il s'agit de la science spirituelle de la vérité et de la sagesse, *§ 140*. Quand il en viendra à nous dire la source de cette science et la manière dont l'Esprit Saint la capte et la transmet, ce nous sera sans doute l'occasion de mieux entrer dans le mystère des relations entre les trois Personnes. Nous ne pouvons pas prononcer le mot de *circumincession* qui sera longtemps encore inexistant — il apparaîtra à l'époque de Jean Damascène —, mais les Pères se sont exercés à décrire cette attirance, ou plutôt cette attraction réciproque des Personnes qui les fait en quelque sorte vivre l'une dans l'autre. Une des formes de cette notion, chez eux, est de reconnaître l'harmonie des volontés en la Trinité, chaque Personne n'ayant d'autre volonté que celle des autres.

Quelles sont les pensées de Didyme à ce sujet, puisque saint Jean lui fournit comme un tremplin pour s'exprimer ?

Comme toujours, Didyme ne peut s'empêcher de faire un large détour avant d'en arriver aux réflexions que nous attendons. Il confirme d'abord cette notion qu'il avait déjà fait connaître au début du Traité, p.ex. *§ 40-43*, à savoir que les communications de l'Esprit ne se font pas à la manière humaine. Il nous met en garde avec saint Paul contre les persuasions de la sagesse de l'homme et exalte la puissance de Dieu à se faire connaître lui-même par son Esprit, *§ 141-144*, puissance inspiratrice et révélatrice. Nous avons ainsi droit au commentaire de plusieurs textes de la *Première aux Co-rinthiens*, *§ 142*. Chemin faisant, l'évocation de la puissance créatrice propre à l'Esprit, nous mène à cette considération que le corps du Christ, tel un temple, fut fabriqué en la Vierge Marie sous l'influence du Très-Haut à puissance égale avec l'Esprit Saint, *§ 144-145*. L'Esprit est donc bien créateur. Didyme l'avait déjà dit dans le *Livre des doctrines*, *§ 145*, un de ces livres, perdus pour nous, qui, pour être cité ici, devait bien avoir une certaine notoriété.

Nous débouchons enfin sur *Jn* 16,12-15, *§ 146*, ce qui nous invite à peser les paroles de l'Esprit de vérité. Cet Esprit doit faire « accéder à toute la vérité » ; « il ne parlera pas de son propre chef » ; « il dira ce qu'il entendra » ; « il communiquera ce qui doit venir », « glorifiant le Fils » et communiquant par le Fils ce qui est du Père.

C'est un autre aspect de notre foi au Saint Esprit qui ressort de ces paroles de *Jean* 16,12-15, *§ 146*. Didyme avertit qu'elles vont plus loin dans la connaisssance de Dieu que tout ce qui a été dit. Elles ne s'adressent pas à des « novices » dans la foi, *§ 147* — le mot fait écho aux « simples » d'Origène. Nous allons donc entrer dans de hautes considérations pneumatologiques.

Accéder à toute la vérité   Didyme en est conscient, et, sans nous solliciter, fait comprendre que si l'on ne consent pas à la descente en soi-même de l'Esprit Saint, *§ 148-149*, on ne saurait accéder à toute la vérité. Cette vérité — ici encore écho des enseignements origéniens — est au delà de l'esquisse et de l'ombre de la lettre, elle demande que meurent les attaches au culte de la loi et que l'on passe d'esprit et de cœur à l'Esprit vivifiant en qui seul réside toute la vérité de l'Écriture, *§ 150*. Nous voilà donc prêts à accéder à toute la vérité, « à ajouter les choses nouvelles aux choses anciennes », *§ 151*, écoutons donc l'Esprit de vérité que Dieu nous envoie, *§ 152*.

Ici, sachant nous-mêmes que les paroles de *Jean* sur la vérité, 14,6 ; 16,12-13, nous placent au cœur des relations entre les Personnes divines, nous lirons avec une extrême attention les *§ 153-174*. Car Didyme, sans l'aide des distinctions d'école qui ne viendront que plus tard, essaye de mettre en lumière l'action réciproque, simultanée et distincte tout à la fois des Personnes, quand il s'agit pour elles de « dire et de parler », *§ 154*.

Il faut d'abord s'entendre sur le sens de cette expression appliquée à la Trinité. C'est pourquoi, avant d'autres considérations, Didyme, qui fait encore là un détour, ébauche un raccourci de « phonologie », *§ 155*. Mais c'est pour opposer les genres. Car autre est le « parler » d'un Dieu qui est sans organes pour se faire entendre et autre celui des hommes. Didyme a déjà fait état du problème dans les débuts du Traité, v.g. *§ 29-52*, quand il a reconnu ce mode particulier de communication par lequel des hommes sont dits « remplis de l'Esprit Saint ». Le mode spirituel digne de Dieu ne dépend pas de conditions matérielles ; les incorporels ont une puissance inspiratrice qui pénètre le cœur humain sans que la sensibilité ait à y coopérer. Ces quelques mots ne sont après tout qu'une mise en garde contre l'anthropomorphisme, — ni première ni dernière mise en garde.

Les trois Personnes ne sont pas trois modalités   Dans les textes didymiens qui vont suivre, nous atteignons les idées importantes sur la Trinité, sur les Personnes et spécialement l'Esprit Saint. En nous rappelant qu'Athanase, en même temps qu'il dissertait sur le Saint Esprit, ne cessait de défendre la dignité du Christ au cours des Lettres à

Sérapion, nous verrons ici que Didyme, enserré dans les mêmes considérations trinitaires, a su garder franchement sa visée sur l'Esprit Saint, et qu'il n'a pas déçu ses amis d'Egypte désireux de parfaire leur connaissance du Saint Esprit.

Premier soin de Didyme : se situer par rapport à Sabellius. Communément, Sabellius reconnaît trois modalités ou trois noms, mais pas trois Personnes dans la Trinité. Pour l'orthodoxie, c'est une peste. Didyme, dont nous avons déjà dit plusieurs fois que la crainte majeure était, parallèlement mais inversement, de paraître diviser la substance en les Trois Personnes, le récuse. Pour bien le marquer, il dit son nom, le seul qu'il ait ainsi nommément désigné. Sur l'hérétique pourtant, il ne dit que peu de chose, rien d'autre que ce que tout le monde sait : « opinion dévoyée qui confond le Père et le Fils », *§ 161*.

Sabellius écarté, Didyme peut donner cours à ses réflexions.

Que les Personnes soient intimement liées les unes aux autres et que chacune n'agisse qu'en accord avec les autres en gardant pourtant cette part d'initiative qui lui est propre en tant qu'elle a une existence de Personne, mais Personne substantiellement accordée de volonté avec les autres, apparaît clairement sous la plume de Didyme dans ce texte du *§ 153*, qui est, en somme, un commentaire de *Jean* 16,13. Didyme s'y est plu à entretisser sans confusion les activités réciproques, distinctes et unies des Trois Personnes : « S'agissant de l'Esprit de vérité qui est envoyé par le Père et qui est le Paraclet, le Sauveur, qui lui aussi est la Vérité, dit : « Il ne parlera pas de son propre chef » (*Jean* 16,13), c'est-à-dire pas sans moi ni sans le gré du Père et le mien, car il ne peut être séparé de la volonté du Père ni de la mienne puisqu'il ne vient pas de lui-même mais qu'il vient du Père et de moi,

puisque le fait qu'il subsiste et qu'il parle lui vient du
Père et de moi. C'est moi qui dis la vérité, c'est-à-dire
que j'inspire ce qu'il dit, étant entendu qu'il est l'Esprit
de vérité », *§ 153*. Il y a dans ce texte l'affirmation de
l'inséparabilité substantielle des Personnes et la reconnaissance de l'opération de chacune. Cette opération
appartient à chacune, mais ne peut pas ne pas être en
harmonie totale avec celle des autres qui agissent elles-
mêmes selon leur identité propre.

**Pas d'ordre
de dépendance
en la Trinité**

Une des difficultés de notre lecture,
ici, peut venir de ce que le terme de
personne n'est pas employé ; mais les
Personnes Père, Fils et Esprit, sont
nommées à leur place et selon l'activité qui leur convient.
Car cette phrase est habile. Le langage humain de Didyme, s'appliquant autant qu'il le pouvait à faire
connaître une action commune des Personnes en respec-
tant leur unité substantielle et leur propriété personnelle,
a marqué dans sa logique discursive l'entrée en scène
sans succession temporelle du Père, du Fils et de l'Esprit,
chacun tenant son rôle dans sa caractéristique, rôle de
volonté pour l'accord, d'envoi et de procession pour
l'origine, d'inspiration pour l'action.

Le Saint Esprit paraît ici en dernier, comme au bout
de la chaîne, envoyé par le Père, passant par le Fils mais
« recevant » aussi du Père, agissant enfin comme s'il était
subordonné. Didyme tient à enlever cette impression :
sur ce point il est très net. Partant du Fils, car il va
servir de paradigme pour l'Esprit, Didyme dit : « Voyant
agir le Père, le Fils agit lui-même, et son action n'est ni
de second ordre ni postérieure. En vérité, les œuvres du
Père et celles du Fils se mettraient à être différentes si
elles ne se produisaient pas sur un mode d'égalité » *§ 161*.
Et un peu plus loin : « L'opération du Père et du Fils,

qui ne tolère, dans l'ordre, ni premier ni second et qui est une opération simultanée, permet à tous les êtres créés de subsister dans la similitude de leur nature. Le Fils ne peut rien faire de lui-même puisqu'il ne peut être séparé du Père ; de la même façon aussi, l'Esprit Saint qui n'est absolument pas séparé du Fils étant donné leur communauté de volonté et de nature, ne parle pas de lui-même, comme on pourrait le croire, mais tout ce qu'il dit, il le dit selon la parole et la vérité de Dieu », § 162. Ce qui signifie que l'action de l'Esprit, intrinsèquement liée à celle du Fils, n'est ni troisième, ni seconde, ni première, mais simultanée, comme Didyme vient de le dire dans le numéro précédent.

Le lien de l'Esprit au Fils Nous pouvons aussi nous demander, selon le développement ultérieur de la théologie du Saint Esprit, si la procession de l'Esprit dont parle Didyme est une procession qu'il envisage du Fils seulement vers l'Esprit en lui donnant tout ce qu'il possède et que lui-même a reçu du Père, ou bien du Père directement vers l'Esprit à qui il donne comme il donne au Fils. En d'autres termes on dira : le Saint Esprit est-il l'Esprit du Père ou l'Esprit du Fils ? a-t-il pour origine et principe de son envoi le Père, ou le Fils ? et si c'est le Fils, peut-on se contenter de dire que le Fils a reçu du Père le pouvoir d'envoyer l'Esprit et que celui-ci ne procède donc qu'indirectement du Père et directement du Fils ? Qu'en pense Didyme ?

Il nous semble que certains des textes didymiens que nous avons mis en avant dans les pages précédentes ont déjà répondu à ces questions. L'Esprit, selon Didyme, s'origine au Père directement, *§ 112, 113, 114, 115, 116, 120, 124, 141, 144, 152, 170.* Mais nombreux sont les passages où Didyme suppose un autre scénario : alors, c'est le Fils, semble-t-il, qui conditionne la venue de l'Esprit, soit

que le Père envoie l'Esprit tout simplement avec le Fils,
§ 117, 119, 120, 142, 152, soit que le Fils apparaisse lui-
même comme un relais (au sens très large du mot) pour
la venue de l'Esprit, *§ 132, 133, 139, 140, 141, 142, 152,
153, 159, 160, 165, 166, 170*, soit que Dieu lui-même
tienne lieu de principe, ce qui ne permet pas de distinguer
Père ou Fils puisqu'ils sont également Dieu par nature,
§ 118, 126, 143, 152, etc., on ne peut tout relever. Mais
le *§ 165*, entre autres, est un témoignage important pour
accréditer la thèse du Fils-relais... Cependant cette énumération de passages en faveur d'un sens ou de l'autre
montre que le problème ne tracassait pas Didyme. Il ne
voyait aucune difficulté à penser que l'Esprit « sortait »
du Père semblablement au Fils, *§ 114* ; ou avec le Fils,
§ 119 ; ou au nom du Fils, *§ 120* ; ou par le Fils, *§ 165* ;
en tout cas jamais sans le Fils, *§ 125* : ces numéros de
paragraphes ne veulent ici que mener à des exemples.

D'autre part, certains passages à forte teneur théologique demandent qu'on s'y arrête.

La relation Fils-Esprit :
à propos du § 158
Prenons le *§ 158*. A quiconque établit communément
dans son esprit un ordre de
dérivation allant du Père au Fils et ensuite à l'Esprit, il
paraît normal de lire sous la plume de Didyme — et il
n'y a pas lieu d'y ajouter un commentaire, car Didyme
s'en explique très bien — que « lorsque le Père parle le
Fils entend » ; mais il devient étrange de lire, à l'inverse,
que « lorsque le Fils parle le Père entend », comme si
l'accession de la parole au niveau du Père exigeait de sa
part un acte d'écoute particulier, alors qu'il est, par
position, au principe même de la parole du Fils. On a
l'impression que Didyme fonde un raisonnement sur une
naïveté. Pour le disculper on dira que notre raisonnement, à nous, est probablement teinté d'anthropomor-

phisme et que ce que voulait faire ressortir notre auteur était, à son ordinaire, l'indistinction substantielle régnant en la Trinité, et y abolissant en conséquence toute hiérarchie et toute subordination, même celle qui s'amorcerait d'un don offert et reçu, § 165. En se reportant au § 167, on verra du reste que Didyme sait très bien que son langage, en ces questions difficiles, n'est pas toujours adéquat : « Il faut bien se dire qu'aucun mot ne peut s'ajuster exactement à la Trinité ni signifier sa substance ; mais tout ce que nous disons, nous le disons καταχρηστικῶς (*katachrèstikôs*), c'est-à-dire improprement. » C'est un mot de grammaire qui se comprend très bien par quiconque a passé par l'école. Si Jérôme nous l'a conservé, c'est que son impact était plus fort en grec que sa traduction latine.

A la suite de ce § 158 dont nous venons de nous occuper, Didyme poursuit et achève le développement du même thème, mais en l'appliquant à la relation Fils-Esprit et non plus Père-Fils. « L'Esprit...étant Esprit de sagesse et de vérité, ne peut pas, quand le Fils parle, dire qu'il ignore ce qu'il entend, puiqu'il est cela même qui est proféré par le Fils », § 159. Le raisonnement est le même que tout à l'heure mais il ne comporte pas l'aspect de naïveté que nous avons cru trouver à l'autre. La raison qui détermine la connaissance, par l'Esprit, de ce qu'il entend est bien formulée, car il est dit que c'est son identité même d'Esprit de vérité qui s'oppose à toute ignorance de sa part : « il est cela même qui est proféré par le Fils ». Nous n'en voulons pas plus.

Jérôme écarte le mot « procéder » du vocabulaire de Didyme

Or nous en avons davantage. En effet, après : « ...il est cela même qui est proféré par le Fils », le texte ajoute au *§ 159* : « *id est procedens Deus de Deo, Spiritus Veritatis procedens a Veritate, Consolator manans de Consolatore* » ; « c'est-à-dire Dieu procédant de Dieu, Esprit de Vérité procédant de la Vérité, Consolateur émanant du Consolateur ». Cela est exprimé en un vocabulaire auquel Didyme ou Jérôme ne nous ont pas habitués. De plus, il ne paraît pas nécessaire, selon la suite du développement, de préciser ici, avec des mots qui peuvent passer pour ésotériques, le sens d'une formule parfaitement admise de ceux qui ont lu les pages précédentes. Pourquoi cette insistance évidente sur les mots *procédant/émanant* ? Pourquoi, encore, faire intervenir le « Consolateur » (jusqu'alors le Traité a le plus souvent préféré le mot de Paraclet), alors que le cours de la pensée se concentre sur l'aspect *vérité* ? Ces anomalies nous rendent donc suspect ce complément de texte. Est-ce Jérôme qui l'a introduit ? Il ne semble pas, car Jérôme est co-responsable, avec Didyme, du vocabulaire ; c'est lui qui a écarté le mot « procéder » tout au long du Traité. Citant *Jn* 15,26, en effet — ce qui a lieu six fois dans le Traité —, alors que les manuscrits latins donnent : *procedit* pour grec ἐκπορεύεται, le traducteur latin Jérôme donne toutes les fois le mot *egreditur* ; ce qui ne doit pas nous étonner ici, puisque c'est un parti-pris chez lui : qu'on se rappelle ce que nous avons dit à la note de la page 66. Comme ce n'est donc pas Jérôme qui a pu ajouter la ligne suspecte, il faut nous tourner vers les manuscrits pour essayer de découvrir le coupable. Nous le ferons plus loin, au chapitre de la Tradition (voir, p. 114, le paragraphe sur les interpolations).

Nous en avons fini de ces spéculations importantes concernant la vie intime au sein de la Trinité, de ce que Didyme peut dire sur les relations entre les Personnes divines. Il faudrait ajouter, mais nous n'avons pas l'intention d'être complet, cette idée nouvelle de la glorification que se rendent mutuellement les Personnes et qui, par l'Esprit, se communique aux hommes. On trouvera cela aux *§ 167 s.*, où Didyme retient à peine son exaltation pour rappeler le don de l'Esprit par le Fils « qui déploie pour les hommes la sublimité de sa glorification et de sa grandeur », *§ 169.*

L'effort théologique de Didyme   Il faut, avant de quitter ce sujet, saluer l'effort théologique considérable qui vient d'être fait. Dans ces *§ 110-174*, Didyme reste attaché aux paroles de l'Évangile de Jean et c'est d'elles qu'il tire sa doctrine. Une doctrine sans langage technique, adaptée par conséquent à un lecteur ordinaire ; celui-ci, qui a été évoqué au *§ 2* comme un simple qui peut facilement se laisser tromper, attend des éclaircissements qui restent en conformité avec les textes évangéliques qu'il connaît ; il sera donc comblé. Mais il reconnaîtra qu'il s'agit bien de « problèmes élevés », autant dire difficiles. Quant à celui dont la foi a été nourrie par la parole de l'évêque Athanase, il ne trouvera pas de différence entre l'évêque et le professeur aveugle ; la foi est la même, l'Esprit Saint est reconnu comme Dieu au même titre que le Père et le Fils. Si le soin de Didyme à expliquer les actions et les relations réciproques au sein de la Trinité lui paraît bien minutieux, il lira dans un esprit reposé ces quelques lignes d'Athanase à Sérapion : « La sainte et bienheureuse Trinité est indivisible et jouit de l'unité par rapport à elle-même. Le Père étant cité, son Verbe est également là et

aussi l'Esprit, qui est dans le Fils. Si aussi le Fils est
nommé, le Père est dans le Fils et l'Esprit n'est pas en
dehors du Verbe. Unique est, en effet, la grâce qui, du
Père par le Fils, s'achève dans l'Esprit Saint ; unique est
la divinité et il n'y a qu'un Dieu, qui est sur tout et à
travers tout et en tout » (*Sérap. I, 14*). Didyme n'a pas
voulu dire autre chose.

Applications morales   Comme nous l'avons dit, les
deux portions de texte qui suivent,
§ 175-196 et *§ 197-230*, nous paraissent des pièces rap-
portées. La première est consacrée à l'exégèse de l'*Épître
aux Romains* 8, 4-17, la seconde à celle d'*Isaïe* 63, 7-12.

Ces deux textes scripturaires n'ont pas de rapport entre
eux. Didyme a choisi le premier, car il s'accorde sans
difficulté, du point de vue moral, à la haute théologie à
laquelle l'a appelé le texte johannique. C'est même un
repos après la spéculation. L'esprit du lecteur n'a pas
d'effort à faire pour le suivre. — Quant à Isaïe, ce qui
l'a fait choisir a peut-être été, non précisément les grondements de la colère divine qui s'entendent à la fin du
passage, mais plutôt la manifestation de la justice et la
miséricorde de Dieu, auxquelles Didyme paraîtra toujours
très sensible dans ses commentaires de l'Écriture. Ces
deux attributs divins ne sont pas spécifiques du Saint
Esprit, mais de Dieu ; à ce titre, Didyme pense qu'il n'y
a pas d'opposition à en parler dans son Traité. Mais il
met en avant l'idée suivante, dont la généralité lui permet
de tirer toutes les conséquences dont il a besoin : les
patriarches et les prophètes, dit-il *§ 197*, ont été remplis
de charismes et ont obtenu la connaissance de la vérité
avant l'avènement du Fils unique, ils possèdent ainsi la
grâce de l'Esprit Saint ; on peut donc leur demander des
leçons sur ce qu'il faut croire et comprendre.

**Saint Paul,
Épître aux Romains**
Pour le rattacher à son sujet, Didyme annonce que « l'Apôtre met en relief les traits de la communauté que l'Esprit forme avec le Père et le Fils ». Acceptons ! mais ne nous trompons pas : Didyme exalte les conditions morales selon lesquelles nous vivrons, loin des passions de la chair, dans l'ambiance de l'Esprit, Esprit de Dieu ou Esprit de Christ, car c'est le même Esprit, *§ 184*. Didyme a le souci de trouver dans le texte paulinien la preuve de l'unité indivisible de la Trinité, il le répète autant qu'il peut : *§ 185, 191*, ainsi que l'unité de l'Esprit Saint et du Christ, *§ 188, 189*. Mais ce qui domine, c'est, comme dans le texte de Paul, qu'il faut dépasser la vie charnelle pour vivre de la vie bienheureuse et éternelle où on est conduit sur le chemin de la vérité par l'Esprit Saint qui est appelé aussi Esprit de Dieu, *§ 195*. Au terme, après avoir admiré les effets de cet Esprit qui peut nous habiter — « je te laisse à penser aux conséquences de son action toute puissante », *§ 195* —, Didyme fait valoir l'Esprit d'adoption qui nous rend fils de Dieu et cohéritiers du Christ, ayant en héritage les richesses de notre Père, les dons spirituels, *§ 196*. Tout cela paraphrase de très près le texte paulinien. Il n'y a plus l'effort théologique que nous avons senti auparavant avec les textes johanniques.

Isaïe
On est étonné au *§ 203* d'entendre parler d'un chapitre d'Isaïe auquel on accède, comme si les chapitres précédents d'Isaïe avaient déjà retenu notre attention ! Les pages qui suivent paraissent ainsi arrachées à un commentaire en cours, qui se poursuit à la manière ordinaire, cf. le début du *§ 206*. Que le Dieu juste de l'A.T. ne soit pas différent du Dieu bon du N.T., cela répond très exactement à l'erreur manichéenne, mais touche peu la doctrine et même le sujet du Saint

Esprit. Que le salut soit procuré par le Christ Seigneur,
§ 207 s, et que le Père, n'épargnant pas son propre Fils,
l'ait livré à la mort, *§ 210*, cela encore nous tient loin du
Saint Esprit. Mais voici que, selon le texte d'Isaïe, les
pécheurs ont irrité l'Esprit Saint du Seigneur, *§ 212*. C'est
alors que se recompose, dans l'esprit de Didyme, le
complexe unitaire de la Trinité. Le Père, le Fils et l'Esprit
sont là, annoncés par Isaïe. La communauté de l'Esprit
avec Dieu, *§ 213,* l'union de la Trinité, *§ 214*, se
découvrent dans l'Ancien Testament. Preuve supplémentaire pour Didyme de la divinité de l'Esprit, puisque
Dieu nous la laisse entendre à travers la voix des prophètes ! A nous, cet argument, ainsi manié, ne parle plus
beaucoup, mais il faut lire le *De Trinitate* de Didyme,
I, 19, pour en comprendre la portée, et le comparer à la
page de Grégoire de Nysse, *Contre Eunome* II, (PG 45,
553 ; Jaeger I, p. 393), citée par le P. de Régnon III,
p. 136 ; il est évident que dans ces conditions la théologie
du Saint Esprit paraissait inscrite en clair dans l'Ancien
Testament.

C'est ici que Didyme a logé son passage sur le châtiment et l'errance des Juifs *§ 215-220* ; nous en avons déjà
parlé (*supra*, p. 37), nous n'y reviendrons pas. Mais les
quelques paragraphes consacrés à l'Homme-Seigneurial
(*Dominicus Homo*) *§ 226-230* doivent retenir notre attention. On trouvera dans les notes longues, à la fin du
texte, l'essentiel de ce qu'il faut dire sur l'expression, que
Didyme a assez souvent employée. Ce qui amène cette
expression dans les considérations émises ici sur le texte
d'Isaïe est, comme on a pu le remarquer, qu'avec Isaïe
nous avons quitté le plan de la Trinité pour descendre
sur celui des hommes, et que par conséquent le Seigneur
est devenu dans le raisonnement de Didyme le Sauveur,
Jésus Christ. C'est dans cette perspective que Didyme
l'appelle « Homme-Seigneurial », reconnaissant par là et

sa nature d'homme et sa nature de Seigneur (= Dieu).
On pensera en lisant dans le *§ 230* l'explication : « qui,
tout entier Christ, est l'unique Jésus Fils de Dieu » que
c'est une glose, car la note 25 de Mingarelli en ce lieu
dans Migne signale qu'un manuscrit ancien n'a pas cet
élément de phrase. Rassurons nos lecteurs : sur les trois
familles dont nous nous servons pour établir le texte,
deux attestent la présence du passage en litige, une seule
ne le comporte pas. Il n'y a pas lieu d'en faire une glose.
Le groupe de mss qui l'a omis, est coutumier de ce genre
d'omissions. Le *§ 230* est un paragraphe théologique, qui,
un peu en avance sur son temps, formule du mieux qu'il
peut l'union des deux natures dans l'unique personne du
Christ ; il convient donc de le garder.

**Réflexions
complémentaires**
Nous arrivons, dans la suite du
Traité, au *troisième bloc*, ultime apport
rédactionnel, qui s'étend du *§ 231* au
§ 277. Nous l'avons analysé plus haut (p. 46) : il est
beaucoup plus composite que ce qui précède.

Quelques remarques seulement. Entre *§ 231* et *236*, on
a l'impression que Didyme va entamer un nouveau chapitre sur la sanctification des hommes par l'Esprit. Le
vocabulaire est nouveau : l'appellation de Fils, sans dis-
paraître complètement, s'éclipse au profit de celle de
Verbe, de Christ, de Jésus Christ. « Notre Seigneur Jésus
Christ a été *engendré* d'un Père bon », *§ 235*. La sanctification, se substituant à la participation, exposée, rappelle Didyme, au début du Traité, *§ 21-24*, est mise à
profit pour démontrer, une fois de plus, l'unité de nature
avec le Père et le Fils. La divinité de l'Esprit Saint ne
peut donc échapper à personne. On s'attend à quelque
développement, mais Didyme tourne court pour aller
chercher encore une démonstration de consubstantialité
dans l'appellation même de l'Esprit. Son appellation lui

est donnée « non pas seulement en vertu de la communauté nominale qui fait que l'Esprit est rangé avec le
Père et le Fils, mais parce qu'il ne possède avec eux
qu'une seule nature à laquelle ne répond qu'un seul
nom », *§ 237*.

Nous ne commenterons pas ce qui suit, car les thèmes
abordés ont donné lieu à des notes abondantes qu'on
trouvera à la fin du texte, après la traduction. Nous
retiendrons seulement deux choses : la promesse d'un
ouvrage sur l'appellation d'esprit, *§ 251*. Peut-être Didyme a-t-il pensé le réaliser par le Livre I du *De Trinitate* ; mais ce n'est qu'une hypothèse. La seconde chose
est la profession de foi qui termine l'ouvrage, *§ 271*, juste
avant la conclusion. Didyme rappelle le principe selon
lequel il faut s'en tenir à ce que dit la Sainte Écriture,
principe couramment énoncé aux temps des discussions
théologiques post-nicéennes ; il proclame d'autre part,
pour une fois et de manière doctrinale, la *génération* du
Fils de Dieu, ce qu'il n'avait jamais fait au cours de
l'ouvrage, malgré l'occasion constante qui lui en était
offerte par son sujet ; enfin il rappelle, comme si c'était
le résumé définitif de son propos, que le Saint Esprit est
incréé et qu'il fait partie intégrante de la Sainte Trinité.

Après quoi, la protestation d'humilité de l'écrivain clot
son ouvrage dans les mêmes sentiments que ceux qu'il
avait exprimés en le commençant.

CHAPITRE VII

APPENDICES AUX CHAPITRES I-VI

« Constantinople » en vue   Parvenus au terme de cette introduction théologique, pouvons-nous reprendre le fil de notre histoire et, dans cette marche idéale que nous avons figurée vers le Concile de Constantinople, apprécier rapidement cette sorte de halte égyptienne que constitue la réflexion de Didyme ?

Car Athanase avait lié en une seule la lutte pour l'Esprit Saint et celle pour le Fils de Dieu ; il les avait entremêlées, les arguments de l'une valant pour l'autre, et l'on se rappelle que Sérapion lui avait demandé « d'être succinct » (*Sérap. III, 1*), c'est-à-dire de s'en tenir, sans le déborder, au sujet propre de l'Esprit Saint. A quoi, Athanase avait judicieusement réparti qu'on pouvait « de la connaissance touchant le Fils, tirer heureusement la connaissance touchant l'Esprit » (*Sérap. III, id.*). En effet, cet angle d'attaque pour une connaissance nouvelle était didactiquement bon, puisque l'esprit humain, glissant ainsi du Fils à l'Esprit, trouvait une passerelle et pouvait se ranger avec docilité aux conclusions préparées par un moindre effort. Mais après Athanase, on pouvait envisager une réflexion théologique uniquement centrée sur l'Esprit Saint.

C'est ce qu'avaient compris les « frères » de Didyme qui lui demandaient son opinion sur ce sujet important et difficile, périlleux même, puisque, au dire de notre auteur, c'était « une entreprise pleine de danger », *§ 2*. Néanmoins, Didyme avait lucidement entrepris le défrichage de son sujet, il avait organisé son effort en s'en tenant à la notion d'esprit, sans diverger vers une catéchèse d'Incarnation, en se limitant aux considérations d'existence, de nature, d'opération, de communauté de vie de l'Esprit Saint et en faisant comprendre l'énorme différence entre les suréminentes interventions de l'Esprit Divin et la manifestation ordinaire de l'esprit humain au niveau qui est le sien.

L'effort de Didyme avait été particulièrement remarquable en ce qui concernait la vie divine. Grâce à l'Écriture, à saint Jean en particulier, il avait touché à ce qu'il y avait de plus intime dans les rapports entre les personnes divines. Il l'avait touché d'une manière peu intellectualiste, mais bien réelle, selon les révélations de l'Écriture. Pour lui, exégète de préférence, se mettre en théologie demandait un effort, et il ne pensait pas que ce fût le moment d'établir une science ou une technique de la pneumatologie. Il s'en tenait à ce que sa patrie d'Égypte lui apportait comme substrat de réflexion : la pensée d'Origène et celle d'Athanase. Partant de là, il explorait l'Écriture, la ruminant à loisir dans une mémoire exceptionnelle derrière ses paupières closes. Le mouvement de sa pensée était d'honorer Dieu en lui-même et d'en faire connaître la juste révélation.

Il se doutait bien que d'autres esprits ailleurs — mais c'était des échos qui lui en parvenaient, bien avant les écrits — étaient aux prises avec les mêmes problèmes que lui. En Cappadoce, précisément, le grand Basile avait déjà rédigé son troisième livre *Contre Eunome*, assez court, mais tout entier consacré à réfuter les assertions d'Eunome sur le Saint Esprit.

Évidemment, sur la nature de l'Esprit, sa transcendance par rapport aux anges, sa divinité, son rôle de sanctificateur, la libéralité de ses dons, sa capacité à scruter la vie de Dieu, il y a accord entre Basile et Didyme. Mais dès maintenant, contre l'arianisme, la lutte de Basile, de son frère Grégoire de Nysse et de leur ami Grégoire de Nazianze avait pris une tournure plus conceptuelle. Les Cappadociens sont portés par la réflexion philosophique à laquelle leur esprit a été formé, à approfondir toutes ces notions de nature, de substance, de personne, de procession,.... que nous avons rencontrées à l'état inchoatif dans le Traité de Didyme, pour les accorder en une doctrine chrétienne cohérente ; cela exigeait une terminologie, un langage, une technique appropriés que Didyme n'avait pas, et qui est proprement l'apport des Cappadociens en ces dernières années de la décennie qui précède le Concile de Constantinople. De l'avis de B. Pruche, Basile est allé chercher une part de son inspiration à Alexandrie. Il paraît « nourri de la doctrine athanasienne, de celle en particulier des *Lettres à Sérapion*, de la première surtout. Assimilée, méditée, cette doctrine a été pour lui un point de départ. Elle lui a ouvert les voies vers une théologie plus développée de la procession du Saint Esprit et l'a autorisé à percevoir le rôle sanctificateur de l'Esprit en des perspectives vraiment nouvelles »[1]. Ce qui est dit ici de Basile pourrait l'être encore mieux de Didyme, étant donné l'unification opérée sur le sujet par ce dernier et l'effort de pénétration tenté par lui pour mieux saisir la réalité de la procession et des relations divines. Lorsque Basile aura envoyé, en

---

1. B. PRUCHE, Introduction à *Basile de Césarée, Sur le Saint Esprit, SC* 17 bis, p. 218.

376 ou au début de 377, à Amphiloque évêque d'Iconium,
le livre écrit à son intention *Sur le Saint Esprit*, et qu'il
aura développé, dans l'ambiance d'une réflexion cappadocienne menée parallèlement par ses deux grands
confrères de Nysse et de Nazianze, selon une terminologie
mieux assurée, les points de la doctrine pneumatologique
dont nous avons lu les premiers linéaments chez Didyme,
alors nous pourrons dire que le Concile de Constantinople est proche. Les temps sont mûrs.

En l'an 381, Nicée, comme prolongé à Constantinople,
verra son Credo s'accroître de l'article qui lui faisait
défaut et que nous rappelons : « Je crois en l'Esprit Saint,
qui est Seigneur, qui vivifie, qui procède du Père, qui
avec le Père et le Fils est conjointement adoré et glorifié,
qui a parlé par les prophètes. »

Telle est la formule, article de Credo, à la préparation
de laquelle Didyme sut prendre sa part, en son temps, à
sa place, sans bruit, sans prétention, dans la simplicité,
dans l'humilité....

Réflexions   Avant de quitter cette analyse
sur le traducteur latin du Traité du Saint Esprit, nous
                        voudrions dire quelques mots du
traducteur latin, saint Jérôme.

Jérôme ne peut être soupçonné d'ignorer le grec ; par
conséquent ce ne sont pas ses capacités qui peuvent être
discutées. Nous savons d'autre part ce qu'il entend par
une bonne traduction : « Quand je traduis les grecs —
sauf dans les Saintes Écritures, où l'ordre des mots est
aussi un mystère — ce n'est pas un mot par un mot,
mais une idée par une idée que j'exprime. En cette affaire,
j'ai pour maître Cicéron... J'ai traduit mon saint Antoine
de telle sorte que rien ne manque au sens, s'il manque
quelque chose aux mots. A d'autres d'aller à la chasse
des syllabes et des lettres... » Et il cite l'exemple de saint

Hilaire qui a traduit les traités d'Origène sur les Psaumes et qui, dit-il : « loin de s'attacher à la lettre somnolente et de se torturer par une traduction affectée à la manière des ignorants, a pour ainsi dire capturé les idées, et les a transposées dans sa propre langue, par le droit du vainqueur », (*Lettre LVII*, à Pammachius, trad. J. Labourt, *CUF*). Ce « droit du vainqueur » pourrait effrayer, s'il n'était une clausule simplificatrice et vengeresse contre les « ignares » qui le dénigraient. La lettre date de 395, ce qui est à peu d'années près l'époque où il traduisit notre Traité du Saint Esprit.

La méthode de Jérôme est saine : la recherche du mot, en effet, doit passer après celle de l'idée. Cependant, dans notre traité, nous avons constaté qu'il y a des mots attachés à des idées importantes et qui requièrent une transposition exacte, mot pour mot, si l'on ne veut pas se tromper sur le sens des choses. Nous avons l'impression que, d'une manière générale, Jérôme a eu conscience de ces problèmes et n'a pas usé de son « droit de vainqueur » pour s'affranchir des obligations littérales. Mais il faut quand même y regarder de près. Ce sera possible, car les mots en question ne sont pas très nombreux. Or les équivalences verbales d'une langue à l'autre ne sont pas toujours évidentes. Le latin peut avoir fixé un mot pour un concept alors que le grec ne l'a pas encore fait. Dans le langage post-nicéen, nous savons l'importance des mots.

Sur ce plan, on peut pointer chez les latins : *natura, essentia, substantia, persona* ; chez les grecs : ὑπόστασις, φύσις, πρόσωπον, οὐσία, ὁμοούσιος, ἑτερούσιος... Ces mots ont été véhiculés dans les controverses ; ils ont vécu et ont fait mouche à des dates diverses ; ils ont passé de l'Orient à l'Occident, ou inversement, se modelant dans des univers mentaux qui n'étaient pas semblables et selon des contenus qui prêtaient à discussion, qu'on songe à *homoousios* et *homœousios*... A l'inverse, des idées sans substrat verbal synthétique flottent dans une langue, en attente d'un catalyseur qui les condensera ; ainsi des « ennemis du Saint Esprit » qui n'ont pas encore le nom de « macédoniens » ; ainsi de la *proprietas* du Père, ou du Fils, ou du Saint Esprit, qu'on trouve particulièrement dans les § *130-140 s.* et qui ne s'est pas encore précisée dans le mot de *personne*, tandis que les latins ont défini depuis longtemps le mot de *persona* ; ainsi de l'expression *eadem natura* à laquelle Jérôme ne consent pas, semble-t-il, à donner son équivalent de *consubstantialis* ; ainsi du verbe *procedere* qu'il écarte du vocabulaire de Didyme au profit du verbe *egredi*, en laissant penser que Didyme ne sait pas l'employer. Il n'est pas évident qu'un mot sorti de son emploi ordinaire recouvre exactement dans la langue cible ce qu'il signifiait dans la langue source. Le mot *persona* chez les latins, propre au langage du théâtre, a perdu, en passant dans le langage théologique, la marque de son origine, mais le grec répugne encore à utiliser ce mot, alourdi de la résonance des vulgarités théâtrales, pour identifier les personnes de la Trinité. C'est pourquoi, on l'a vu, nous avons marqué une certaine réticence à accepter comme authentiquement didymienne l'expression *proprietas personarum* du § *133*, estimant qu'il y avait là une intervention anachronique du traducteur latin. Cette expression pourrait trouver confirmation dans l'usage hiéronymien, qui, grâce aux précieux relevés du CETEDOC, accuse la présence fréquente, mais non associée, de ces deux mots (88 fois pour *proprietas* et près de 500 fois pour *persona*). Cependant Jérôme serait venu à cette association et l'aurait proposée ici de son cru, estimant que « l'envoi — au-nom-de » caractérisait autant, sinon plus, la personne que la communauté de nature, bien que ce soit cette communauté que Didyme visât ici en récusant l'idée de consi-

dérer « l'Esprit comme étranger et séparé du Fils ».
D'après le « Cétédoc », Jérôme n'a pas employé l'expression *proprietas personarum* dans ses œuvres. Mais celle du Traité de Didyme pourrait bien lui appartenir. En effet, dans un passage sur les Psaumes, Jérôme est comme sur le point de la prononcer ; il écrit : « *personas dico...iuxta proprietates idioticas... ;...(Pater, Filius et Spiritus Sanctus) diuiduntur proprietatibus, sed natura sociantur* » (Tract. in Ps. XCI [Morin] *CCL* 78, p. 428, li. 133 s.).

En dehors de cette expression hiéronymo/didymienne à la critique de laquelle il nous était difficile d'échapper, on peut dire que la traduction de cet ouvrage grec a plusieurs fois amené Jérôme à faire usage de nouveauté. Il a été obligé d'employer des mots que l'on ne trouve pas dans le reste de son œuvre ; il l'a fait une fois en fournissant l'explication du mot : *capabilis §51, 54, 55, 56*. D'autres mots parmi ces nouveautés : *substantialitas §72 ; receptrix §18 ; indiscretio §161 ; participabilis §268 ; imparticipabilis §264 ; conuertibilis et inconuertibilis §16, 56 ; filietas §139 ; indifferentia §74, 87, 100.*

Cela dit, Jérôme laisse plus d'une fois apparaître dans la traduction son apport personnel. On aura facilement remarqué qu'il laisse des mots grecs dans le texte latin ; non par snobisme, mais, parfois, parce que le latin n'en peut mais ; ainsi aux *§8 et 73*, parce que le latin ne possède pas l'article défini indispensable à l'argumentation. Jérôme a pensé que dans ce cas, comme dans les autres que nous allons signaler, son lecteur avait assez de teinture de grec pour le suivre. Soit ! pour le lecteur de l'époque hiéronymienne ; mais plus tard, pour les copistes médiévaux, quel embarras et que d'application pour copier de la manière la plus fantaisiste des caractères grecs qui se corrompent de plus en plus au fil des recopies ! On verra que Migne encore, c'est-à-dire Vallarsi au XVIIIᵉ siècle, n'est pas venu à bout d'une interprétation correcte des griffonnages médiévaux, cf. *§ 8, 73, 81, 265.* En certains cas, Jérôme a traduit le grec sitôt après le mot, *§ 167, 265* ; le plus souvent, car il s'agit d'*homoousios*, il ne l'a pas traduit, *§ 16, 27, 145* ; pour *§ 193, 253,* l'équivalent est dans le texte, mais les grammairiens connaissaient déjà ces mots d'*axiome*, d'*homonymie* et *synonymie*.

Dans quelques autres cas, il est facile de déceler l'intervention de Jérôme dans le texte de Didyme. Le plus évident est celui de *§ 55*, où il interrompt carrément le texte de Didyme pour donner une explication qu'il estime nécessaire à la bonne compréhension du mot *capabilis* ; un autre cas se trouve au *§ 70* où il rectifie une citation en se référant à l'hébreu, ce que Didyme ne pouvait pas faire.

Nous avons encore signalé deux ou trois autres cas où Jérôme a laissé, ou du moins paraît avoir laissé sa trace personnelle dans la traduction : en *§ 118*, pour le nom donné au livre de la Sagesse, en *§ 223* pour une plus juste traduction.

Nous groupons tous ces passages dans l'ordre où ils se présentent selon le déroulement du texte : *§ 8, 16, 27, 55, 70, 73, 81, 118, 145, 167, 193, 223, 253, 265.* Ajoutons : est-ce Jérôme qui a substitué au *§ 20* les « *Corinthiens* » aux Éphésiens, ou l'a-t-il laissé sans correction ? est-ce à Jérôme que nous devrions l'expression *proprietas personarum* du *§ 133* ?

Dans tous ces cas, que nous avons voulu relever par honnêteté et par le désir de retrouver le texte hiéronymo/didymien le plus authentique possible, et dans tout le reste du texte, nous avons personnellement traduit en français cette traduction latine en serrant le plus possible le mot pour le mot et, comme disait saint Jérôme, l'idée pour l'idée. Mais notre traduction se ressent évidemment de n'être qu'une traduction de traduction... !

CHAPITRE VIII

LA TRADITION

I. La tradition manuscrite[1]

Ce texte latin d'un traité écrit en grec par un auteur assez peu connu, mais co-signé du nom prestigieux de son traducteur, Jérôme, a joui d'une fortune qu'il n'aurait certainement pas eue si l'on avait conservé le texte grec. Il a accompagné les œuvres de Jérôme et c'est, d'une manière générale, dans les manuscrits hiéronymiens qu'on le trouve. Il n'en est même pas resté quelque fragment grec, comme il arrive souvent pour les livres perdus... L'Orient n'a pas entretenu le souvenir de Didyme ; car son grand devancier, Origène, a pris tout le devant de la scène, et, n'était Justinien qui l'avait fait installer dans la même charrette qu'Origène pour recevoir à chaque

1. Nous avions publié en 1970 dans *KYRIAKON, Festschrift Johannes Quasten*, T. I, p. 352-389, une « Étude d'une tradition manuscrite : le « *De Spiritu sancto* » de Didyme ». Nous en reprenons l'essentiel ici pour faire comprendre les données de l'apparat critique. Nous y renvoyons par le mot de *Kyriakon*. Nous avertissons dès maintenant que nous avons apporté quelques modifications aux conclusions de cette étude, notamment en ce qui concerne l'établissement du stemma : quelques passages du texte mieux regardés nous ont amené à créer un relais sur la branche qui conduit du sommet à la constitution des familles α et β. Voir *infra*, p. 114-117.

grand concile les anathèmes renouvelés des Pères — qu'au reste il ne méritait pas —, nul n'eût songé à rafraîchir la trace d'un aveugle méconnu, laissée dans les marges des temps anciens. Il a fallu qu'un helléniste heureux, au XVIIIème siècle, J.A. Mingarelli, chanoine régulier de l'Ordre du Saint-Sauveur, découvre un manuscrit alors inconnu, contenant le *De Trinitate*, pour rappeler que Didyme fut un auteur apprécié en ce qui concerne la doctrine trinitaire, et il a fallu pour le mettre en honneur à notre époque un heureux hasard lors d'une investigation militaire dans les carrières de Toura en Égypte, en 1942 ; car c'est alors que vinrent au jour plus de deux mille pages (2016) de papyrus, inédites, dont 1818 revenaient à Didyme, le confirmant dans sa réputation de commentateur de l'Écriture Sainte (le reste : 182 + 16 pages, revenait à Origène et à un anonyme).

Pour ce qui est du *Traité sur le Saint Esprit*, il a eu une carrière classique à travers les manuscrits qui nous viennent de l'antiquité. Les manuscrits les plus anciens sont perdus, entendons par là ceux de l'époque de Jérôme, qui durent être assez nombreux, si l'on en juge par le bruit que Jérôme a fait autour de sa traduction, par les envois qu'il en fit à son frère Paulinien, qu'il dut en faire à ses amies de Rome, par les copies qu'en eurent Rufin dans les années 400, Augustin en 419, et l'on pense aussi à Ambroise à qui Jérôme dut se faire un malin plaisir d'offrir sa traduction pour lui montrer qu'il n'était pas, lui, un plagiaire camouflé... !

Quoi qu'il en soit, ces manuscrits anciens ont servi de têtes de séries ; ils ne sont plus, mais les séries se sont prolongées jusqu'à nous. C'est en elles que nous retrouvons le texte de Jérôme.

Les manuscrits sont très nombreux, mais le plus ancien ne remonte qu'à la fin du IXème siècle. On en compte 61 dans les bibliothèques actuelles de l'Occident : 8 du

Xème au XIIème siècle ; 17 du XIIème siècle, siècle des préoccupations théologiques ; 11 du XIIIème siècle ; une vingtaine du XVème siècle, époque de renaissance et d'humanisme ; ces derniers, tardifs, moins intéressants, ont en quelque sorte survécu dans les éditions imprimées : nous en reparlerons.

Il serait vain de les indiquer tous ici. La liste de *Kyriakon* les énumère, chacun avec son lieu de dépôt actuel et ses caractéristiques essentielles. Je voudrais simplement signaler, pour qu'elles ne soient pas perdues de vue, les indications supplémentaires qui m'ont été fournies après coup par des chercheurs, que je remercie ici (A. Vernet, R. Étaix, E. Jeauneau).

On ajoutera donc à la liste des mss :

Colmar 58 (188), ff. 1v-33r, s. XII ; vient de l'abbaye de Marbach.

Paris B.N. lat. 11574, s. IX ; a utilisé, f. 46r, f. 49v..., pour un florilège sur l'*Épître aux Romains*, des textes du *De Spiritu Sancto* de Didyme.

Baltimore W 2, s. IX ; a utilisé une douzaine d'extraits du *De Spiritu Sancto*.

Les familles de manuscrits Nous avons pu ranger, par la collation du texte, cette soixantaine de manuscrits en six familles bien typées, et bien homogènes selon leurs variantes. Nous les désignons par les premières lettres de l'alphabet grec : Famille α : 7 mss ; Famille β : 10 mss ; Famille γ : 6 mss ; Famille δ : 13 mss ; Famille ε : 15 mss ; Famille ζ : 9 mss.

Les investigations à travers les catalogues de bibliothèques d'abbayes aujourd'hui disparues ont encore amené la connaissance de 24 mss ayant existé. C'est dire la propagation du texte en Occident et que Jérôme a été pour Didyme un bon « agent de publicité ».

Nous avons maintenant à ranger nos familles et à déterminer celles qui doivent nous aider à établir le texte. La chose n'eût pas été facile sans une particularité qui nous a frappé lors de la collation des manuscrits.

En effet, le relevé des omissions de plus de deux mots à travers tous les mss a montré, en sus de l'homogénéité parfaite des familles déjà établies par les variantes, une progression cumulative, selon les familles, du nombre d'omissions *identiques*, si bien qu'il était possible de ranger les familles selon l'ordre croissant des omissions. Il allait de soi que la famille ζ, qui comptait 45 omissions, était à mettre au bas de l'échelle, après la famille ε qui en comptait 34, elle même inférieure à δ qui n'en avait que 25. Il était évident que la corruption du texte allait de pair avec la croissance des omissions. Le phénomène était d'autant plus intéressant que la similitude des omissions permettait aussi de dresser l'arbre généalogique des familles. En effet, γ comporte 16 omissions (ou 17, en comptant un exemplaire de sa lignée que nous n'avons pas conservé) qui se retrouvent toutes respectivement en δ, en ε, en ζ. La famille δ, à ces 17 omissions, en a ajouté 8 de son cru, mais aucune de celles-ci ne se retrouve en descendance dans les autres familles ; ε et ζ ont hérité toutes deux des 17 omissions, mais accrues de 15 autres au cours d'une descendance que nous ne connaissons que par là, si bien qu'à ce passé chargé (17 + 15 om.) elles n'ont pu qu'apporter de nouvelles omissions, très peu pour ce qui est d'ε (+2 om.), beaucoup pour ce qui est de ζ (+13 om.). Le stemma s'appuie sur ce bilan d'omissions :

α : 12

β : 3

γ : 17

δ : 17 + 8 = 25

Un relais : 17 + 15 = 32

ε : 17 + 15 + 2 = 34

ζ : 17 + 15 + 13 = 45

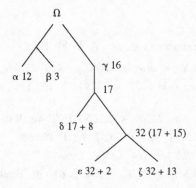

Là où les chiffres sont semblables, les omissions sont identiques. Les chiffres différents indiquent la part d'omissions propre à chaque famille. On constate par là l'indépendance des trois familles, α, β, γ ; toutes les autres tirent leur texte de γ, qui leur a instillé ses 17 omissions. Nous, par conséquent, nous nous désintéressons des familles dépendantes, qui ne peuvent que nous fournir un texte plus altéré que celui de leur ascendance. D'un coup, nous écartons 37 manuscrits qui encombraient notre chemin et nous n'en gardons que 23, ce qui est encore trop pour travailler sans engorgement à l'établissement du texte.

Nous avons donc réduit à trois mss l'apport de chacune des trois premières familles, α, β, γ. En choisissant ceux qui nous ont paru les plus représentatifs de leur famille, nous sommes assuré de rencontrer le texte authentique de chacune des trois avec ses altérations quelles qu'elles soient. Et comme nous aurons ainsi l'expression de trois témoignages, nous pourrons, tout en comprenant que α et β se ressemblent plus entre eux qu'ils ne le font avec γ, les comparer, choisir entre eux, éliminer les additions, corriger les altérations, combler les omissions, bref accomplir le travail critique qui s'impose.

Famille α

Les six manuscrits de α : A V Θ T 1 G

A *Paris, B.N., n. acq. lat. 1460*, s. X, f. 23-40v, Cluny.

V *Toulouse, B.M. 157*, a. 1294, f. 130-146v, Albi, B. de Castanet.

Θ *Munich, Clm 13100*, s. XII/XIII, f.1-46, Ratisbonne.

T *Troyes 520*, s. XII, f. 252-259v, F. Pithou.

1 *Vatican, Pal. lat. 314*, s. XV, f. 60-77.

G *Paris, B.N., lat. 2028*, s. XII, f. 64v-70, Beaupré.

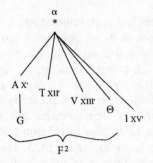

Le ms. A peut servir de référence ordinaire pour le texte de α. Entre les ff. 25 et 26, un folio a été arraché ; il lui manque ainsi ± 140 lignes, fin *§ 32 — § 44* (*dignam — omni per-*). On y suppléera par V ou Θ. Le ms. A porte des corrections de plusieurs époques et, en marge, propose des variantes. Corrections et variantes sont arbitraires, elles ne relèvent pas du texte de α, car les mss V T Θ les ignorent. Pour l'ordinaire, le copiste de A commet peu d'erreurs personnelles ; celles qu'on peut rencontrer — elles sont rares — seront facilement corrigées par un recours à V ou Θ. — Quant au ms. G, qui est fait d'extraits, il pourrait avoir été copié sur A, vu la similitude des leçons ; il ne nous servira donc pas.

Les codd. T, V et Θ accompagnent assez fidèlement A dans ses lectures. Les titres du Prologue et du Traité sont, à l'exception du mot *sanctus*, semblables. Les divergences sont peu importantes et peu nombreuses ; par ex. : § 22, *superueniente in uos spiritu sancto* A Θ ; *superuenientis in uos spiritus sancti* T ; *superuenientem in uos spiritu sancto* V (Act. 1,8). Autre ex. : § 53, *unus quis* A T ; *unus* V Θ. Les divergences peuvent s'expliquer par de banals accidents de transmission ; on ne relève pas d'indices qui nous mèneraient à conclure que T V Θ soient des copies ou des descendants de A. On peut donc tabler sur ces trois (ou quatre) mss pour représenter le texte de α.

Nous laissons de côté, pour ne pas nous en embarrasser, le ms. l. Plus tardif, il n'est pas moins fidèle au texte de α que les autres. Il n'est pas leur descendant ; il a tous les droits d'une place entière au sein de cette famille.

Famille β

Les neuf manuscrits de β : L M S Y b t v w y

L *Monte Cassino 219*, s. XI, p. 1-78.

M *Vatican, lat. 4945,* s. XI, f. 75-82v. S. Croce dell'Avellana.

S *Monte Cassino 220 (B)*, s. XI, p. 75-148. Orig. bénéventine.

Y *British Museum, Burney 281*, s. XI, f. 38-81.

b *Vienne 1033,* s. XIV, f. 1-34v. Saint-Dorothée.

t *Melk 1869 (olim 398)*, s. XIV, f. 71v-89v.

v *Erfurt, Amplon. 84*, s. XV, f. 122-134v. Porta Caeli.

w *Heidelberg, Salem 9*, s. XIII, f. 1-54v.

y *Vatican, Ottob lat. 946*, s. XVI, f. 1-104. Copie de M.

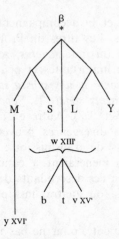

Nous laisserons de côté b, t, v, y, secondaires et tardifs. Mais nous nous servirons de w : son modèle était excellent, proche de l'ancêtre de la famille ; il l'a copié avec soin et intelligence ; de lui dépendent b, t, v. — Les mss L et Y s'entendent étroitement, comme de leur côté M et S. Nous utiliserons donc M et Y. Pour des raisons philologiques diverses, que nous avons exposées dans *Kyriakon*, ces deux mss nous ont paru préférables à leurs semblables L et S.

Famille γ

Les six manuscrits de γ : B C R Γ Δ j

B *Paris, B.N. lat. 2364*, s. XII/XIII, f. 187v-203v. Fontenay.

C *Paris, B.N. lat. 1688*, s. XII, f. 3-21v. Moissac.

R *Paris, B.N. lat. 1689*, s. XII, f. 1-11v. Tulle.

Γ *Leyde, Scaliger 2*, s. XII, f. 131v-152v.

Δ *Durham, B III 2*, s. XII, f. 1-18v.

j *Cambridge, Gonv. and Caius Coll. 131/71*, s. XV, f. 251-287v.

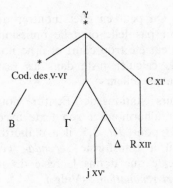

Nous nous servirons de B, C, Δ, et quand C fera défaut — car il a une longue lacune de plusieurs folios, *§ 174 suam* — *§ 247 sonet* —, nous y suppléerons par Γ, ce que nous ne pouvons pas faire par R, copie de C, car R est affecté de la même lacune.

Le cod. B est particulier. Manuscrit du XIIème siècle provenant de l'abbaye cistercienne de Fontenay près de Dijon, il nous présente un texte en désordre, et de ce désordre lui-même on déduit qu'il faut le rattacher à un modèle du V-VIème siècle. Il est possible — seulement possible — que ce modèle antique ait été l'archétype de la famille γ. Toutefois entre lui et ses copies du XIIème siècle, il dut y avoir plus d'un intermédiaire, car il faut expliquer les trois sortes de texte que l'on trouve à l'intérieur de la famille, celui de B, de C et de Δ. Le fait qu'un codex aux folios brouillés — ou une copie d'un tel codex — parvînt jusqu'à Fontenay est assez extraordinaire. Il fallait que le codex ait bien vieilli pour être recopié dans un état pareil. Mais de leur côté, les copies qui s'en vinrent à Moissac (C) et à Durham(Δ), devaient remonter, si l'on s'en tient à notre hypothèse, au même codex avant qu'il n'ait été brouillé. Le texte de B est le plus abîmé, et ce, par la faute de B et non par celle du vieux modèle. On peut en effet montrer que le modèle disloqué n'avait pas telle ou telle omission de B, sans quoi son texte eût été trop court et il ne nous aurait pas été possible de calculer juste dans les restitutions que nous avons tentées ailleurs[2].

Dans plusieurs citations de l'Écriture nous avons surpris B en délit d'harmoniser son texte avec la Vulgate. Par ex. en *§ 53* pour *Tit.* 3,5, il a d'abord complété la phrase, puis il a transformé *secundae generationis et innouationis*, texte que donne le reste de sa famille, en *regenerationis et renouationis* (Vulg.).

Malgré les fraudes d'harmonisation des textes scripturaires, malgré les bévues et les fautes ordinaires de copiste, le texte de B nous paraît tout de même un témoin important de sa famille. Le fait de la dislocation de certains passages ne devrait pas trop lui nuire, à condition qu'on veuille bien fermer les yeux sur les transitions hétéroclites qui prétendent ajuster ses textes brouillés : nous ne pouvions pas ne pas les reproduire dans notre apparat critique ; il faudra une certaine attention pour ne pas s'y embrouiller à nouveau...En voici la liste exhaustive : *§ 42, 43, 46, 48, 51, 55, 61, 63, 64, 67, 77, 154, 159, 162, 164, 169.*

C'est ici que nous faisons intervenir les nouveautés qui nous ont induit à séparer fortement γ de α et β et à donner un ancêtre commun à ces deux derniers.

Trois passages de γ sont nettement différents chez les deux autres familles et supposent chez ces dernières des préoccupations théologiques à placer assez haut dans l'échelle de l'histoire, *§ 118, 159, 230.* Comme ces préoccupations théologiques n'ont pas atteint les mss de la

---

2. Cf. L. DOUTRELEAU, « Incohérence textuelle du *De Spiritu Sancto* de Didyme dans le *Parisinus lat. 2364* », dans *SACRIS ERUDIRI* 18, 1967, p. 372-384.

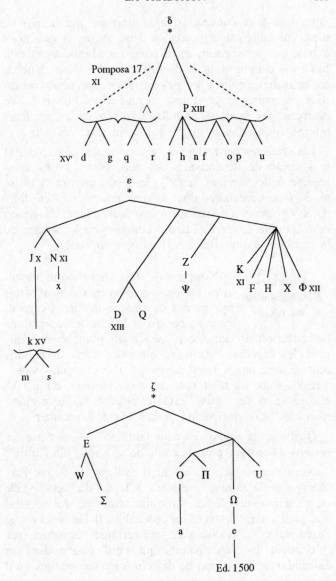

famille, il faut convenir que la branche qui la portait n'est pas celle qui a porté les deux autres et que nous avons, par conséquent, au départ deux branches et non pas trois comme nous le disions dans *Kyriakon*. Une de ces branches, selon le jeu des variantes que nous constatons, se partagea et donna, à une date que nous ne pouvons pas fixer, les familles sœurs α et β avec leurs interpolations, tandis que γ garda un texte plus pur.

Les stemmas permettent de se représenter concrètement le système de dépendance des mss. Nous avons aussi représenté les familles δ, ε, ζ : le dessin montre et classe les 37 mss secondaires dont la description avait été faite dans *Kyriakon*. On retiendra particulièrement le dessin de la famille ζ, car il aidera à comprendre le passage de la tradition manuscrite à la tradition imprimée.

Principes d'établissement du texte Nous avons donc pour notre travail trois familles, et plus précisément, trois manuscrits de chaque famille. Ce groupement par trois facilite les opérations de réduction à l'unité, car, aussi bien pour les mss que pour les familles, l'arbitrage ordinaire dans les conflits doit se faire par le tiers survenant. Deux témoins valent mieux qu'un. Ce n'est pas une règle absolue, car il faut encore se méfier d'une entente possible à corruption ! mais c'est un principe qui peut souvent s'appliquer.

Quelle est la valeur des trois familles ? Avons-nous des raisons d'accorder plus de confiance à l'une qu'à l'autre ?

Nous savons par le cas du brouillage de B que l'archétype de la famille γ existait à la fin du Vème siècle ou au début du VIème. Antiquité vénérable qui ne rend pas pour autant le texte irréprochable. Il faut croire que l'exemplaire fut réalisé avec une certaine négligence, car il contient les 16 omissions qui vont passer dans sa descendance et pas mal de défectuosités secondaires qu'il est aisé de relever. A-t-il eu pour origine l'une de ces copies privées, qui se multipliaient rapidement du vivant de Jérôme, qui n'offraient aucune garantie et contre lesquelles Jérôme n'a cessé de protester ? En est-il de même du texte de la famille α qui nous paraît tout aussi défectueux (surtout à cause de ses 12 omissions) ?

En comparaison, l'archétype de β dut être (ou provenir d') une copie plus soignée. Moins d'omissions — trois seulement —, moins de formes corrompues. Ce qui n'exclut pas le lot ordinaire de fautes et de légères modifications que tout copiste laisse derrière lui. Sa qualité pourrait ressortir de la comparaison qu'on en peut faire avec un texte que Rufin nous a gardé du Prologue de Jérôme. Ils s'accordent suffisamment l'un et l'autre pour qu'on n'ait pas à décerner une moins bonne note à β. Mais le Prologue est trop court pour porter un jugement définitif.

Dans chaque famille, on trouve des variantes qui se sont insinuées dans le texte. D'où viennent-elles ? Remontent-elles à l'archétype principal ? L'une ou l'autre, peut-être. Pour la plupart, il ne semble pas, car α et β n'ont pas les mêmes, et on peut hésiter sur la teneur du texte authentique. Elles témoignent que, dès leur apparition, les copies ont paru insuffisantes à certains lecteurs, qui y ont inscrit leurs conjectures. Dès ce moment, dès le Vème siècle, avait donc déjà commencé la cascade sans fin des retouches et des révisions. Mais la comparaison avec les états postérieurs du texte, eux vraiment dégradés, nous assure qu'à l'origine les trois copies indépendantes α β γ reflétaient aussi fidèlement qu'on peut l'attendre l'archétype principal. Celui-ci n'était pas exempt de quelques omissions et de quelques fautes. Nous butons contre elles et ne pouvons pas aller au delà. Se risquer au delà est faire œuvre de conjecture. Nous nous y sommes risqué une fois dans le Prologue (*ludicrum*), plus loin dans le rétablissement du texte grec complètement déformé (*§ 8*) ; d'autre part nous avons accepté une conjecture proposée par Vallarsi (d'après I, ms tardif, 1488), et reprise par Migne, d'un accusatif au lieu d'un génitif (*§ 94* : *spiritum sanctum*), et une autre des mauristes (*§ 192* : *uitiorum* au lieu de *uirtutum* ; v. in loc.). Le lecteur jugera de son côté si c'était avec raison.

Nous ne pouvons pas rendre compte ici de toutes les modifications que nous avons fait subir au texte de Migne ; nous l'appelons ainsi puisque c'est dans « Migne » qu'il est le plus commmodément consulté, alors qu'il appartient en réalité à Vallarsi, comme nous allons le dire dans une section suivante. En nous appuyant sur nos trois familles de manuscrits, nous sommes intervenu *circa* 822 fois : 125 additions (de mots) ; 104 suppressions ; 178 interversions ; 148 rectifications grammaticales ; 267 modifications de mots ; et nous ne parlons pas de la ponctuation... J'avance ces chiffres simplement pour qu'on se rende compte de la corruption dans laquelle était tombé le texte et de la nécessité du nettoyage ! L'apparat critique renseignera sur le détail. Il faut auparavant que nous disions quelques mots des interpolations.

Les interpolations   C'est parce qu'un copiste, ou un lecteur antique, semble avoir voulu trop bien faire que nous pouvons débusquer un groupe d'interpolations, comme aussi de corruptions, dont la suppression rendra le texte du *De Spiritu Sancto* plus exact.

En effet (nous avions promis, p. 86, d'y revenir ici), après : « ...il est cela même qui est proféré par le Fils », le texte de la tradition imprimée ajoute au *§ 159* : « c'est-à-dire Dieu procédant de Dieu, Esprit de Vérité procédant de la Vérité, Consolateur émanant du Consolateur » ; « *id est procedens Deus de Deo, Spiritus Veritatis procedens a Veritate, Consolator manans de Consolatore* ».

Belle proclamation de procession trinitaire qui a pu réjouir le cœur de plus d'un théologien ! Et la lecture des manuscrits, même si elle apparaissait un peu brouillée (v. note 84 de Migne *PG 39*, 1065) n'y contredisait pas. Mais nulle part ailleurs (sauf dans l'allusion scripturaire de *Jn* 15,26 en *§ 170*), le *De Spiritu Sancto* n'emploie le verbe *procedere*. Cette profusion soudaine du mot nous fait dresser l'oreille, et nous avons vu que ce n'était pas Jérôme qui pouvait s'être livré à la redondance d'un mot qu'il bannissait ordinairement.

Or, et c'est instructif, sur nos trois familles, deux ont reproduit le texte et la troisième, γ, l'a omis. Ce serait banal en une autre circonstance ; car selon le principe ordinaire, il n'y aurait qu'à donner raison aux deux familles possédantes contre la famille omettante et laisser celle-ci se morfondre dans les bas-fonds de l'apparat critique ! Mais il n'en ira pas ainsi. Le soupçon d'inter-polation, que n'encourt donc pas ici la famille γ (BCΔ), nous renvoie à quelques autres passages écrits de la même encre, où la famille γ se distingue de la même façon que dans le passage que nous étudions présentement. C'est-à-dire que la famille γ nous paraît avoir un texte beau-coup plus pur que les autres en ces endroits.

L'un de ces passages est en *§ 118*, quand Didyme s'apprête à faire une citation du livre de la Sagesse. Il donne à celui-ci un titre qui paraît conforme à la manière d'intituler de Jérôme, mais qui est aussi la sienne, à lui Didyme (cf. *in Zach.* 151,27 ; 160,10...). Les manuscrits, à l'exception de ceux de la famille γ, ont tous dévié vers une autre manière d'intituler. On lira la note que nous avons rédigée pour le *§ 118*. Il s'ensuit que nous avons pour ce passage en α et β le même soupçon d'interpolation que précédemment, et que nous pouvons donner aussi la même note de faveur à γ.

Voici un troisième cas. Les manuscrits, encore une fois, confirment les hésitations que la critique interne fait naître. Jérôme ne peut pas être incriminé ; quand il intervient, il le laisse entendre : nous avons relevé tous les passages où on peut le reconnaître. Voir p. 100. Mais ici, *§ 230*, l'addition, qui ne relève pas d'un choix de traducteur, paraît vraiment bien agencée au texte ; cependant le théologien ou l'historien des idées subodore là une doctrine trop évoluée pour être celle de l'époque de Didyme et de Jérôme. En deux mots expliquons-nous. L'auteur du membre de phrase : « *qui totus Christus, unus est Iesus Filius Dei* » (v. app. crit.) apporte par là une précision dogmatique à l'expression « *Dominicus Homo* » que Didyme vient d'employer. Cette expression, bien reçue à l'époque de Didyme, passa plus tard, après le Concile d'Éphèse, pour favoriser l'opinion de ceux qui s'égaraient à considérer deux personnes dans le Christ, ce qu'on a appelé une christologie dualiste. Étant donné la suspicion où on la tenait après le Concile d'Éphèse de 430, on conçoit très bien qu'une plume secourable, ou rigoriste, ait alors inséré cette glose dans notre texte pour sauvegarder l'orthodoxie de Didyme. Tous les manuscrits ne la comportent pas ; ceux qui ne la comportent pas, c'est-à-dire ceux de la famille γ, sont donc plus purs ; ils ont franchi la barre du Vème siècle sans avoir été retouchés sur le point qui vient de nous occuper. Nous renvoyons, pour toute cette histoire de l'Homme Seigneurial, *Dominicus Homo*, à l'excellente étude de A. Gesché, dans *La christologie du Commentaire sur les Psaumes découvert à Toura*, p. 80-90.

Un quatrième cas se trouve au *§ 148*. Voir la note *ad loc*. Le bon texte, dans ce passage brouillé, est encore celui de γ.

Cinquième cas : *§ 230*, lire *Verbum Deus* avec γ, et non
« Verbum Dei » avec les autres (cf. apparat *ad loc.*), car
l'expression Λόγος Θεός est ordinaire chez Didyme ;
(cf. p.ex. dans l'*In Zach. de Toura*, 23 cas recensés).

La conclusion pour nous est que nous rejetons, pour
les cinq passages que nous avons signalés ici, les leçons
des deux familles α et β. Nous le faisons avec assurance,
car les arguments fournis en faveur de γ se confortent
d'un cas à l'autre, si bien que l'hésitation n'est plus
possible.

Mais alors, comme on l'a vu, il faut modifier le stemma
que nous proposions dans *Kyriakon* en 1970, p. 376. Du
sommet, partira la branche γ qui se continuera, comme
il était indiqué, par les familles à grand nombre d'omissions ; mais du sommet, partira aussi une seconde
branche qui bifurquera presque aussitôt en α et β. Si
bien que le principe que nous avons préconisé de la
prévalence de deux contre un, trouvera là quelque raison
de s'assouplir un peu.

II. La tradition imprimée [3]

La première édition paraît juste au sortir de l'époque
où l'on range les incunables, 1500. Ce n'est qu'un fasci-
cule, recueil de textes divers où le *De Spiritu Sancto*, ff.
12-24, en lignes serrées, continues, sans alinéas, mais avec
quelques notations marginales tenant lieu de sous-titres
et indiquant des références scripturaires, voisine avec des
textes en latin d'Athanase, de Cassiodore et de s. Cyprien.
Le manuscrit dont il est issu appartenait au conseiller

3. Tous les détails sur les éditions dans *Rech. Sc. Rel.* t.
LI, 1963, L. DOUTRELEAU, « Le *De Spiritu Sancto* de Didyme et
ses éditeurs », p. 383-406.

royal Simon Radin, avant qu'il ne passe en la possession de J. puis G. Budé. C'était, autant qu'on peut s'en rendre compte aujourd'hui, le cod. *Vat. Reg. lat. 228*, de la fin du XVème siècle, bourré de fautes ou, du moins, de variantes puisque la comparaison avec le texte de son successeur, Amerbach, fait ressortir 610 leçons différentes. Nous insistons sur cet aspect des choses, car la suite des éditions garde souvent, même quand les éditeurs veulent s'en préserver, les traits de la première ou d'une des premières parues. Celle-ci agit alors comme un territoire occupé dont on ne parvient pas à chasser le propriétaire quand on veut le remplacer. Jusqu'à Vallarsi au XVIIIème siècle on peut retrouver l'influence de l'édition d'Amerbach (1516). Ce n'est pas que les éditeurs postérieurs n'ont pas consulté d'autres manuscrits, mais la fascination du texte imprimé ne cesse de s'exercer au cours du temps.

Quand Bruno Amerbach, pour l'édition des Oeuvres de saint Jérôme par Érasme en 1516, entreprit d'établir le texte à nouveau, il réunit des manuscrits qui lui permirent de combler toutes les omissions de l'édition de 1500 — et elles étaient nombreuses, 35 —, c'est-à-dire qu'il eut à sa disposition au moins un manuscrit de la famille β. Mais il n'en eut pas de la famille γ, sans quoi il aurait comblé une omission qu'elle était seule à lui permettre de combler, (*§ 112*). Cependant, et malgré de nombreuses interventions sur le texte de Benet, les caractéristiques du texte d'Amerbach se ressentent d'avoir été celles de la famille ζ.

Plus tard, en 1531, Jean Praël réédite à Cologne, avec le Commentaire de Didyme sur les « Épîtres canoniques », le *De Spiritu Sancto*. C'est un petit volume de 176 pages, 15 x 10 cm, dont seules les dernières sont numérotées de 1 à 80 et attribuées au *De Spiritu Sancto*. Le texte a de nombreuses omissions.

Vient ensuite, en 1571, Marianus Victorius qui édite, à Rome, les Oeuvres de S. Jérôme. Beaucoup de bruit dans sa préface, car il tient à dénoncer « l'hypocrisie et l'impiété » et « l'ignorance » d'Érasme ! Il dit avoir amendé le texte du *De Spiritu Sancto*... On peut en discuter, car il l'aurait amendé à l'aide de manuscrits grecs (*Titre du Traité, éd. de Paris 1579*, t. VI, col. 481) ! De vrai, il y a une quarantaine de variantes qui lui sont propres, dont 18 reviennent à Benet. En cent ans, Victorius fut édité dix fois. On lui doit une bonne innovation : l'indication des références scripturaires, dans les marges.

Margarin de La Bigne, en 1575, dans sa première édition de la *Bibliotheca Patrum*, reprend, autant qu'il nous a semblé, bien des leçons de Praël. Mais Margarin de La Bigne n'est pas un éditeur, c'est un diffuseur. Ne lui demandons pas un travail critique personnel. Il inaugure, en quelque façon, la division du texte, en réalisant huit alinéas, mais en des endroits qui paraissent arbitraires. Ces alinéas feront partie de ceux que Vallarsi conservera. Les éditions de la *Bibliotheca Patrum*, sauf celle de Lyon en 1677 et celle (analogue) de Cologne de 1618, reprennent toutes (1589, 1609, 1624, 1644, 1654) le même texte que la première.

Jean de Fuchte, en 1614, édite un tout petit volume, de format presque in-16, dans le but — il enseigne la théologie à l'Université protestante de Helmstedt — de faire connaître l'accord des docteurs grecs et latins sur la doctrine trinitaire. Il fait un travail critique à l'aide de quatre manuscrits. Mais le texte, philologiquement, ne progresse pas.

Martianay, le mauriste chargé des Oeuvres de s. Jérôme, lesquelles paraissent en 1706, rejette en appendice, après les Index du tome IV, le *De Spiritu Sancto*, sans un mot de justification, sans introduction, sans notes (sauf une seule variante, plutôt conjecture, sans indication d'origine). Toutefois il recopie en Index à ce Traité repoussé à la finale du livre la plus grande partie des leçons du *Tolosanus* qu'on lui a envoyées. Pour le corps du Traité, il revient assez abondamment au texte d'Amerbach. On a l'impression qu'il n'a travaillé que sur les éditions de Victorius et d'Amerbach, les comparant entre elles et en tirant son propre texte.

En dernier lieu, nous arrivons à Vallarsi, qui édite lui aussi les Oeuvres complètes de s. Jérôme, à Vérone. Le Tome II, qui contient le *De Spiritu Sancto* aux col.103-168, paraît en 1735. Il donne un numéro aux 63 paragraphes de Martianay. Migne, on le sait, en est la pure reproduction. Vallarsi nous dit avoir travaillé sur quatre manuscrits et sur les grandes éditions que nous avons citées : Érasme, Victorius, Martianay. Les mss sont les suivants : le *Vaticanus 4945* (fam. β), le *Pierpont-Morgan 496* (fam. δ), le *Tolosanus 157* (fam. α) et le *Vat. Reg. lat 497* (fam. ε). Mais il faut mettre une sourdine à ces indications. Car en ce qui concerne le *Tolosanus*, il n'a consulté que l'appendice de Martianay qui reproduisait les leçons qui lui avaient été transmises et il les met en bas de page ; en ce qui concerne le *Vat. Reg. lat. 497*, ce n'est qu'à partir du chap. XXIII, *(§ 97)*, qu'il a pu obtenir des variantes, et, nous dit-il, il s'en sert çà et là (« *passim* ») ; pour les deux autres, il faut simplement dire que le *Pierpont-Morgan*, appelé alors *Collegii Romani*, devient sous sa plume soit une *vetus*, soit une *antiqua*, soit une *antiquissima editio* et qu'à la longue il est bien difficile de s'y reconnaître. Dans l'ensemble le travail de Vallarsi apporte des améliorations au texte et témoigne en faveur de son jugement critique.

Les exigences de la précision philologique n'étaient pas encore de son siècle. pas plus que la recherche exhaustive dans la tradition manuscrite. C'est pourquoi, sans méconnaître les efforts alors déployés ni les résultats déjà atteints, nous avons remis le travail sur le métier, et, avec la connaissance de soixante manuscrits, mais avec l'aide seulement, ce qui se justifie mieux, des neuf meilleurs d'entre eux, nous tentons aujourd'hui l'édition critique qui va suivre.

CHAPITRE IX

L'INFLUENCE

Nous ne pouvons guère connaître l'influence que le Traité de Didyme put avoir sur les cent cinquante Pères réunis en concile à Constantinople en 381, car d'une part les Actes du Concile n'ont pas été conservés[1] et, d'autre part, il est avéré que la formule à laquelle s'est arrêté le Concile pour définir le Saint Esprit est principalement le fruit de la réflexion cappadocienne, celle de Basile surtout, décédé, mais dont le souvenir rayonnait encore, celle de Grégoire de Nazianze, à qui revint un moment la présidence du Concile, celle de Grégoire de Nysse, très écouté, celle des autres qui, tout naturellement, leur emboîtaient le pas. Combien, même parmi les évêques égyptiens, avaient lu l'ouvrage de Didyme ? Et, à supposer même qu'ils fussent nombreux, ils étaient loin d'avoir le poids théologique d'un Basile et de ses amis. Timothée, l'évêque d'Alexandrie, n'a laissé comme souvenir que celui d'être arrivé en retard pour la séance inaugurale... Dans cette foule d'évêques orientaux, le livre de Didyme ne put compter qu'indirectement, parce qu'il avait été, à son moment et en son lieu, un franc témoi-

---

1. Cf. I. Ortiz de Urbina, *Nicée et Constantinople,* éd. de l'Orante, Paris 1963, p. 182-205. La bibliographie essentielle au sujet se trouve aux p. 298-299 ; elle mentionne les *Lettres à Sérapion,* mais pas le Traité de Didyme.

gnage rendu à la divinité de l'Esprit et un essai averti des différents aspects de la pneumatologie.

Ambroise de Milan Mais en dehors du Concile, l'influence de Didyme est certaine sur Ambroise. Prié par l'empereur Gratien de lui exposer la doctrine du Saint Esprit, Ambroise se mit aussitôt à l'œuvre et présenta son livre à l'empereur en 380. Les Traités de Didyme et de Basile avaient été largement consultés. Nombreux sont les passages où l'on décèle la réminiscence, et, pour ainsi dire, l'emprunt à l'un ou à l'autre. Ces ressemblances sont instructives à notre point de vue, car, plutôt que de nous faire pousser les hauts cris de Jérôme croyant démasquer un plagiaire, nous y trouvons un témoignage que la doctrine du Saint Esprit dont elles sont le reflet était — et est encore — un bien commun de la Tradition.

Th. Schermann a dressé en 1902 la liste des 44 passages « didymiens » d'Ambroise et O. Faller les a indiqués dans son édition du Traité d'Ambroise en y ajoutant les passages « basiliens », beaucoup moins nombreux [2]. Faller n'a indiqué qu'une douzaine de parallélismes avec les Lettres à Sérapion ; il eût pu en indiquer davantage en ne s'en tenant pas au littéralisme des choses, Didyme étant lui-même très athanasien. Pour ce qui est des citations scripturaires, Ambroise, qui en présente 427, en a 99 communes avec Didyme, qui en présente 311. Mais ces statistiques de citations ne révèlent pas autre chose que de manifester qu'elles sont, elles aussi, un bien

---

2. Th. SCHERMANN, *Die griechischen Quellen des Hl. Ambrosius in Lib. III de Spiritu Sancto,* Munich 1902. — O. FALLER, *Sancti Ambrosii Opera, Pars nona, De Spiritu Sancto libri tres...,* CSEL 79, 1964 ; les renvois didymiens y sont faits à Migne. — Récemment encore : C. PASINI, *Le fonti greche su sant'Ambrogio,* Città Nuova 1990.

commun de la Tradition, puisque Basile et Didyme qui
ne passent pas pour avoir puisé l'un dans l'autre ont
64 citations communes sur un total de 348/311.

Ce que nous venons de dire concerne le texte grec de
Didyme, car Ambroise le lut en grec, langue qu'en lettré
de son époque, il connaissait aussi bien que Jérôme. Mais
ce fut Jérôme qui fit la fortune du traité de Didyme : en
le traduisant en latin, il lui ouvrait la porte des milieux
occidentaux.

Saint Augustin   Nous ne dirons rien de Rufin, l'ami,
devenu frère ennemi de Jérôme. Il eut
droit au volume, puisqu'il nous en a transmis le Prologue
en y joignant les réflexions acerbes que l'on sait[3]. Mais
il est intéressant pour nous de savoir comment saint
Augustin vint à la connaissance du Traité de Didyme.
Je m'inspire ici, sur saint Augustin, de ce qu'écrivait
G. Bardy, dans les années 1950, en prévision d'une publication qui n'est pas arrivée à son terme[4].

---

3. L'histoire de la rivalité Rufin/Jérôme a été reprise à nouveau
récemment par P. LARDET, *Saint Jérôme, Apologie contre Rufin,*
SC 303, 1983, Introduction : L'historique d'un conflit, p. 2*-75*.
— Le prologue de Jérôme transmis par Rufin : cf. TYRANNI
RUFINI OPERA, *CCL* 20, 1961, ed. M. Simonetti, *Apol. contra*
Hieronymum, II, 27, p. 102-103.

4. G. Bardy avait pensé, dès avant les années 1950, publier
dans les *Sources Chrétiennes* une édition du *De Spiritu Sancto* de
Didyme. Il avait préparé le manuscrit, mais sur bien des points
n'avait pas poussé son travail. Les directeurs de la collection, à
l'époque, l'avaient jugé trop insuffisant pour être retenu. Il n'y
avait, en effet, aucune étude de texte ; Bardy s'en tenait à Migne.
Tout était à faire. J'ai consulté, certes, ce valeureux devancier,
mais il ne m'a été que de peu d'utilité. G. Bardy avait laissé à sa
mort ses papiers à la disposition des *Sources Chrétiennes*. Pour
une grande partie de ce chapitre, je suivrai cependant d'assez près
les papiers qu'il a laissés.

Augustin écrit en 393, dans son Traité *De fide et symbolo* : « 19. L'Esprit Saint [à l'inverse du Père et du Fils] n'a pas encore été étudié avec autant d'abondance et de soin par les doctes et grands commentateurs des divines Écritures, de telle sorte qu'il soit aisé de comprendre également son caractère propre, qui fait que nous ne pouvons l'appeler ni Fils ni Père, mais seulement Esprit Saint. »[5] Il semble donc qu'à ce moment, où il n'est pas encore évêque mais doit parler à des évêques, Augustin, qui connaissait sans doute le *De Spiritu Sancto* d'Ambroise, avait peu ou n'avait pas fréquenté la littérature grecque sur le sujet, même lorsque celle-ci était traduite en latin, comme c'était le cas du *De Spiritu Sancto* de Didyme. Quelques années plus tard, en 405, devenu évêque d'Hippone, étant en correspondance avec Jérôme, il lui dit, dans la lettre *Iam pridem caritati tuae*, que, sur six auteurs mentionnés, dont Didyme, il n'en a lu aucun — *quorum ego fateor neminem legi*[6] —. Et il lui fait remarquer que le nom de Didyme n'est pas une recommandation, puisqu'il l'a lui-même, Jérôme, condamné en même temps qu'Origène. Il se méfie, par conséquent, d'errer avec quelqu'un qui erre ! Et il est probable qu'à ce moment, Augustin, qui mettait toutes ses forces à combattre le donatisme, jugeait inutile d'avoir à connaître la pensée d'un auteur qui passait pour origéniste.

Cependant Augustin a entrepris d'écrire un ouvrage sur la Trinité ; depuis 399, il l'a mûri longuement, écrit plus longuement encore. Il laisse entendre au début,

---

5. ŒUVRES DE SAINT AUGUSTIN, t. IX, *Exposés généraux de la foi,* Desclée de Br. 1947, *De fide et symbolo,* 19, p. 57, trad. J. Rivière.

6. Lettre 116, 23, dans la collection des *Lettres de Saint Jérôme,* tome VI, p. 66, *CUF* 1958, trad. J. Labourt.

I,IV,7, qu'il a lu de nombreux ouvrages catholiques sur la Trinité, et un peu plus loin, VI,13, sur le Saint Esprit. Durant de longues années l'ouvrage reste sur le métier et c'est surtout dans les derniers Livres, rédigés entre 416 et 419, qu'il s'occupe du Saint Esprit. Peut-être est-ce à ce moment qu'il prend connaissance du *Traité* de Didyme ; peut-être est-ce avant, dès 394 comme le suggère Altaner qui s'est beaucoup occupé des sources de saint Augustin. En tout cas, c'est seulement en 419, dans les *Questions sur l'Heptateuque,* dont la publication suit le *De Trinitate*, qu'il cite expressément Didyme. Il a mis vingt ans à écrire le *De Trinitate*, sans citer nulle part notre aveugle. Dans les *Questions sur l'Heptateuque, II, 25,* dont la publication suit le *De Trinitate*, il renvoie, a-t-on cru, à Didyme *§87-90*, alors qu'il s'agit pour lui d'évoquer la puissance du Saint Esprit signifiée par le doigt de Dieu. C'est un passage de Didyme qu'il est trop facile de retenir à cause de son image. Mais la réflexion d'Augustin porte aussi, non pas sur la signification du doigt de Dieu, ce qui serait banal et Augustin n'avait pas besoin de Didyme pour le lui enseigner, mais sur le fait que les philosophes païens, autant qu'on le discerne dans leurs œuvres, peuvent arriver à faire porter leur réflexion sur le Père et le Fils, mais non sur le Saint Esprit. Or c'est justement cela que Didyme a fait remarquer, non pas au *§87 s.*, mais au *§3*. Serait-ce malice de penser qu'Augustin n'a peut-être pas poursuivi beaucoup plus loin sa lecture de Didyme... ? en tout cas il faut reconnaître que c'est le début surtout qui a réussi à le frapper et qui, comme souvent pour beaucoup, lui est resté en mémoire.

Fauste de Riez En descendant le cours des ans après saint Augustin, nous rencontrons un *De Spiritu Sancto* en deux livres écrit, dans la seconde moitié du Vème siècle, par Fauste de Riez, au temps de son épiscopat, ou dans les années précédentes quand il était abbé de Lérins. D'inspiration antimacédonienne, comme a dit Gennade son contemporain, ce livre se rattacherait par là à la traduction latine de Didyme. La doctrine, pour l'essentiel de la foi, rencontre celle de Didyme, ce qui va de soi, mais cela ne suffit pas pour lui reconnaître des traits de dépendance. La lecture fait apparaître bien vite que la doctrine chez Fauste est plus fermement exprimée, dans un vocabulaire trinitaire parvenu à une beaucoup plus grande précision, où les mots de *natura, essentia, persona, substantia* comportent les distinctions que Didyme ne connaît pas. Le *De Spiritu Sancto* de Fauste a été jusqu'ici peu étudié. Il serait utile de le faire en le comparant à celui de Didyme : apparaîtrait ainsi, nous semble-t-il, la continuité pressentie entre les deux auteurs, et, par conséquent aussi, le fil directeur du développement de la pneumatologie après l'apport didymien. La ressemblance des idées, — ainsi : l'affirmation que l'Esprit du Père est l'Esprit Saint (I, 7), que d'être le doigt de Dieu ne diminue pas l'honneur de l'Esprit, mais marque l'union dans l'opération (I, 9), que le mot de *spiritus* chez *Amos* 4,13 est employé en des sens divers (II, 3), que le corps de l'homme est le temple de l'Esprit Saint et par là le temple de Dieu (II, 8), que l'épisode d'Ananie montre que mentir à l'Esprit c'est mentir à Dieu (II,8), que le Saint Esprit n'est pas troisième selon l'ordre en la Trinité (*procedentem ex Deo non esse ordine uel gradu tertium monstrat unitas maiestatis*, I,9), — toutes ces idées et cette argumentation que nous avons rencontrées au cours de notre analyse de Didyme ne suffisent pas à démontrer une filiation entre Fauste et lui, mais elles fournissent de précieuses amorces pour établir une parenté entre les deux auteurs.

Nous ne voulons pas, maintenant, passer en revue un à un les auteurs qui paraissent avoir quelque dette envers

Didyme, car, à partir du Vème siècle, la descendance littéraire et théologique, chez les latins, s'établit plutôt des uns aux autres, sans que l'on ait à remonter à la source. Si Didyme est en tête dans cette chronologie, la plupart des auteurs qui ne lisent que leurs devanciers immédiats l'ont bien oublié[7]. Mais il est des cas où Didyme a été nommément pris en considération. Il a été cité, ses réflexions transcrites, lui-même avancé comme autorité : ce sont ceux qui l'ont ainsi connu que nous voudrions rappeler pour finir.

Lors de la querelle du « filioque »   Au début du IXème siècle, les théologiens occidentaux doivent soutenir avec les grecs une controverse passionnée sur la procession du Saint Esprit. L'empereur Charlemagne est mêlé à la question de par son rôle de protecteur des moines francs qui résident à Jérusalem ; ceux-ci chantaient en effet le *Filioque* au Credo et passaient pour hérétiques aux yeux des moines grecs. L'empereur occidental demande donc à Théodulf, évêque d'Orléans, de lui fournir des textes patristiques pour justifier la doctrine de la procession *ab utroque*. Parmi ceux que présente Théodulf, ceux de Didyme tiennent une bonne place : six longs passages du *De Spiritu Sancto*, précédés d'une courte présentation qui rappelle que selon Didyme, traduit par Jérôme, l'Esprit est dit sortir du Père et être envoyé par le Fils, non pas comme les anges, les prophètes ou les apôtres qui sont envoyés pour un ministère, mais comme il convient que soit envoyé l'Esprit de Dieu par la Sagesse de Dieu. Les textes didymiens qui suivent sont les suivants ; nous les indiquons ici pour que ne soit pas perdu le travail de

---

7. On trouvera dans le *DTC*, T. 5, s.v. « Esprit Saint », col. 804-806, la liste des auteurs de l'époque qui ont touché à la pneumatologie sans faire mention de Didyme.

Bardy qui les avait repérés selon l'édition de Migne[8] ; nous les transférons en la numérotation que nous avons établie :

1. — § 109-111, cum ergo — substantiam [*nos* : naturam]

2. — § 115-120, licet — diuersitatem

3. — § 139-141, quia ergo — diuinorum

4. — § 170-171, deinde — habet et Pater [*nos* : et Pater habet]

5. — § 184-191, vos autem — demonstratur

6. — § 271-272, cum igitur — sufficiant

Théodulf n'ajoute aucun commentaire à ces textes et fait immédiatement succéder les extraits de saint Augustin aux témoignages de Didyme. Un bon historien, E. Amann[9] trouve que l'ensemble du dossier de Théodulf témoigne d'une singulière curiosité et d'une érudition de bon aloi. C'est juste : la collation de ces fragments manifeste l'honnêteté du citateur ; on relève en effet des variantes, mais nous savons que les manuscrits en usage étaient ceux de la famille γ, la moins interpolée mais la plus abîmée, et si Théodulf a parfois laissé du sien, comme il pourrait apparaître par ex. pour le mot *substantiam* dans le texte n° 1 où il remplace *naturam*, nous ne sommes pas en mesure de l'en accuser.

L'agitation provoquée sous le règne de Charlemagne par les questions relatives au Saint Esprit ne tarde pas à se calmer. Elle reprend plus grave et décisive sous le pontificat de Nicolas Ier et le patriarcat de Photius. En

---

8. THÉODULF, *De Spiritu Sancto, veterum Patrum sententiae...*, *PL* 105, les extraits de Didyme aux col. 253-256. La Préface indique que le livre fut composé sur l'ordre de Charlemagne.

9. Cf. FLICHE-MARTIN, *Histoire de l'Église,* Tome 6, *L'époque carolingienne,* par E. Amann, Paris 1937, p. 181.

octobre 867, le pape, malade, usé par la lutte avec Photius, retrouve assez de force pour requérir contre les Grecs tout ce que le clergé d'Occident compte encore de savants. Dans la province de Sens, le soin de répondre aux Grecs est confié à Énée de Paris, qui compose aussitôt un *Aduersus Graecos*, bien nourri de textes patristiques. Ratramne de Corbie, de son côté, écrit *Contra Graecorum opposita Romanam Ecclesiam infamantium libri quattuor*. L'œuvre de Ratramne est remarquable.

Les deux controversistes font une place à l'autorité de Didyme qui a d'ailleurs l'avantage de se présenter à eux sous la garantie de saint Jérôme. Comme l'avait fait avant lui Théodulf, Énée de Paris cite expressément saint Jérôme et se contente de reproduire les six passages déjà allégués par son prédécesseur [10].

Plus personnelle est l'œuvre de Ratramne. Celui-ci apporte, par une introduction, quelques renseignements sur Didyme : alexandrin, aveugle depuis l'enfance, célèbre par ses vues spirituelles, auteur du *De Spiritu Sancto*. Le chapitre de Ratramne sur Didyme occupe huit colonnes de Migne, ce qui n'est pas peu. On y distingue dix-huit fragments du Traité didymien, mais ceux-ci sont entrecoupés de commentaires très courts et de résumés de la pensée de Didyme quand elle n'est pas expressément citée. Ici encore G. Bardy a repéré tous les fragments et, après lui, nous les reprenons, — selon notre numérotation [11].

10. ÉNÉE DE PARIS, *Liber adversus Graecos,* cap. 29-34, *pl* 121, col. 704-706. Cette édition de Migne reproduit celle du *Spicilegium* de D'ACHÉRY, T. I, p. 124-125, où les extraits, les mêmes que ceux de Théodulf, ne sont que partiellement repris. Dans Migne comme dans le *Spicilegium* les extraits 2, 3, 4, 5, sont abrégés par un *etc.* que suit le desinit.

11. RATRAMNE DE CORBIE, *Contra Graecorum opposita,* II, 5, *PL* 121, 259-266. Là encore, Migne reprend l'édition de d'Achéry, T. I, p. 76-79.

Nous les alignons sans *incipit* ni *desinit*, à seule fin que puissent les retrouver les érudits qui voudraient s'y intéresser, le lecteur ordinaire n'ayant pas à en encombrer sa lecture. Là encore, on constate quelques variantes. En particulier, l'absence du fameux passage de la procession (*§ 159*), que nous avons retiré de notre édition et qui aurait dû, mieux que tout autre, frapper Ratramne. Cette absence confirme, une fois de plus, que c'est la famille γ qui était pour lors en usage, et que ce n'est pas pour les besoins de la querelle du haut Moyen-Age sur le *Filioque* que ces éléments ont été introduits dans le Texte de Didyme, — mais très tôt sur la lignée α β avant qu'elle ne se divise..., cf. *supra*, p. 110-112.

Voici donc les références à Didyme dans le texte de Ratramne :

§ : 78-80 ; 81 ; 84-85 ; 85 ; 86-87

§ : 103 ; 145 ; 153 ; 158-159 ; 160 ; 162

§ : 165 ; 170 ; 184 ; 186 ; 187 ; 188 ; 195.

Au Moyen-Age   Pour en terminer avec l'influence du Traité et pour apporter en même temps une considération nouvelle en ce qui concerne la descendance des manuscrits, il faut dire que la théologie du Moyen-Age a souvent utilisé le *De Spiritu Sancto*. Les noms qui vont suivre le montreront : nous n'en dirons pas plus, car nous sortirions des limites de notre édition. Mais nous voudrions faire remarquer, après les sondages que nous avons pu faire, que les auteurs que nous avons cités, Théodulf, Énée et Ratramne, suivent le texte de la famille γ. A partir du XIIème siècle, Yves de Chartres, Abélard et Anselme de Havelberg suivent le texte de la famille α ; le décret de Gratien suit la famille β ; Pierre Lombard, la famille α ; Thomas d'Aquin, la famille β ; Jean de Torquemada au Concile

de Florence, la famille α. Les citations faites par ces
auteurs se rapportant à des textes caractérisés par leurs
variantes et leurs omissions, il est facile de déterminer
leur appartenance. Or il est remarquable qu'aucun d'entre
eux ne se rapporte aux familles δ ε ζ. Cela s'accorde
avec le stemma que nous avons construit et qui nous
menait à penser que ces trois familles étaient récentes et
qu'en ce qui concerne ε et ζ, elles ne pouvaient pas
remonter avant le XIIème siècle. Nul ne doit regretter
qu'aucun des 37 manuscrits de ces trois familles n'ait
paru dans notre édition. La critique du texte est ainsi
plus légère.

Le lecteur est donc invité maintenant à passer au texte !

TEXTE ET TRADUCTION

CONSPECTUS SIGLORUM

α — A *Paris, B.N., n. acq. lat. 1460,* s. X, f. 23
          remplacé § 32-44 par : T *Troyes, B.M. 520,*
          s. XII, f. 252
      V *Toulouse, B.M. 157,* a. 1294, f. 130
      Θ *Munich, Clm 13100,* s. XII/XIII, f. 1

β — M *Vatican, lat. 4945,* s. XI, f. 75
      Y *British Mus., Burney 281,* s. XI, f. 38
      w *Heidelberg, Salem 9, 14,* s. XIII, f. 1

γ — B *Paris, B.N. lat. 2364,* s. XII/XIII, f. 187
      C *Paris, B.N. lat. 1688,* s. XII, f. 3
          remplacé § 174-248 par : Γ *Leyde, Scaliger 2,*
          s. XII, f. 131
      Δ *Durham, B III 2,* s. XII, f. 1

La dernière édition du texte est celle de Vallarsi, qui
avait utilisé les manuscrits I V N M, ce dernier à partir
de § 97 (voir KYRIAKON). Migne, PG 39, 1031-1086, a
strictement recopié Vallarsi ; c'est Migne, par commodité,
qui tient lieu de Vallarsi dans notre apparat : *Mi.*

SIGNES ET ABRÉVIATIONS

] +   point d'attache d'une addition
om.   omission
~   interversion de mots
—   prend en compte les mots intermédiaires
.....   ne prend pas en compte les mots intermédiaires
≡   lettre grattée
□   lettre laissée en blanc

cancell., cancellat. : *cancellat, -atum,* biffé
cett. : *ceteri,* les autres manuscrits parmi les 9 témoins
exp., expunct. : *expunxit, expunctum,* annulé par exponctuation
sim. gr. : *simulatio graeca,* imitation maladroite de caractère grecs
uac. : *uacat,* espace laissé en blanc

en exposant :
    1, 2, 3 : 1re, 2e, 3e main
    ac, pc : *ante..., post correctionem*
    ar, pr : *ante..., post rasuram*
    mg *ou mg : in margine*
    sl : *supra lineam*
    tx : *in textu*

« SACRIS ERUDIRI » Renvoie à la Revue de ce nom, année 1967-1968 (cf. *Bibliographie,* supra p. 10)

Les numéros de l'apparat renvoient aux paragraphes et aux lignes dans les paragraphes. — Dans le texte, les numéros en italique et entre crochets renvoient aux anciennes divisions de Migne.

INCIPIT PROLOGUS HIERONYMI
IN LIBRO DIDYMI
DE SPIRITU SANCTO

Dum in Babylone[a] *versarer et purpuratae Meretricis*[b]
essem colonus et iure Quiritum uiuerem, uolui aliquid
garrire de Spiritu Sancto et coeptum opusculum eiusdem
4 *urbis Pontifici dedicare. Et ecce olla illa, quae in Ieremia*
post baculum[c] *cernitur, a facie coepit aquilonis ardere*[d]*, et*
pharisaeorum conclamauit senatus ; et nullus scriba uel
fictus sed omnis, quasi indicto sibi praelio doctrinarum,
8 *aduersum me imperitiae factio coniurauit. Illico ego uelut*
postliminio Hierosolymam sum reuersus et, post Romuli

A V Θ   M Y w   B C Δ   *Ruf. Mi.*

Titulus prologus Yw BCΔ : praefatio AVΘ M *Mi.* praef- ad
paulinianum *Ruf.* ‖ hieronymi Y (*om. Ruf.*) : sancti hier- presbyteri
AVΘ M BΔ sancti hier- w hier- presbyteri C ‖ in libro : in librum
w *om. Ruf.* ‖ didymi AVΘ MY CΔ : did- alexandrini w did-
uidentis B *om. Ruf.* ‖ de spiritu sancto *om.* B w
Textus 1 dum AΘ MY *Ruf.* : cum V w BC *Mi.* □um Δ ‖
2 quiritum V Mw BCΔ *Ruf.* : quiritium AΘ Y Δ² ‖ 3 garrire
aliquid ∼ *Mi.* ‖ sancto spiritu ∼ w ‖ 5 coepit aquilonis AVΘ Δ
Ruf. : aq- coep- MYw BC ‖ 6 pharisaeorum conclamauit : clamauit
phar- Δ ‖ nullum M ‖ 7 fictum M ‖ indicto (in dco w) ‖
doctrinarum *om. Ruf.* ‖ 8 imperitiae : imperitio V³ᵐᵍ B impetum
V¹ impetus V² ‖ factitio Θ

a. cf. Apoc. 14,8 ; 18,2. 21 ‖ b. cf. Apoc. 17,2. 4 ‖ c. cf. Jér.
1,11 ‖ d. cf. Jér. 1,13

PROLOGUE DE SAINT JÉRÔME[1]

Quand je demeurais à Babylone[a][2], hôte de la Prostituée vêtue de pourpre[b], et que je vivais selon le droit des Quirites, je voulus émettre quelque babillage sur le Saint Esprit et dédier au Pontife de cette même ville le petit ouvrage que j'avais commencé. Or voici que la marmite qu'on aperçoit chez Jérémie, à la suite du bâton[c], se mit à brûler du côté de l'Aquilon[d]. Le sénat des pharisiens[3] poussa les hauts cris et, sans excepter personne, scribe et prétendu tel, tout le parti de l'ignorance, se croyant convoqué à un combat de doctrines, complota contre moi. Du coup, moi, comme revenant d'exil, je retournai à Jérusalem : après la chaumière de Romulus et le gai

Prologue 1. Les manuscrits ont multiplié les formules pour donner un titre à ce prologue. Celui que nous donnons ici se trouve à l'identique dans le cod. Y et nous paraît le plus ancien. Les autres qualifient Jérôme de saint, ou de prêtre, ou même de cardinal..., ce qui suppose un plus ou moins grand éloignement de l'origine. On les trouvera tous dans *Alexandrîna,* p. 306.

2. On sait que Babylone et la Prostituée désignent, selon l'*Apocalypse*, la ville de Rome.

3. Le sénat des pharisiens, c'est-à-dire le clergé romain, qui supportait mal le bouillant Jérôme malgré la protection du pape Damase. Après la mort de Damase, on comprend que Jérôme fit bien de partir pour l'Orient.

casam et ludicrum Lupercal, diuersorium[e] *Mariae et speluncam Saluatoris aspexi. Itaque, mi Pauliniane frater,*
12 *quia supradictus Pontifex Damasus, qui me ad hoc opus
primus impulerat, iam dormiuit in Domino, tam tuo quam
uenerabilium mihi ancillarum Christi, Paulae et Eustochii,
nunc adiutus oratu, canticum quod cantare non potui in*
16 *terra aliena*[f], *hic a uobis in Iudaea prouocatus immurmuro,
augustiorem multo locum existimans qui Saluatorem*[g]
mundi quam qui fratris genuit parricidam.

Et ut auctorem titulo fatear, malui alieni operis interpres
20 *existere quam, ut quidam faciunt, informis cornicula alienis
me coloribus adornare.*

*Legi dudum de Spiritu Sancto cuiusdam libellos et, iuxta
Comici sententiam, ex graecis bonis latina uidi non bona.*
24 *Nihil ibi dialecticum, nihil uirile atque districtum, quod*

A V Θ M Y w B C Δ *Ruf. Mi.*

10 casa M ‖ et² : post V uel M ‖ ludicrum *conieci (v. Alexandrîna,
p. 308)* : ludorum Y V² w² *Ruf. Mi.* nudorum AVΘ Mw BCΔ ‖
lupercal BCΔ *Ruf.* : lupanar AVΘ lupanaria MY lupercalia w
Mi. ‖ 11 saluatoris speluncam ∼ *edd.* ‖ pauliane V Y pauline M
Θ ‖ 12 quia : quae C ‖ 13 iam MYw Δ *Ruf.* : *om.* AVΘ BCΔ
Ruf. ‖ dormiuit AVΘ BCΔ *Ruf.* : dormit MYw *Mi.* ‖ in domino :
om. wᵗˣ in christo w²ᵐᵍ *Mi.* ‖ tam tuo quam : tantumque B tam
tua quam Δ ‖ 14 eustochii w A²Mᵖʳ *Ruf. Mi.* : eustochiae VΘ Y
BΔ eustociae A eustochium C Mᵃʳ ‖ 15 nunc AVΘ ‖ oratum Δ
orationibus Θ² ‖ 16 prouocatus in iudaea (iuda Θᵃᶜ) A²Θ ‖
immurmuro : in murmurem Θᵃᶜ *illisib.* wᵃᶜ ‖ 17 mundi saluatorem
∼ Δ‖ 18 qui *om.* Θ¹ (qui Θ²ˢˡ) ‖ genu w (genuit w³ᵐ) ‖ 19 fatear :
formarem C ‖ 20 faciunt] + uelut AVΘ ‖ corniculae *Ruf.* ‖
22 legi *abhinc ad fin. prologi deest* B ‖ sancto sp. ∼ C ‖ libellos
cuiusdam ∼ Θ ‖ c. lib. de sp. s. ∼ *Mi.* ‖ 24 nihil 1° : et nihil Θ
‖ dialeticum Aᵃᶜ VΘ w Δ ‖ nihil 2° *om.* AVΘ ‖ uirile : uersutile
C ‖ destrictum C

e. cf. Lc 2,7 ‖ f. cf. Ps. 137,4 ‖ g. cf. Lc 2,11

Lupercal[4], c'est l'hôtellerie[e] de Marie et la grotte du
Sauveur que j'eus sous les yeux. C'est pourquoi, Paulinien, mon cher frère, puisque le Pontife dont j'ai parlé,
Damase — le premier à m'avoir engagé à cet ouvrage
—, repose désormais dans le Seigneur, maintenant, avec
le secours de tes prières aussi bien qu'avec celles des
vénérables servantes du Christ, mes chères Paula et Eustochium, je murmure ici en Judée, sur vos instances, le
cantique que je n'ai pas pu chanter sur une terre étrangère[f], car, pour moi, l'endroit qui a vu naître le Sauveur
du monde[g] est plus auguste, de beaucoup, que celui qui
a produit le meurtrier de son frère.

Et j'avoue, pour déclarer l'auteur dès le titre, que j'ai
préféré me faire le traducteur de l'ouvrage d'un autre
plutôt qu'agir à la manière de certains et me parer, telle
une vilaine corneille, de couleurs étrangères[5].

J'ai lu naguère sur l'Esprit Saint les « petits livres »
d'un certain auteur et, selon le mot du Comique, j'ai
trouvé que du bon grec avait donné du piètre latin : rien
là de dialectique, rien de mâle et rigoureux qui entraîne,

---

4. *ludicrum* (à la place de *ludorum* ou *nudorum* selon les mss)
est une conjecture que nous avons justifiée dans *Alexandrîna*,
p. 308. A la grotte de Bethléem, Jérôme oppose, avec un dédain
mesuré, une autre grotte, celle de Lupercal, repaire traditionnel,
aux flancs du Palatin, de la louve nourricière des deux jumeaux
Romulus et Remus, tenus comme premiers rois de Rome. Jérôme
rappelle un peu plus bas que Romulus tua son frère.
5. Ces aménités s'adressent à Ambroise, alors évêque de Milan.
Il avait écrit ses trois livres *Sur le Saint Esprit* assez rapidement
à la demande de l'empereur Gratien et avait certainement lu le
traité de Didyme avant de composer le sien. Il faut la malignité
de Jérôme pour le comparer à une vieille corneille et pour le
mettre, au paragraphe suivant, dans la mire du Comique Térence
fustigeant (Prologue de l'*Eunuque*, v.7 et 8) un auteur qui avait
mis en mauvais latin un texte grec de bonne qualité.

lectorem uel ingratis in assensum trahat, sed totum flac-
cidum, molle, nitidum atque formosum et exquisitis hinc
inde coloribus pigmentatum.

28   *Didymus uero meus, oculum habens sponsae de Cantico*
Canticorum[h] *et illa lumina quae in candentes segetes su-*
blimari Iesus praecepit[i]*, procul altius intuetur et antiquum*
nobis morem reddit, ut Videns uocetur propheta[j]*. Certe*
32 *qui hunc legerit latinorum furta cognoscet, et contemnet*
riuulos cum coeperit haurire de fontibus. Imperitus sermone
est, sed non scientia[k]*, apostolicum uirum ex ipso stilo*
exprimens, tam sensuum nomine quam simplicitate uerbo-
36 *rum.*

Explicit prologus.

A V Θ M Y w B C Δ *Ruf. Mi.*

25 ingratum V gratis Θ[2] Y (ingr- Θ) ‖ ascensum Δ ‖ 26 atque
(C[sl]) *om.* C ‖ exquisitius M exquisitum Δ ‖ 26-27 hinc inde : hinc
in Δ inde hinc ~ M ‖ 27 coloribus *conieci sicut Vall. in nota* :
odoribus *codd.* odori odoribus M ‖ 28 didymus : difficilis C ‖
meus : mens C ‖ oculus M (-lum M[2]) ‖ sponsae : sponsarum C
om. Δ ‖ 29 candentes] + iam *Ruf.* ‖ 30 altius : latius Δ ‖
31 morem nobis ~ M Δ ‖ reddidit MYw ‖ uocetur : docetur Y
‖ 32 latinum Θ[2] (-norum Θ) ‖ furta : frustra Θ ‖ contempserit
MYw ‖ 33 aurire A Δ ‖ 33-34 est sermone ~ C ‖ 34 sed : et
MYw ‖ scientia : sententia Θ[ac] scientia secundum sententiam Θ[pc]

même dans les questions diffficiles, le lecteur à l'assenti-
ment ; mais tout y est flasque, mou, brillant et poli, fardé
ici et là de couleurs artificielles.

Quant à mon Didyme, qui possède l'œil de l'Épouse
du Cantique des Cantiques[h] et ces lumineux regards que
Jésus a prescrit de lever sur les moissons blanchissantes[i],
il regarde bien plus haut et nous rend l'antique tradition
qui veut qu'un prophète porte le nom de Voyant[j]. Oui,
qui le lira reconnaîtra les larcins des latins ; il méprisera
les petits ruisseaux quand il aura commencé à puiser aux
sources. (Mon Didyme) est inhabile à parler, mais il a
la science[k]. Son style même dénote un homme apostolique, aussi bien par les pensées exprimées que par la
simplicité des mots.

Fin du prologue

|| apostolicum Θ || uirum : uerbum AV (uirum V²)Θ uel sermonem
A²ˢˡ || stilo CΔ w *Ruf.* : sermone MY *om.* AVΘ (stilo V²) ||
35 nomine *codd. Ruf.* : lumine *Mi.* uel profunditate A²ˢˡ ||
37 explicit prologus BCΔ : expl- praefatio M finit AV *om.* Yw
Ruf. Mi.

h. cf. Cant. 1,15 ; 4,1. 9 ; 6,5 || i. cf. Jn 4,35 || j. cf. I Sam.
9,9 || k. cf. II Cor. 11,6

DIDYMI DE SPIRITU SANCTO

1. *[1]* Omnibus quidem quae diuina sunt cum reue-
rentia et uehementi cura oportet intendere, maxima autem his quae de Sancti Spiritus diuinitate dicuntur, prae-
4 sertim cum blasphemia in eum sine uenia sit, ita ut
blasphemantis poena tendatur non solum in omne praesens saeculum, sed etiam in futurum. Ait quippe Saluator
blasphemanti in Spiritum Sanctum non esse remissionem
8 « neque in isto saeculo neque in futuro[a] ». Vnde magis
ac magis oportet intendere quae Scripturarum de eo
relatio sit, ne aliquis saltem per ignorantiam blasphemiae
error obrepat.

AVΘ MYw BCΔ *Mi.*

Titulus sic se praebet in nostris mss :
Incipit liber sancti Didymi de Spiritu Sancto   A V
Incipit liber Didymi de Spiritu Sancto   Θ M C Δ
Incipit liber Didymi uidentis de Spiritu Sancto   B
Incipit liber Didymi alexandrini de Spiritu Sancto   w
Incipit liber Didymus   Y

1. 1 omnibus : omnium V[1] (omnia *tempt.* V[2]) ‖ 3 de *om.* Δ ‖
sancti *om.* w ‖ diuinitate spiritus ∼ w ‖ 4 in eum : inquam A[1]
(in illum A[2sl]) VΘ ‖ 5 omne : hoc AVΘ ‖ praesens in omne ∼
C[1] (in o. pr. C[2]) ‖ 7 blasphemantibus spiritui sancto AVΘ ‖
8 neque in isto saeculo *om.* B ‖ isto : hoc V w ‖ unde : inde AVΘ
‖ 10 aliquis (A[2]) : aliquid V Δ aliquibus A[1] in aliquem B *Mi.* ‖
saltim A[ac]VΘ w

INTRODUCTION

Parler du Saint Esprit, tâche redoutable **1.** *[1]* Il faut prêter une attention respectueuse et très vive à toutes les choses divines, mais spécialement à ce qu'on dit de la divinité du Saint Esprit. La raison en est, surtout, que le blasphème contre l'Esprit est sans pardon et que le châtiment du blasphémateur ne s'étend pas seulement à tout le siècle présent, mais encore au siècle à venir. Le Sauveur dit en effet qu'il n'y a pas de rémission pour celui qui blasphème contre l'Esprit Saint[1], ni en ce siècle ni en le siècle à venir[a]. Aussi faut-il prêter toujours plus d'attention à ce que les Écritures rapportent de lui, de peur que ne se glisse, par ignorance tout au moins, quelque erreur blasphématoire à son sujet.

---

1. a. cf. Matth. 12,31-32 ; Mc 3,29

---

§ 1. 1. Cette allusion au châtiment qui accompagne le blasphème contre l'Esprit Saint encadre en quelque sorte le Traité de Didyme, puisqu'elle se retrouve à la fin, § 273, suivie du même conseil de ne discourir qu'avec la plus grande prudence sur la Trinité, § 276.

2. Expedierat quidem fideli et timido, moderanti uires suas, et magnitudinem praesentis quaestionis silentio praeterire et rem plenam periculo non in suum discrimen
4 attrahere. Verum quoniam quidam temeritate potius-quam recta uia etiam in superna eriguntur, et haec de Spiritu Sancto iactitant quae neque in Scripturis lecta neque a quoquam ecclesiasticorum ueterum usurpata
8 sunt, compulsi sumus creberrimae exhortationi fratrum cedere, quaeque sit nostra de eo opinio etiam Scriptu-rarum testimoniis comprobare, ne per imperitiam tanti dogmatis, hi qui contraria opponunt decipiant eos qui,
12 sine discussione sollicita, in aduersariorum statim senten-tiam pertrahuntur.

3. *[2]* Appellatio Spiritus Sancti, et ea quae monstra-tur ex ipsa appellatione substantia, penitus ab his igno-ratur qui extra sacram Scripturam philosophantur. So-
4 lummodo enim in nostratibus Litteris et notio et uoca-bulum eius refertur, tam in nouis quam in ueteribus.

AVΘ MYw BCΔ *Mi.*

2. 2 et 2° *om.* w C *Mi.* ‖ quaestionis praesentis ∼ Θ ‖ 5 uia : sua B ‖ 6 s. sp. ∼ B ‖ neque : non w ‖ 7 ueterum *om.* Δ ‖ 9 quaeque (A¹) : at quae A² quoueque Θ quodque B ‖ sit : sic w ‖ nostra : futurae Δ ‖ de eo nostra AVΘ ‖ 10 comprobemus AVΘ CΔ ‖ ne : neque Mᵃʳ ne ≡ ≡ ≡ M ne per M²ˢˡ ‖ per *om.* w *Mi.* ‖ imperitia *Mi.* ‖ 11 opponant w ‖ decipiunt w ‖ 12 sollita Aᵃᶜ ‖ 12-13 sententiam statim MYw *Mi.* ‖ 13 pertrahuntur] + hucusque prœmium hinc narratio B
3. 1-2 demonstratur B ‖ 3 sanctam AΘ ‖ 4 nostris AVΘ ‖ notitio Θᵃᶜ ‖ 5 eius et uoc. ∼ *Mi.* ‖ nouis : no Mᵃᶜ (nouis M²) ‖ quam] + etiam A

§ 2. 1. Didyme aime protester de sa faiblesse d'esprit ou de son inexpérience, cf. § 174, 251, 272, 277.

§ 2. 2. *certains* : il est possible de connaître les hérésies dénon-cées ici d'une manière générale, en se reportant aux §§ 27, 61, 65, 71, 97, 109, 161, 172, 203-204, 241, 254, 265, 269. Seul, Sabellius est nommé au § 161.

2. Sans doute eût-il convenu qu'un homme fidèle, timide, qui connaît la mesure de ses forces[1], gardât le silence devant l'importance de cette question et ne prît pas sur lui la responsabilité d'une entreprise pleine de danger. Mais comme certains[2] se haussent jusqu'à ces problèmes élevés avec témérité plutôt qu'avec rectitude et qu'ils débitent sur l'Esprit Saint des choses qu'ils n'ont ni trouvées dans les Écritures ni empruntées à quelque Ancien de l'Église, nous avons été amené à céder à la sollicitation incessante de nos frères et à confirmer par des témoignages de l'Écriture[3] quelle était notre opinion sur le sujet, car il est à craindre que, profitant de l'ignorance en une doctrine si importante, des contradicteurs ne trompent des gens qui, sans soulever de discussion, se laissent gagner tout de suite à l'avis de leurs adversaires.

L'Esprit Saint : notion religieuse propre à l'Ancien et au Nouveau Testament

3. *[2]* Le nom d'Esprit Saint et la substance que ce nom recouvre sont totalement ignorés de ceux qui s'adonnent à la philosophie en dehors de la Sainte Écriture. Ce n'est, en effet, que dans les Écrits de notre religion, que ce soit les Nouveaux ou les Anciens, qu'on trouve la notion et le nom d'Esprit

---

§ 2. 3. La suite du Traité montre que cette confirmation par l'Écriture était la préoccupation importante de Didyme et de ceux qu'il nomme ici ses « frères ». Comparer ce début à celui de la *2ème lettre à Sérapion* par Athanase (Lebon, *SC* 15, p. 147) : « Mais puisque, comme tu l'écris, certains d'entre les frères ont demandé que je résume encore mon exposé, afin qu'ils aient une défense toute prête et concise à opposer à ceux qui posent des questions au sujet de notre foi et une réfutation contre les impies, je l'ai fait encore, avec la confiance que...tu le compléteras ».

Veteris quippe Testamenti homo Dauid, particeps eius
effectus, orabat ut in se permaneret, dicens : « Spiritum
8 Sanctum tuum ne auferas a me[a] » Et Danieli adhuc
puero suscitasse dicitur Deus Spiritum Sanctum[b], quasi
iam habitantem in eo.

4. Nec non et in Nouo Testamento hi uiri qui Deo
placuisse referuntur Spiritu Sancto pleni sunt. Iohannes
quippe adhuc in matris utero sanctificatus exsultat[a], et
4 Iesus a mortuis resurgens, cum insufflasset in faciem
discipulorum, ait : « Accipite Spiritum Sanctum[b] ».

5. Plena sunt uolumina diuinarum Scripturarum his
sermonibus quorum congeriem in praesenti opere digerere
interim supersedi, quia facile est ex his quae assumpsimus
4 unumquemque lectorem sibi similia reperire.

6. *[3]* Nemo autem suspicetur alium Spiritum Sanctum fuisse in sanctis uiris ante aduentum Domini et
alium in apostolis ceterisque discipulis, et quasi homo-
4 nymum in differentibus esse substantiis. Possumus quippe
et testimonia de diuinis Litteris exhibere quia idem Spiritus et in prophetis et in apostolis fuerit.

AVΘ MYw BCΔ *Mi.*

6 participes Δ ‖ 7 ut *om.* Δ ‖ 8 tuum sanctum ∼ *Mi.*‖ danieli :
dauid Δ
    4. 1 et : etiam MYw *Mi.* ‖ deo *om.* Θ[ac] ‖ 2 sunt : fuerunt B ‖
3 adhuc : *om.* MY ‖ in (V[2mg]) : *om.* V[tx] ‖ 4 in faciem *om.* Θ ‖
5 discipulorum] + cordibus Θ[2mg]
    5. 1 script. diuin. ∼ AVΘ ‖ 2 digerere : disserere B dirigere Y
‖ 3 interim *om. Mi.* ‖ supersedi quia : superfluum est AV ‖ facile :
si facile AV difficile non *Mi.* ‖ est] + sedi A sed A[pc]Θ ‖
assumimus AVΘ ‖ 4 reperiret A[ac]

Saint. Ainsi David, qui appartient à l'Ancien Testament
et qui avait reçu l'Esprit Saint en participation, priait
pour qu'il demeurât en lui, en disant : « Ne m'enlève pas
ton Esprit Saint[a]. » Et il est dit que Dieu suscita en
Daniel encore enfant[b] l'Esprit Saint, comme si celui-ci
habitait déjà en lui.

4. Semblablement aussi, dans le Nouveau Testament,
les hommes dont on rapporte qu'ils plurent à Dieu sont
remplis de l'Esprit Saint : étant encore dans le sein de sa
mère, Jean tressaille sous l'effet de la sanctification[a], et
Jésus ressuscité d'entre les morts souffle sur le visage des
disciples en disant : « Recevez l'Esprit Saint[b]. »

5. Les Livres des divines Écritures sont remplis de
textes de ce genre : je me suis cependant dispensé de les
grouper dans le présent ouvrage, car tout lecteur peut
aisément, d'après ceux que nous avons cités, en trouver
personnellement de semblables.

6. *[3]* Mais que personne n'aille supposer qu'il y eut
un certain Esprit Saint dans les saints personnages avant
la venue du Seigneur et un autre, différent, dans les
apôtres et les autres disciples, comme s'il s'agissait d'un
homonyme pour des substances différentes. Nous pouvons fournir des textes des Lettres divines qui montrent
que c'est le même Esprit qui était dans les prophètes et
dans les apôtres.

---

6. 1 autem : enim CΔ ‖ 3-4 homonymum *Mi.* (homonimiam B
homimon C homonimam Δ) : lotocimia (lata - Θ) AVΘ nomina
MYw ‖ 4-5 quippe et : quidem MYw *Mi* quoque C ‖ 5-6 et in
proph. id. sp. ∼ Θ ‖ 6 et in apost. et in proph. ∼ *Mi.*

---

3. a. Ps. 50,13 ‖ b. cf. Dan. 13,45
4. a. cf. Lc 1,44 ‖ b. Jn 20,22

7. Paulus in ea Epistola quam ad Hebraeos scribit, de
Psalmorum uolumine testimonium proferens, a Spiritu
Sancto id dictum esse commemorat : « Et sicut dicit hic
4 Spiritus Sanctus : Hodie, si uocem eius audieritis, nolite
obdurare corda uestra[a] », et cetera. In fine quoque Actuum Apostolorum, cum Iudaeis disputans, ait : « Sicut
Spiritus Sanctus locutus est per Esaiam prophetam ad
8 patres uestros dicens : Auditionem audietis, et non intellegetis[b]. » Neque enim Paulus alium habens Spiritum
Sanctum haec de eo scripsit qui in prophetis ante aduentum Domini alius fuit, sed de eo cuius et ipse particeps
12 erat et omnes qui in fide consummatae uirtutis fereban-
tur.

8. Vnde et cum articulo eius meminit quasi solitarium
et unum esse contestans : « Et sicut dicit, non simpliciter :
Πνεῦμα ἅγιον, id est 'Spiritus Sanctus', sed cum addi-
4 tamento articuli : τὸ Πνεῦμα τὸ ἅγιον, hoc est 'hic
Spiritus Sanctus'[a] », et Esaiam prophetasse commemorat
cum articulata uoce : Διὰ τοῦ ἁγίου Πνεύματος, id

AVΘ MYw BCΔ *Mi.*

7. 1 paulus] + namque C ‖ ea *om.* V w BCΔ *Mi.* ‖ scripsit
AVΘ ‖ 2-3 s. sp. ~ A^{ac}V ‖ 3 id *om.* V ‖ dicit : in quid dicit C
‖ hic *om.* BCΔ ‖ 5 et cetera *om.* C ‖ fine : libro AVΘ ‖ 6 cum
om. A^{ac}V ‖ uestros : nostros M B *Mi.* ‖ auditione AVΘ auditu
B ‖ habens alium ~ V[1] (al. h. V[2]) ‖ 11 dominum (-ni ^{pc}) aduentum
~ M ‖ erat particeps ~ w ‖ erat *codd.* : fuit *Mi.*‖ 12 omnis A^{ac}
‖ consummati V
8. 1 solitarum Δ ‖ 2 et sicut *codd.* : ubi *Mi.* ‖ dixi AVΘ ‖ 3
πνεῦμα ἅγιον *edd.* : *simulatio graeca* AVΘ MY *transcriptio latina
pessima (2 voces)* w BCΔ ‖ id est : idem M hoc est *Mi. om.* Θ ‖
spiritus sanctus : -tum -ctum M *om.* Θ ‖ 3-4 additamento articuli :
-ti -lo Δ[1] -ti -li Δ[2] ‖ 4 τὸ πνεῦμα τὸ ἅγιον *Mi.* : *sim. gr.* AVΘ
MY *transcr. lat. pessima (4 uoces)* CΔ (*3 uoces ; sine* τὸ 2°) w B
‖ hic *om.* AΘ CΔ ‖ 5 et : unde et C ‖ 6 uoce : uocis V ‖ διὰ
τοῦ ἁγίου πνεύματος *nos* : *sim. gr. (4 uoces)* AVΘ MY C *transcr.
lat. pessima (3 uoces)* w BΔ διὰ τὸ πνεῦμα τὸ ἅγιον *Mi.* ‖ id
est *om.* Θ ‖ hunc *om.* Δ

7. Paul, dans l'Épître qu'il écrit aux Hébreux, citant un texte tiré du Livre des Psaumes, signale que c'est par l'Esprit Saint qu'a été dit ceci : « Et comme dit l'Esprit Saint : Aujourd'hui, si vous entendez ma voix, n'obscurcissez pas vos cœurs[a] », et cetera ; et encore, à la fin des Actes des Apôtres, discutant avec des Juifs, il dit : « Comme[1] l'Esprit Saint a parlé à vos pères par le prophète Isaïe, en disant : Vous entendrez de vos oreilles et vous ne comprendrez pas[b]. » N'ayant, en effet, pas d'autre Esprit Saint, Paul n'a pas, non plus, appliqué ces mots à un autre Esprit quand il s'agissait des prophètes d'avant la venue du Seigneur, mais à celui auquel il participait lui-même ainsi que tous ceux dont on rapportait la vertu consommée dans la foi[2].

8. C'est pourquoi il le mentionne avec l'article, comme pour montrer qu'il est seul et unique : « Et comme dit l'Esprit Saint » — non pas Πνεῦμα ἅγιον simplement, c'est-à-dire « un Esprit saint », mais en ajoutant l'article : τὸ Πνεῦμα τὸ ἅγιον c'est-à-dire « l'Esprit Saint[a] » ; et Paul rappelle, en employant l'article, qu'Isaïe a prophétisé διὰ τοῦ ἁγίου Πνεύματος c'est-à-dire « par l'Esprit

---

7. a. Hébr. 3,7 ; cf. Ps. 94,7-8 ‖ b. Act. 28,25 ; cf. Is. 6,9.10
8. a. Hébr. 3,7

§ 7. 1. Mingarelli a fait remarquer dans son édition du *De Trinitate* de Didyme que le ms. grec du *De Spiritu Sancto* en possession de Jérôme devait porter καθώς au lieu de καλῶς pour le début de cette citation d'*Act.* 28, 25 (PG 39, 365, n.41). Cf. *infra*, § 128, même citation, avec καλῶς.

§ 7. 2. ORIGÈNE, Préface du *Traité des Principes,* 4, avait dit de façon tout à fait semblable : « Que cet Esprit Saint ait inspiré chacun des saints, Prophètes et Apôtres, qu'il n'y ait pas un Esprit chez les anciens et un autre en ceux qui ont été inspirés lors de la venue du Christ, cela est proclamé de façon très claire dans l'Église. »

est 'per hunc Spiritum Sanctum'[b], et non simpliciter :
8 Διὰ ἁγίου Πνεύματος. Petrus quoque in eo sermone
quo praesentibus persuadebat : « Oportuerat, inquit,
compleri Scripturam quam praelocutus est 'Spiritus Sanctus', id est τὸ Πνεῦμα τὸ ἅγιον, per os Dauid de
12 Iuda[c] », ostendens et ipse eumdem Spiritum in prophetis
et in apostolis operatum.

9. *[4]* Plenius de hoc in consequentibus tractabimus,
cum dicere coeperimus non solum Dominum Verbum
factum esse ad prophetas, sed et Spiritum Sanctum, quia
4 et inseparabiliter possidetur cum Vnigenito Filio Dei.

10. Ipsa igitur uox Spiritus Sancti non uacua appellatio est, sed subiacentis essentiae demonstratrix, Patri
Filioque socia et a creaturis penitus aliena. Cum enim

AVΘ MYw BCΔ *Mi.*

8 διὰ ἁγίου πνεύματος *nos* : *sim. gr. (3 uoces)* AVΘ MY C
transcr. lat. pess. w BΔ πνεῦμα ἅγιον *Mi.* ‖ in eo *om.* Θ[1] *(inscr.
s.l.* Θ[2]*)* ‖ 9 suadebat M[ac] ‖ inquid Θ ‖ impleri B *Mi.* ‖ 10 locutus
AVΘ *Mi.* ‖ id est : idem M ‖ 11 τὸ πνεῦμα τὸ ἅγιον *Mi.* : *sim.
gr. (4 uoces)* AVΘ MYΔ *transcr. lat. pess.* C *sine* τὸ 2° w B ‖
10-11 de iuda *om.* Δ ‖ 12 eumdem *post* sp. s. Θ ‖ sp.] + sanctum
AVΘ ‖ in : et in B *Mi.*
9. 1 sed plenius C ‖ tractauimus M ‖ 2 coeperimus : experimus
V acceperimus Y ‖ dominum : -ni VΘ[2] deum AΘ[1] B *om* Δ ‖
uerbum : uerum CΔ ‖ 3 et *om.* w Δ ‖ quia : qui C ‖ 4 et *om.*
AVΘ C
10. 1 ipsa] + quoque quae A[2mg] ‖ igitur : legitur AΘ[ac] *om.*
MYw ‖ non] + ut Θ ‖ 1-2 est uacua appellatio ∼ w *Mi.* ‖ 2
sed subiac. : nec subiac. sed AVΘ ‖ demonstratrix essentiae ∼ w
‖ 3 a *om.* Δ ‖ creatoris Y

8. b. Act. 28,25 ‖ c.Act. 1,16

§ 8. 1. Tout ce passage, avec le grec, est fortement perturbé
dans les manuscrits. Chez Migne encore, il n'a pas trouvé d'état

Saint[b] », et non simplement διὰ ἁγίου Πνεύματος, « par un Esprit saint ». Pierre, dans le discours où il persuadait ceux qui se trouvaient là, dit de son côté : « Il fallait que s'accomplît ce que, dans l'Écriture, le Saint Esprit — c'est-à-dire Πνεῦμα τὸ ἅγιον — a prédit par la bouche de David au sujet de Judas[c] » ; il montrait par là, lui aussi, que c'est le même Esprit qui a agi dans les prophètes et dans les apôtres[1].

9. *[4]* Nous traiterons plus complètement de cela dans la suite[1], quand nous en viendrons à dire que ce n'est pas seulement le Seigneur qui s'est communiqué comme Verbe aux prophètes, mais encore l'Esprit Saint, car on le possède lui aussi inséparablement avec le Fils Unique de Dieu.

L'ESPRIT SAINT

A. — NATURE DU SAINT ESPRIT

Incorporel　　**10.** Ainsi donc, le nom même d'Esprit Saint n'est pas une appellation vide, mais l'indication de l'essence sous-jacente associée au Père et au Fils et foncièrement différente des créatures. Les

---

satisfaisant. Les copistes médiévaux se sont plu à massacrer l'alphabet grec ; c'est ce que nous avons appelé dans l'apparat critique d'une part *simulatio graeca* quand le copiste a imité la forme des caractères grecs, d'autre part *transcriptio latina (pessima)* quand il les a interprétés, à faux, en caractères latins. Il nous paraît évident que c'est Jérôme lui-même qui a conservé le grec, puisque le latin, par ses structures grammaticales, n'était pas à même d'indiquer la présence ou l'absence d'article. Même réflexion de Didyme sur l'article au § 73, réflexion déjà faite par ATHANASE, *Lettre à Sérapion*, I, 4 (*SC* 15, p. 84-85 s).

§ 9. 1. Cf. § 125.

4 creaturae in inuisibilia et in uisibilia, id est in incorporalia
et in corporalia, partiantur, nec de corporalibus substantiis est Spiritus Sanctus, animae et sensus habitator,
sermonis et sapientiae et scientiae effector, nec de inui-
8 sibilibus creaturis, haec quippe omnia sapientiae ceterarumque uirtutum et sanctificationis capacia sunt.

11. Ista uero substantia de qua nunc sermo est, sapientiae et sanctificationis effectrix est. Neque enim inueniri potest aliqua in Sancto Spiritu fortitudo, quam ab
4 extranea quadam operatione sanctificationis uirtutisque
suscipiat, quia istiusmodi natura mutabilis est. Porro
Spiritus Sanctus, confessione omnium, immutabilis est
sanctificator, scientiae diuinae et uniuersorum attributor
8 bonorum, et, ut breuius dicam, ipse subsistens in his
bonis quae a Domino largiuntur.

12. Nam eumdem Euangelii locum Matthaeus Lu-
casque describens, alter ex his ait : « Quanto magis Pater
caelestis dabit bona petentibus se !ᵃ », alter uero :
4 « Quanto magis Pater uester caelestis dabit Spiritum
suum Sanctum petentibus se !ᵇ ». Ex quibus apparet Spi-

AVΘ MYw BCΔ *Mi.*

4 in uis. et in inuis. Mˢˡw *Mi.* in uis. et inuis. Y uis. et inuis. Mᵃᶜ
inuis. et uis. C ‖ 4-5 in corp. et in incorp. w *Mi.* incorp. et corp.
Δ in incorp. C ‖ 5 parciantur Θ Y patiantur Δ ‖ 6 est MYw :
erit AVΘ BCΔ ‖ 7 et 1° *om.* w ‖ ne Δ ‖ 8 sed haec V ‖ omnia
quippe ~ Θᵃᶜ ‖ 8-9 ceterarumque : et ceterarum w *Mi.* ‖ 9 capacia
— sanctificationis *om.* M (*rest.* M²ᵐᵍ)
11. 1 ista : ita Δ ‖ subastantia Δ ‖ 1-2 sapientiae] + et
scientiae *Mi.* ‖ 2 efficatrix MY ‖ 3 aliqua inueniri potest ~ w ‖
sp. s. ~ AVΘ ‖ 3-5 quam — suscipiat *codd.* : aut operatio
sanctificationis uirtutisque quam ab extraneo quodam sustineat
Mi. iuxta omn. edd. ‖ 8 breuius : uerius CΔ
12. 2 ait *legi non potest* w ‖ pater] + uester AVΘ ‖ 3 bona :
spiritum sanctum C ‖ uero *om.* AVΘ ‖ 4 uester *om.* Δ ‖ 5 suum
sanctum : bonum C sanctum Δ ‖ 5-6 sanctum sp. ~ w

créatures, en effet, se divisent en êtres invisibles et visibles, c'est-à-dire en incorporels et corporels. Or l'Esprit Saint n'appartient pas aux substances corporelles, lui qui habite l'âme et la pensée, qui produit la parole, la sagesse et la science. Pas davantage n'appartient-il aux créatures invisibles, puisque ces dernières ont disposition à recevoir la sagesse avec les autres vertus ainsi que la sanctification.

11. Mais la substance dont il est présentement question est productrice de sagesse et de sanctification. On ne peut pas, en effet, imaginer dans le Saint Esprit une énergie qui lui vienne d'une opération extérieure de sanctification et de vertu, car une nature de ce genre est muable, tandis que l'Esprit Saint, tout le monde en convient, est le sanctificateur immuable, dispensateur de la science divine et de tous les biens. Pour parler bref, je dirai qu'il est lui-même subsistant dans les biens[1] dont le Seigneur fait largesse.

12. Dans l'Évangile, en effet, Matthieu et Luc rapportent un même passage ; le premier dit : « Combien plus le Père céleste donnera les biens à ceux qui le lui demandent ![a] », et le second : « Combien plus votre Père céleste donnera son Esprit Saint à ceux qui le lui demandent ![b] », ce qui montre[1] que l'Esprit Saint est la

---

12. a. Matth. 7,11 ‖ b. Lc 11,13

§ 11. 1. Autre traduction : *la substance des biens.*
§ 12. 1. Dans le *De Trinitate*, II, 8, 532 A, réflexion toute semblable de Didyme, citant Matthieu et Luc avec leur différence pour montrer que le Saint Esprit est la bonté substantielle de Dieu et que de lui découle tout don divin.

ritum Sanctum plenitudinem esse donorum Dei, et ea
quae diuinitus administrantur non alia absque eo subsis-
8 tere, quia omnes utilitates quae ex donorum Dei gratia
suscipiuntur, ex isto fonte demanant.

13. Quod autem substantialiter bonum est non potest
extraneae capax esse bonitatis, cum ipsum tribuat ceteris
bonitatem. Igitur manifestum est non a corporalibus
4 solum, sed et ab incorporalibus creaturis extraneum esse
Spiritum Sanctum, quia ceterae substantiae hanc substantiam sanctificationis accipiunt ; iste uero non tantum
non est capax sanctificationis alienae, sed insuper attri-
8 butor est et creator.

14. Denique qui communione eius fruuntur participes
dicti sunt Spiritus Sancti, sanctificati utique ab eo, ut
perspicue scriptum est : « Et Spiritui gratiae contumeliam
4 faciens in quo sanctificatus est »[a], haud dubium quin is
qui post susceptionem eius peccauerit. Si autem sanctificatus est per communionem Spiritus Sancti, ostenditur
quod ipse particeps eius fuerit, et largitor sanctificationis
8 Spiritus Sanctus.

15. Apostolus quoque ad Corinthios scribens et enu-
merans eos qui non sunt regnum caelorum consecuturi,

AVΘ MYw BCΔ *Mi.*

6 donorum MYw : bonorum BCΔ (*add.* uel B[sl]) bonorum donorum (d.b.Θ) AVΘ ‖ 7 alia : posse B del *(sic)* A[2] ‖ 8 dei *om.* Δ
‖ 9 emanant BCΔ dimanant *Mi.*

13. 2 ipsam C ‖ 4 solum : tantum *Mi.* ‖ et *om.* M ‖ ab
incorporalibus : acorporalibus M[ac]

14. 2 dicti sunt : dicuntur MYw ‖ sanctificati utique : sanctifi-
catique AVΘ ‖ 2-3 ut persp. : persp. enim *Mi.* ‖ 3 dictum est
scriptum est *(sic)* Δ ‖ et : ex C ‖ spiritui gratiae : -tui terrae V[ac]

plénitude des dons de Dieu et que les biens qui sont procurés par un acte de Dieu ne sont pas autre chose que lui ; tous les avantages reçus à la faveur des dons divins découlent, en effet, de cette source.

13. D'autre part, ce qui est substantiellement bon ne peut pas recevoir de bonté d'ailleurs que de soi, puisque c'est lui-même qui procure la bonté à tout le reste. Il est donc manifeste que l'Esprit Saint est en dehors des créatures, non seulement corporelles, mais aussi incorporelles, puisque les autres substances reçoivent cette substance pour leur sanctification. Quant à lui, non seulement il ne peut pas recevoir une sanctification qui ne serait pas la sienne, mais bien plus encore il en est le dispensateur et le créateur.

14. De plus, ceux qui jouissent de sa communion sont dits participants de l'Esprit Saint, réellement sanctifiés par lui, comme le dit nettement l'Écriture : « Et faisant injure à l'Esprit de la grâce dans lequel il a été sanctifié[a] », — « il », c'est-à-dire sans aucun doute celui qui a péché après l'avoir reçu —, mais s'il a été sanctifié par la communion de l'Esprit Saint, cela montre bien qu'il en a été le participant, tandis que l'Esprit Saint était le donateur de la sanctification.

15. L'Apôtre, écrivant aux Corinthiens et énumérant ceux qui n'obtiendront pas le royaume des cieux, a ajouté

-tus gratia C -tus gratiae Δ ‖ 4 in quo sanctificatus est *om.* Δ *Mi.* ‖ haud : aut M^{ac}Y ‖ 5 qui *om.* w ‖ 6 communicationem AVΘ BC ‖ sp. sancti : s. sp. ∼ B^{ac} sp. s. et V ‖ 7 largitor *codd.*] + eius *Mi.*
15. 2 non *om.* MYw *Mi.* ‖ consecuti BΔ secuturi Θ^{ac}

14. a. Hébr. 9,29

addidit dicens : « Et haec quidem fuistis ; sed abluti estis,
4 sed sanctificati estis, sed iustificati estis, in nomine Domini nostri Iesu Christi et in Spiritu Dei nostri[a] », Spiritum Dei non alium asserens esse quam Spiritum Sanctum. Etenim in consequentibus idem approbat dicens :
8 « Nemo in Spiritu Dei loquens, dicit anathema Iesu, et
nemo dicit Dominus Iesus, nisi in Spiritu Sancto[b] »,
Spiritum Dei Spiritum Sanctum esse confirmans.

16. *[5]* Si igitur sanctificator est, non mutabilis, sed
immutabilis substantiae ostenditur. Immutabilem autem
substantiam Dei tantum et unigeniti Filii eius manifestis-
4 sime tradunt eloquia diuina, convertibilem atque muta-
bilem omnem creaturarum substantiam praedicantia.
Ergo quoniam substantia Spiritus Sancti non convertibilis
sed inconuertibilis demonstrata est, non erit creaturae
8 ὁμοούσιος. Esset quippe et creatura immutabilis, si cum
Patre poneretur et Filio eamdem habens inconuertibili-

AVΘ MYw BCΔ *Mi.*

3 addidit *codd.* : addit *Mi.* ‖ 4 iustif. ... sanctif. ∼ B ‖ 4-5 domini
nostri *om.* MYw *Mi.* ‖ 5 christi *om.* C ‖ in *om.* MYw ‖ nostri
om. BCΔ ‖ 6 esse *om.* Δ ‖ 7 idem *om.* AVΘ w ‖ approbat :
apparebat Δ ‖ 9 dicit : potest dicere V ‖ dominus iesus AVΘ B :
iesus dominus ∼ Δ -num -sum MYw C *Mi* ‖ nisi *om.* Θ[ac] ‖ 10
dei] + sanctum AΘ ‖ esse sanctum ∼ V
16. 1 si *om.* C ‖ sanctificatio AVΘ ‖ est *om.* C ‖ 1-2 sed
immut. : sed mut. A[ac] *om.* B ‖ 2 substantia AVΘ ‖ 4 diuina
eloquia ∼ *Mi.* ‖ atque : et *Mi.* ‖ 5 creaturam : creatam Δ ‖
praedicantes AVΘ BC ‖ 7 demonstrata est : est demonstra *(sic)*
w ‖ creatura MYw ‖ 8 ὁμοούσιος *nos* (ὁμούσιος *Mi*[pc]. *sim. gr.*
CΔ *transcr. lat.* omonimos B) : ὁμούσιον AVΘ M *Mi*[ac]. (*sim. gr.*
M *transcr. lat.* omousion AΘ homo usion V) ὁμουσιο Yw (*sim.
gr.* Y *transcr. lat.* omousio w) ‖ et : iam AΘ iam et V ‖ mutabilis
MY incommutabilis B ‖ si : sed V B ‖ 9 poneretur : ponetur Δ
ponitur C non ponitur B non poneretur MY ‖ eadem Δ ‖ 9-10
inconuertibilitatem : immutabilitatem AΘ incommutabilitatem Δ

---

15. a. I Cor. 6,11 ‖ b. I Cor. 12,3

ces mots : « Voilà ce que vous avez été, mais vous avez été sanctifiés, mais vous avez été justifiés au nom de notre Seigneur Jésus Christ et dans l'Esprit de notre Dieu[a]. » Il affirme par là que l'Esprit de Dieu n'est pas différent de l'Esprit Saint. Et c'est bien la même idée qu'il soutient dans la suite, quand il dit : « Personne ne dit, parlant dans l'Esprit de Dieu : « anathème à Jésus », et personne ne dit : « Jésus est Seigneur », sinon dans l'Esprit Saint[b]. » Il confirme de la sorte que l'Esprit de Dieu est l'Esprit Saint.

16. *[5]* Si donc il est sanctificateur, cela
Immuable montre qu'il n'est pas soumis au changement, mais qu'il est immuable dans sa substance. Or les oracles divins ne font bien connaître comme immuable que la substance de Dieu et de son Fils Unique, tandis qu'ils affirment que toute substance créée est soumise au changement et à la mutabilité. En conséquence, puisque la substance du Saint Esprit n'est pas soumise au changement, mais qu'elle est immuable, comme on vient de le montrer, elle ne peut pas être ὁμοούσιος (consubstantielle[1]) à la créature ; car il y aurait alors une créature immuable, placée qu'elle serait à côté du Père et du Fils avec la même immutabilité. Tout être, en effet, qui est

§ 16. 1. Il semble bien, on le constatera aussi plus bas, que Jérôme ne peut pas (ou ne veut pas !) traduire ce mot par *consubstantialis*. C'est à cette époque, précisément, qu'apparaît le vocable dans son emploi trinitaire. Tertullien l'avait déjà employé une fois seulement (*Adv. Hermog.* 34) dans un contexte philosophique. Mais c'est en 360 que Marius Victorinus, ayant à expliquer le concept sous-jacent au mot grec ὁμοούσιον, employa alors le mot latin *consubstantiale*. Relire chez M. VICTORINUS, *Adu. Arium*, II, 9-10, toute la défense du mot ὁμοούσιον — souvent réduit à ὁμούσιον par les copistes (cf. TLL *sub uerb.* homousios) —, pour se rendre compte qu'un traducteur latin avait des raisons de préférer la forme du mot grec, puisqu'elle était bien connue de tous, même en dehors de l'Orient.

tatem. Omne enim quod alieni boni capax est ab hac substantia separatur. Tales autem cunctae sunt creaturae.

17. Deus uero cum bonus sit, fons et principium omnium bonorum est. Facit igitur bonos eos quibus se impertit, bonus ipse non factus ab alio, sed subsistens :
4 ideo capabilis, non capax. Vnigenitus quoque Filius eius, sapientia et sanctificatio, non fit sapiens, sed sapientes facit, et non sanctificatur, sed sanctificat. Vnde et ipse capabilis est, et non capax.

18. Cum igitur inuisibilis creatura, quam rationabilem et incorporalem substantiam uocari consuetudinis est, non sit capabilis, sed capax — si enim capabilis esset,
4 nullius boni capax esset —, per se simplex ipsa subsistens et alterius boni receptrix, participatione habeat bonum, et non de his quae habentur ab aliis, sed de his quae habent alia intellegatur, — Patre et Filio habitis magis
8 quam habentibus, creatura uero habente, non habita.

AVΘ MYw BCΔ *Mi.*

10 hanc M^{ac} ‖ 11 autem : enim B ‖ sunt cunctae ∼ MYw *Mi.*
17. 1 cum uero deus ∼ AVΘ ‖ bonus : benignus B ‖ 1-2 omnium *om.* MYw *Mi.* ‖ 2 bonorum : bonum V ‖ eos bonos ∼ MYw *Mi.* ‖ quibus : quos C ‖ se : in se Δ *om.* C ‖ 3 impertit : impertitur Y *om.* C ‖ factus] + est AVΘ (*eras.* est A²) ‖ 4 ideoque A² et ideo Δ deo C id est w ‖ capibilis A^{ac} C²Δ ‖ non : non est Θ et non *Mi.* ‖ 4-7 unigenitus — capax *om.* Θ ‖ 5 fit : est C ‖ 6 et 2° *om.* B ‖ 7 capibilis A^{ac} ‖ est *om.* w ‖ et *om.* AV w
18. 1 rationalem Θ² (- bilem Θ¹) ‖ 2 incorporabilem B ‖ uocari *om.* Θ^{tx} (uocare Θ^{2mg}) ‖ 3 capibilis A^{ac} ‖ capabilis esset MYw : esset capa-(-pi- A^{ac} CΔ) ∼ AVΘ BCΔ ‖ 4 nolius A^{ac} ‖ 5 alterius : alicuius AVΘ ‖ receptrix : receptatrix MYw *Mi.* ‖ participationem ... boni B ‖ 6 non *om.* Δ ‖ haberetur V^{ac} ‖ de his *om.* C ‖ 7 intelligitur C ‖ patri V ‖ habitis : habens Δ ‖ 8 quam : quod Δ ‖ non : et non BΔ *Mi.*

participant du bien d'un autre *(capax boni alieni)*, est substantiellement séparé de lui. Ainsi en va-t-il de toutes les créatures.

17. Mais Dieu, parce qu'il est bon, est la source et le principe de tous les biens. Il rend donc bons les êtres à qui il se communique, bon lui-même non du fait d'un autre mais substantiellement. Aussi est-il participable *(capabilis)* sans être participant *(capax)*. Son Fils Unique aussi, qui est sagesse et sanctification, ne devient pas sage, mais c'est lui qui fait les sages ; il ne reçoit pas la sanctification, mais il sanctifie. C'est pourquoi lui aussi est participable *(capabilis)* sans être participant *(capax)*.

18. La créature invisible, celle qu'on désigne habituellement sous le nom de substance raisonnable et incorporelle, n'est pas participable, mais elle est participante — car si elle était participable, elle ne serait participante d'aucun bien — ; elle est substantiellement simple en elle-même, mais réceptrice du bien qui vient d'un autre, car elle possède le bien par participation, et il ne faut pas la classer parmi les substances possédées par d'autres, mais parmi celles qui en possèdent d'autres. Le Père et le Fils sont possédés, ils ne possèdent pas, tandis que la créature possède et n'est pas possédée[1].

§ 18. 1. Les principes fermement établis dans ce § 18 courent, de manière sous-jacente, dans tout le traité. L'opposition *Dieu est possédé et ne possède pas* peut paraître curieuse dans les termes ; il faut bien comprendre que la nature de Dieu le rend apte à être reçu par d'autres natures (donc il *est possédé*), mais de son côté, puisqu'il est tout, il ne peut recevoir quoi que ce soit qui vienne d'un autre (donc *il ne possède pas*). C'est ce que Jérôme sentira le besoin d'expliquer clairement au § 55. La créature reçoit et ne donne pas, elle est *capax*. Dieu, au contraire, donne tout et ne reçoit rien, il est *capabilis*. Dieu est « participable », la créature est « participante ».

19. De Spiritu Sancto retractemus, et si quidem ipse quoque participatione alterius sanctimoniae sanctus est, connumeretur ceteris creaturis ; sin uero sanctos facit
4 capaces sui, cum Patre ponatur et Filio. Quod autem capiatur ab aliis Spiritus Sanctus et non alia capiat, et nunc et in *Sectarum* uolumine, prout potuimus, expressimus ; et ex omni Scriptura sermonem nostrum affirmare
8 perfacile est.

20. Beatus quoque Apostolus ad Ephesios scribens ait : « In quo et credentes signati estis Spiritu repromissionis Sancto, qui est pignus hereditatis nostrae[a]. » Si enim
4 signantur quidam Spiritu Sancto, formam et speciem eius assumentes, ex his est Spiritus quae habentur et non habent, habentibus illum signaculo eius impressis. Ad Corinthios quoque idem scribens : « Nolite, inquit,
8 contristare Spiritum Sanctum, in quo signati estis[b] », signatos esse contestans eos qui susceperant communionem Spiritus Sancti. Quomodo enim disciplinae et uirtutis assumptor signaculum et figuram, ut ita dicam, in sensum
12 suum recipit eius scientiae quam assumpsit, sic et is qui Spiritus Sancti particeps efficitur, per communionem eius fit spiritualis pariter et sanctus.

AVΘ MYw BCΔ *Mi.*

19. 1 spiritu] + quoque *Mi.* ‖ sancto spiritu ∼ AVΘ BΔ ‖ quidem : quam Δ ‖ 2 est sanctus ∼ w ‖ 3 connumeretur : commune est cum C ‖ sin : si CΔ *Mi.* ‖ sanctos facit (-ciat V) : sanctus f. Y[ac] f. sanctus Δ ‖ 4 suis M[ac] ‖ ponitur C ‖ 5 ab aliis capiatur ∼ *Mi.* ‖ et 1° *om.* V ‖ 6 et *om.* A[ac] VΘ

20. 2 estis] + in AV ‖ promissionis AVΘ *Mi.* ‖ 5 assumentes] + et V ‖ ex : et Δ ‖ spiritus *codd.* : sp. sanctus *Mi.* ‖ 6 illud C ‖ 8 contristari V C ‖ sanctum] + dei AVΘ ‖ 9 signatos : -ati M ‖ susceperunt C ‖ 9-10 sp. s. comm. ∼ C ‖ 10 enim] + et MYw ‖ et *om.* AVΘ ‖ 11 in sensum : incensum Δ ‖ 11-12 in suum sensum ∼ *Mi.* ‖ 12 eius : eis M ‖ sic : sicut w[ac] is : (h)is (h *eras.*) AMC ‖ 13 spiritu Δ ‖ 13-14 particeps — sanctus om. Δ ‖ 14 pariter : particeps AVΘ ‖ sanctus : spiritus M[ac]

19. Revenons à l'Esprit Saint : s'il est saint lui aussi par la participation à une sainteté étrangère, qu'on le compte au nombre des créatures ; mais si, au contraire, il procure la sainteté à ceux qui participent à lui-même, qu'on le place alors avec le Père et le Fils. Or que l'Esprit Saint soit reçu par d'autres sans rien recevoir lui-même des autres, nous venons actuellement de l'exposer et l'avons fait aussi dans le *Livre des Sectes,* autant que nous l'avons pu[1]. Il est très facile au surplus de trouver confirmation de nos dires tout au long de l'Écriture.

20. Le bienheureux Apôtre, écrivant aux Éphésiens, dit : « Et croyant en lui, vous avez été marqués du sceau de l'Esprit Saint de la promesse, gage de notre héritage[a]. » Si, en effet, certains sont marqués du sceau de l'Esprit Saint, recevant sa forme et son empreinte, l'Esprit, lui, fait partie de ceux que l'on possède et qui ne possèdent pas, puisque ceux qui le possèdent sont marqués de son sceau. De même, écrivant aussi aux Corinthiens[1], l'Apôtre dit : « N'attristez pas l'Esprit Saint en qui vous avez été marqués d'un sceau[b] », attestant par là qu'ont été marqués du sceau ceux qui avaient accueilli la communion de l'Esprit Saint. Car de même que celui qui s'approprie un savoir ou une vertu reçoit en son esprit le sceau et la forme, pour ainsi dire, de la science à laquelle il s'est appliqué, de même aussi celui qui est rendu participant de l'Esprit Saint devient, par la communion qu'il en a, spirituel et saint tout à la fois.

---

20. a. Éphés. 1,13 ‖ b. Éphés. 4,30

---

§ 19. 1. Mention répétée de ce *Livre des sectes* au § 93. On ne peut que faire des hypothèses sur son contenu ; cf. BARDY, *Did. l'Av.*, p. 19. — Voir également *infra*, § 87, 2.

§ 20. 1. Didyme, ou le copiste, se trompe ici ; il s'agit toujours de l'*Épître aux Éphésiens*.

21. *[6]* Iste uero Spiritus Sanctus, si unus de creaturis esset, saltem circumscriptam haberet substantiam, sicut uniuersa quae facta sunt. Nam etsi non circumscribantur
4 loco et finibus inuisibiles creaturae, tamen proprietate substantiae finiuntur. Spiritus autem Sanctus, cum in pluribus sit, non habet substantiam circumscriptam.

22. Mittens quippe Jesus praedicatores doctrinae suae, repleuit eos Spiritu Sancto ; et insufflans in faciem eorum : « Accipite, inquit, Spiritum Sanctum[a] », et
4 « Euntes, docete omnes gentes[b] », quasi omnes cunctis gentibus mitteret. Neque enim omnes apostoli ad omnes gentes pariter sunt profecti, sed quidam in Asiam, quidam in Scythiam, et alii in alias dispersi nationes, secun-
8 dum dispensationem illius quem secum habebant Spiritus Sancti, quomodo et Dominum dicentem : « Vobiscum sum omnibus diebus usque ad consummationem saeculi[c]. » His et illud congruit : « Accipietis uirtutem, super-
12 ueniente in uos Spiritu Sancto ; et eritis mihi testes in Hierusalem et in omni Iudaea et Samaria et usque ad extremum terrae[d]. »

23. Si ergo hi in extremis finibus terrae ob testimonium Domini constituti distabant inter se longissimis spatiis,

---

AVΘ MYw BCΔ *Mi.*

21. 1 ipse BΔ *Mi.* ‖ uero *om.* MYw C ‖ 1-2 esset de creat. ∼ Θ ‖ 2 saltim V w ‖ 3 scribantur V

22. 2 eos : os w ‖ sancto *om.* MYw ‖ sufflans Δ ‖ 4 gentes *om.* C ‖ 5 enim *om.* A[ac]V ‖ 6 sunt pariter ∼ w ‖ 7 scythiam : sichiliam C ‖ nationes (B[2sl]) : regiones B[ac] ‖ 7-8 secundum — quem *om.* BCΔ ‖ 8-9 spiritum BC spiritum sanctum Δ ‖ 9 quomodo] + audiebant Θ[mg] ‖ uobiscum : ecce ego uob. V Δ ‖ 10 sum *om.* C[ac] ‖ 11 illum A[ac] w ‖ accipite w[ac] accipiens Δ ‖ 11-12 superueniente (-tem V) in uos spiritu sancto AVΘ : -tem in uos (super uos -tem w) spiritus sancti MYw - tis spiritus sancti in uos BΔ *Mi.* ‖ 12 testes mihi ∼ *Mi.* ‖ in 2° *om.* AΘ ‖ 13 et 3° *om.* C ‖ 14 extremum : ultimum Δ

Sans limitation **21.** *[6]* Or si cet Esprit était une créature, il aurait à tout le moins une substance limitée, comme toutes les choses qui ont été faites. Car, bien que les créatures invisibles ne soient pas circonscrites en un lieu et en des limites (matérielles), elles sont cependant limitées du fait propre de leur substance. Mais l'Esprit Saint, qui se trouve en plusieurs à la fois, n'a pas de limitation de substance[1].

22. En effet, quand Jésus envoya les prédicateurs de sa doctrine, il les remplit de l'Esprit Saint, et il dit en soufflant sur leur visage : « Recevez l'Esprit Saint[a] », et « Allez, enseignez toutes les nations[b] », comme s'il les envoyait tous à toutes les nations. Mais tous les apôtres ne sont pas allés ensemble dans toutes les nations : les uns sont partis en Asie, d'autres en Scythie, d'autres encore se sont dispersés en d'autres nations, conformément au dessein de cet Esprit Saint qu'ils avaient avec eux selon la parole du Seigneur : « Je suis avec vous jusqu'à la consommation des siècles[c] », à quoi correspond cette autre parole : « Vous recevrez la force de l'Esprit Saint qui viendra d'en haut sur vous, et vous serez mes témoins à Jérusalem, dans toute la Judée et la Samarie et jusqu'aux extrémités de la terre[d]. »

23. Si donc ils étaient établis aux extrémités de la terre en témoignage du Seigneur et se trouvaient séparés les uns des autres par d'immenses distances, et si l'Esprit

---

23. 1 ergo] + hi MYw *Mi.*

---

22. a. Jn 20,22 ‖ b. Matth. 28,19 ‖ c. Matth. 28,20 ‖ d. Act. 1,8

---

§ 21. 1. Le raisonnement sera utilisé au § 236. — Pour comparer avec Ambroise, voir *infra* : Notes complémentaires, p. 393.

aderat autem eis inhabitator Spiritus Sanctus, incircum-
4 scripta inhabitantis substantia demonstratur. Angelica
uirtus ab hoc prorsus aliena : angelus quippe qui aderat,
uerbi gratia, apostolo in Asia oranti[a] non poterat eodem
simul tempore adesse aliis in ceteris mundi partibus
8 constitutis.

24. Spiritus autem Sanctus non solum seiunctis a se
hominibus praesto est, sed et singulis quibusque angelis,
principatui, thronis, dominationibus inhabitator assistit ;
4 et ut homines sanctificans, alterius quam sunt homines
est naturae, sic et alias creaturas sanctificans, alius est
ab earum substantia, quia omnis creatura non ex sua
substantia, sed ex communione alterius sanctitatis sancta
8 perficitur.

25. *[7]* Dicti sunt quidem sancti angeli in Euangelio,
Saluatore dicente uenturum esse Filium hominis « in
gloria sua et Patris et sanctorum angelorum[a] ». Et Cor-
4 nelius in Actibus Apostolorum a sancto angelo scribitur
accepisse responsum ut Petrum Christi discipulum ad se
uocaret[b]. Verum sancti sunt angeli participatione Spiritus

AVΘ MYw BCΔ *Mi.*

3 adherat M[ac] ‖ habitator V ‖ 3-4 incircumscripta inhabitans (-
tanti V) substantia : -ptam habens -tiam MYw *Mi.* ‖ 4-5 angelica
uirtus : u. euang. Θ ‖ uirtute A[2sl] CΔ ‖ 5 hoc : hac (ha V) AVΘ
‖ prorsus] + dignitate A[2sl] ‖ aderat] + quidem AVΘ ‖ 6
moranti B ‖ 6-7 simul eodem ∼ *Mi.* ‖ 7 simul tempore : tempore
w[pc] tempore simul ∼ B ‖ 7-8 aliis — constitutis *om.* Θ ‖ 7 aliis :
alii AV B *om.* w ‖ partibus mundi ∼ A BΔ *Mi.* ‖ 8 constituto
AV B
24. 1 sp. s. autem ∼ w Δ ‖ se iunctis M ‖ se] + aliis V ‖ 2
omnibus M ‖ praesto est : potest adesse AVΘ ‖ et : in C et in V
M ‖ 3 principatui : -patibus M[ar] (?) -patu M[pc] Θ[ac] *Mi.* ‖ thronis]
+ et Θ ‖ 4 ut *om.* A[ac] ‖ omnes MY ‖ sanctificans — homines
om. Θ ‖ quam : quod Δ ‖ 5 naturaliter Θ ‖ et *om.* Θ BΔ ‖
alienus BΔ ‖ 5-6 ab earum est ∼ *Mi.* ‖ 6 eorum C ‖ quia :

était pourtant avec eux, habitant en eux, la démonstration est faite que la substance de celui qui les habitait n'a pas de limitation. Une puissance angélique est complètement étrangère à un tel effet : car l'ange qui se trouvait, par exemple, en Asie avec un apôtre en prière[a] ne pouvait pas se trouver au même moment avec les autres établis dans les autres parties du monde[1].

24. A l'inverse, l'Esprit Saint est non seulement présent aux hommes éloignés de lui, mais encore il établit son habitation en chacun des anges, en chaque principauté, chaque trône, chaque domination. Et si, comme sanctificateur des hommes, il est d'une nature différente de la leur, il est aussi, comme sanctificateur des autres créatures, d'une substance différente de la leur, car toute créature est sanctifiée non pas en vertu de sa propre substance, mais par communion à la sainteté d'une autre[1].

Différent des anges

25. *[7]* Il est vrai que dans l'Évangile les anges ont été qualifiés de saints, puisque le Sauveur dit que le Fils de l'Homme viendra « dans sa gloire et dans celle du Père et des saint anges[a] » ; et il est écrit dans les Actes des Apôtres que Corneille a reçu d'un ange saint l'avis d'appeler près de lui Pierre le disciple du Christ[b] ; mais

quoniam A *Mi.* ‖ omnis : omnes V[ac] (-nis V[2]) ‖ sua *om.* Y ‖ 8 perficitur (A[1]) : efficitur A[2sl]
25. 3 gloria : maiestate *Mi.* ‖ 5 ad se chr. disc. ∼ *Mi.*

23. a. cf. Act. 20,36 (?)
25. a. Lc 9,26 ‖ b. cf. Act. 10,22

§ 23. 1. Cf. DIDYME, *De Trin.,* II, IV, 488 A.
§ 24. 1. Voir *infra* : Notes complémentaires, p. 393.

Sancti et inhabitatione Vnigeniti Filii Dei, qui sanctus
8 est et communicatio Patris, de quo Saluator ait : « Pater
sancte !ᶜ ».

26. Si igitur angeli non ex propria substantia sancti
sunt, sed ex participatione sanctae Trinitatis, alia angelorum ostenditur esse a Trinitate substantia. Vt enim
4 Pater sanctificans alius est ab his qui sanctificantur et
Filius alius est ab his quos efficit sanctos, ita et Spiritus
Sanctus alterius est substantiae ab his quos sui largitione
sanctificat.

27. Si uero haeretici proposuerint ex natura conditio-
nis suae angelos sanctos esse, consequenter cogentur
dicere ὁμοουσίους esse Trinitati et inconuertibiliter eos
4 iuxta substantiam sanctos esse. Si autem hoc refugientes,
dixerint unius quidem naturae esse cum ceteris creaturis,

AVΘ MYw BCΔ *Mi.*

7 f. d. unig. ∼ M ‖ 8 communicatio : -tione BΔ inhabitatione C
‖ ait] + et Θ
   26. 1 angeli *om.* Δ ‖ sua propria B ‖ 2 sed *om.* Aᵃᶜ ‖ ex *del.*
A² ‖ sanctae *om.* Δ ‖ aliena A²ᵐᵍ ‖ 3 esse *om.* AVΘ BΔ ‖ esse
a trin. MYw : a trin. esse ∼ C *Mi.* ‖ 4 sanctificat Θ ‖ alium Mᵃᶜ
‖ est *om.* Aᵃᶜ ‖ qui sanctificantur : sanctificator Δ ‖ ab his alius
est ∼ Aᵃᶜ est alius ab his ∼ *Mi.*
   27. 1 proposuerunt Δᵃᶜ w ‖ 2 coguntur *Mi.* ‖ 3 ὁμοουσίους
nos (Mi.) : *sim. gr.* C *transcr. lat.* homo usios V MY omousios
A w B omousion Δ omousi ≡ ≡ ≡ ≡ Θ omouseon Θ² ‖ esse
MYw : eos AV BCΔ *om.* Θ ‖ trinitati : -tis Mᵃᶜ -ti] + similes V
‖ inuertibiliter Aᵃᶜ ‖ eos *om.* BCΔ ‖ 4 refugientes hoc ∼ MYw
‖ 5 unus Θ² unum Θ² ‖ natura *om.* MY

---

§ 26. 1. Ces réflexions sur les anges pourraient avoir été inspirées par celles d'ATHANASE, *Première lettre à Sérapion*, § 26-27,
SC 15, p. 129s : p.ex. « ...si l'Esprit remplit toutes choses et, dans
le Verbe, est présent au milieu de toutes choses, tandis que les
anges lui sont inférieurs et (ne) sont présents (que) là où ils sont
envoyés, nul doute que l'Esprit ne soit ni du nombre des créatures,

les anges sont saints par la participation de l'Esprit Saint et par l'habitatation en eux du Fils Unique de Dieu, qui est saint et qui est la communication du Père, dont le Sauveur dit : « Père saint[c] ».

26. Si donc les anges ne sont pas saints par leur propre substance, mais par une participation de la Sainte Trinité, cela signifie que la substance des anges est différente de la Trinité[1]. Car de même que le Père qui sanctifie est autre que ceux qui sont sanctifiés et de même que le Fils est autre que ceux qu'il rend saints, de même l'Esprit Saint est d'une substance différente de ceux qu'il sanctifie par le don abondant de lui-même.

27. Que des hérétiques[1], par contre, avancent que les anges sont saints en vertu de leur condition naturelle, ils seront alors obligés de dire en conséquence qu'ils sont ὁμοουσίους (consubstantiels[2]) à la Trinité et qu'ils sont immuablement saints en vertu de leur substance. Mais s'ils reculent devant cette conclusion et s'ils disent que les anges peuvent bien être de la même nature que les

ni en aucune façon un ange »... etc. Il est bon de se souvenir ici du Chap. I de l'*Épître aux Hébreux*.

§ 27. 1. Ce sont, indistinctement nommés, des Pneumato-maques. Dans le *De Trin.*, II, 19, 2, 548 B, Didyme leur donne le nom de « Macédoniens ». Ils identifiaient la sainteté des anges à celle du Saint Esprit. Le fait de ne pas les désigner encore d'un nom déterminé marque évidemment l'antérioriré du *De Sp.S.* sur le *De Trin.*, mais aussi laisse entendre que ces adversaires, dans le temps assez long écoulé entre les deux livres (375-390 ?), se sont plus nettement définis puisqu'on peut les désigner sous le couvert d'un éponyme.

§ 27. 2. Nous le redisons (cf. § 16) : Jérôme a préféré garder ici le terme grec ὁμοουσίους. Le terme latin *consubstantialis* pouvait bien lui paraître un néologisme ; mais la suite montrera que ce n'est pas seulement par purisme littéraire que Jérôme rejette tel ou tel mot.

non tamen eamdem habere quam habent homines sanctitatem, necessario deducentur ut dicant multo melioris
8 homines esse substantiae, cum hi per communionem
Trinitatis habeant sanctitatem, et angeli, propria natura
sancti, ab ea sint alieni.

28. Sed uota sunt hominum perfectorum et ad
consummationem sanctitatis uenientium aequales angelis
fieri[a]. Angeli quippe hominibus, et non homines angelis,
4 auxilium tribuunt, ministrantes eis salutem[b] et annun-
tiantes largitorem eius. Ex quo liquido ostenditur hono-
rabiliores et multo meliores esse angelos hominibus, per
germaniorem, ut ita dicam, et pleniorem Trinitatis as-
8 sumptionem.

29. *[8]* Quapropter cum alius sit Spiritus Sanctus ab
his quae ipse sanctificat, non est unius naturae cum
ceteris creaturis quae eum recipiunt. Si autem alterius est
4 naturae a ceteris creaturis et in propria subsistit essentia,
increatus et ineffectus ostenditur. Multae Scripturae sunt

AVΘ MYw BCΔ *Mi.*

6 sanct. quam ho. hab. ~ *Mi.* ∥ 7 deducetur *Mi.* ∥ multi Y ∥ 8
homines : -nis M *om.* C ∥ subst. h. esse ~ w ∥ 8 communicationem
AV BC ∥ 9 natura propria ~ AV BCΔ
   28. 2 uenientibus w ∥ aequalis M ∥ 5 largitorem eius : largiorem
(-gitionem Δ) eius CΔ eis largiora dei beneficia *Mi.* ∥ liquide AV∥
6 angelis Δ ∥ per : propter B ∥ 7 et *om.* V ∥ et pleniorem *om.* B
   29. 1 quia propter V ∥ aliud AVΘ ∥ 2 est : erunt A[1ar] Θ erit
A[pr]V ∥ naturae (A[2]) : creaturae AVΘ ∥ cum : a Y ∥ 3-4 quae —
creaturis *om.* M[1] (*rest.* M[2mg]) ∥ 4 a *om.* Θ[1] (cum Θ[2]) ∥ ceteris *om.*
M[2] *Mi.* ∥ 5 ineffectus : increatus C[1] imperfectus C[2]Δ ∥ 5 sunt
scripturae ~ Θ[2]

---

28. a. cf. Lc 20,36 ∥ b. cf. Hébr. 1,14

---

§ 28. 1. Voir *infra* : Notes complémentaires, p. 394.
   § 29. 1. *increatus et ineffectus* : les deux mots sont synonymes
et affirment nettement que le Saint Esprit n'est pas une créature.
Didyme veut-il répondre ici à Origène qui disait dans le passage
cité à la note précédente : « à son propos [de l'Esprit Saint] il

autres créatures sans avoir cependant la même sainteté
que les hommes, ils seront amenés à dire, sans échap-
patoire possible, que les hommes sont d'une substance
bien meilleure, puisqu'ils ont la sainteté par la communion de la Trinité, tandis que les anges, saints de par
leur propre nature, lui sont étrangers.

28. Mais le souhait des hommes parfaits et de ceux qui
parviennent à une sainteté consommée est de devenir semblable aux anges[a]. Car ce sont les anges qui prêtent secours
aux hommes et non les hommes aux anges ; ceux-ci sont
au service du salut pour les hommes[b] et ils annoncent celui
qui en fait largesse. Ce qui montre à l'évidence que les
anges sont plus honorables et bien meilleurs que les
hommes par leur participation plus authentique, pour ainsi
dire, et plus complète de la Trinité[1].

**Se communiquant
aux personnes**

29. *[8]* C'est pourquoi l'Esprit
Saint, qui diffère de ceux que lui-
même sanctifie, n'est pas de la même
nature que l'ensemble des créatures qui, elles, le reçoivent.
Or s'il est d'une nature différente de l'ensemble des
créatures et s'il subsiste dans sa propre essence, on voit
qu'il est incréé et non-fait[1]. Il y a beaucoup de passages

n'est pas clairement tranché s'il est *natus aut innatus* (engendré
ou inengendré, trad. Harl) (s'il est né ou n'est pas né, trad.
Crouzel) (*utrum factus sit an infectus*, créé ou incréé, Jérôme dans
la lettre *Ad Avitum,* 2, trad Labourt) » ? Quoi qu'il en soit de ces
deux mots qui ont soulevé des discussions sans fin quand on les
a rapportés aux deux mots grecs sous-jacents : γεν(ν)ητός et
ἀγέν(ν)ητος, (avec ou sans deux ν, suivant les manuscrits et les
époques), il est certain que Didyme n'a pas, sur le sujet, les
hésitations d'Origène. Didyme, du moins tel que Jérôme le traduit
dans le *De Sp.S.,* tranche en faveur du tout incréé en l'Esprit
Saint. Sur la discussion, se reporter à : J. LEBRETON, *Histoire du
dogme de la Trinité,* II, C, p. 635 s. ; H. CROUZEL, *Origène, Traité
des Principes,* II, *SC* 253, p. 14 s. Voir aussi les documents traduits
dans M. HARL et al., *Origène, Traité des Principes,* Préface, et
Dossier p. 276 s.

quae sine ambiguitate convincant alterius eum a cunctis conditionibus esse naturae.

30. Quidam etiam Spiritu Sancto pleni esse dicuntur ; nemo autem, siue in Scripturis, siue in consuetudine, plenus creatura dicitur. Neque enim aut Scriptura sibi
4 hoc uindicat aut sermo communis, ut dicas plenum esse quempiam angelo, throno, dominatione ; soli quippe diui- nae naturae hic conuenit sermo. Dicimus autem uirtutis et disciplinae quosdam esse plenos, ut illud : « Repletus
8 est Spiritu Sancto », non aliud significantes quam « ple- nos esse consummate atque perfecte »

31. Scriptum est de Iohanne : « Et Spiritu Sancto im- plebitur adhuc ex utero matris suae[a] », et iterum : « Re- pleta est Spiritu Sancto Elisabeth[b] », et post alia : « Et
4 Spiritu Sancto repletus est Zacharias pater eius — haud dubium quin Iohannis —, et prophetauit[c]. » Necnon in Actibus Apostolorum de multis credentibus qui in unum conuenerant refertur : « Repleti sunt Spiritu Sancto[d] ».

32. Cum autem participabilis sit Spiritus Sanctus ad similitudinem sapientiae ac disciplinae, non in cassis no-

AVΘ MYw BCΔ *Mi.*

6 conuincunt V ‖ 6 eum alterius ∼ Θ^2 ‖ 7 conditionibus : conditis rebus A^2
30. 1 pl. sp. s. dic. esse ∼ V ‖ 2 scriptura C ‖ consuetudine] + loquendi A^{2sl} ‖ 3 dic. creat. ∼ Θ ‖ 3-4 hoc sibi ∼ Θ^2 w ‖ 4 uindicat : -cant M^{ac} ‖ uind. hoc ∼ V ‖ dicat VΘ BCΔ ‖ 4-5 q. pl. esse C ‖ 5 dominationes M^{ac} ‖ 6 autem : enim Θ ergo autem V ‖ 6-7 quosdam uir. et disc. ∼ AVΘ ‖ 7 et disciplinae *om.* Δ ‖ esse quosdam ∼ w ‖ ut : et AVΘ ‖ 8 significans Y^{ac} -cante B ‖ quam : quod Δ ‖ 8-9 plenum BΔ ‖ 9 esse : est Δ ‖ consummatae *Mi.* 11 perfecte : -tae beatitatis A^{2sl} -tae iustitiae Θ^{2mg} -tae uitae C -tae uirtutis *Mi.*

de l'Écriture qui prouvent sans ambiguïté qu'il est d'une autre nature que l'ensemble des êtres créés.

30. L'Écriture dit de certains hommes aussi qu'ils sont remplis de l'Esprit Saint ; mais elle ne dit pas, et l'usage ne dit pas non plus, que quelqu'un est rempli d'une créature. En effet ni l'Écriture ne se permet de dire, ni le langage ordinaire ne dit de quelqu'un qu'il est rempli d'un ange, d'un trône, d'une domination ; cette manière de parler ne convient que pour la nature divine. Mais nous disons de certains qu'ils sont remplis de vertu et de savoir, comme dans « il a été rempli de l'Esprit Saint », sans autre signification que de dire qu'ils en sont pleins en totalité et en perfection.

31. L'Écriture dit de Jean : « Et il sera rempli de l'Esprit Saint dès le sein de sa mère[a] », et encore : « Élisabeth fut remplie de l'Esprit Saint[b] », et plus loin : « Et Zacharie, son père — père de Jean, évidemment —, fut rempli de l'Esprit Saint et il prophétisa[c] ». Les Actes des Apôtres rapportent semblablement, en parlant de la multitude des croyants qui s'étaient réunis : « Ils furent remplis de l'Esprit Saint[d]. »

32. Mais bien que l'Esprit Saint soit participable à l'instar de la sagesse et du savoir, il possède une subs-

---

31. 1-2 replebitur VΘ B ‖ 2 matris] + suae V w Δ *Mi.* ‖ 3 est (A²) : *om.* A¹ Θ ‖ aliqua B ‖ 4 pat. eius Zach. ∼ V ‖ haud : aut Y B haut w ‖ 5 iohannis et V : -nes et Y et iohannes *cett.* ‖ necnon] + et AΘ BΔ ‖ in *om.* A^(ac)Θ^(ac)
32. 1 participalis AVΘ ‖ sit *om.* B ‖ 2 ac : et w C ‖ non in cassis : uel non cassam A^(2sl) ‖ 2-3 nominibus : omnibus AVΘ

---

31. a. Lc 1,15 ‖ b. Lc 1,41 ‖ c. Lc 1,67 ‖ d. Act. 2,4

minibus scientiae substantiam possidet, sed per naturam
4 sanctificantem et implentem bonis uniuersa, bonus ipse
subsistit, iuxta quam et repleti quidam Spiritu Sancto
esse dicentur, ut in Actibus Apostolorum scriptum est :
« Et repleti sunt uniuersi Spiritu Sancto et loquebantur
8 uerbum Dei cum fiducia[a] ». Quomodo enim qui aliqua
disciplina plenus est, quia perfecte eam tenet, erudite et
subtiliter potest de ea proferre sermonem, sic qui Spiritum Sanctum consummate acceperunt ita ut implerentur
12 eo, cum fiducia uerbum Dei loquuntur, quia praesens
Spiritus Sanctus dignam Deo uocem ministrat.

33. Vnde et quidam cum supercilio ait : « Haec dicit
Spiritus Sanctus[a] », et Apostolus : « Sed implemini, inquit, Spiritu[b] » ; et in multis locis Actuum Apostolorum
4 pleni Spiritu Sancto discipuli Domini describuntur :
« Considerate ergo, fratres, uiros ex uobis testimonium
habentes septem, plenos Spiritu et sapientia[c] », et de
Stephano : « Cum autem esset plenus Spiritu Sancto,
8 intuens in caelum, uidit gloriam Dei et Iesum stantem a
dextris Dei[d] », et de electionis uase[e] dicitur : « Saulus
autem, qui et Paulus, plenus Spiritu Sancto, intuens in
eum ait[f] », et in commune de uniuersis credentibus ad-

AVΘ MYw BCΔ *Mi.*

4 significantem w ‖ replentem Θ ‖ 5 existit w ‖ 5-6 iuxta — est
om. Δ ‖ 5 quam : quae C ‖ 5-6 esse dic. sp. s. ∼ Θ ‖ 6 in *om.*
A[ac] ‖ apostolorum *om.* C ‖ 7 sunt uniuersi: quidem de Δ ‖
uniuersi : omnes Θ Δ *Mi.* ‖ 8 dei uerbum ∼ AVΘ[ac] B ‖ enim :
autem VΘ ‖ quis Θ ‖ aliqua *om.* M[ac] ‖ 9 quia : qui *Mi.* ‖ tenet
codd. : habet *Mi.* ‖ 11 acceperint *Mi.* -erant Δ exceperunt C[2sl] ‖
impleretur B impleantur *Mi.* ‖ 12 dei uerbum ∼ AV w BΔ ‖ 13
— § 44, 5 dignam — per[turbationum (= 140 *li. in PG*) *desunt in*
A propter avulsionem : nunc ergo codicis A locum tenet T eiusdem
familiae ‖ 13 ministrat uocem ∼ V

33. 1 unde *codd.* : hinc *Mi.* ‖ et *om.* B *Mi.* ‖ cum sup. *om.* V
Θ ‖ 2 spiritu] + sancto V MYw *Mi.* ‖ 4 pleni] + fuisse *Mi.*
‖ discipuli *om.* V ‖ scribuntur MYw ‖ 5 igitur V ‖ 6 septem :
VII V Θ w ‖ spiritu] + sancto Θ MYw Δ *Mi.* ‖ 7 plenus esset

tance que ne recouvrent pas les vains noms de la science ;
étant sanctifiant par nature et emplissant de biens tous
les êtres, il est lui-même substance de bonté. C'est en
considération de cela qu'on rapporte que certains sont
remplis de l'Esprit Saint, comme il est écrit dans les
Actes des Apôtres : « Et ils furent tous remplis de l'Esprit
Saint et ils annonçaient la parole de Dieu avec asssuran-
ce[a]. » En effet, de la même façon que celui qui est rempli
d'un savoir peut, par le fait qu'il le tient parfaitement
en sa possession, l'exprimer habilement en un langage
précis, ainsi annoncent la parole de Dieu avec assurance
ceux qui ont reçu l'Esprit Saint à la perfection, au point
d'en être remplis, car la présence de l'Esprit Saint leur
prête une voix digne de Dieu.

33. C'est ce qui fait dire à quelqu'un avec gravité :
« Voici ce que déclare l'Esprit Saint[a] », et à l'Apôtre :
« Mais vous êtes remplis de l'Esprit Saint[b] » ; et en
beaucoup d'endroits des Actes des Apôtres, les disciples
du Seigneur sont décrits comme remplis de l'Esprit Saint :
« Choisissez donc parmi vous, frères, sept hommes d'un
bon témoignage, remplis de l'Esprit et de sagesse[c]. »
D'Étienne il est dit : « Mais étant rempli de l'Esprit Saint,
ayant fixé les yeux au ciel, il vit la gloire de Dieu et
Jésus debout à la droite de Dieu[d]. » Du vase d'élection[e]
il est dit : « Mais Saul, appelé aussi Paul, rempli de
l'Esprit Saint, dit en le regardant[f]. » Et s'agissant en
général de l'ensemble des croyants, il y a cette notation :

MY Δ *Mi.* ‖ 8 intuens : intendens TVΘ C int *(sic)* w int[uens] w
man. rec. ‖ 9 dei] + et ait Y ‖ 9 uase elect. ∼ C ‖ saulus :
salus V ‖ 11 dixit TVΘ ‖ in *om.* C ‖ uniuersis : omnibus TVΘ ‖

---

32. a. Act. 4,31
33. a. Act. 21,11 ‖ b. Éphés. 5,18 ‖ c. Act. 6.3 ‖ d. Act. 7,55
‖ e. cf. Act. 9,15 ‖ f. Act. 13,9

12 notatur : « Discipuli quoque replebantur gaudio et Spiritu
Sancto[g] ».

34. Angeli autem praesentia siue alicuius alterius ex-
cellentis naturae quae facta est, non implet mentem atque
sensum, quia et ipsa aliunde completur. Quomodo enim
4 ex plenitudine quis accipiens Saluatoris plenus efficitur
sapientia et ueritate et iustitia et sermone Dei, sic qui
Spiritu Sancto plenus est statim uniuersis donationibus
Dei repletur, sapientia, scientia, fide ceterisque uirtutibus.
8 Qui igitur implet uniuersas creaturas, quae tamen possunt
uirtutem et sapientiam capere, non est ex his quae ipse
complet. Ex quo colligitur alterius eum esse substantiae
quam sunt omnes creaturae. Diximus et alibi quia super-
12 intellegatur in Sancti Spiritus substantia etiam plenitudo
munerum diuinorum.

35. *[9]* Denique impossibile est gratiam Dei sortiri
quempiam, si non habeat Spiritum Sanctum, in quo
approbantur cuncta Dei dona consistere. Quod uero is
4 qui habeat eum, sermonem quoque sapientiae[a] et reliqua
bona perfecte consecutus sit, et nunc manifestissime
sermo demonstrat et paulo ante diximus substantiam

TVΘ MYw BCΔ *Mi.*

11-12 adnotantur V ‖ 12 gaudio et *om.* C
   34. 1 siue : uel w ‖ aliquis V[ac] ‖ alterius *om.* B ‖ 3 aliunde :
habunde C ‖ impletur TVΘ ‖ 4 ex pl. enim ∼ Δ ‖ 5 ueritate :
uirtute MYw *Mi.* ‖ sermones M[ac] ‖ 6 pl. e. sp. s. ∼ V s. sp. pl.
e. ∼ Θ ‖ repletus M[ac] ‖ 7 sapientia] + scilicet C ‖ fide scientia
∼ V C ‖ 9 est ex his : ex his C ex his est Δ *transp.* est *post*
implet TVΘ ‖ 10 complet : implet TVΘ ‖ 11 quam : quod Δ ‖
et : etiam C ‖ quia : quod C ‖ 11-12 superintellegatur : semper
intelligatur T ‖ 12 in *om.* M[ac] ‖ etiam : et V ‖ plenitudine V[ac] ‖
13 munerum : numerum M[ac]Y (Δ *cf. seq.*) ‖ diuinorum numerum
∼ Δ)
   35. 2 habeat : habet TV ‖ 3 approbantur : approbamus MYw[2mg]
appromamus w[1] ‖ dona *om.* T ‖ consistere : consurgere TVΘ ‖ 4
habeat : habet TVΘ ‖ 5 consecutus sit perfecte ∼ Θ w ‖ nunc :

« Les disciples aussi étaient remplis de joie et de l'Esprit Saint[g]. »

34. Mais la présence d'un ange, ou de quelque autre créature de nature supérieure, ne remplit pas l'esprit ni la pensée, puisque cette créature elle-même reçoit d'ailleurs ce qui l'emplit. Or celui qui reçoit de la plénitude du Sauveur se trouve plein de sagesse, de vertu, de justice et de la parole de Dieu ; de la même façon, celui qui est rempli de l'Esprit Saint est aussitôt rempli de toutes les largesses de Dieu, sagesse, science, foi et autres vertus. Celui donc qui remplit toutes les créatures, celles du moins qui sont aptes à recevoir la vertu et la sagesse, ne fait pas partie de celles que lui-même remplit. D'où l'on conclut qu'il est d'une substance différente de celle de toutes les créatures. Nous avons aussi dit ailleurs[1] qu'il faut sous-entendre, quand on parle de la substance de l'Esprit Saint, la plénitude des dons divins.

Substance des dons de Dieu : il est la grâce

35. *[9]* Enfin, il est impossible à quelqu'un d'obtenir la grâce de Dieu sans posséder l'Esprit Saint en qui l'on reconnaît que consistent tous les dons de Dieu. Que celui qui le possède ait acquis en perfection le langage de la sagesse[a] ainsi que les autres biens, ressort à l'évidence de ce que nous disons actuellement et de ce que nous avons dit peu auparavant[1], quand pour montrer que l'Esprit Saint est la substance

---

non M[ac] ‖ manifestissime *codd.* : manifeste *Mi.* ‖ 6 ante] + iam w

---

33. g. Act. 13,52
35. a. cf. I Cor. 12,8 *et al.*

---

§ 34. 1. « Nous avons dit ailleurs » : *alibi* ; ce peut être un autre ouvrage, dont nous ne savons rien ; ce pourrait être aussi un autre passage du Traité, en ce cas on se reporterait au § 12.
§ 35. 1. Cf. *supra*, § 12.

bonorum Dei Spiritum Sanctum esse, cum posuimus
8 exemplum : « Dabit Pater Spiritum Sanctum petentibus
se[b] » et « Dabit Pater bona petentibus se[c] ».

36. Nec aestimare debemus Spiritum Sanctum secundum substantiam esse diuisum quia bonorum multitudo
dicatur : impassibilis enim et indiuisibilis atque immuta-
4 bilis est, sed iuxta differentes efficientias et intellectus,
multis bonorum vocabulis nuncupatur, quia participes
suos non iuxta unam eamdemque uirtutem communione
sui donat, quippe cum ad uniuscuiusque utilitatem aptus
8 sit et repleat bonis eos quibus iudicat se adesse debere.

37. Denique Stephanus, primus ille testis ueritatis et
dignus nomine suo, « plenus sapientia et Spiritu Sancto[a] »
dictus est, sapientia consequenter superintellecta, commo-
4 rante in eo Spiritu Sancto, sicut loquitur Scriptura : « Et
elegerunt Stephanum plenum fide et Spiritu Sancto apostoli[b] », et post alia : « Stephanus autem, plenus gratia et
uirtute, faciebat portenta et signa magna in populo[c] »,
8 et adhuc de eodem : « Et non ualebant resistere sapientiae
et Spiritui qui loquebatur in illo[d] ».

TVΘ MYw BCΔ *Mi.*

7 bonorum : donorum Δ ‖ posuimus : possumus V[ac] possimus Δ
‖ 9 et — se *om.* TΘ ‖ pater *om.* V
   36. 1 existimare M[pc] Yw *Mi.* ‖ 2 substantias MYw *Mi.* ‖ quia
] + cum Δ ‖ multitudo bonorum ∼ *Mi.* ‖ 3 et : atque C ‖
atque : et C at Θ[ae] ‖ 3-4 mutabilis Θ ‖ 4 efficientiam M ‖ 6-7
sui donat communione ∼ MY ‖ 7 donat *codd.* : donet *Mi.* ‖ util.
uniusc. ∼ *Mi.* ‖ 8 replet TVΘ ‖ eos bonis ∼ w
   37. 1 primus ille testis : t.i.p. ∼ C i.p.t. ∼ M Δ ‖ ueritatis
om. TVΘ ‖ 2 suo nomine ∼ *Mi.* ‖ plenus] + et Y ‖ 3 sapientia
om. TVΘ ‖ conseq. superint. sapientia ∼ MY ‖ 4 loquitur : dicit
w ‖ 5-6 apostoli *om.* BCΔ ‖ 6 post alia *om.* MYw *Mi.* ‖ 7
uirtute : fortitudine V ueritate C ‖ portenta et signa magna : sig.m.
et por. ∼ TVΘ p. et sigma Δ prodigia et s.m. *Mi.* ‖ 8 de *om.* Δ
‖ 9 spiritui] + sancto Δ ‖ loquebantur Y

des dons de Dieu, nous avons pris cet exemple : « Le Père donnera l'Esprit Saint à ceux qui le lui demandent[b] » et « Le Père donnera les biens à ceux qui le lui demandent[c]. »

36. Et nous ne devons pas penser que l'Esprit Saint soit divisé dans sa substance parce qu'on lui attribue d'être la « multitude des biens » ; il est, en effet, impassible, indivisible et immuable ; mais, selon la diversité des actions et des notions, il reçoit les noms multiples des biens ; à ceux, en effet, qui participent à lui, ce n'est pas en s'en tenant à un seule et même vertu qu'il accorde sa communion, mais il est apte à procurer à chacun ce qui lui est utile et il remplit de biens ceux en qui il juge qu'il doive se trouver.

37. Ainsi Étienne, ce premier témoin de la vérité, bien digne de son nom[1], a été dit « plein de sagesse et d'Esprit Saint[a] », ce qui fait conclure que la sagesse est sous-entendue[2], puisque l'Esprit Saint demeurait en lui, selon les paroles de l'Écriture : « Et les apôtres choisirent Étienne plein de foi et d'Esprit Saint[b] », et : « Quant à Étienne, plein de grâce et de force, il faisait des prodiges et de grands miracles parmi le peuple[c] », et encore, toujours de lui : « Et ils ne pouvaient pas résister à la sagesse et à l'Esprit qui parlait en lui[d]. »

35. b. cf. Lc 11,13 ǁ c. cf. Matth. 7,11
37. a. Act. 6,3 ǁ b. Act. 6,5 ǁ c. Act. 6,8 ǁ d. Act. 6,10

§ 37. 1. En grec στέφανος (lat. *stephanus*) signifie « la couronne ». Pour le martyre d'Étienne qui lui valut la « couronne », cf. *Act.* 7,54-60.
§ 37. 2. Le verbe latin *superintellegere,* qui traduit peut-être littéralement le verbe grec ὑπερνοεῖν, peu employé, apparaît six fois au cours du traité (v. *Index*). Il nous semble correspondre très exactement au verbe français *sous-entendre,* au sens communément reçu d'*avoir dans l'esprit sans le dire expressément.*

38. Plenus enim Spiritu Sancto uir beatus, et fidei
effectus est particeps quae ex Spiritu Sancto uenit, iuxta
illud : « Alii autem fides in eodem Spiritu[a] ». Et gratiam
4 atque uirtutem iuxta eumdem Spiritum habens, signa et
portenta magna faciebat in populo. Necnon et illis donationibus secundum eumdem Spiritum affluebat quae
uocantur curationum gratiae atque uirtutum. Et haec
8 enim in enumeratione donorum Dei in Spiritu et secundum Spiritum, in prima Pauli apostoli Epistola ad Corinthios collocantur[b].

39. In tantum autem Stephanus diuina gratia abun-
dabat, ut nemo contradicentium et eorum qui aduersus
eum disputabant, ualerent resistere sapientiae et Spiritui
4 qui loquebatur in eo. Erat quippe iuxta Dominum et
Spiritum Sanctum sapiens. Vnde et ad discipulos suos
Iesus perspicue proclamat : Cum introducti fueritis ad
principatus et potestates et concilia et synagogas, nolite
8 esse solliciti quid uos oporteat dicere, aut quid loquamini
in illo tempore. Dabuntur enim uobis a Spiritu Sancto
sermones sapientiae, quibus non queant contradicere ne
hi quidem qui uehementer in disputationibus callent[a].

TVΘ MYw BCΔ *Mi.*

38. 1 s. sp. ∼ Δ ‖ uir b. sp. s. ∼ TVΘ ‖ 2 uenit : accidit
TVΘ ‖ 3 et *om.* C ‖ 4 habens *ante* iuxta Δ ‖ 5 portenta : prodigia
MYw *Mi.* ‖ 5-6 donationibus : dominationibus Y[ac] ‖ 6 secundum :
sed M[ac] ‖ 7 atque : utique C ‖ gratiae curationum ∼ Θ[pc] ‖
uirtutum : uirtutes MYw *Mi.* ‖ 8 donorum : bonorum M ‖ in :
qui *Mi.* ‖ 9 pauli] + apostoli MYw apost. pauli *Mi.* ‖ 10
collocuntur TVΘ
39. 1.2 abundat T[ac]Θ ‖ 2 contradicentium : de contradicentibus
TV ‖ et *om.* C ‖ 3 ualeret BC ualere Δ ‖ 4 eo : illo T *Mi.* ‖
dominum : deum VΘ CΔ caelum B ‖ 4-5 iux.d. et sp.s. : e spiritu
sancto *Mi.* ‖ 5 ad *om.* M ‖ 6 proclamabat B clamat T M[ac] ‖ 8
loquimini w ‖ 9 s. spiritu ∼ TVΘ

38. Rempli, en effet, de l'Esprit Saint, cet homme bienheureux, d'une part reçut en participation la foi qui vient de l'Esprit Saint selon cette parole : « Mais à un autre, la foi dans le même Esprit[a] » ; d'autre part, possédant la grâce et la puissance selon le même Esprit, il faisait des miracles et de grands prodiges parmi le peuple. Il n'en recevait pas moins en abondance, selon le même Esprit, les dons que l'on appelle grâces de guérisons et de manifestations de puissance. Ces grâces figurent en effet dans l'énumération[1] des dons de Dieu par l'Esprit et selon l'Esprit qui se trouve dans la première Épître de Paul aux Corinthiens[b].

39. Or Étienne était à ce point comblé de la grâce divine qu'aucun de ses contradicteurs ni de ceux qui discutaient avec lui ne pouvait résister à la sagesse et à l'Esprit qui parlait en lui. C'est qu'il était sage selon le Seigneur et selon l'Esprit Saint. C'est pourquoi, à ses disciples, Jésus dit aussi très clairement : Quand on vous conduira devant les magistrats et les autorités, dans les assemblées et les synagogues, ne vous mettez pas en peine de ce qu'il vous faudra dire ou de ce que vous aurez à répondre alors. Car il vous sera donné par l'Esprit Saint des paroles de sagesse que nul ne pourra contredire, fût-il même de ceux qui sont particulièrement habiles à la discussion[a].

38. a. I Cor. 12,9 ‖ b. cf. I Cor. 12,8-10
39. a. cf. Lc 11,12 ; 21,14. Matth. 10,7. Act. 6,10

§ 38. 1. Didyme n'énumère pas les dons ; il se contente de renvoyer à I *Cor.* [12, 8-10]. Ambroise, se rapportant au même texte pour montrer que les dons de l'Esprit sont inséparablement les dons de Dieu, ne craint pas de citer en entier le texte de Paul, et même par deux fois, cf.II, 12, 138-139 et 13, 143, *CSEL* p. 141 & 143. On ne dira pourtant pas qu'il se démarquait par là de Didyme.

40. *[10]* Sed ponamus ipsum testimonium quod ita contexitur : « Cum autem introduxerint uos in synagogas et principatus et potestates, nolite esse solliciti quomodo
4 aut quid respondeatis, Spiritus enim Sanctus docebit uos in eadem hora quae oporteat dicere[a] ». Et in alio Euangelio : « Ponite ergo in cordibus uestris non praemeditari respondere ; ego quippe dabo uobis os et sapientiam cui
8 non ualeant contradicere aut respondere[b] »

41. Spiritu ergo Sancto tribuente apostolis uerba aduersus eos qui Euangelio contraibant, dilucide ostenditur in substantia eius superintellegi sapientiae scien-
4 tiaeque sermonem. Quomodo autem Saluator in illa hora os et scientiam discipulis largiatur, quibus contradicere non queant ne hi quidem qui apud homines eloquentissimi putantur, non est huius temporis disserere, quia
8 nunc proposuimus ostendere superintellegi semper Sancto Spiritui dona uirtutum, ita ut is qui eum habet donationibus Dei plenus habeatur.

42. Vnde et in Esaia ipse Deus cuidam dicit : « Ponam Spiritum meum super semen tuum, et benedictiones meas

TVΘ MYw BCΔ *Mi.*

40. 2 in : ad T ‖ synagogiis V ‖ 3 et 1° *codd.* : ad *Mi.* ‖ solliciti esse ~ *Mi.* ‖ 4 quae : quid TVΘ ‖ 5 alio : altero TV Y C ‖ 6 ergo *om.* C w ‖ 7-8 responderé — aut *om.* TVΘ ‖ 7 respondere : quemadmodum respondeatis *Mi.* ‖ quippe : quoque w ‖ 8 ualeant : ualebunt Δ ‖ aut : uel w
41. 1 ergo : uero MYw *Mi.* ‖ sancto ... spiritu ~ Δ ‖ 2 aduersum Yw B²Δ ‖ qui] + in Y ‖ contraibant : ibant Θ (contra Θ^{2mg}) ‖ 3-4 et scientiae *Mi.* ‖ 5 scientiam : sapientiam w *Mi.* ‖ largitur BCΔ ‖ 6 non queant : nequeant w non possint TVΘ ‖ hi *om.* Δ ‖ quidem : *rasura* w ‖ 8-9 sancto spiritui : spui s. ~ w s. spu VΘ in spu s. *Mi.*
42 1 ysaiam Δ ‖ deus : dominus T ‖ dicit cuidam ~ w ‖ 2 benedictionem meam M

Il donne la sagesse **40.** *[10]* Mais laissons place à la citation elle-même, dont voici le texte : « Mais lorsqu'ils vous conduiront dans les synagogues, devant les magistrats et les autorités, ne vous mettez pas en peine de savoir comment ni quoi vous répondrez, car l'Esprit Saint vous enseignera au moment même ce qu'il faut répondre[a]. » Et dans un autre < endroit > [1] de l'Évangile : « Mettez-vous donc dans l'esprit que vous n'avez pas à préparer votre réponse, puisque je vous donnerai, moi, un langage et une sagesse auxquels ils ne pourront ni s'opposer ni répondre[b]. »

41. Ainsi donc du fait que l'Esprit Saint fournit aux apôtres les paroles qui réfutent les adversaires de l'Évangile, il apparaît clairement que, dans sa substance, il faut sous-entendre langage de sagesse et de science. Mais comment le Sauveur accorde-t-il, à ce moment-là, aux disciples, la parole et la science auxquelles personne ne peut s'opposer, même pas ceux qui passent chez les hommes pour être les plus éloquents, ce n'est pas le moment de l'exposer, car ce que nous avons l'intention de montrer maintenant, c'est qu'il faut toujours sous-entendre en parlant de l'Esprit Saint les dons des vertus, en sorte que celui qui possède l'Esprit Saint soit considéré comme rempli des grâces de Dieu.

42. C'est pourquoi, en Isaïe, Dieu lui-même dit à quelqu'un : « Je mettrai mon Esprit sur ta descendance

---

40. a. Lc 12,11-12 ‖ b. Lc 21,14-15

---

§ 40. 1. Il nous paraît évident que *in alio euangelio* est une manière elliptique de désigner un autre *passage* de l'Évangile, et non un *autre* Évangile comme le demanderait la grammaire.

super filios tuos[a] », numquam accipiente quoquam spi-
4 ritales benedictiones Dei nisi praecesserit Spiritus Sanctus. Qui enim acceperit Spiritum, consequenter habebit
benedictiones, id est sapientiam et intellectum et cetera,
de quibus Apostolus ita scribit : « Propter hoc et nos, ex
8 quo die audiuimus, non cessamus pro uobis orantes et
deprecantes ut impleamini cognitione uoluntatis eius in
omni sapientia et intellegentia spiritali, ambulantes digne
Deo[b] ». Eos enim qui digne bonis per opera et sermones
12 et prudentiam incedunt, impleri ait uoluntate Dei, po-
nentis Spiritum suum super eos, ut impleantur sapientia
et intellectu et reliquis spiritalibus bonis. Sapientia autem
et intellectus, quae in Spiritu Sancto sunt, a Deo donan-
16 tur : « Dominus, inquit, dabit sapientiam, et a facie eius
scientia et intellectus[c] », cum ea sapientia quae ab hominibus uenit non sit spiritalis, sed carnea et humana.

43. De hac itaque Apostolus scribit : « Non in sapientia carnali, sed in gratia Dei conuersati sumus in mundo[a] », carnalem sapientiam dicens quae in rebus corporeis

TVΘ MYw BCΔ *Mi.*

3 accipiente quoquam : accipientes quoque Δ enim accipit quis-
quam *Mi.* ‖ 5 qui enim : quia qui TVΘ ‖ acceperit spiritum
MYw : sp. acc. ∼ BΔ sp. sanctum acc. VΘ C per sp. sanctum
acc. T acc. sp. sanctum *Mi.* ‖ 6 benedictiones] + dei TVΘ CΔ
(-nem dei B) ‖ sapientiam : ut sapientia impleatur ... B = *transitio
ad* § 55,4 ; *uide* « *Sacris erudiri* » *XVIII,* p. 380 ‖ 7 apost. scr. ita
∼ M ita scr. apost. ∼ *Mi.* ‖ et nos *om.* T ‖ 8 die *om.* w ‖
orantes pro uobis *Mi.* ‖ 9 cognitione : agnitione MYw ‖ 10-11
digne deo : deo digne ∼ B[ac] digne cum domino Δ ‖ 11-12 eos —
incedunt : ut enim ex sermone et prudentia incedat C ‖ 11 bonis :
sibi *Mi.* ‖ sermone TVΘ ‖ 12 prudentia TVΘ ‖ incedunt : -dant
MYw ‖ ait *om.* Δ ‖ uoluntatem Θ ‖ 13 ponentes M CΔ ‖ eos :
eum M[ac] ‖ spiritum suum super nos TVΘ w Δ : super eos sp.
suum ∼ MY sp. sanctum sup. eos BC sup. eos sp. sanctum *Mi.*
‖ impleantur : repleantur w impleant V ‖ 14 et 2° : ut C ‖ 14-15
et reliquis — intellectus *om.* TVΘ ‖ 14 bonis : donis BCΔ ‖ 15

et mes bénédictions sur tes fils[a] », comme si quelqu'un
ne pouvait recevoir les bénédictions spirituelles de Dieu
sans que l'Esprit Saint ne les ait précédées. En effet celui
qui recevra l'Esprit possédera par voie de conséquence
les bénédictions, c'est-à-dire la sagesse, l'intelligence, etc.,
à propos desquelles l'Apôtre écrit : « C'est pourquoi nous
aussi, depuis que nous l'avons appris, nous ne cessons
pas de prier pour vous et de demander que vous soyez
remplis de la connaissance de sa volonté en toute sagesse
et intelligence spirituelle, cheminant d'une manière digne
de Dieu[b]. » Ceux qui marchent, en effet, d'une manière
honorable par les œuvres, le langage et la prudence, sont,
dit l'Apôtre, remplis de la volonté de Dieu, lequel met
en eux son Esprit en sorte qu'ils sont emplis de sagesse,
d'intelligence et des autres biens spirituels. Or la sagessse
et l'intelligence qui sont dans l'Esprit Saint sont données
par Dieu : « Le Seigneur, dit l'Écriture, donnera la sagesse ; de lui, la science et l'intelligence[c] », tandis que la
sagesse qui vient des hommes n'est pas spirituelle, mais
charnelle et humaine.

43. Aussi l'Apôtre écrit à son propos : « Ce n'est pas
avec une sagesse charnelle, mais par la grâce de Dieu
que nous nous sommes conduits dans le monde[a]. » Il
appelle sagesse charnelle celle qui, s'appliquant aux
choses corporelles, existerait de par la réflexion humaine.

sunt *om.* VΘ ‖ a deo *om.* Θ ‖ 15-16 domantur : dantur MYw
Mi. ‖ 16 dabit : dat TVΘ ‖ 17 scientia : sapientia MYw *Mi.* ‖
intellectus] + procedit MYw *Mi.*
  43. 2 conuersati] + significat autem... B = *transitio ad* § 52, 1 ;
uide « Sacris erudiri » XVIII, p. 381 ‖ 3 quae : qua C ‖ 3-4 in
rebus corporeis ex : horum corporibus et TVΘ

42. a. Is. 44,3 ‖ b. Col. 1,9-10 ‖ c. Prov. 2,6
43. a. II Cor. 1,12

4 ex humano subsisteret cogitatu. Porro spiritalis sapientia
et intellectualis, circa inuisibilia et intellectualia se tenens,
per operationem Spiritus Sancti capientibus se sui praesentiam tribuit. In multis quoque aliis locis Apostolus
8 memorat in substantia Spiritus Sancti Dei munera
commorari, sicut in illo : « Deus autem spei repleat vos
omni gaudio et pace ad credendum, ut abundetis in spe
et uirtute Spiritus Sancti[b] ».

44. *[11]* Deus autem largitor bonorum spem quam
promisit reddit in uirtute Spiritus Sancti his qui habent
illum, et gaudio ac pace complet eos qui, imperturbatam
4 et sedatam cogitationem possidentes, laetas habent
mentes et ob omni perturbationum tempestate tranquil-
las. Qui autem in uirtute Spiritus Sancti praedicta bona
fuerint consecuti, etiam rectam fidem in Trinitatis mys-
8 terio consequentur.

45. In alio quoque loco eiusdem Epistolae : « Non est,
inquit, regnum Dei cibus et potus, sed iustitia et pax et
gaudium in Spiritu Sancto[a]. » In Sancto enim Spiritu

TVΘ MYw BCΔ *Mi.*

4 subsisteret : subsistere Δ subsistit BC *Mi.* ‖ 5 inuisibilia : uisibilia
M[ac] ‖ se *om.* Θ C ‖ 6 per operationem : per opera per orationem
C per opera et per operationem Δ ‖ spiritu Δ ‖ se *om.* Δ ‖ 6-7
praesentiam sui ∼ w ‖ 8 substantia sancti spiritus ∼ MY sp.
sancti subs. *Mi.* ‖ 9 in illo : idem apostolus dicit TVΘ ‖ repleat :
impleat Θ BCΔ ‖ 10 ad credendum *codd.* : in credendo *Mi.*
    44. 1 autem : enim BCΔ ‖ quam *om.* Δ ‖ 2 reddit : reddidit
TVΘ reddet *Mi.* ‖ sancti *om.* Δ ‖ 3 et *om.* Mi. ‖ ac : et MYw
Mi. ‖ qui imperturbatam : qui per inturbatam B[ac] quin perturba-
tam Δ ‖ 5 perturbationum : perturbatione et AVΘ *abhinc*]
turbatione *redux* A (*cf.* § 32,13) ‖ 5-6 tranquillis Δ[ac] ‖ 7 consecuti
fuerint ∼ w
    45. 1 loco *om.* A[1]Θ[1]M[1] (*post* epistolae A[2]M[2] *post* quoque Θ[2])
‖ 2 cibus : esca AVΘ ‖ potus] + uel cibus V ‖ 2-3 et pax et

Mais la sagesse spirituelle et intellectuelle, qui a pour
domaine les réalités invisibles et intellectuelles, accorde
par l'opération du Saint Esprit sa présence à ceux qui
participent à elle. En bien d'autres textes encore l'Apôtre
rappelle que c'est dans la substance de l'Esprit Saint que
résident les dons de Dieu, en celui-ci par exemple : « Mais
que le Dieu de l'espérance vous comble de toute joie et
de paix dans la foi, pour que vous débordiez d'espérance
et de puisssance par l'Esprit Saint[b]. »

Il donne avec effusion tous les biens de Dieu
44. *[11]* Or Dieu, distribu-
teur des biens, accorde, avec la
puissance de l'Esprit Saint, l'es-
pérance promise à ceux qui le possèdent, et il remplit de
joie et de paix ceux qui, dans l'apaisement et la sérénité
de leur réflexion, ont des pensées d'allégresse que ne
trouble aucune tempête soulevée par les passions[1]. Et
ceux qui auront obtenu par la puissance de l'Esprit Saint
les biens dont nous parlons, obtiendront aussi la rectitude
de la foi en le mystère de la Trinité.

45. Dans un autre passage de la même Épître, il est
dit : « Le Règne de Dieu n'est pas affaire de nourriture
et de boisson, mais il est justice, paix et joie dans l'Esprit
Saint[a]. » En affirmant par là à ceux qui pouvaient l'en-

gaudium : et g. et p. ~ AVΘ BCΔ ‖ 3 spiritu enim sancto ~
Mi.

43. b. Rom. 15,13
45. a. Rom. 14,17

§ 44. 1. On note avec intérêt cette allusion à la sérénité intérieure, en grec à l'ἀπάθεια que l'Esprit confère à ceux qui vivent
dans la joie. Cet apaisement de l'âme n'a pas encore produit les
développements spirituels et psychologiques que nous trouverons
dans la littérature monastique et chez les Pères du désert.

4 iustitiam, id est uniuersam uirtutem et quam supra diximus pacem Dei gaudio copulatam esse asserens his qui se audire poterant, manifestissime probat non alia haec bona quam Spiritus Sancti esse substantiam.

46. Cum ergo haec bona ad homines ex largitione Spiritus Sancti ueniant, uocatio gentium quam introduxit per doctrinam euangelicam acceptabilis et sanctificata
4 redditur in Spiritu Sancto, quia et in hac sanctificatos et acceptos faciens Spiritus Sanctus, substantia est bonorum Dei. Et qui illo plenus est uniuersa iuxta rationem agit, docens recte, uiuens irreprehensibiliter, signa atque por-
8 tenta uere perfecteque demonstrans. Habet enim fortitudinem Spiritus Sancti praestantem sibi thesaurum et causam plenitudinis omnium bonorum.

47. Nouit et Petrus discipulus Iesu largitionem Spiritus Sancti donorum Dei esse naturam. Ait quippe ad eos qui obiurgabant introitum suum ad Cornelium : « Si
4 itaque aequalem gratiam dedit eis Deus praebens Spiritum Sanctum quomodo et nobis in principio, ego quis eram qui possem prohibere Dominum ?[a] » Et insuper ad suos : « Et agnitor, inquit, cordium Deus testimonium

---

AVΘ MYw BCΔ *Mi.*

4-5 diximus] + idem A id est VΘ ‖ 5 gaudio : cum g. B ‖ copulatum Θ C ‖ 6 probans C ‖ 7 quam : quod Δ ‖ esse substantiam : -tia esse w

46. 1 ad homines ex larg. sp. s. (s. sp. B) : ex larg. s. sp. (sp. s. V) AVΘ ex larg. sp. s. ad h. ∼ *Mi.* ‖ 2 ueniunt C ‖ vacatio Δ ‖ 4 redditur : conditur V ‖ hac : hoc AVΘ ‖ 5 est *om.* Θ ‖ bonorum *om.* Θ ‖ 6 uniuersa] + habet unde impia est quorumdam ratiocinatio qui inter omnia ... B = *transitio ad* § 61, 3-4 ; *uide* « *Sacris erudiri* » *XVIII,* p. 380 ‖ agit (A²) : ait A^{Iac}Θ ‖ 7 docens : dicens M^{ac} ‖ 8 perfecteque : et perf. w ‖ enim *om.* C¹ (*suppl.* C^{2sl}) ‖ 8-9 fortitudinem *om.* AVΘ ‖ 9 sanctus A² ‖ 10 bonorum omnium ∼ AΘ BC bon. hominum Δ

tendre, que la justice dans l'Esprit Saint, c'est-à-dire toute
la vertu et la paix évoquée plus haut, est attachée à la
joie de Dieu, il prouve à l'évidence que ces biens ne sont
pas autre chose que la substance de l'Esprit Saint.

46. En conséquence, puisque ces biens parviennent aux
hommes par la libéralité de l'Esprit Saint, la vocation
des gentils qu'il a introduite par l'enseignement de l'Évangile[a], se trouve acceptable et sanctifiée dans l'Esprit Saint,
et comme c'est lui, l'Esprit Saint, qui, en elle, sanctifie
les gentils et les rend acceptables à Dieu, il est la substance des biens de Dieu. Et celui qui est rempli de l'Esprit
Saint agit en tout selon la raison, il enseigne avec rectitude, il vit sans reproche, il manifeste signes et prodiges
en toute vérité et perfection. C'est qu'il a la force de
l'Esprit Saint, qui lui apporte le trésor et lui vaut la
plénitude de tous les biens.

47. Pierre aussi, le disciple de Jésus, sait que la nature
des dons de Dieu consiste en la profusion libérale de
l'Esprit Saint. Il dit en effet à ceux qui lui reprochaient
d'être allé chez Corneille : « Si donc Dieu, en leur donnant l'Esprit Saint, leur a fait la même grâce qu'à nous
au début, qui étais-je, moi, pour empêcher le Seigneur
d'agir ?[a] » et aux siens, il dit encore : « Dieu, qui connaît
les cœurs, a rendu témoignage à ces gens quand il leur

---

47. 1 et *om.* MYw *Mi.* ‖ discipulus] + domini MYw *Mi.* ‖
largionem B[1] (-itio- B[2sl]) ‖ 2 esse *om.* VΘ ‖ 4 itaque] + inquit
AVΘ ‖ eis : illis MYw *Mi.* ‖ 5 sanctum *om.* B V[tx] (*suppl.* V[2mg])
‖ et *om.* AVΘ ‖ 6 possim VΘ MY B ‖ deum VΘ BCΔ ‖ 7 et
om. MYw *Mi.*

---

46. a. cf. Gal. 2,7-8 ; Éphés. 2,11-13 ; 3,6
47. a. Act. 11,17

8 tribuit eis dans Spiritum Sanctum sicut et nobis ; et nihil
discreuit inter nos et eos, fide mundans corda eorum[b]. »

48. In hunc sensum congruit etiam illud quod in multis
locis dicitur Spiritum Sanctum a Deo dari : « Iacob puer
meus, suscipiam eum ; Israel electus meus, suscipiet eum
4 anima mea ; dedi Spiritum meum in eo[a] », et adhuc :
« Qui dat afflatum populo constituto super eam — haud
dubium quin terram — et Spiritum calcantibus eam[b]. »
Ostendimus autem supra non alium esse Spiritum Dei et
8 alium Spiritum Sanctum.

49. Paulus quoque : « Caritas, inquit, Dei diffusa est
in cordibus nostris per Spiritum Sanctum qui datus est
nobis[a] », et illud : « Quanto magis Pater uester caelestis
4 dabit Spiritum Sanctum petentibus se[b]. » Iste autem Spiritus effusus quoque esse a Deo super omnem carnem
dicitur, ut prophetent et uisiones uideant qui eum acceperint, secundum Ioelem qui ex persona Dei loquitur :
8 « Effundam de Spiritu meo super omnem carnem, et
prophetabunt filii uestri, et filiae uestrae uisiones uidebunt[c]. » Effusio quippe Spiritus causa extitit prophetandi
et uidendi sensu pulchritudinem ueritatis.

AVΘ MYw BCΔ *Mi.*

8 tribuens A[1]VΘ (-it A[2sl]) ‖ dans] + illis A[2sl] ‖ 9 inter *om.* w
(*suppl.* w[2sl]) ‖ fide] + uero w ‖ earum M
48. 2 a deo dari w dari a domino MY *Mi.* ‖ dari] + uita est
ut... B = *transitio ad* § 77, 10 ; *uide « Sacris erudiri » XVIII,* p. 381
‖ 3 eum] + qui dat (*e lin.* 5) Δ ‖ 4 meus *om.* Δ ‖ suscepit BCΔ
‖ 5 afflatum : flatum VΘ BCΔ ‖ eam : eum V ‖ haud : aut A[ac]V
‖ 8 alium] + esse w
49. 2 uestris M C *Mi.* ‖ 3 nobis *codd.* : uobis *Mi.* ‖ illud :
aliud BC ‖ uester *om.* Mw BCΔ ‖ caelestis : de caelo Y ‖ 4 dabit
] + uobis V ‖ sanctum : bonum B ‖ 5 effusus : diffusus AVΘ ‖
esse *om.* AVΘ Δ ‖ 6 et *om.* B ‖ 7 iohelem (ioelem M joelem
Mi.) : intellectualem AVΘ (+ prophetam Θ[2mg]) ‖ dei : domini
M[ac] ‖ 9 uestrae : uestrae et C uestrae iuuenes uestri B ‖ 9-10

a donné comme à nous l'Esprit Saint ; et il n'a fait
aucune différence entre eux et nous en purifiant leurs
cœurs par la foi[b]. »

48. Concourent aussi au même sens bien des passages
où il est dit que c'est Dieu qui donne l'Esprit Saint :
« Jacob mon serviteur, je l'agréerai, Israël mon élu, mon
âme l'agréera : j'ai mis en lui mon Esprit[a]. » Et encore :
« Il donne le souffle à la population qui se trouve sur
elle — « elle », bien sûr, c'est la terre —, et l'Esprit à
ceux qui la foulent aux pieds[b]. » Or, plus haut[1], nous
avons montré qu'il n'y a pas de différence entre l'Esprit
de Dieu et l'Esprit Saint.

49. Paul dit de son côté : « L'amour de Dieu a été
répandu dans nos cœurs par l'Esprit Saint qui nous a
été donné[a]. » Il y a encore ce passage : « Combien plus
votre Père céleste donnera l'Esprit Saint à ceux qui le
lui demandent[b]. » L'Écriture dit aussi que cet Esprit a
été répandu par Dieu sur toute chair pour que ceux qui
l'auront reçu prophétisent et pour qu'ils aient des visions,
selon les termes de Joël qui parle au nom de Dieu : « Je
répandrai de mon Esprit sur toute chair, et vos fils
prophétiseront et vos filles auront des visions[c]. » L'effusion de l'Esprit provoque, en effet, la prophétie et découvre au sens de la vue[1] la beauté de la vérité.

---

uisiones uidebunt (*incl. in abbreu.* w) *om. Mi.* ‖ uidebunt] + et
cetera B ‖ 10 extitit *codd.* : exsistit *Mi.* ‖ prophetandi : praedicandi
B ‖ 11 sensum pulchritudinemque MYw *Mi.*

---

47. b. Act. 15,8
48. a. Is. 42,1 ‖ b. Is. 42,5
49. a. Rom. 5,5 ‖ b. Lc 11,13 ‖ c. Joël 2,28

---

§ 48. 1. Au § 15.
§ 49. 1. *au sens de la vue* puisque, selon la citation précédente,
« ils auront des visions ». Mais cela n'exclut pas l'intervention du
jugement.

50. Ipsum quoque effusionis nomen increatam Spiritus substantiam probat. Neque enim Deus, cum angelum mittit aut aliam creaturam : Effundam, dicit, de angelo
4 meo aut principatu aut throno aut dominatione. In solis quippe his quae ab aliis participantur hic sermo consentit, sicut et nunc et paulo ante de caritate Dei diximus, quae effusa est in cordibus eorum qui Spiritum Sanctum re-
8 ceperunt. « Caritas enim, inquit Dei diffusa est in cordibus nostris per Spiritum Sanctum qui datus est nobis[a]. »

51. Saluator quoque, quia et ipse capabilis est, in similitudinem unguenti effusus dicitur : « Vnguentum effusum nomen tuum[a]. » Nam ut unguentum quod uase
4 continetur habet quidem odoris substantiam, sed prohibetur longius spargi quia uase intrinsecus clauditur, cum autem uas foras fuerit effusum, emittit procul beneolentiam suam, ita Christi nomen beneolens ante aduentum
8 eius in solo Israelis populo versabatur, quasi Iudaeae

AV⊖ MYw BC∆ *Mi.*

50. 1 increatam : in creaturam AV⊖ ‖ spiritus] + sancti MYw *Mi.* ‖ 3 dicit] + angelum aut AV⊖ ‖ 4 dominatione] + incredibili immo fallaci istiusmodi dicto (dictu AV -tum ⊖) *gloss. codd. omnes incluso* w *in quo apparet lineam fere integram erasam esse* ‖ 6 sicut et : sicut V *Mi.* sic et C sic ∆ ‖ tunc ∆ ‖ diximus dei ∼ AV⊖ ‖ 7-8 acceperunt ⊖ ‖ 8 caritatis V[ac] ‖ enim *om.* MYw *Mi.* ‖ 9 nostris : uestris MYw C∆ *Mi.* ‖ 9 nobis : uobis A MYw C∆ *Mi.*

51. 1 quia : qui AV⊖ B ‖ capibilis ⊖ ‖ 2 similitudinem : — ne AV⊖ M -nem quoque B *Mi.* ‖ unguenti : unigeniti B quoque ung. *Mi.* ‖ unguentum] + enim B ‖ 3 ut om ∆ ‖ in *ante* uase *Mi.* ‖ 4 odoris (adoris V)] + fraglantiam et B ‖ 5 cluditur AV B ‖ 6 uas : ex uase A[2] *om.* C ‖ foras : foris (f. uas ∼ B) B *Mi.* ‖ fuerit foras ∼ MYw ‖ 6-7 beneolentia AV⊖ C ‖ 7 suam : sui AV⊖ B∆ semina C ‖ christi nomen : christus christi nomine V[ac] ‖ beneolens *om.* BC∆ ‖ 8 israelis : israelitico AV⊖

50. Le nom même d'effusion, aussi, indique que la substance de l'Esprit est incréée. Quand Dieu, en effet, envoie un ange ou une autre créature, il ne dit pas : Je répandrai de mon ange ou d'une principauté ou d'un trône ou d'une domination. Cette façon de parler ne convient que pour les biens qu'on reçoit en participation, comme nous venons de le dire à l'instant et un peu plus haut également, de l'amour de Dieu qui a été répandu dans le cœur de ceux qui ont reçu l'Esprit Saint : « L'amour de Dieu, en effet, a été répandu dans nos cœurs par l'Esprit qui nous a été donné[a]. »

51. Puisque le Sauveur, aussi, est lui-même participable, l'Écriture dit qu'il a été répandu à la manière d'un parfum : « Ton nom est un parfum répandu[a]. » En effet, l'onguent contenu dans un vase possède en lui-même la substance du parfum, sans pouvoir le répandre au delà puisqu'il est enfermé à l'intérieur du vase, mais lorsqu'on l'a versé hors du vase, il exhale au loin sa bonne odeur. De la même façon le nom du Christ, qui est de bonne odeur, se trouvait, avant sa venue, réservé au seul peuple d'Israël ; il était comme enfermé dans le vase de la Judée[1].

50. a. Rom. 5,5
51. a. Cant. 1,2

---

§ 51. 1. Ici, Ambroise est tout proche de Didyme. AMBROISE dit : « En effet, contenu dans un flacon, l'onguent retient son parfum et ce parfum, aussi longtemps qu'il est enserré dans les parois étroites du vase, conserve, malgré son incapacité à se répandre, toute sa force, et lorsque, au sortir du vase qui l'enfermait, il « sera devenu un parfum répandu », il se répandra au loin de partout. De la même façon, le nom du Christ avant sa venue dans le peuple d'Israël était enfermé dans les esprits des Juifs comme dans un vase. En effet « Dieu est connu en Judée ; en Israël son nom est grand » ; oui, c'est bien ce nom que les flacons des Juifs tenaient enfermé dans leurs parois étroites » (*De Sp.S.*, I, 8, 95, *CSEL* p. 57).

uase conclusum : « Notus enim, ait, in Iudaea Deus, in
Israel magnum nomen eius[b]. » Quando autem coruscans
in carne Saluator in uniuersam terram, quin potius in
12 omnem creaturam, extendit uocabulum suum, impleto eo
quod scriptum est : « Quam admirabile est nomen tuum
in uniuersa terra[c] ! », quibus consequenter Apostolus loquitur : « Non enim aliud nomen datum est sub caelo,
16 in quo oporteat saluari nos[d] », et in Psalmis ad Dominum
dicitur : « Magnificasti super omne nomen sanctum
tuum[e] », tunc completum est : « Vnguentum effusum nomen tuum[f]. »

52. Significat autem effusionis uerbum largam et diuitem muneris abundantiam.

53. *[12]* Itaque cum unus quis alicubi aut duo Spiritum Sanctum accipiunt, non dicitur « effundam de Spiritu
meo », sed tunc cum in uniuersas gentes munus Sancti
4 Spiritus redundauerit. Et ad Titum Apostolus salutem
factam gentibus memorat « non ex operibus iustitiae quae
fecimus nos, sed per lauacrum secundae regenerationis et
innouationis Spiritus Sancti, quem effudit super nos

AVΘ MYw BCΔ *Mi.*

9 conclusum : inclusum C *Mi.* clusum A[ac] ‖ enim *om.* w ‖ 10
nomen *om.* C ‖ nomen eius magnum ∼ Y ‖ quando : quomodo
Y ‖ autem : ait w ‖ coruscans *om.* B ‖ 11 carne] + sua *Mi.* ‖
saluator] + apparuit B ‖ 12 impleto eo (A[1]) : impletum est id
A[2sl] ‖ 14 consequenter (A[1]) : -quentiam *(in tx)* uel concordantiam
(s.l.) A[2] ‖ 15 nomen aliud ∼ AVΘ ‖ 16 oportet MYw ‖ in
psalmis : *(om.* A[ac]*)* psalmo AVΘ psalmista *Mi.* ‖ deum AΘ BCΔ
‖ 17 loquitur MYw *Mi.* ‖ omne : omnia V w *Mi.* omnes C ‖ 18
tunc *om.* Δ ‖ impletum C ‖ 19 tuum] + dicit dominus per
prophetam ego dominus omnium... B = *transitio ad* § 67, 8 : *uide*
« *Sacris erudiri* » *XVIII,* p. 380
52. 1 autem : ergo MYw
53. 1 quis (A[1]) : quisque C Δ uel quilibet A[2] *om.* VΘ B ‖
alicubi *om.* B ‖ 3 meo : me V[ac] nostro V[pc] meo + (sancto *expunct.*)

L'Écriture dit en effet : « Dieu est connu en Judée ; en Israël son nom est grand[b]. » Mais quand le Sauveur, resplendissant dans sa chair, a étendu son nom sur toute la terre, ou plutôt sur toute la création, accomplissant ce mot de l'Écriture : « Comme il est admirable, ton nom sur toute la terre ![c] » — à quoi s'enchaîne ce texte de l'Apôtre : « Il n'y a pas, sous le ciel, d'autre nom qui ait été donné aux hommes par lequel doive s'opérer notre salut[d] », et cet autre adressé au Seigneur dans les Psaumes : « Tu as magnifié ton saint nom au dessus de tout[e] » —, c'est alors que fut accomplie la parole : « Ton nom est un parfum répandu[f]. »

52. Mais le mot d'effusion indique qu'il s'agit de l'abondance du don, de son ampleur et de sa richesse.

53. *[12]* C'est pourquoi l'Écriture ne dit pas « Je répandrai de mon Esprit », lorsqu'il y a quelque part une seule ou deux personnes à recevoir l'Esprit Saint, mais elle le dit lorsque le don du Saint Esprit doit se répandre abondamment sur toutes les nations. Et à Tite, l'Apôtre rappelle que le salut a été accordé aux nations « non par suite des œuvres de justice qui sont les nôtres, mais par le bain de la nouvelle naissance et de la rénovation, œuvre de l'Esprit Saint que Dieu a répandu sur nous

---

Δ *om.* Mi. ‖ cum : quando *Mi.* ‖ in *om.* Θ Δ ‖ manus V ‖ 3-4 sp. sancti ∼ Y Δ ‖ 4 redundauerit (A¹) : uel -uit A²ˢˡ ‖ 5 memorat *codd.* : commemorat wᵐᵍ uel memorans A²ˢˡ ‖ operibus] + inquit A² ‖ 6 nos : homines Mw B nos homines Δ ‖ sed] + secundum suam misericordiam saluos nos fecit B *(Vulg.)* ‖ labacrum Aᵃᶜ ‖ secundae *om.* V¹ *suppl.* V²ᵐᵍ ‖ generationis AΘ CΔ ‖ 7 innouationis : renouationis B inuocationis AVΘ CΔ

---

51. b. Ps. 75,2 ‖ c. Ps. 8,2.10 ‖ d. Act. 4,12 ‖ e. Ps. 137,2 ‖ f. Cant. 1,2

8 abundanter[a] ». Et hic enim largam attributionem Spiritus uerbum effusionis ostendit.

54. Ex quibus uniuersis docemur capabilem Spiritus Sancti esse substantiam, et ex hoc increatam.

55. Capabilem substantiam uocat, quae capiatur a plurimis et eis sui consortium tribuat ; capacem uero eam quae communicatione substantiae alterius impleatur, et capiens aliud, ipsa non capiatur ab alio.

4

56. Capabili quippe statim inconuertibile, et inconuertibili aeternum est consequens : quomodo e contrario capienti conuertibile et conuertibili creabile subse-
4 quens est. Nihil ergo de creaturis inconuertibile, propter quod neque sempiternum.

AVΘ MYw BCΔ *Mi.*

8 tribulationem B ‖ 9 ostendit : effudit MYw (ost. w^{2mg})
   54.1 uniuersis : -si Δ omnibus B ‖ capibilem B capitalem Δ ‖
1-2 sp. s. esse substantiam : esse subst. sp. s. ∼ M esse sp. s.
subst. w Cesse s. sp. subst. Y ‖ 2 ex : uel per A^{2}
   55. 1 capibilem CΔ ‖ capabilem — uocat (A^{1}) : uoco A^{2sl} (*inscr.
in mg.* hoc ad totum uidetur esse glosa A^{2}) ‖ 1-2 capitur *Mi.* ‖ 2
pluribus V B *Mi.* ‖ sui : suis M^{ac} suum Δ ‖ tribuit *Mi.* ‖ 2-3
capax... ea... communicationem B ‖ 3 communionem Δ ‖ substantiae *om.* AVΘ ‖ 4 alterius] + capit quod de omnibus
inuisibilibus... B = *transitio ad* § 63, 8-9 ; *uide « Sacris erudiri »
XVIII,* p. 381 ‖ impletur C *Mi.* ‖ 4 aliud : alios AVΘ ‖ 4-5
capitur *Mi.* ‖ 5 alio : illo Y
   56. 1 capibili CΔ ‖ quippe (A^{1}) : uel autem A^{2sl} ‖ inconuertibile : -lem Θ B ‖ 2 aeternum est consequens *om.* C ‖ 2-3 aeternum
— conuertibili *om.* Δ ‖ 2 e *om.* Y ‖ 2-3 e cont. capienti :
capientibus e cont. AVΘ ‖ 3 et *om. Mi.* ‖ conuertibili : - lis V^{1}
(-li V^{2}) ‖ creabile : -lis C ‖ 4 nil w ‖ creaturis] + est A^{2sl} ‖ 5
neque : nec Δ ‖ sempiternum] + est *Mi.*

avec abondance[a] ». Là encore, en effet, le mot « répandre » indique une large communication de l'Esprit.

Il est participable **54.** Tout cela nous apprend que la substance de l'Esprit Saint est participable (*capabilem*) et donc qu'elle est incréée[1].

55[1]. Il (Didyme) appelle « substance participable » (*capabilis*) celle qui peut être reçue en participation par un grand nombre de personnes à qui elle accorde d'être en communauté avec elle ; par contre, il appelle « substance participante » (*capax*) celle qui, à la communication d'une autre substance, s'en trouve remplie et, du fait qu'elle participe (*capiens*) à l'une, ne peut pas elle-même être reçue en participation (*non capiatur*) par une autre.

56. Car de ce qu'un être est participable, il suit aussitôt qu'il est immuable, et s'il est immuable, il est éternel. De même, à l'inverse, de ce qu'un être est participant, il suit qu'il est muable, et s'il est muable, il est de l'ordre des créatures. Rien n'est donc immuable dans l'ordre des créatures, c'est pourquoi rien n'y est éternel.

---

53. a. Tit. 3,5-6

---

§ 54. 1. Sur cette notion de *capabilis* opposée à celle de *capax*, voir plus haut, § 17, l'explication de Didyme lui-même.

§ 55. 1. Ces quelques lignes que nous avons mises en retrait ont été ajoutées par Jérôme qui a pensé expliquer ce que Didyme veut dire. En effet, Jérôme emploie le verbe *uocat* sans sujet et ce sujet ne peut pas être l'Écriture. De *capabilem* jusqu'à *ab alio*, on tiendra donc le texte comme étant de Jérôme (ou peut-être aussi d'un copiste des origines...).

57. Non solum igitur quod in hominibus est rationale conuertitur et creatur, uerum etiam in omnibus creaturis haec eadem conuersio reperitur.

58. Nam et angelorum conuersiones et ruinas diuina eloquia demonstrant. Licet enim multitudo angelorum et aliarum excellentium uirtutum in beatitudine et sancti-
4 monia perseuerent, tamen cum ea quae similem habent naturam conuersa sint, dilucide ostenditur in pristino eos statu non per immutabilitatem substantiae suae, sed per sollicitius in Deum seruitium, permanere.

59. Neque enim potest coaequalium diuersa esse na-tura. Nam quia omne hominum genus mortale est, et singuli homines sunt mortales, ut e diuerso si qua de
4 superioribus immortalia sunt, haud dubium quin omnia in eodem genere et specie constituta sint immortalia.

60. *[13]* Cum autem haec ita se habeant, etiamsi unus angelus conuertibilis apparuerit, omnes conuertibiles erunt, licet non sint conuersi in beatitudine perseuerantes,
4 quomodo et cuncta hominum corpora diuisibilia sunt, quamquam non omnia diuidantur. Quaedam enim eorum

---

AVΘ MYw BCΔ *Mi.*

58. 2 multitudo enim ∼ Δ ‖ 3-4 sanctimoniae C ‖ 4 perseueret BC ‖ cum] + in Θ²ˢˡ *Mi.* ‖ 5 conuersae MY ‖ sunt AVΘ B ‖ pristino : primo MYw *Mi.* ‖ 6 immutabilem B ‖ suae substantiae ∼ w *Mi.* ‖ per *om.* AVΘ ‖ 7 sollicitius V Mw BC : -citiis A¹ -citas A² -citos Θ -citis Y -cius Δ ‖ deum : domini BΔ dei AVΘ domino *Mi.* ‖ seruitium : -tio A³Θ

59. 2 genus hominum ∼ *Mi.* ‖ mortales sunt ∼ w *Mi.* ‖ 3 diuerso] + quoque *Mi.* ‖ 4 sunt de sup. imm. ∼ V ‖ haud : aut V ‖ 5 eodem : eorum V ‖ snt Aᵃᶜ V

60. 3 perseuerantes : -rant hi Δ ‖ 5 quamquam : licet B quam quod Δ ‖ non *om.* Θᵃᶜ

57. Par conséquent, ce n'est pas seulement chez les hommes que l'être raisonnable est soumis au changement et à la création, mais cette même disposition à changer se rencontre aussi en toutes les créatures.

58. Ainsi, pour les anges, la Parole divine apporte la démonstration de leurs changements et de leurs chutes. En effet, bien que la multitude des anges et des autres puissances de haut rang persévèrent dans la béatitude et la sainteté, cependant, comme des êtres de la même nature qu'eux ont subi des changements, il en ressort clairement que, s'ils ont persévéré dans leur premier état, ce n'est pas par suite de l'immutabilité de leur substance, mais de leur application au service de Dieu.

59. Des êtres égaux entre eux ne peuvent pas, en effet, avoir une nature différente. Comme le genre humain dans son ensemble est mortel, tous les hommes pris isolément sont mortels ; de même, à l'inverse, si quelques-uns des êtres supérieurs sont immortels, il n'est pas douteux que tous ceux qui appartiennent au même genre et à la même espèce, le soient aussi[1].

Il ne peut pas être connuméré avec les créatures

60. *[13]* Dans ces conditions, quand bien même il apparaîtrait qu'un seul ange soit soumis au changement, tous seront passibles de changement, même si, en fait, en persévérant dans la béatitude, ils n'ont pas subi de changement. C'est la même chose chez les hommes : leurs corps sont tous divisibles, quoique tous ne soient pas divisés (en fait) ; certains d'entre eux, pour avoir subi la division, per-

---

§ 59. 1. Même argumentation chez AMBROISE, *De Sp.S.*, I, 4, 63, *CSEL* p. 42.

passa diuisionem, et reliquorum similium sui naturam interpretantur.

61. His ita edissertis, alterius substantiae a uisibilibus et inuisibilibus creaturis Spiritus Sanctus ostenditur. Si autem hoc uerum est, impiissime quidam inter omnia
4 connumerant Spiritum Sanctum, dicentes in eo quod omnia a Deo per Verbum facta sunt[a], etiam Spiritus Sancti facturam significari. Neque enim unum ex omnibus, sed aliud extra omnia per substantiam ex utroque
8 demonstratus est Spiritus Sanctus. Nam si creatura, ut in superioribus ostendimus, diuiditur in corporalia et in incorporalia, et conditus est Spiritus Sanctus, utique aut uisibilis aut inuisibilis erit creatura, id est aut corporalis
12 aut incorporalis, Verum corpus nequaquam erit, sicut prius diximus, cum doceat et scientiam praestet, et a sensu et anima capiatur.

62. Sed neque inuisibilis creatura est, ut paulo ante de eo disputauimus. Vnde et Paulus in epistola quam ad Hebraeos scripsit, alium eum esse ab omnibus angelis

---

AVΘ MYw BCΔ *Mi.*

6 passa diuisionem : pars a diuisione AVΘ ‖ et : uel etiam A[2sl] ex MYw ‖ sui similium ∼ Θ ‖ natura w naturae C

61. 1 edissertis VΘ[1] disertis Θ[2]C ‖ 2 et : in *Mi. om.* C ‖ inuisibilibus *om.* C ‖ 3 impiissime] + qui sunt in mundo... B = *transitio ad* § 43, 2 ; *uide « Sacris erudiri »* XVIII, p. 380 ‖ 4-5 dicentes — etiam *om.* Δ ‖ 5 a deo per uerbum facta sunt (s.f. ∼ w) MYw : per u.f. sunt a deo AVΘ per u. a deo f. sunt (sint C) BC *Mi. om.* Δ *(cf. praec.)* ‖ 5-6 significari spiritus sancti facturam ∼ *Mi.* ‖ 6 unum enim ∼ Δ ‖ 7 ex utroque *om.* AVΘ BCΔ ‖ 8 demonstratur AVΘ (-antur V[ac]) ‖ sanctus *om.* AVΘ CΔ ‖ 9 in superioribus *codd.* : superius *Mi.* ‖ diuidatur AVΘ ‖ in 3° *om.* A[ac] Δ *Mi.* ‖ 10 inconditus B ‖ 11 creatura erit ∼ B *Mi.* ‖ aut 2° *om. Mi.* ‖ 13 diximus prius ∼ M ‖ scientiam] + et Δ ‖ 14 anima : ab an. A[pc] ‖ captatur V

62. 1 est : erit *Mi.* ‖ 2 disputatum V[ac] ‖ paulus : apostolus MYw *Mi.* ‖ 3 scribit AVΘ ‖ eum *om.* A[ac]

mettent de comprendre la nature des autres qui leur sont semblables.

61. Ces explications montrent que l'Esprit Saint est d'une substance autre que les créatures visibles et invisibles. Eu égard à cette vérité, il y a une très grave atteinte à la foi de la part de certains à connumérer[1] l'Esprit Saint avec quelque chose que ce soit, en disant que dès lors que « Dieu a fait toute chose par le Verbe[a] », il faut comprendre que l'Esprit Saint aussi est une créature[2]. En effet, que l'Esprit Saint ne soit pas une créature unique entre toutes, mais qu'il soit de par sa substance différent et en dehors de toutes, ce sont les deux points qui ont été démontrés. Car si la création, comme nous l'avons montré précédemment[3], se divise en créatures corporelles et incorporelles, et si l'Esprit Saint a été créé, il est évident qu'il sera, en tant que créature, ou visible ou invisible, autrement dit ou corporel ou incorporel. Corps véritable, il ne peut l'être en aucune façon, comme nous l'avons dit plus haut[4], puisqu'il instruit, qu'il procure la science et qu'il se communique à la pensée et à l'âme.

62. Mais il n'est pas non plus une créature invisible, nous l'avons reconnu à son propos un peu plus haut. C'est pourquoi Paul aussi, dans sa lettre aux Hébreux,

---

61. a. cf. Jn 1,3

§ 61. 1. Ce mot de *connumérer* est très fréquemment employé par BASILE dans son *Traité du Saint Esprit*. Voir la note de B. Pruche à ce sujet, *SC* 17 bis, p. 288 et 400.

§ 61. 2. Même argument attribué aux Macédoniens par DIDYME dans *De Trin.*, III, 3, 32. ; cf. AMBR. *De Sp.S.*, I, 2, 27-28, *CSEL*, p. 28.

§ 61. 3. *Supra*, § 10 et 16.

§ 61. 4. § 10.

4 demonstrat, dicens : « Cui enim angelorum dixit aliquando : Sede a dextris meis, donec ponam inimicos tuos
scabellum pedum tuorum ? Nonne omnes sunt administratorii spiritus, in ministerium missi propter eos qui
8 accepturi erant salutem ?ᵃ » Et post alia : « Quomodo nos
effugiemus tantam neglegentes salutem ? Quae principium
accipiens ad loquendum per Dominum ab his qui audierunt in nos confirmata est, testimonium dante Deo signis
12 et portentis et uariis uirtutibus et Spiritus Sancti diuisionibus iuxta suam uoluntatem ᵇ. »

63. Hoc enim quod ait « cui angelorum », aeque accipitur ac si diceret « nulli », per angelicum nomen significans omnium substantiam inuisibilium creaturarum.
4 Neque enim ulli quidem angelorum et aliae cuidam ra-
tionabili creaturae dixit Deus : « Sede a dextris meis. »
In commune itaque sermo pronuntiat non esse dictum
cuiquam creaturae « Sede a dextris meis ». Et hoc in
8 commune de creatura. Et pronuntians de omnibus inuisibilibus creaturis, ait esse eas administratorios spiritus.
Propter quod subiecit : « Nonne omnes sunt administratorii spiritus, in ministerium missi ?ᵃ » Licet enim non
12 omnes singillatim inuisibiles creaturae missae sint, tamen

AVΘ MYw BCΔ *Mi.*

4 cui : cum Y ‖ 5 tuos *om.* Δ ‖ 6-7 administratores MYw *Mi.* ‖
8 accepturi erant salutem : hereditatem capiunt salutis B ‖ 9 nos :
et nos V ‖ tantam neglegentes : si tantam neglexerimus B *(Vulg.)*
‖ quae : quem V ‖ 10 deum AVΘ C ‖ quae C ‖ 11 testimonium
dante : contestante B *(Vulg.)* ‖ 12 portentis : prodigiis *Mi.* ‖
spiritu Aᵃᶜ
63. 1 enim : autem Δ ‖ 2 dixerit AVΘ C ‖ 2-3 significans :
sanctificans Mᵃᶜ ‖ 3 substantiam *om.* CΔ ‖ 4 nulli AᵃᶜV BΔ ‖
ang. quidem ∼ M ‖ alii C ‖ cuidam (A¹) : cuiquam A²ˢˡ ‖ 4-5
rationabilis C ‖ 6 sermone Vᵃᶜ ‖ 7 cuidam w ‖ cuiquam dictum
∼ M ‖ 8 commune] + iacob puer meus... B = *transitio ad*
§ 48, 2 ; *uide « Sacris erudiri »* XVIII, p. 380 ‖ 8 et *om.* AVΘ CΔ

montre qu'il est différent de tous les anges ; il dit :
« Auquel des anges, en effet, a-t-il jamais dit : Assieds-
toi à ma droite jusqu'à ce que je place tes ennemis
comme escabeau de tes pieds ? Ne sont-ils pas tous des
esprits remplissant des fonctions, envoyés en service au
profit de ceux qui doivent recevoir le salut ?[a] » Et un
peu plus loin : « Comment nous-mêmes échapperons-
nous si nous négligeons un pareil salut ? Ce salut qui
commença d'être annoncé par le Seigneur, a été confirmé
pour nous par ceux qui l'ont entendu, Dieu y apportant
son témoignage par des signes, des prodiges, des miracles
de toute sorte et par des dons de l'Esprit Saint répartis
selon sa volonté[b]. »

63. Quand il dit : « auquel des anges », cela revient à
dire : « à aucun », et par le nom d'« anges » il signifie la
substance de toutes les créatures invisibles. A aucun des
anges, en effet, ni à aucune autre créature raisonnable
Dieu n'a dit : « Assieds-toi à ma droite. » C'est donc en
général que le texte énonce qu'il n'a été dit à aucune
créature : « Assieds-toi à ma droite » ; cela vaut pour la
créature en général. Et parlant de l'ensemble des créatures
invisibles, il dit qu'elles sont des esprits remplissant des
fonctions. Aussi ajoute-t-il : « Ne sont-ils pas tous des
esprits remplissant des fonctions, envoyés en service ?[a] »
Et bien que les créatures invisibles prises individuellement
ne soient pas toutes envoyées en service, cependant,

‖ 8-9 creaturis inuisib. ~ Δ ‖ 9 ait : ut A[pr] Θ astruit A[2sl] ‖ eas
esse ~ A M B *Mi.* ‖ administratorios A BCΔ : -rias A[ac]VΘ -res
MYw *Mi.* ‖ spiritus] + ostendat A[2sl] ‖ 10 quod : et B ‖ 10-11
nonne -spiritus *om.* B ‖ administratorii [*om.* B, *cf. praec*] : -res
MYw *Mi.* ‖ 12 sigillatim V ‖ sunt MYw *Mi.*

62. a. Hébr. 1,13-14 ‖ b. Hébr. 2,3-4
63. a. Hébr. 1,14

quia eiusdem generis et honoris aliae missae sunt, quodammodo et ipsae possibilitate sunt missae, missarum
consortes aequalisque substantiae.

64. Quomodo igitur alius est ab uniuersis creaturis
Dominus — per quem principium ad loquendum accepit
illa magna salus, cuius neglegentes nos esse nolens Apos-
4 tolus ait : « Quomodo nos effugiemus tantam neglegentes
salutem ? » ; quae principium accipiens ad loquendum
per Dominum ab his qui audierunt in nos confirmata
est, sed et Deus, qui testimonium perhibet signis et
8 portentis isti saluti[a], alius est ab omnibus administratoriis
spiritibus[b] —, sic et Spiritus Sanctus, cuius diuisionibus
iuxta uoluntatem eius[c] testimonium perhibet Deus, dis-
tribuens eum, non per concisionis partes, sed per commu-
12 nionem quibus eum praestare decreuerit, alterius est et
ipse substantiae ab his in quae dispertitur effusus.

65. *[14]* Igitur quoniam approbauimus iuxta Scripturarum sensum alium extra omnem creaturam esse. Spiritum Sanctum, incassum immo impie quidam creatum
4 eum esse ostendere uolentes, utuntur testimonio quo
omnia per Verbum facta[a] referuntur, ut scilicet in om-

AVΘ MYw BCΔ *Mi.*

13 eiusdem : eius w ‖ sunt 1° : sint CΔ ‖ 14 missae sunt ~ w ‖
15 aequalesque BΔ
64. 1 alius est : uel alius non est cancellatum A²ᵐᵍ ‖ 2 ad
loquendum : alloq. Δ ‖ accipit Mw acceperat *Mi.* ‖ 3 salus *om.*
Δ ‖ nos negl. esse nolens apost. ~ V negl. apost. nol. nos esse
~ *Mi.* ‖ 4 nos *om.* B ‖ effugemus Θ ‖ eff. nos ~ w ‖ 5 ad loq.
acc. ~ M ‖ 6 deum AVΘ ‖ 8 portentis] + ne magis docens...
B = *transitio ad* § 46, 6-7 [-nem agit docens] ; *uide « Sacris erudiri
XVIII*, p. 381 ‖ administratoris Aᵃᶜ ‖ 11 concisiones C ‖ 11-12
communionem (A²ᵖᶜ) : -niorem A¹ ‖ 13 quem V ‖ dispartitur *Mi.*
65 2 extra omnem creaturam : ex omni creatura AVΘ ‖
3 immo : uno Δ ‖ quidam *om.* MY ‖ 4 esse MYw VΘ : *om.* A

puisque les autres du même genre et de la même dignité ont été envoyées, elles sont toutes, en quelque façon, susceptibles d'être envoyées ; elles participent en commun aux envois et à une substance d'égale qualité.

64. Ainsi donc, de la même façon que le Seigneur est différent de toutes les créatures, — le Seigneur par qui a commencé d'être annoncé un salut d'une importance telle que l'Apôtre ne veut pas que nous le négligions quand il dit : Comment nous-mêmes échapperons-nous si nous négligeons un pareil salut, salut qui commença d'être annoncé par le Seigneur et qui a été confirmé pour nous par ceux qui l'ont entendu, mais salut auquel Dieu apporte aussi son témoignage par des signes et des prodiges[a], se montrant ainsi différent de tous les esprits qui remplissent des fonctions[b] ? — de même en est-il de l'Esprit Saint ; à la répartition des dons selon sa volonté[c], Dieu apporte son témoignage en attribuant l'Esprit non pas en morceaux découpés, mais en communion avec ceux auxquels il juge bon de le communiquer, — l'Esprit lui-même étant d'une substance différente de ceux en lesquels l'effusion le répartit.

Objection des hérétiques : « Selon Amos, l'Esprit aurait été créé par Dieu »

65. *[14]* Donc, puisque nous avons reconnu que, selon le sens des Écritures, l'Esprit Saint est un être différent, à part de toute créature, c'est en vain, ou plutôt il est contraire à la foi que certains, voulant démontrer qu'il est créé, se servent du texte où il est dit que « tout a été fait par le Verbe[a] », en ce sens que même la

BCΔ ‖ uolens A[ac] ‖ testimonio utuntur ∼ w *Mi.* ‖ 5 facta] + esse C ‖ 5-6 etiam in omnibus ∼ A[ac]Θ

64. a. Hébr. 2,3 ‖ b. cf. Hébr. 1,14 ‖ c. cf. Hébr. 2,4
65. a. Jn 1,3

nibus etiam aeterna substantia contineatur. Et quia ad conditionem eius approbandam etiam propheticum ser-
8 monem usurpant, dicente Deo : « Ego creo Spiritum[b] », etiam in hoc monstrare debemus prorsus ab intellectu ueritatis alienos.

66. Neque enim de Spiritu Sancto propositus prophe-tae sermo fuit, ut ex ipsa serie et contextu eloquii intel-legitur, siquidem Amos ex persona Dei : « Praeparare,
4 inquit, ad inuocandum Deum tuum, o Israel, quoniam ego sum firmans tonitruum et creans spiritum et annun-tians in homines Christum suum, faciens diluculum et nebulam, et ascendens super excelsa terrae : Dominus
8 omnipotens nomen eius[a]. »

67. Deus enim qui se spiritum condere fuerat praelo-cutus, pariter affatus est et tonitruum se firmare et di-

AVΘ MYw BCΔ *Mi.*

8 domino AVΘ ǁ ego *om.* C *Mi.*
66. 1 enim *om.* C ǁ 1-2 prophetae : profecit A[ac] ǁ sermo pro-phetae fuit MYw *Mi.* ǁ 2 et *om.*Δ ǁ contextu : intellectu w ǁ 2-3 intellegatur A[ac]VΘ ǁ 3 amos] + propheta *Mi.* ǁ ex : inquit ex B ǁ praeparare : praepara te MY ǁ 4 inquit : o israel B ǁ deum : dominum deum B ǁ o *om.* w ǁ 5 firmans (B[1]) : formans (B[2sl]) ǁ 6 hominibus V BC ǁ 7 et *om.* VΘ ǁ 8 omnipotens *om.* A[ac]
67. 1 deus : dei A[ac] ǁ enim *om.* Δ ǁ 2 effatus B ǁ pariter affatus est : et facere *Mi.* ǁ se : dixit *Mi.* ǁ formare AVΘ BC

65. b. Amos 4,12
66. a. Amos 4,12-13

§ 65. 1. Le texte du prophète Amos est pour ainsi dire classique dans les controverses pneumatomaques ; on le trouve expliqué par la plupart des Pères de l'époque : ATHANASE, *L.I à Sérapion*, 3-10, *SC* 15, p. 82 s. ; BASILE, *Contre Eunome*, III, 7, *SC* 305, p. 170 ;

substance éternelle se trouverait contenue en toute chose. Et puisque, pour renforcer l'idée qu'il a été créé, ils se servent aussi de la parole du prophète[1] en laquelle Dieu dit : « Moi, je crée l'esprit[b] », nous devons là encore montrer qu'ils sont complètement étrangers au sens de la vérité.

66. Car ce n'est pas de l'Esprit Saint qu'a voulu parler le prophète, comme on peut le comprendre d'après la suite des idées et le contexte du passage. De vrai, Amos dit en parlant de la part de Dieu : « Prépare-toi, ô Israël, à invoquer ton Dieu, car c'est moi qui donne force au tonnerre, qui crée le souffle *(spiritum)* et annonce pour les hommes son Christ, qui fais l'aurore et les ténèbres et qui m'élève au dessus des sommets de la terre : Dieu tout-puissant est son nom[a]. »

67. Dieu, en effet, qui venait de dire qu'il produisait le souffle *(spiritum),* a employé le même langage pour dire qu'il donne force au tonnerre et qu'il fait l'aurore

ÉPIPHANE, *Ancoratus,* 4, 3-5, *GCS* 25, p. 11. Il est évidemment repris par AMBROISE qui le commente longuement, *De Sp.S.,* II, 6, 48 s. et par DIDYME lui-même, *De Trin.* III, 31, *PG* 39, 949-957. — Je profite de cette note pour ajouter quelques mots à l'article des *RSR* de 1957 où je critiquais très sévèrement la position qui faisait de Didyme l'auteur du *De Trin.* et où je me servais notamment de ce passage du *De Trin.* III, 31, pour contester l'authenticité didymienne de ce livre. Je reconnais avoir été trop sévère : les analyses de cet article — justes ordinairement en détail — portent sur une quantité d'éléments stylistiques, infimes par rapport au grand ensemble du livre, et la conclusion, que je n'ai pas formulée sans une certaine réserve (p. 556, § 3), dépasse en fermeté les hésitations exprimées dans l'article. Au reste, je n'ai pas été suivi dans ces conclusions : on en a retenu qu'il convenait d'étudier encore patiemment la composition du *De Trinitate,* — ce qu'il convient toujours de faire pour ce grand ouvrage composite de Didyme.

luculum et nebulas facere. Si igitur in praedicta narra-
4 tione perseueramus, id est in tonitruo et diluculo et
nubibus, eumdem narrationis ordinem etiam in spiritu
tenere debemus, ut id quod a Deo dicitur tale sit : Vt
inuoces me, qui Deus sum, qui uniuersa procuro, qui
8 creator sum omnium, qui firmo tonitruum et condo
spiritum, qui diluculum et nebulam ad quasdam utilitates
hominum facio, praeparare ut inuoces, o Israel, ut, cum
praeparatus fueris ad inuocandum et me oraueris qui
12 supradicta constituo, felicitate temporum et aliorum bonorum largitionibus perfruaris, me tibi per singulos annos
omnia iuxta naturae ordinem ministrante ut fecunde
annus fluat, ut certis spatiis horarum momenta decurrant,
16 ut suo tempore tonitrua mugiant, ut salutaris aurora
opportunis flatibus spiret.

68. Si uero per allegoriae nubilum, tonitruus et diluculum et nebula et creatio spiritus intellegantur, non
substantiam rei, sed figuratam interpretationem signifi-
4 cabunt.

AVΘ MYw BCΔ *Mi.*

3 nebulam B ‖ 4-5 in dil. et ton. et nub. ∼ C in ton. in dil. et
in nub. V ‖ 6 a deo dicitur : ad eo do cetur Δ dicitur a deo *Mi.*
‖ ut inuoces *om.* AV BCΔ ‖ 8 sum *om.* C] + et intellectum
praesto et cetera de quibus... B = *transitio ad* § 42, 6-7, *uide*
« *Sacris erudiri* » XVIII, p. 381 ‖ omnium sum ∼ Θ ‖ formo MY
‖ tonitruum : spiritum et condo (sp. et c. *cancellat.*) tonitruum w
om. Y ‖ 9 dilucidum V^{ac} ‖ nebulas Δ ‖ 10 facio hominem ∼ *Mi.*
‖ praeparare : praepara te w ‖ o israel praep. ut inuoces ∼ A² ‖
ut 1° *om.* Δ ‖ ut inuoces : ut inuocet V^{ac} *om.* Θ ‖ 13 perfruaris :
-atis V^{ac} -are MYw Δ ‖ me : ne Θ ‖ 14 omnia (A²) : omne A^{ac}
om. MY ‖ iuxta omnia ∼ Δ ‖ fecundae A^{ac} fecundus Δ secunde
VΘ B ‖ 15 ut : et w ‖ certis : suis *Mi.* ‖ 17 inspiret MYw *Mi.*

et les ténèbres. Si donc nous poursuivons le récit dans le passage cité plus haut, c'est-à-dire en allant jusqu'au tonnerre, à l'aurore et à l'obscurité, nous devons nous en tenir pour *spiritus* au même ordre d'idées que dans le reste du passage. Et ce qui est dit par Dieu doit revenir à ceci : (Il faut) m'invoquer, moi qui suis Dieu, qui prends soin de tout l'univers, qui suis le créateur de toutes les choses, qui donne force au tonnerre et produis le vent, qui fais l'aurore et les ténèbres au profit des hommes ; prépare-toi à m'invoquer, ô Israël, pour que, quand tu te seras préparé à m'invoquer et que tu m'auras prié, moi qui organise tout ce qui vient d'être dit, tu jouisses de la faveur des saisons et de l'abondance des autres biens ; car moi je règle toute chose chaque année selon le cours de la nature pour que l'année qui s'écoule apporte la fécondité, pour que le retour des saisons tombe à intervalles déterminés, pour que les tonnerres grondent en leur temps et que l'aurore salutaire apporte le souffle des vents propices.

68. Si pourtant on cherche un sens, au moyen du voile de l'allégorie[1], au tonnerre, à l'aurore et aux nuages, ces mots ne signifieront pas la substance de la chose, mais une interprétation figurée.

---

68. 1 allegoriam Y B *Mi.* ‖ nubilum AVΘ Y BCΔ : uel nubilum numerum M numerum w *om. Mi.* ‖ tonitruus : -truis M -truum Y *Mi.* ‖ et *om.* B ‖ 2 nebulae Δ ‖ intelliguntur AV BΔ ‖ 3 rei : spiritus AVΘ ‖ figuratum V

---

§ 68. 1. Didyme l'alexandrin ne se retient pas de dire, après la discussion littérale, qu'il y a aussi une interprétation allégorique possible, mais on sent bien qu'elle n'atteindrait pas le noyau de résistance des hérétiques, « *ces mots ne signifieront pas la substance de la chose* ».

69. *[15]* Quod si e diuerso opposuerint manifeste de Spiritu Sancto haec dici, quia inferatur ad creationem Spiritus illud quod sequitur : « Et annuntians in homines
4 Christum suum[a] »,

70. — in hebraeo habet « annuntiat in homines loquelam suam », quod scilicet qui Creator est omnium, ipse etiam prophetas inspiret et suam
4 per eos hominibus indicet uoluntatem —

71. et ad hoc respondendum est quia quidam haeretici alium extra creatorem Deum Patrem Saluatoris mentiuntur, hoc impiissime praedicantes, non sceleratam eorum
4 suspicionem prouidentes a Deo percuti dicente : « Ego firmans tonitruum et creans spiritum et alias mundi partes faciens et gubernans, annuntio in homines Christum meum[a] », et hoc enim prouidentiae meae opus super
8 omnia opera mea est, ut non solum eorum quae foris sunt, sed et quae ad emolumentum animae et mentis utilitatem pertinent causa subsistam.

AVΘ MYw BCΔ *Mi.*

69. 1 si : si qui B *om.* C ‖ si e : sic V ‖ opposuerint : -rit MYw C *Mi.* ‖ 2 ad *om.*B ‖ creationem : increationem M[ac] ‖ 3 illud quod sequitur *om.* B ‖ in] + omnes *Mi.*
70. 1 habet in hebraeo ∼ B[ac] ‖ habetur *Mi.* ‖ annuntiat MYw C : et annuntians AVΘ BΔ ‖ hominis V hominem MYw *Mi.* ‖ 2 creator est : creatorem Y ‖ 3 etiam ipse ∼ AVΘ ‖ prophetis Yw[ac] C *Mi.* ‖ et : ut w
71. 2 dominum MYw B *Mi.* ‖ 3 hoc] + ipsum B ‖ non : nunc AVΘ C ‖ 4 prouidenter AΘ -tem B ‖ percuti] + attende (*glosa*) A[2sl] ‖ 5 formans *Mi.* ‖ 5-6 partes mundi ∼ Θ ‖ 6 homine AΘ ‖ 6-7 christum homine ∼ A[1] (-ne chr. A[2]) ‖ 8 mea *om.* BCΔ ‖ earum Δ ‖ 9 et 1° : ea C] + eorum A[2sl] ‖ 10 utilitatem : humilitatem MYw ‖ subsistam (C[1] ?) : subsistunt C[2]

69. *[15]* Et si, au contraire, nos objectants disent qu'il est évident qu'il s'agit ici de l'Esprit Saint parce que c'est à la création de l'Esprit que se rapporte le passage qui suit : « et annonçant pour les hommes son Christ[a] ».

70[1]. Dans l'hébreu, il y a : « il annonce pour les hommes sa parole *(loquelam)* », c'est-à-dire que Celui qui est le créateur de toute chose, inspire lui-même les prophètes et, par leur moyen, fait connaître aux hommes sa volonté.

71. il faut alors répondre à cela que certains hérétiques[1] imaginent faussement qu'il y a un autre créateur que Dieu le Père du Sauveur ; ils proclament cette abominable impiété sans se douter que Dieu réduit à néant leur pensée criminelle quand il dit : « C'est moi qui donne force au tonnerre et qui crée le vent, qui établis et régis tous les autres éléments du monde, et c'est moi qui annonce pour les hommes mon Christ[a] », car telle est au dessus de toutes l'œuvre de ma providence, si bien que, non seulement pour les choses extérieures, mais encore pour celles qui tiennent au profit de l'âme et à l'utilité de l'esprit, je suis et demeure leur cause.

---

69. a. Amos 4,12
71. a. Amos 4,12

§ 70. 1. L'explication est de Jérôme. Didyme ne savait pas l'hébreu. Mais la discussion sur ce texte était si fréquente qu'on peut penser, à la rigueur, que Didyme avait entendu l'explication par l'hébreu et qu'il s'en servait. Cependant le § 71 suit si naturellement le § 69 qu'on reconnaît volontiers une glose hiéronymienne dans le § 70.
§ 71. 1. Il s'agit des manichéens, puisque Didyme leur attribue la croyance qu'il y a un second Dieu créateur.

72. Ergo hoc quod dicitur « creo spiritum » aeque arbitror positum ac si diceretur « creans uentum ». Deus quippe flatus hos qui per aeris motum efficiuntur dispo-
4 sitione sua ducit, secundum illud quod alibi legimus :
« Qui producit uentos de thesauris suis[a] ». Bene autem quod et in ipsa sententia non ait « qui creaui », sed « qui creo spiritum ». Si enim de substantialitate Spiritus Sancti
8 sermo esset, dixisset utique « qui creaui ». Neque enim semper eumdem creat. Nunc autem consequenter de flatu dictum est « qui creo », quia non semel uenti facti sunt, sed in eo quod subsistunt, quotidie fiunt.

73. Neque uero frustra sine articulo, qui in sermone graeco singularitatis significator est, nunc spiritus creatus dicitur, quoniam non est sanctus, cum pene semper Spi-
4 ritus Sanctus cum articulo nominetur, ut in illo : « Αὐτὸ τὸ Πνεῦμα — id est : ipse Spiritus — testimonium perhibet spiritui nostro[a] », et alibi : « Τὸ Πνεῦμά ἐστιν τὸ ζωοποιοῦν — id est : Spiritus est qui uiuificat[b] », et

---

AVΘ MYw BCΔ *Mi.*

72. 1 ergo : ego BC *Mi.* ‖ aeque : ea quae Θ[1] ad ea Θ[2] ‖ 2 creans : creo B ‖ 3 hos : os M[ac] C *om.* AVΘ ‖ per aeris : paris Θ[ac] ‖ motus C ‖ 3-4 dispositionis B ‖ B ‖ 4 sua *om.* Θ[1] *ante* dispositione Θ[2] suae A B ‖ ducit : educit V CΔ dicit esse B ‖ 6 et *om.* Θ M V *Mi.* ‖ in *om.* AV ‖ creauit M ‖ 7 sancti sp. ∼ AVΘ ‖ 8 qui *om.* AVΘ ‖ 9 eumdem semper ∼ AVΘ ‖ eumdem] + spiritum B ‖ consequenter Y ‖ 9-10 dictum est de flatu ∼ w ‖ 11 quod : quo A MYw
73. 1 uero : enim MYw *Mi.* ‖ 1-2 graeco sermone ∼ MYw *Mi.* ‖ 3 sanctus : spiritus Θ ‖ 4-5 αὐτὸ τὸ πνεῦμα : AVΘ C *sim. gr. cett.* ‖ 5 id est : *om.* AVΘ idem M ‖ perhibet : reddit B ‖ 6 spiritui nostro : de spiritu sancto Δ ‖ 6-7 τὸ πνεῦμά ἐστιν τὸ ζωοποιοῦν *nos* : *om.* AVΘ *sim. gr. attestans*, τὸ. πν. MYw BCΔ *scribit uero Migne in textu* αὐτός ἐστιν τὸ ζ. *iuxta edd. anter.* ‖

72. Donc l'expression : « Je crée le souffle *(spiritum)* » revient à dire, à mon avis, « créant le vent ». Car Dieu dirige comme il l'entend les souffles qui naissent de l'agitation de l'air, conformément à ce que nous lisons ailleurs : « qui fait sortir les vents de ses trésors[a] ». Et c'est à juste titre que, dans la phrase elle-même, il ne dit pas : « qui ai créé », mais : « qui crée le vent *(spiritum)* ». Si, en effet, il était question de la substantialité de l'Esprit Saint, il aurait dit certainement : « qui ai créé », car il ne crée pas continuellement la même chose. Mais ici, logiquement, comme il s'agit du souffle, il est écrit « qui crée », car ce n'est pas une seule fois que les vents ont été faits, mais, puisqu'ils s'interrompent, ils sont faits chaque jour[1].

73. Et ce n'est pas sans raison qu'il n'y a pas ici d'article — l'article en grec indique la singularité[1] — pour parler d'esprit créé, car celui-ci n'est pas « saint », alors que presque toujours c'est avec l'article que l'Esprit Saint est nommé. Il en est ainsi dans ce texte : « Αὐτὸ τὸ Πνεῦμα — c'est-à-dire « l'Esprit lui-même » — rend témoignage à notre esprit[a] », et ailleurs : « Τὸ Πνεῦμά ἐστιν τὸ ζωοποιοῦν[b], — c'est-à-dire : « c'est l'Esprit qui

---

7 id est : idem V Y ǁ spiritus : ipse MYw CΔ *Mi.* ǁ est 2° *om.* AVΘ

---

72. a. Ps. 134,7
73. a. Rom. 8,16 ǁ b. Jn 6,64

---

§ 72. 1. Cette notion de la création, ponctuelle et recommencée suivant les circonstances, paraissait naturelle aux contemporains.
§ 73. 1. Cette incise ne peut être que de Jérôme, ainsi que le soin de traduire le grec dans les lignes qui suivent. On a déjà vu aux §§ 8 & 9 l'importance de l'article pour désigner l'Esprit Saint.

8 rursum : « Sic et quae Dei sunt nemo cognouit nisi τὸ
Πνεῦμα Θεοῦ — id est : Spiritus Dei —, τὸ Πνεῦμα
γάρ, hoc est : Spiritus enim omnia scrutatur, etiam alta
Dei[c]. » Et multa quae de sacris Litteris excerpere possibile
12 est. Quod sicubi raro sine articulo nominatur Spiritus
Sanctus, sciendum est cum additamento eum nominari
significante magnificentiam eius. Siquidem dicitur aliquotiens et sine articulo, cum non ipse per se, sed participatio
16 eius ostenditur, ut puta « Spiritus Eliae[d] » et « Spiritu
ambulate[e] » et quaecumque his similia sunt.

74. *[16]* Quoniam igitur ex his quae memoraui et ex
multis aliis, non esse creatura Spiritus Sanctus demonstratus est, nusquam conditionibus connumeratus, sed
4 semper cum Patre et Filio positus, nunc uideamus quam
cum utroque habeat indifferentiam.

AVΘ MYw BCΔ *Mi.*
8-10 sic — est *om.* Θ ‖ 8 τὸ πνεῦμα θεοῦ : *om.* AV *sim. gr.*
attestans τ. π. θ. MYw BCΔ τὸ πνεῦμα *Mi.* ‖ 9 id est *om.* AV
‖ τὸ πνεῦμα γάρ : *om.* AV *sim. gr. attestans* τ. π. γ. (γὰρ *om.*
C) MYw BCΔ τ. γ. π. ~ *Mi.* ‖ hoc est : *om.* AV id est w ‖
spiritus] + spiritus Δ ‖ 10 enim : domini w ‖ scrutatur omnia
~ *Mi.* ‖ quae *om.* Θ ‖ 11 sacris litteris : scripturis sacris *Mi.* ‖
exerpere A[ac] ‖ sicubi] + a V ‖ raro : sacro C ‖ 13 nominare Y
‖ significanti Θ ‖ 13-14 magnificentia Y ‖ 14 aliquotiens : -ties A[ac]
C aliquando B *Mi.* ‖ 15 ipse] + proprie B ‖ sed : se A[ac] ‖ eius
part. ~ B part. est Δ ‖ 16 spiritu : spiritus M ‖ ambulante Δ ‖
17 sunt his similia ~ Θ[2] (h. si. s. Θ[1])
74. 1 igitur] + et w CΔ ‖ ex 2° *om.*B ‖ 2 creaturam MYw
Mi. ‖ spiritum sanctum demonstratum MYw *Mi.* ‖ 3 nusquam :
non quam M ‖ conditionibus : conditis rebus B ‖ connumeratus :
-tur M -tis C -tus est w *Mi.* ‖ 4 positus] + est Δ

73. c. I Cor. 2,10-11 ‖ d. cf. IV Rois 2,15 ‖ e. cf. Gal. 5,16

§ 73. 2. Ayant cité la fin du verset 11 de I *Cor.* 2, Didyme
revient en arrière pour reprendre le début du verset 10 où il
constate, après coup, qu'il y a aussi mention de l'Esprit Saint
avec l'article.

vivifie » » — et encore : « De même, les choses de Dieu
personne ne les connaît sinon τὸ Πνεῦμα Θεοῦ c'est-
à-dire « l'Esprit de Dieu » —, τὸ Πνεῦμα γάρ — c'est-
à-dire « l'Esprit en effet » — sonde tout, même les profondeurs de Dieu[c] »[2]. Les Saintes Lettres offrent encore
la possibilité de recueillir bien des textes. Et si, en
quelques cas, mais rarement, l'Esprit Saint est nommé
sans article, il faut bien voir qu'on accompagne son nom
de l'adjectif qui indique sa magnificence. Quelquefois
aussi on le nomme sans article lorsqu'il ne s'agit pas de
lui-même en propre, mais de la participation qu'on en a,
par exemple « l'Esprit d'Élie[d] », ou « marchez dans l'Esprit[e] », ou d'autres formules semblables.

B. — L'ESPRIT AU SEIN DE LA TRINITÉ

**Communauté d'action
avec le Père et le Fils**

74. *[16]* Donc puisque,
d'après ce que je viens de rappeler et bien d'autres textes,
la démonstration a été faite que l'Esprit Saint n'est pas
une créature, n'étant connuméré nulle part avec les choses
créées, mais étant toujours placé avec le Père et le Fils,
voyons maintenant quelle sorte de *non-différence*[1] il y a
entre lui et eux.

§ 74. 1. Ce mot d'*indifferentia* est difficile à traduire. Il s'agit
d'exprimer une *indifferentia* selon la nature entre Père, Fils et
Esprit. Le mot est repris plus loin, § 87, avec sa détermination :
unius naturae indifferentiam. Il n'y a pas perte de substance ou,
ce qui revient au même, de nature quand on passe du Père au
Fils et de celui-ci ou des deux à l'Esprit : la nature est identique-
ment la même. En somme il s'agit de l'unité de nature, de dire
qu'il y a une *non-différence* de nature entre l'Esprit et les deux autres
de la Trinité (Didyme ne dit jamais « Personnes », sauf une fois
où l'on soupçonne la main de Jérôme). Nous avons choisi de dire
non-différence ici et aux §§ 87 & 100, les trois endroits où apparaît
la mot *indifferentia*.

75. In fine Epistolae secundae quam ad Corinthios scribit, Paulus ait : « Gratia Domini nostri Iesu Christi et caritas Dei et communicatio Sancti Spiritus sit cum
4 omnibus uobis[a]. » Ostenditur quippe ex sermone praesenti una Trinitatis assumptio, cum is qui gratiam Christi accepit, habeat eam tam per administrationem Patris quam per largitionem Spiritus Sancti. Datur enim a Deo
8 Patre et Domino Iesu Christo, iuxta illud : « Gratia uobiscum et pax a Deo Patre et Domino Christo[b] », non aliam dante gratiam Patre et aliam Saluatore, siquidem et a Patre et a Domino Iesu Christo eam dari scribit
12 Spiritus Sancti communicatione completam.

76. Nam et ipse Spiritus dictus est gratia, secundum illud : « Et Spiritui gratiae contumeliam faciens in quo sanctificatus est[a] ». In Zacharia quoque repromittit Deus
4 effusurum se, id est abundantissime tributurum Hierusalem Spiritum gratiae et miserationis[b]. Cum enim quis Spiritus Sancti acceperit gratiam, habebit eam datam a Deo Patre et Iesu Christo Domino nostro. Vna igitur
8 gratia Patris et Filii, et Spiritus Sancti operatione completa, Trinitas unius substantiae demonstrabitur.

AVΘ MYw BCΔ *Mi.*

75. 1 finae A[ac] ‖ secundae epistolae ∼ MY ‖ 2 ait : ita ait B ‖ christi *om.* C ‖ 3 sp. sancti ∼ Y ‖ sit : semper AVΘ CΔ sit semper *Mi.* ‖ 4 uobis : nobis Δ ‖ 5 trinitatis : trinitas Θ[ac] ordinata dei C ‖ 6 accipit AVΘ Δ ‖ accipit] + et Θ[2sl] ‖ 7 deo] + enim *expunct.* Δ ‖ 8 domino *om.* Yw C ‖ 8 iesu *om.*B ‖ christo iesu ∼ Δ ‖ 8-9 iuxta — christo (B[mg] M[mg]) : *om.* B[tx] M[tx] ‖ 9 nobiscum Δ ‖ et 1° *om.* Θ ‖ patre] + nostro V ‖ 11 a 2° *om. Mi.* ‖ domino] + nostro w ‖ describit *Mi.* ‖ 12 spiritu A[ac] ‖ completam (A[1]) : -ta A[pr] Y B

76. 1 et *om.* Δ ‖ ipse *om.* w ‖ gratia : gratiae AVΘ BC ‖ 2 et *om.* AVΘ ‖ gratiae spiritui ∼ Θ ‖ contumeliam : iniuriam MYw *Mi.* ‖ faciens : fecerit B ‖ 3 remittit Y ‖ 4 tributurum AVΘ ‖

75. A la fin de la seconde Epître aux Corinthiens, Paul dit : « La grâce de notre Seigneur Jésus Christ, l'amour de Dieu et la communication du Saint Esprit soient avec vous tous[a]. » Ces paroles montrent bien qu'il n'y a qu'une action par laquelle se communique la Trinité, puisque celui qui reçoit la grâce du Christ la tient ausssi bien du Père qui l'administre que de l'Esprit Saint qui en fait largesse. Elle est en effet donnée par Dieu le Père et par le Seigneur Jésus Christ, selon cette parole : « A vous grâce et paix de la part de Dieu le Père et du Seigneur Jésus Christ[b]. » Le Père ne donne pas une grâce et le Sauveur une autre, puisque, selon ce qui est écrit, la grâce donnée par le Père et le Seigneur Jésus Christ est apportée en plénitude par la communication de l'Esprit Saint.

76. L'Esprit lui-même en effet est appelé « grâce », selon cette parole : « Et outrageant l'Esprit de grâce dans lequel il été sanctifié[a] ». En Zacharie aussi Dieu promet qu'il se répandra, c'est-à-dire qu'il accordera très abondamment à Jérusalem l'Esprit de grâce et de miséricorde[b]. Quand, en effet, quelqu'un aura reçu la grâce de l'Esprit Saint, elle lui aura été donnée par Dieu le Père et par Jésus Christ notre Seigneur. Ainsi, qu'il n'y ait qu'une grâce du Père et du Fils que l'opération de l'Esprit Saint porte à sa plénitude, cela démontrera qu'il n'y a qu'une substance en la Trinité.

---

hierusalem : israeli AVΘ ihli.hirlm (*sic*) M ‖ 6 gratiam acceperit ~ Δ ‖ 7 et] + a *Mi.* ‖ d. n. i. c. ~ C ‖ nostro *om.* AΘ B (d.i.c. B) ‖ 8 sancti sp. ~ C ‖ operatione : oratione CΔ ‖ 9 substantia A ‖ demonstratur *Mi.*

---

75. a. II Cor. 13,13 ‖ b. Rom. 1,7. I Cor. 1,3. *et al. init. epist.*
76. a. Hébr. 10,29 ‖ b. cf. Zach. 12,10

77. In alio quoque loco : « Caritas, inquit, Dei cum omnibus uobis[a] », quae a Trinitate et tribuitur et firmatur. Ait quippe Saluator : « Qui habet mandata mea et
4 seruat ea, hic est qui diligit me. Qui autem diligit me, diligetur a Patre meo, et ego diligam eum[b]. » Neque enim alia dilectio Saluatoris est super his qui amantur, et alia dilectio Patris. Deus enim diligit in salutem, quia « sic
8 dilexit Deus mundum ut Filium suum Vnigenitum daret, ut omnis qui crediderit in Filium non pereat, sed habeat uitam aeterman[c]. » Similiter et Filius, qui uita est, ut uitam tribuat et salutem, diligit eos quos uult fieri me-
12 liores. Vnde amare se dicit eum qui amatur a Patre[d]. Et de eodem ponitur in propheta : « Et ipse saluabit eos, quia dilexit illos[e]. »

78. *[17]* Hanc dilectionem fructum esse Spiritus Sancti Apostolus contestatur, sicut et gaudium et pacem quae a Patre ministratur et Filio, dicens : « Fructus autem
4 Spiritus caritas, gaudium, pax[a]. » Quae caritas effusa est in corda credentium per Spiritum Sanctum. « Caritas quippe Dei, ait, effusa est in cordibus nostris in Spiritu Sancto[b]. » Omnis quoque qui communicat Spiritui Sancto per participationem eius — iuxta illud : « Et communi-

---

AVΘ MYw BCΔ *Mi.*

77. 1 inquit] + dei diffusa est in cordibus nostris et rursum caritas inquit B ‖ 2 et 1° *om.* M[ac] ‖ tribuuntur Δ ‖ 3 habet : audit MYw *Mi.* ‖ mandata : uerba *Mi.* ‖ 4 seruet A[ac] ‖ 11-12 qui diligit me *dupl. et expunx.* V ‖ 5 diligatur Δ ‖ illum BCΔ ‖ 6 est *om.* MYw ‖ est saluatoris ∼ *Mi.* ‖ qui : quae Y ‖ 8 deus dilexit ∼ Y B ‖ mundum deus ∼ w ‖ ut : et Y ‖ 9 ut : et Δ ‖ credit AVΘ *Mi.* ‖ filium : ipsum *Mi.* ‖ 10 filius] + quia isti saluti... B = *transitio ad* § 64, 8, *uide* « *Sacris erudiri* » *XVIII*, p. 380 ‖ qui : quia Y BC ‖ uita : id ita V ‖ 11 tribuat uitam ∼ *Mi.* ‖ et : ad AΘ ‖ diligit] + enim B ‖ uult : uos Y ‖ 12 ametur AVΘ BΔ ‖ 13 eodem : eo AVΘ *Mi.* ‖ saluauit AVΘ M CΔ ‖ eos : illos *Mi.* ‖ 14 illos : eos A[ac]

77. En un autre passsage, il est dit : « A vous tous la charité de Dieu[a] » que la Trinité accorde et qu'elle affermit. Car le Sauveur dit : « Celui qui a mes commandements et qui les observe, celui-là m'aime. Or celui qui m'aime sera aimé de mon Père et moi, je l'aimerai[b]. » Car il n'y a pas de différence, pour ceux qui sont aimés, entre l'amour du Sauveur et celui du Père. Dieu aime pour sauver ; en effet « Dieu a tant aimé le monde qu'il a donné son Fils unique, afin que quiconque croit en le Fils ne périsse pas, mais ait la vie éternelle[c] ». De la même façon, le Fils aussi, qui est la vie, a pour intention d'accorder la vie et le salut à ceux qu'il aime et qu'il veut rendre meilleurs. Aussi dit-il qu'il aime celui qui est aimé par le Père[d]. Et c'est de lui qu'il est écrit dans le prophète : « Lui-même les sauvera parce qu'il les a aimés[e]. »

78. *[17]* Que cet amour soit un fruit de l'Esprit Saint, tout comme ces dons du Père et du Fils que sont la joie et la paix, l'Apôtre l'atteste quand il dit : « Le fruit de l'Esprit est amour, joie, paix[a]. » Et cet amour a été répandu dans le cœur des croyants par l'Esprit Saint, car, dit-il, « l'amour de Dieu a été répandu dans nos cœurs par l'Esprit Saint[b] ». Quiconque, aussi, est en communion avec l'Esprit Saint par le fait qu'il a reçu participation de lui, selon ce texte : « La communion du

---

78. 2 contestatur apostolus ∼ *Mi.* ‖ 4 caritas gaudium (+ et AΘ) pax : gaud. pax car. ∼ *Mi.* ‖ diffusa AVΘ ‖ 5 cordibus MYw *Mi.* ‖ 6 dei *om.* V ‖ ait dei ∼ Δ *Mi.* ‖ diffusa Y *Mi.* ‖ nostris AVΘ : uestris MYw BCΔ *Mi.* (cf. § 45) ‖ 7 quoque : quippe MYw *Mi.* ‖ 8 eius] + communicat *edd. Mi.*

---

77. a. cf. II Cor. 13,13 ‖ b. Jn 14,21 ‖ c. Jn 3,16 ‖ d. cf. Jn 14,21 ‖ e. cf. Is. 33,22 ; 35,4
78. a. Gal. 5,22 ‖ b. Rom. 5,5

8

catio Sancti Spiritus cum omnibus uobis[c] », et in alio
loco : « Si qua communicatio Spiritus[d] » — cum habuerit
sapientiam Dei et sermonem et in omnibus ueritatem,
12 habebit quoque consortium sanctitatis in Patre et Filio
et Spiritu Sancto. « Fidelis enim Deus, per quem uocati
estis in communicationem Filii eius[e]. »

79. Scribit et Iohannes de Patre : « Si in lumine am-
bulamus, sicut ipse est in lumine, communicationem ha-
bemus cum illo[a]. » Et adhuc : « Communicatio autem
4 nostra cum Patre et Filio eius Iesu Christo[b]. »

80. Quia igitur quicumque communicat Spiritui
Sancto, statim communicat et Patri et Filio, et qui cari-
tatem habet Patris, habet eam contributam a Filio per
4 Spiritum Sanctum. Sed et qui particeps est gratiae Iesu
Christi, eamdem gratiam habet datam a Patre per Spiritum Sanctum.

81. Ex omnibus approbatur eamdem operationem esse
Patris et Filii et Spiritus Sancti. Quorum autem una est
operatio, una est et substantia, quia quae eiusdem subs-
4 tantiae ὁμοούσια sunt easdem habent operationes, et

AVΘ MYw BCΔ *Mi.*

9 sp. sancti ∼ AVΘ Y ‖ sancti *om.* B ‖ spiritus] + sit semper
Mi. ‖ 11 et 2° *om.* Δ ‖ 12 sanctitatis : ueritatis AVΘ deitatis uel
sanctitatis Δ ‖ in : cum MY ‖ 13 enim : autem AVΘ *Mi.* ‖ deus
] + ait C ‖ 14 communicatione AVΘ communionem M Δ

79. 1 de patre iohannes ∼ AVΘ ‖ 1-2 ambulemus AΘ ‖ 2 sicut
] + et AVΘ ‖ in lum. est ∼ w (est in lum. w[ac]) ‖ communionem
Mw ‖ 4 et] + cum w

80. 1 quia *om. Mi.* ‖ 2 statim : et statim w ‖ et 1° *om.* AVΘ
w C *Mi.* ‖ filio] + contributam Δ ‖ 3 eam : et B ‖ a filio
contributam ∼ MYw B *Mi.* ‖ 4 est particeps ∼ w ‖ 5 datam *om.*
w

81. 1 ex (et ex Θ²) : in MYw *Mi.* ‖ omnibus] + enim C *Mi.*
‖ 2 una est : est una ∼ w ‖ 3 est *om.* C ‖ et *om.* w ‖ eiusdem :

Saint Esprit soit avec vous tous[c] », et cet autre : « S'il y a une communion de l'Esprit[d] », celui-là, quand il tiendra de Dieu sagesse, parole et vérité en toute chose, aura aussi communauté de sainteté avec le Père, le Fils et l'Esprit Saint, car « il est fidèle le Dieu qui vous a appelés à la communion avec son Fils[e] ».

79. Et Jean écrit en parlant du Père : « Si nous marchons dans la lumière, comme lui-même est dans la lumière, nous sommes en communion avec lui[a] », et encore : « Notre communion est avec le Père et avec son Fils Jésus Christ[b]. »

80. Par suite, puisque quiconque communie à l'Esprit Saint communie sur-le-champ au Père et au Fils, celui qui a la charité du Père la reçoit du Fils par l'Esprit Saint, et celui qui est participant de la grâce de Jésus Christ reçoit cette même grâce du Père par l'Esprit Saint[1].

81. De tout cela, se tire la preuve qu'il n'y a qu'une même opération du Père, du Fils et de l'Esprit Saint. Or des êtres dont l'opération est unique, unique aussi est la substance, car ceux qui ont même substance — *homousia* — ont mêmes opérations, et ceux qui sont de substance

eidem B *Mi.* ‖ 4 ὁμοούσια : omousia (ho- V) AVΘ Mw (-sya w) BCΔ (-sya Δ) *sim. gr.* Y unius substantiae Θ[2sl] ‖ sunt] + id est eiusdem substantiae B ‖ quae] + erousia sunt id est B

78. c. II Cor. 13,13 ‖ d. Phil. 2,1 ‖ e. I Cor. 1,9
79. a. I Jn 1,7 ‖ b. I Jn 1,3

§ 80. 1. Dans les §§ 74-80, on relève dix-neuf citations/allusions scripturaires ; dans le même développement abordé par AMBROISE, *De Sp.S.*, I, 12, 126-131, on en relève dix-sept. Onze leur sont communes : c'est dire une fois de plus que Didyme a bien été une source pour Ambroise.

quae alterius substantiae ἑτεροὑσια dissonas atque diuersas.

82. *[18]* Neque uero ex his tantum quae praemisimus Trinitatis unitas edocetur, sed ex innumerabilibus aliis, de quibus rursum secundum suum ordinem pauca po-
4 nemus.

83. Arguens Petrus Ananiam in eo quod in uenditione agri, cuius se totum pretium obtulisse dicebat, fraudem fecisset ex medio, Sancti Spiritus unitatem ad Deum, non
4 secundum numerum, sed iuxta substantiam comprobauit, dicens : « Anania, quare compleuit Satanas cor tuum ut mentireris Spiritui Sancto et absconderes de pretio agri ? Nonne manens tibi manebat et uenditum in tua erat
8 potestate ? Quare posuisti in corde tuo rem istam ? Non hominibus mentitus es, sed Deo[a].» Si enim qui Deo mentitur, mentitur Spiritui Sancto, et qui Spiritui Sancto mentitur, mentitur Deo, nulli dubium est consortium

---

AVΘ MYw BCΔ *Mi.*

5 ἑτεροὑσια — atque *om.* B ‖ ἑτεροὑσια *nos* : et eterousia C eterousia AVΘ *sim. gr. attestans* et enousia (-sya w Δ) MYw Δ [*de* B *uide uar. praec.*] diuersae substantiae Θ[2sl] et ἀνομοὑσια *Mi.* ‖ dissonas : *om.* B (*u. supra*) dissona MYw *Mi.* ‖ atque *om.* B ‖ diuersas : diuersa sunt MYw *Mi.*

82. 1 uero *codd.* : enim *Mi.* ‖ praemittens AVΘ ‖ 2 docetur *Mi.* ‖ ex : et ex Δ ‖ numerabilibus M[ac] ‖ 3 suum *om.* AVΘ ‖ 3-4 ponemus : docemus w

83. 1 uenditionem AVΘ ‖ 2 totum pretium se ~ B t. se pretium CΔ ‖ 3 fecisse V C ‖ ex : e *Mi.* ‖ 4-5 dicens compr. ~ Δ ‖ 6 spiritu C ‖ 7 uenditum Mw : uenditus Y uenundatum BΔ -datus AVΘ C ‖ erat in tua ~ w ‖ erat *om.* Θ[ac] ‖ 8 potestate erat Δ ‖ rem istam *codd.* : hanc rem *Mi.* ‖ non] + enim AVΘ ‖ 9 deo 2° : domino MYw BC *Mi.* ‖ 9-10 mentitur deo ~ V

---

83. a. Act. 5,3-4

différente — *heterousia* — ont des opérations discordantes et diverses[1].

Enseignement appuyé sur Act. 5, 3-4 et Lc 21, 14

82. *[18]* Or ce n'est pas seulement avec ce que nous venons de dire qu'on peut enseigner l'unité de la Trinité, mais avec d'innombrables autres textes, dont nous allons encore ranger ici quelques-uns en petit nombre.

83. Pierre, reprochant à Ananie d'avoir, lors de la vente de son champ, prétendu en remettre le prix tout entier alors qu'il en avait camouflé la moitié[1], fournit une preuve que le Saint Esprit ne fait qu'un avec Dieu, d'une unité substantielle et non numérique. Voici ce qu'il dit : « Ananie, pourquoi Satan a-t-il rempli ton cœur, que tu aies menti à l'Esprit Saint et que tu aies dissimulé une partie du prix du champ ? Ne pouvais-tu pas le garder sans le vendre ou garder à ta disposition tout le prix de la vente ? Pourquoi as-tu mis pareille intention dans ton cœur ? Ce n'est pas aux hommes que tu as menti, mais à Dieu[a]. » Si, en effet, mentir à Dieu est mentir à l'Esprit Saint, et mentir à l'Esprit Saint est mentir à Dieu, personne ne saurait douter qu'il y a

---

§ 81. 1. Jusqu'à Migne inclus, ce passage avec son grec apparaissait corrompu. Le recours aux manuscrits a permis de le retrouver dans son authenticité. Ici encore, Jérôme n'a pas voulu utiliser le terme de *consubstantialis* et s'en est tenu au correspondant exact : *eiusdem substantiae*. — Il sera dit ou laissé entendre plus bas (§§ 96, 105, 120, 122) que des êtres de même substance peuvent avoir des opérations diverses.

§ 83. 1. L'exemple d'Ananie revient encore en § 131 et 259. Le langage de Pierre qui rapporte soit à Dieu, soit à l'Esprit Saint l'offense reçue par le mensonge est précieux pour Didyme qui entend bien prouver par là — l'argument lui paraît péremptoire — la divinité de l'Esprit.

12 Spiritus esse cum Deo. Et quo modo sanctitas subsistit in Deo, eodem modo et deitas intellegitur in Spiritu Sancto.

84. Iste autem Spiritus Sanctus, quem diximus eiusdem naturae esse cum Patre, etiam a Filii diuinitate non differt, Saluatore dicente discipulis : « Cum in synagogas 4 et principatus et potestates introduxerint uos, nolite esse solliciti quomodo aut quid respondeatis. Spiritus enim Sanctus docebit uos in ipsa hora quid debeatis dicere[a]. » « Ponite ergo in cordibus uestris non praemeditari ad 8 respondendum. Ego enim dabo uobis os et sapientiam, cui non possent resistere aut contradicere[b]. » Et in his quippe dicens non debere eos esse sollicitos quid respondeant contradicentibus quia in eadem hora doceantur a 12 Spiritu Sancto quid debeant respondere, statim intulit quae sit causa fiduciae : « Ponite, dicens, in cordibus uestris non praemeditari ad respondendum : ego enim dabo uobis os, id est sermonem, et sapientiam cui non 16 poterunt resistere aut contradicere[c]. » Cum enim dixerit in tempore respondendi doceri eos a Spiritu Sancto quid debeant respondere, in sequentibus ait : « Ego enim dabo uobis sapientiam cui non poterunt resistere aut contra-20 dicere[d]. »

AVΘ MYw BCΔ *Mi.*

12 spiritus] + sancti C *Mi.* ‖ 13 intellegitur et deitas ∼ AVΘ
84. 1 dicimus AVΘ ‖ 2 a : ac B[ac] ‖ diuinitate : dei unitate Δ ‖ 3 saluatore : saluare Y ‖ discente V ‖ synagogam MYw *Mi.* ‖ 4 et 1° : ad *Mi.* ‖ introduxerunt M ‖ 4-5 soll. esse ∼ Yw *Mi.* ‖ 6 ipsa : illa *Mi.* ‖ 7 ergo *om.* MYw *Mi.* ‖ 8 sapientia V Y ‖ 9 possint VΘ BC : possit A possunt MYw potuerint Δ poterunt *Mi.* ‖ resistere : respondere MYw ‖ 10 soll. esse ∼ Δ ‖ 10-11 responderent AVΘ ‖ 11 edoceantur MYw docentur C ‖ 12 sancto sp. ∼ AVΘ ‖ 15 os Δ ‖ id est sermonem *om. Mi.* ‖

communauté entre l'Esprit et Dieu. Et l'on comprend
que comme la sainteté subsiste en Dieu, ainsi aussi la
déité subsiste en l'Esprit Saint.

84. Or cet Esprit Saint auquel nous avons reconnu la
même nature que le Père, ne diffère pas davantage du
Fils en ce qui concerne la divinité. Le Sauveur dit en
effet à ses disciples : « Quand ils vous amèneront dans
les synagogues, devant les chefs et les autorités, ne vous
inquiétez pas de savoir comment ni quoi répondre. Car
l'Esprit Saint vous enseignera sur l'heure même ce que
vous devrez dire[a]. » « Mettez-vous donc dans l'esprit de
ne pas préparer d'avance votre réponse. C'est moi qui
vous donnerai un langage et une sagesse en face desquels
ils ne pourront ni résister ni contredire[b]. » Et en effet,
tout en disant qu'il ne faut pas s'inquiéter de ce qu'on
répondra aux contradicteurs puisque, à la même heure,
on sera instruit par l'Esprit Saint de ce qu'on devra
répondre, il a aussitôt ajouté la raison de la confiance :
« Mettez-vous, dit-il, dans l'esprit de ne pas préparer
d'avance votre réponse, c'est moi qui vous donnerai une
bouche — c'est-à-dire un langage[1] — et une sagesse en
face desquels ils ne pourront ni résister ni contredire[c]. »
Après avoir dit qu'au moment de répondre, l'Esprit Saint
enseignerait la réponse, il poursuit : « C'est moi qui vous
donnerai une sagesse en face de laquelle ils ne pourront
ni résister ni contredire[d]. »

---

serm. et sap. : sap. et serm. ∼ Θ w et sermonem Y ‖ 16 possunt
MYw ‖ resistere : respondere w ‖ 19 uobis] + os et C Δ *Mi.* ‖
19-20 cui — contradicere *codd.* : etc. *Mi.*

84. a. Lc 12,21 ‖ b. Lc 21,14 ‖ c. Lc 21,14 ‖ d. Lc 21,14

§ 84. 1. Est-ce encore une explication de Jérôme ?

85. *[19]* Ex quibus ostenditur sapientiam quae discipulis datur a Filio Spiritus Sancti esse sapientiam, et
doctrinam Spiritus Sancti, Domini esse doctrinam,
4 unumque et naturae et uoluntatis consortium esse Spiritus cum Filio. Et quia superius demonstratum est socium
esse per naturam Spiritum Vnigenito Dei et Deo Patri,
Filius uero et Pater unum sunt, iuxta illud : « Ego et
8 Pater unum sumus[a] », indiuisa et inseparabilis secundum
naturam ostensa est Trinitas.

86. In alio quoque Euangelio dicitur : « Non enim uos
estis qui loquimini, sed Spiritus Patris uestri qui loquitur
in uobis[a]. » Si ergo Spiritus Patris in apostolis loquitur,
4 docens eos quid debeant respondere, et quae docentur a
Spiritu sapientia est, quam non possumus aliam praeter
Filium intellegere, liquido apparet eiusdem naturae Spiritum esse cum Filio et cum Patre cuius est Spiritus.
8 Porro Pater et Filius unum sunt. Igitur Trinitas substantiae unitate sociatur.

87. *[20]* Per aliud quoque Scripturarum exemplum,
Trinitatis una et natura et uirtus ostenditur. Filius et
manus et brachium et dextera Patris dicitur. Sicut crebro

AVΘ MYw BCΔ *Mi.*

85. 1 sapientia VΘ Δ ‖ 3 domini esse doctrinam : doctr. esse
domini ∼ w esse sapientiam dom. B ‖ 4 et 1° *om.* MYw *Mi.* ‖
uol. et nat. ∼ AVΘ ‖ 4-5 sp. esse cons. ∼ AVΘ e. c. sp. sancti
Mi. ‖ superis V[ac] ‖ 6 per naturam esse ∼ C ‖ unigenitum Θ ‖
dei : deo AVΘ BΔ ‖ deo (*om.* A[ac])] + et M ‖ 7 unum : in unum
V ‖ 8 indiuisa : non diuisa MYw ‖ et (M[1]) : sed M[2]
86. 2 uestri : uestris C *om.* BΔ ‖ 4 docentur] + sanctum AVΘ
C ‖ 7 spiritus est ∼ MY *Mi.*
87. 2 una : unitas *Mi.* ‖ 2 et 1° : ex M[1] esse *cancellat.* M[2] ‖ 3
et dext. et brac. ∼ *Mi.*

**Communauté de volonté
avec le Père et le Fils**
85. *[19]* On voit par là que la sagesse transmise aux disciples par le Fils est la sagesse de l'Esprit Saint et que la doctrine de l'Esprit Saint est la doctrine du Seigneur, et qu'il y a communauté unique et de nature et de volonté entre l'Esprit et le Fils. Et puisque, plus haut[1], preuve a été faite que l'Esprit, par nature, est associé au Fils Unique de Dieu et à Dieu le Père, et comme d'autre part le Fils et le Père sont un d'après ce texte : « Moi et le Père nous sommes un[a] », il est ainsi montré que la Trinité est indivisible et inséparable selon la nature.

86. Dans un autre Évangile aussi, il est dit : « Ce n'est pas vous qui parlez, mais l'Esprit de votre Père qui parle en vous[a]. » Si donc l'Esprit du Père parle dans les Apôtres en leur enseignant ce qu'ils doivent répondre et si l'enseignement de l'Esprit est une sagesse que nous ne pouvons pas concevoir autre que le Fils, il apparaît clairement que l'Esprit est de même nature que le Fils et le Père dont il est l'Esprit. Or Père et Fils sont un. Par conséquent, la Trinité est association en unité de substance.

**Communauté de puissance
avec le Père et le Fils**
87. *[20]* Un autre exemple des Écritures montre encore qu'en la Trinité, il y a unité de nature et de puissance. Le Fils est appelé aussi bien la main que le bras ou que la droite du Père[1]. Nous

---

85. a. Jn 10,30
86. a. Matth. 10,20

---

§ 85. 1. *Supra*, § 74 s.
§ 87. 1. Voir *infra* : Notes complémentaires, p. 395.

4 docuimus ex his vocabulis unius naturae indifferentiam
demonstrari, Spiritus etiam Sanctus digitus Dei secundum
coniunctionem naturae Patris et Filii nominatur.

88. Siquidem in uno de Euangeliis aduersus eos qui
signis Domini detrahebant, dicentes : « In Beelzebub principe daemoniorum eicit daemonia[a] », sciscitans Saluator
4 ait : « Si ego in Beelzebub eicio daemonia, filii uestri in
quo eiciunt daemonia ? Si autem ego in digito Dei eicio
daemonia, ergo superuenit in vos regnum Dei[b] », hunc
eumden locum alius euangelista describens, loquentem
8 intulit Filium : « Si autem ego in Spiritu Dei eicio daemonia[c] ». Ex quibus ostenditur digitum Dei esse Spiritum
Sanctum. Si ergo coniunctus est digitus manui et manus
ei cuius est manus, et digitus sine dubio ad eius substan-
12 tiam refertur cuius est digitus.

AV⊖ MYw BC∆ *Mi.*

4 ex : et V⊖ ‖ indifferentem A^{ac} ‖ 4-5 indifferentia demonstratur
Mi.
88. 1 aduersum C∆ ‖ 2-3 principem V ‖ 3 daemoniorum *om.*
B ‖ 3-4 sciscitans — daemonia *om.* ∆ ‖ 4 ego : ergo ⊖^1 ergo ego
⊖^2 ‖ 4-5 filii — daemonis *om.* C ‖ 5 eicientur w^1 (-ciunt w^{2mg}) ‖
daemonia *om.* w ‖ dei] + inquit ∆ ‖ 6 nos ∆ ‖ 8 filius ∆ ‖ 9 dei
esse : esse dei ~ B esse C ‖ 9-10 sanctum sp. ~ ∆ ‖ 10 manui :
manici ∆ ‖ 11 manus est ~ MY *Mi.* ‖ 11-12 ref. subs. ~ w ‖
12 refertur : reuertitur ∆ ‖ digitus est ~ *Mi.*

---

88. a. Lc 11,15 ‖ b. Lc 11,19-20 ‖ c. Matth. 12,28

---

§ 87. 2. Il est difficile de désigner les écrits auxquels Didyme
semble faire allusion. A la date du *De Spiritu Sancto* (375), pour
pouvoir dire : « *sicut crebro docuimus,* = comme nous l'avons
fréquemment enseigné », il faudrait que Didyme ait écrit bien des
livres sur un sujet qui l'amenait à faire état du Fils comme « main,
ou bras, ou droite du Père ». Il semble donc que c'est plutôt à
son enseignement oral que renvoie l'auteur du *De Spiritu Sancto,*
ou à ces deux livres : *Dogmatum volumen* et *Sectarum volumen,*

avons souvent enseigné[2] que ces mots révèlent la non-différence d'une nature unique. Or l'Esprit Saint lui aussi est appelé le doigt de Dieu à cause de sa conjonction de nature avec le Père et le Fils[3].

88. On lit dans un des Évangiles que, s'élevant contre ceux qui dénigraient les miracles du Seigneur en disant : « C'est par Beelzebub prince des démons qu'il chasse les démons[a] », le Sauveur demanda : « Si moi, je chasse les démons par Beelzebub, vos fils par qui les chassent-ils ? Mais si c'est par le doigt de Dieu que je chasse les démons, alors le règne de Dieu vient de vous atteindre ![b] » Décrivant la même scène, un autre évangéliste a prêté au Fils ces paroles : « Mais si c'est par l'Esprit de Dieu que je chasse les démons[c] » ; cela montre que l'Esprit Saint est le doigt de Dieu. Donc si le doigt est uni à la main et la main à celui dont elle est la main, il n'y a aucun doute : le doigt aussi renvoie à la substance de celui dont il est le doigt[1].

cités ici § 145 et §§ 19 et 93, car il dit du second : *iam abundanter...disputauimus*, ce qui correspondrait assez bien au *crebro* du présent passage.

§ 87. 3. Didyme dira plus tard (en *De Trin.* II, 3, *PG* 39, 565) que l'Esprit, du fait qu'il opère avec Dieu et qu'il a même substance que lui, est précisément l'Esprit de Dieu et le Doigt de Dieu, « comme cela a été montré dans le *premier Livre* ». Quel « premier Livre » ? car il est de fait qu'il n'y a rien de semblable dans le « premier Livre » du *De Trin.* Les érudits ont été tentés de se rabattre sur notre *De Spiritu Sancto*, mais cette solution n'est pas satisfaisante. L'énigme attend d'être percée.

§ 88. 1. GRÉGOIRE LE GRAND — mais il n'est pas seul à le faire chez les Pères — reprend le même enseignement à propos des mêmes textes évangéliques de *Lc* 11, 20 et *Matth.* 12, 28 : « De la comparaison de ces deux passages on conclut que l'Esprit est appelé le doigt de Dieu. — *Ex quo utroque loco colligitur quia digitus Dei Spiritus uocatur* » (*Hom. in Ezech.*, X, 20, *SC* 327, p. 407).

89. *[21]* Verum caue ne ad humilia deiectus et oblitus sermonis de quo nunc disputatur, depingas in animo tuo corporalium artuum diuersitates, et incipias tibi magni-
4 tudines et inaequalitates et cetera corporum maiora uel minora membra confingere, dicens digitum a manu et manum ab eo cuius est manus multo aequalitatibus discrepare, quia de incorporalibus Scriptura nunc loqui-
8 tur, unitatem tantum uolens, non etiam mensuram substantiae demonstrare.

90. Sicut enim manus non diuiditur a corpore, per quam cuncta perficit et operatur, et in eo est cuius est manus, sic et digitus non separatur a manu cuius est
4 digitus. Reice itaque inaequalitates et mensuras cum de Deo cogitas, et intellege digiti et manus et totius corporis unitatem, quo digito et lex in tabulis lapideis scripta est[a].

91. Sed et per aliam Scripturam, fidei nostrae probationem monstrare perfacile est.

AVΘ MYw BCΔ *Mi.*

89. 1 deiectus : deitatis Δ ‖ 2 de quo nunc : de his cum AVΘ cum de his Θ² ‖ 2 depingas : depugnas Δ ‖ 3 artuum : artium Δ ‖ 4 corpora Δ ‖ 5 dicens *om.* Δ ‖ digitum a : digitu Δ ‖ 6 manum : manus AΘ ‖ multa V multis *Mi.* ‖ aequalitatibus : inaequalitate V et qualitatibus Δ inaequalitatibus A *Mi.* ‖ 7 discrepare — incorporalibus *om.* Y ‖ quia : sed quia AVΘ Mw ‖ incorp. : corporalibus Δ ‖ scriptura nunc : scripta nunc Δ scriptura Θ nunc scriptura MYw *Mi.* ‖ 8 unitatem : imitatur Δ ‖ uolens : nolens Δ ‖ 8-9 substantiae *om.* Θ

90. 1 non div. manus ∼ Y ‖ 2 cuncta *om.* C ‖ est 1° *om.* Θ ‖ 4 itaque reice ∼ *Mi.* ‖ itaque : igitur V ‖ 4-5 cum...cogitas : cogitans BCΔ ‖ 5 et 1° : sed AVΘ ‖ intelleges BC -legens Δ ‖ corporis *codd.* : substantia *Mi.* ‖ 6 et *om.* MYw *Mi.* ‖ est : sunt *cancellat.* Δ

91. 1-2 per — est 1° *om.* w ‖ 1 sed *om.* B ‖ et *om.* MY ‖ aliam] + quoque *Mi.* ‖ 2 manstrare Y.

89. *[21]* Prends garde cependant de tomber dans la bassesse, d'oublier ce dont nous sommes en train de parler et de te représenter dans l'esprit la diversité des membres corporels ; ne va pas imaginer des grandeurs, des inégalités, des dimensions plus ou moins grandes des autres membres du corps, et dire qu'il s'en faut de beaucoup qu'on puisse mettre sur le même plan le doigt avec la main et la main avec celui dont elle est la main[1] ; car l'Écriture parle en cet endroit de choses incorporelles et ce qu'elle veut montrer, c'est seulement l'unité et non la dimension de la substance.

90. En effet, tout comme la main ne peut être séparée du corps qui opère et accomplit tout par son moyen, et qu'elle est en celui dont elle est la main, de la même façon le doigt ne peut être séparé de la main dont il est le doigt. Aussi bien, repousse toute idée d'inégalité et de dimension quand tu penses à Dieu et ouvre ton esprit à l'unité du doigt, de la main et de tout le corps ; ce doigt, c'est celui qui a écrit la loi sur les tables de pierre[a].

91. Mais encore dans un autre passage de l'Écriture, il est très facile de trouver un argument en faveur de notre foi.

---

90. a. cf. Ex. 31,18

---

§ 89. 1. Semblable mise en garde contre l'anthropomorphisme à propos du doigt de Dieu, chez AMBROISE, *De Sp.S.*, III, 3, 15 — 4, 18, *CSEL* 79, p. 157 s. — CASSIEN, *Coll.* X, 1-3, raconte qu'il y avait en Égypte à cette époque des moines qui prenaient à la lettre les textes scripturaires où il était question de la figure humaine que porte le Dieu Tout-Puissant, à l'image duquel il est dit qu'Adam fut créé.

92. Solus sapiens[a] dictus est Deus, non ab alio accipiens sapientiam neque per cuiusdam alterius sapientiae participationem sapiens nuncupatur. Siquidem multi sa-
4 pientes dicuntur, non ex sua natura sed ex communicatione sapientiae. Deus uero, non alterius sapientiae participatione neque aliunde sapiens effectus, dictus est solus sapiens, sed generans sapientiam et alios faciens sa-
8 pientes. Quae sapientia Dominus noster est Iesus Christus ; Christus enim « Dei uirtus et Dei sapientia[b] ». Spiritus quoque Sanctus Spiritus dicitur sapientiae, siquidem in ueteribus Libris refertur repletum esse Iesum Naue a
12 Domino Spiritu sapientiae[c].

93. Sicut ergo solus sapiens Deus, non accipiens aliunde sapientiam, sed sapientes faciens et generans sapientiam, solus est sapiens extra omnes qui per nun-
4 cupationem eius sapientes dicuntur : « Multitudo quippe sapientium salus mundi[a] », et : « Qui semetipsos cognoscunt, hi sunt sapientes[b] », et rursum : « Cum fueris cum sapientibus, sapiens eris[c] », sic et Spiritus Sanctus, non
8 accipiens aliunde sapientiam, dictus est Spiritus sapientiae ; hoc enim ipsum quod subsistit, Spiritus sapientiae est, et natura eius nihil est aliud nisi Spiritus ueritatis et Spiritus Dei, de quibus iam abundanter in *Sectarum*

AVΘ MYw BCΔ *Mi.*

92. 1 sapiens : sapientia V ‖ accipiens ab alio ∼ *Mi.* ‖ 2-3 participatione V ‖ 3 nominatur *Mi.* ‖ 4 communione CΔ ‖ 4-5 sap. part. ∼ *Mi.* ‖ 6 est *om.* w ‖ 7 sed : et MYw *Mi.* ‖ facit MYw ‖ 8 d.n. est i.c. w BCΔ : d.n.i.c. est ∼ AVΘ d.n.i.c. MY d. est n.i.c. ∼ *Mi.* ‖ 9 christus *om.* AVΘ BCΔ *Mi.* ‖ enim : *om.* AVΘ qui dicitur *Mi.* ‖ dei 2° *om.* C ‖ 9-10 sanctus quoque sp. ∼ B ‖ 10 spiritus 2° *om.* VΘ² Δ *Mi.* ‖ sapientia Θ *Mi.* ‖ 10-12 siquidem — sapientiae *om.* B ‖ 11 in : et in *Mi.* ‖ fertur CΔ
93. 2 in aliunde Y ‖ 5 salus] + est C ‖ 6 rursus w ‖ 8 spiritus] + sanctus V ‖ 9 subsistit V ‖ 10 est 2° *om.* V ‖ 11 iam *eras.* M *om.* Y

Communauté de sagesse avec le Père et le Fils

92. Dieu est appelé le seul sage[a] ; il ne reçoit pas la sagesse d'un autre et son nom de sage ne lui vient pas de la participation à la sagesse de quelqu'un d'autre. En fait, beaucoup sont appelés des sages, non en vertu de leur nature, mais par une communication de sagesse. Dieu, lui, sans participer à la sagesse d'un autre ni sans être devenu sage par ailleurs, est appelé le seul sage, mais il engendre la sagesse et il rend les autres sages. Cette sagesse est notre Seigneur Jésus Christ, car le Christ est « Puissance de Dieu et Sagesse de Dieu[b] ». L'Esprit Saint aussi est appelé Esprit de sagesse, puisque dans les Livres Anciens il est rapporté que Jésus Navé a été rempli par le Seigneur de l'Esprit de sagesse[c].

93. Ainsi donc Dieu est le seul sage à ne recevoir sa sagesse d'aucun autre, mais il suscite des sages et il engendre la sagesse, il est seul sage en dehors de tous ceux qui sont appelés sages en référence à son nom à lui, comme dans : « La multitude des sages est le salut du monde[a] », et : « Ceux qui se connaissent eux-mêmes, ce sont eux les sages[b] », et encore : « Quand tu auras été avec les sages, tu seras un sage[c]. » De la même façon, l'Esprit Saint aussi, ne recevant sa sagesse d'aucun autre, a été appelé Esprit de sagesse : par le fait même qu'il subsiste, il est l'Esprit de sagesse, comme aussi par nature il n'est rien d'autre que l'Esprit de vérité et l'Esprit de Dieu. Mais nous avons déjà abondamment traité de cela dans le volume *Des sectes*[1] ; aussi pour ne pas reprendre

---

92. a. cf. Rom. 16,27 ‖ b. I Cor. 1,24 ‖ c. Deut. 34,9
93. a. Sag. 6,24 ‖ b. Sag. 15,3 ‖ c. Prov. 13,20

---

§ 93. 1. Sur ce volume, voir § 19 note, et 87 note 2.

12 volumine disputauimus. Vnde ne eadem superflue repli-
cemus, contenti simus disputatione praeterita.

94. *[22]* Quia igitur Spiritus sapientiae et ueritatis
inseparabiliter cum Filio est, ipse quoque sapientia subsistit et ueritas. Si enim capax esset sapientiae et ueritatis,
4 in id aliquando descenderet ut desineret habere quod
aliunde susceperat, id est sapientiam et ueritatem. Et
Filius, sapientia et ueritas ipse subsistens, non separatur
a Patre, qui solus sapiens et ueritas Scripturarum uocibus
8 praedicatur. Eumdem circulum unitatis atque substantiae
Spiritum Sanctum, secundum id quod sapientiae et ueritatis est Spiritus, uidemus habere cum Filio, et rursum
Filium a Patris non discrepare substantia.

95. Cum autem Filius imago sit Dei inuisibilis[a] et
forma substantiae eius, quicumque ad hanc imaginem uel
formam imaginantur atque formantur, adducuntur in
4 similitudinem Dei, iuxta uires tamen humani profectus
istiusmodi formam et imaginem consequentes. Similiter

AVΘ MYw BCΔ *Mi.*

12 ne *om.* Δ ‖ superflue : -fluo C -fluem Θ[ac] -fluum est ut Δ ‖
13 sumus MY
94. 2 quoque : quippe BCΔ ‖ sapientia : substantia Y ‖ 3 esset
capax ∼ w ‖ 6 filius] + et C ‖ 7 solus] + est Δ ‖ ueritas :
uerus Y BCΔ ‖ 9 spiritum sanctum *coni. Mi. in uncis* : spiritus
sancti *codd. Mi*[tx] sancti sp. ∼ B ‖ super id quod M[ac] id quod
secundum ∼ Y ‖ 10 uidemus *om.* V[ac] ‖ habere : herere V[ac] Y
BCΔ *erasit* A² *om.* Θ ‖ rursus CΔ ‖ 11 discrepar (*sic*) Δ ‖
substantia : sententia V
95. 2 forma : formosa Δ ‖ uel : et BCΔ ‖ 3 adducantur A
abducantur Θ ‖ in : ad AVΘ ‖ 4 tamen : tantum V *om.* Δ ‖
humanis Δ ‖ 5 istius MY

95. a. cf. Col. 1,15 ‖ b. cf. Hébr.1,3

inutilement les mêmes questions, contentons-nous de ce
que nous avons dit dans le passé[2].

94. *[22]* Donc[1] puisque l'Esprit de sagesse et de vérité
est inséparablement uni au Fils, il est lui-même substantiellement Sagesse et Vérité. En effet, s'il était un participant à la sagesse et à la vérité, il lui arriverait un jour
de tomber à un état où il cesserait de posséder ce qu'il
aurait reçu d'un autre, à savoir la sagesse et la vérité.
Quant au Fils, subsistant lui-même comme sagesse et
vérité, il ne se sépare pas du Père, qui, lui, est l'unique
sage et l'unique vérité selon que l'attestent les paroles de
l'Écriture. Or nous voyons que l'Esprit Saint, en tant
qu'il est Esprit de sagesse et de vérité, appartient à un
même cercle d'unité et de substance que le Fils, et d'autre
part que le Fils ne se divise pas du Père pour la
substance[2].

L'Esprit Saint,
sceau de Dieu

95. Et comme le Fils est l'image du
Dieu invisible[a] et la forme de sa substance[b], tous ceux qui sont configurés
et conformés à cette image ou à cette forme parviennent
à la ressemblance de Dieu, obtenant toutefois cette sorte
de forme et d'image selon la vigueur du progrès humain.
De manière toute pareille, comme l'Esprit Saint est le

§ 93. 2. Ce que Didyme a pu dire dans le passé ne pouvait
qu'être conforme aux enseignements de ses prédécesseurs qui ne
voyaient aucune difficulté à identifier Sagesse et Esprit, Sagesse
qui tout ordonne et coordonne, qui assiste Dieu pour toutes
choses en même temps que le Verbe, cf. IRÉNÉE, II, 30, 9 ; III, 24,
2 ; IV, 7, 4... Cette « Sagesse, qui n'est autre que l'Esprit » parle
par la bouche de Salomon, IRÉNÉE. IV, 20, 3, ou même agit
hardiment sur les places publiques selon *Prov.* 1, 21, 5 (cf. IRÉNÉE,
Contre les hér. V, 20, 2). Bref, il était naturel, pour lui, que la
Sagesse de l'A.T. fût l'Esprit Saint du N.T.
§ 94. 1. Voir *infra* : Notes complémentaires, p. 396.
§ 94. 2. Voir *infra* : Notes complémentaires, *id.*

et Spiritus Sanctus cum sit signaculum Dei, hi qui formam et imaginem Dei capiunt, signati per eum, in eo
8 ducuntur ad signaculum Christi, sapientia et scientia et
insuper fide pleni.

96. « Diuisiones quippe donationum sunt, idem autem
Spiritus, et diuisiones ministeriorum sunt, et ipse Dominus, et diuisiones operationum sunt, et idem ipse Deus
4 qui operatur omnia in omnibus[a]. » Operante ergo Patre
multiplicem charismatum plenitudinem, multiplicat eam
Filius subsistentem per Spiritum Sanctum. « Alii enim
per Spiritum datur sermo sapientiae ; alii sermo scientiae,
8 secundum eumdem Spiritum ; alii fides in eodem Spiritu[b] », et cetera quae ab Apostolo enumerata sunt dona,
quibus additur : « Haec autem omnia operatur unus
atque idem Spiritus, diuidens singulis sicut uult[c]. »

97. *[23]* Vnde discentes operatricem et, ut ita dicam,
distributricem naturam Spiritus Sancti, non obducamur
ab his qui dicunt operationem et non substantiam Dei
4 esse Spiritum Sanctum. Et ex aliis quoque plurimis locis

AVΘ MYw BCΔ *Mi.*

6 et *om.* w ‖ sit *om.* Δ ‖ 7 in : et in AVΘ CΔ ‖ 8 sapientia et
scientia : -tiae et -tiae AVΘ MYw *Mi.* ‖ et 2° *om.* M *Mi.*

96. 1 diuisiones : nam d. *Mi.* ‖ quippe *om.* AVΘ *Mi.* ‖ donationum : dominationum Y operationum AVΘ *Mi.* ‖ sunt : sunt et
M *om.* A[ac]VΘ ‖ idem : id est V ‖ autem : ipse AVΘ M autem
ipse *Mi.* ‖ 2-3 et 1° — deus *om.* AVΘ *Mi.*[tx] ‖ 2 diuisiones : -num
C[ac] -nis C[pc] ‖ ministeriorum : ministrationum w ‖ sunt *om.* BΔ ‖
3 sunt *om.* BΔ ‖ ipse idem ~ C[ac] Y ‖ 4 patrem B ‖ 5 multiplicat :
uel ministrat M² ministrat BCΔ ‖ ea B ‖ 7 datur per sp. ~ MY
‖ sermo *codd.* : uero *Mi.* ‖ 9 et cetera : ceteraque Δ *om.* V ‖
numerata sunt M enumerantur w ‖ 11 unicuique *codd.* : singulis
Mi. ‖ sicut : prout Y C

97. 1 dicentes C Δ[ac] ‖ operatricem : operationem operatricem
Δ ‖ 2 natura Δ ‖ obducamur Yw : obducamus M obducemur AΘ
abducamur V B *Mi.* abducemur C abdicemur Δ ‖ 4 et : ut Y

sceau de Dieu[1], ceux qui reçoivent la forme et l'image
de Dieu avec le sceau qui vient de l'Esprit sont amenés
par lui au sceau du Christ, tout remplis de sagessse, de
science et, qui plus est, de foi.

C. — OPÉRATION DE L'ESPRIT

96. « Car il y a diversité de dons, mais c'est le même
Esprit ; diversité de ministère, mais c'est le Seigneur lui-
même ; diversité d'opérations, mais c'est le même Dieu
lui-même qui produit tout en tous[a]. » Le Père par son
opération produit en plénitude la multiplicité des dons
et, toute subsistante qu'elle soit, le Fils la multiplie par
l'Esprit Saint. « A l'un, en effet, est donné par l'Esprit
un langage de sagesse ; à un autre un langage de science
selon le même Esprit ; à un autre la foi par le même
Esprit[b] », ainsi que tous les autres dons que l'Apôtre
énumère ; à quoi il ajoute : « Mais tout cela, c'est le
seul et même Esprit qui le produit, distribuant à chacun
ses dons selon sa volonté[c]. »

97. *[23]* En apprenant par là que la nature de l'Esprit
Saint est opératrice et, pour ainsi dire, distributrice, ne
nous laissons pas entraîner par ceux qui disent que
l'Esprit Saint est l'opération et non la substance de Dieu.
En bien d'autres endroits (de l'Écriture), il est aussi

---

96. a. I Cor. 12,4-7 ‖ b. I Cor. 12,8-9 ‖ c. I Cor. 12,11

---

§ 95. 1. L'appellation de *sceau* donnée à l'Esprit est courante
chez les Pères. Relevons ici ATHANASE, *Lettre à Sérapion*, I, 23,
SC 15, p. 125, et reprise du même thème en III, 3, p. 166 : χρίσμα
καὶ σφραγὶς λέγεται καὶ ἔστι τὸ Πνεῦμα. Il est certain que
Didyme s'en est inspiré ; mais la source principale de l'appellation
est chez saint Paul, *Éphés.* 1, 13 et 4, 30.

subsistens Spiritus Sancti natura monstratur, ut in illo
quod apostoli scribunt : « Visum est enim Spiritui Sancto
et nobis[a] », quia hoc quod dicitur « uisum est » non
8 operationem significat, sed naturam, maxime cum et de
Domino similiter quid reperiatur : « ut Domino uisum
est, ita factum est[b]. »

98. Denique et sermones eius saepissime lectitantur, ut
in illo : « Ieiunantibus eis et ministrantibus — id est
discipulis Christi —, dixit Spiritus Sanctus : Separate mihi
4 Barnabam et Paulum in opus quod uocaui eos[a]. » Quae
uox diuinitatis et auctoritatis index non creatam sed
increatam substantiam monstrat. Neque enim Spiritus
Sanctus in aliud quoddam opus uocauit Barnabam et
8 Paulum quod non sit Patris et Filii, cum ministerium
quod eis commisit et tradidit Spiritus, Patris et Filii sit
ministerium. Ad Galatas Paulus loquitur : « Qui enim
operatus est Petro in apostolatum circumcisionis, opera-
12 tus est et mihi in gentes et Barnabae[b] » ; pariter enim ad
nationes Spiritus Sancti auctoritate directi sunt.

99. Christo quoque operante in apostolis, Spiritus
completum est ministerium, ut ipsi apostoli confitentur

AVΘ MYw BCΔ *Mi.*

5 sancti *om.* BCΔ ‖ demonstratur C *Mi.* ‖ 7 quia : quid V quod
Δ ‖ quod : quia Δ ‖ 8 natura Y ‖ de *om.*Δ ‖ 9 domino 1° : deo
BCΔ ‖ simile C *Mi.* ‖ ut : ut sicut C *Mi.*
98. 1 et *om.* CΔ ‖ ut *om.* Δ ‖ 2 id est : idem MY ‖ 4 barnaban
A^{pr}Θ w BC ‖ paulum : saulum CΔ *Mi.* ‖ quod *codd.* : ad quod
edd. (Vulg.) ‖ 5 et auctoritatis *om.* C ‖ 7 barnaban AΘ M^{pr}w BC
‖ 8 et filii *om.* BCΔ ‖ 10 enim *om.* Y ‖ 11 est *om.* Θ^{ac} ‖ apostolatu
w ‖ 12 et 1° *om.* AVΘ w ‖ in gentes et barnabae : et barnabae
in gentibus AVΘ ‖ 13 directi : discreti w

montré que l'Esprit Saint a une nature subsistante, ainsi
en ce passage où les apôtres écrivent : « Car il a paru
bon à l'Esprit Saint et à nous[a] » ; l'expression « il a paru
bon » n'indique pas l'opération, mais la nature, d'autant
plus qu'on trouve un texte semblable dit du Seigneur :
« Comme il a paru bon au Seigneur, ainsi a-t-il été
fait[b1]. »

98. Et puis, il y a aussi des paroles de l'Esprit qu'on
cite très souvent, ainsi celle-ci : « Comme ils jeûnaient et
qu'ils célébraient le culte — « ils », c'est-à-dire les disciples du Christ —, l'Esprit Saint dit : Mettez-moi à part
Barnabé et Paul pour l'œuvre à laquelle je les ai appelés[a]. » Cette voix, qui est le signe de la divinité et de
l'autorité, indique une substance non pas créée, mais
incréée. Car l'Esprit Saint n'a pas appelé Barnabé et
Paul à une œuvre étrangère au Père et au Fils : le
ministère que l'Esprit leur a confié et transmis est le
ministère du Père et du Fils. Paul dit aux Galates : « Car
Celui qui a opéré en Pierre pour l'apostolat des circoncis,
a opéré aussi en moi — et en Barnabé — pour les
païens[b] » ; c'est en effet de la même façon qu'ils ont été
dirigés vers les païens par l'autorité de l'Esprit Saint.

99. Quand le Christ opère lui aussi en les apôtres, le
ministère de l'Esprit atteint sa plénitude : c'est ce que
confessent les apôtres quand ils disent qu'ils parlent dans

99. 1 christo quoque operante : a christo cooperante AVΘ ‖
spiritu AVΘ ‖ 2 est] + in M[ac] ‖ ipse M ‖ confitentur *om.* V

97. a. Act. 15,18 ‖ b. Job 1,21
98. a. Act. 13,2 ‖ b. Gal. 2,9

§ 97. 1. Cf. AMBROISE, *De Sp.S.* II, 13, 144, *CSEL* 79, p. 143.

se in Christo loqui[a], et id quod suis oculis uiderunt[b], et
4 ministri facti sunt Sermonis[c], id est Christi, et dispensatores mysteriorum Dei[d]. Denique quasi principatum in
sacerdotio possidentes, et initiatores fidei a Christo sunt
demonstrati, dicente : « Euntes, ite et docete omnes
8 gentes, baptizantes eos in nomine Patris et Filii et Spiritus
Sancti[e]. »

100. Et sicut Paulus scribit rectissime : Vnus est Dominus, una fides, unum baptisma[a] », quis non ex ipsa
cogetur ueritate suscipere indifferentiam sanctae Trinita-
4 tis, dum una sit fides in Patre et Filio et Spiritu Sancto,
et lauacrum detur atque firmetur in nomine Patris et Filii
et Spiritus Sancti ?

101. *[24]* Non arbitror quemquam tam uecordem
atque insanum futurum ut perfectum baptisma putet
quod detur in nomine Patris et Filii, sine assumptione

AVΘ MYw BCΔ *Mi.*

3 loqui (V[mg]) : legi V[1] ‖ uiderint AV B -erant C ‖ et 2° *om.* AVΘ
‖ 5 ministeriorum V Y Δ ‖ principatum in : in principatu ∼ Δ ‖
6 sacerdotio : -tium Y CΔ ‖ sunt : sint B *om.* C ‖ 7 euntes *om.* B
‖ ite *om.* C ‖ et *om.* A[ac] C ‖ 8 eos (*Mi.*) : eas BΔ (*Vallarsi* 1735)
‖ nomi (*sic*) A[ac] (-ne A[1])
100. 1 et 2° : ut Θ ‖ paulus *codd.* : apostolus *Mi.* ‖ rect. scr.
∼ Θ ‖ 2 dominus : deus w ‖ 3 suscipere] + qui Δ ‖ sanctae *om.*
BCΔ ‖ 4 sit *om.* AVΘ
101. 2 sanum Y ‖ 3 quod : id quod *Mi.* ‖ detur *codd.* : datur
Mi.

99. a. cf. II Cor. 2,17 ‖ b. I Jn 1,1 ‖ c. cf. Act. 6,4 ‖ d. cf. I
Cor. 4,1 ‖ e. Matth. 28,19
100. a. Éphés. 4,5

§ 99. 1. *initiateur de la foi*, μυσταγωγός : Mingarelli a relevé
ce mot dans le *De Trin.* de DIDYME, II, 2, *PG* 624 C et constate
que c'est le même que Jérôme a trouvé dans le *De Sp.S.* et traduit
ici de cette façon. Ailleurs, le mot est appliqué à Moïse, § 225.

le Christ[a], qu'ils sont des témoins oculaires[b], qu'ils ont été institués ministres de la Parole[c], c'est-à-dire du Christ, et intendants des mystères de Dieu[d]. Et, comme s'ils possédaient un droit de primauté dans le sacerdoce, le Christ les a désignés comme les initiateurs de la foi[1], en disant : « Allez et enseignez toutes les nations, les baptisant au nom du Père et du Fils et de l'Esprit Saint[e]. »

L'absence de différence en la Trinité

100. Alors, faisant écho à Paul qui écrit avec une grande justesse : « Il n'y a qu'un seul Seigneur, qu'une seule foi, qu'un seul baptême[a] », qui ne se sentira pas obligé par la vérité elle-même d'accepter l'absence de différence[1] en la sainte Trinité puisqu'il n'y a qu'une seule foi au Père et au Fils et à l'Esprit Saint et que le baptême est conféré et établi au nom du Père et du Fils et de l'Esprit Saint ?[2]

...selon le baptême

101. [24] Je ne pense pas que quelqu'un aurait la malice ou la stupidité de croire que serait parfait un baptême donné au nom du Père et du Fils sans la mention de l'Esprit

§ 100. 1. Il s'agit, comme nous l'avons déjà dit au § 74, d'une non-différence de substance, c'est-à-dire de l'égalité substantielle des personnes dans la Trinité. Le baptême, conféré au nom des trois Personnes simultanément et indissociablement, doit apporter, aux yeux de Didyme, une preuve supplémentaire de cette unité de la Trinité.

§ 100. 2. Même argument du baptême au nom des trois Personnes pour prouver l'unité et la souveraineté de la Trinité, dans *De Trin.* II, 15, *PG* 720 A : ἐν μιᾷ θεότητι καὶ βασιλείᾳ ἡ Τριάς. — Argumentation qui joue déjà dans les *Lettres à Sérapion* (*Sérap.* 1, 28 ; 3, 6, Lebon p. 135 et 171) et dont se sert aussi, à la même époque, BASILE dans son *De Spiritu Sancto*, 24, 8 ; 75, 26, (Pruche p. 332 et 516).

4 Spiritus Sancti ; aut rursus in nomine Patris et Spiritus Sancti, Filii uocabulo praetermisso ; aut certe in nomine Filii et Spiritus Sancti, non praeposito uocabulo Patris.

102. Licet enim quis possit exsistere saxei[a], ut ita dicam, cordis et penitus mentis alienae, qui ita baptizare conetur ut unum de praeceptis nominibus praetermittat,
4 uidelicet contrarius Christi legislator[b], tamen sine perfectione baptizabit, immo penitus a peccatis liberare non poterit quos a se existimauerit baptizatos.

103. Ex his colligitur quam indiuisa sit substantia Trinitatis, et Patrem uere Filii esse Patrem, et Filium uere Patris Filium, et Spiritum Sanctum uere Patris et
4 Dei esse Spiritum et insuper Sapientiae et Veritatis, id est Filii Dei. Haec est ergo salus credentium.

104. Et dispensatio ecclesiasticae disciplinae in hac Trinitate perficitur. Nam cum Saluator discipulos suos ad praedicandum Euangelium miserit et ad dogmata
4 ueritatis docenda Pater in Eclesia constituisse dicatur « primo apostolos, secundo prophetas, tertio magistros[a],

AVΘ MYw BCΔ *Mi.*

4 sancti] + filii uocabulo praeter *anticipat e linea seq. et cancell.* V ‖ rursum MYw ‖ patris] + et filii Y ‖ 6 praeposito : praemisso B
102. 1 possit quis ~ w ‖ 2 qui : quod AVΘ ‖ conatur M^ac ‖ 4 christi legislator AV w BC¹Δ : c. legisdator Θ M¹Y c. -datoris M² legislator c. *Mi.* ‖ tamen : tantum V ‖ 4-5 baptizauit M ‖ 5 a *om.* C ‖ potuit Y ‖ 6 existimauit AVΘ estimauerit BCΔ ‖ baptizari A² (-atos A¹) ‖ baptizatos existimauerit ~ *Mi.*
103. 1 his : hinc AVΘ ‖ quam : quia Θ quamquam BC ‖ 2 patrem : tamen CΔ ‖ esse filii ~ AVΘ ‖ 3 et 2° *om.* B ‖ 4-5 id est : idem w ‖ 5 filius Δ ‖ haec est : haec Θ er BCΔ ‖ salus ergo ~ AVΘ *Mi.*
104. 1 hac *om.* BCΔ ‖ 4 pater : paterque V pariter Δ ‖ 5 secundo prophetas *om.* C

102. a. cf. Ez. 11,19 ‖ b. I Jac. 4,12 (?)
104. a. I Cor. 12,28

Saint, ou encore au nom du Père et de l'Esprit Saint avec l'omission du nom du Fils, ou plus encore au nom du Fils et de l'Esprit Saint sans les faire précéder du nom du Père[1].

102. Car il pourrait bien y avoir quelqu'un dont le cœur serait de pierre[a], pour ainsi dire, et l'esprit complètement dérangé ; si celui-là essaye de baptiser en omettant l'un des noms prescrits, s'opposant en somme en législateur au Christ[b], il baptisera de manière imparfaite[2], bien mieux il ne pourra absolument pas délivrer de leurs péchés ceux qu'il pensera avoir baptisés.

103. De cela on tire la conclusion que la substance de la Trinité est indivise, et que le Père est vraiment le Père du Fils, et le Fils vraiment le Fils du Père, et l'Esprit Saint vraiment l'Esprit du Père, Esprit de Dieu et, de plus, de la Sagesse et de la Vérité, c'est-à-dire du Fils de Dieu. Tel est donc le salut pour les croyants.

...selon l'apostolat **104.** L'économie de la discipline ecclésiastique aussi trouve son achèvement dans cette Trinité. Car lorsque le Sauveur envoya ses disciples prêcher l'Évangile et que pour enseigner la doctrine de la vérité le Père établit dans l'Église, selon l'Écriture, « premièrement des apôtres, deuxièmement des prophètes, troisièmement des maîtres[a] » — là-dessus

§ 101. 1. Voir *infra* : Notes complémentaires, p. 397.

§ 102. 1. Cf. ATHAN., *Lettre à Sérapion*, I, 30 : « Qui enlève quelque chose de la Trinité et est baptisé au seul nom du Père ou au seul nom du Fils, ou dans le Père et le Fils sans l'Esprit, ne reçoit rien, mais reste dénué et non initié ». On remarque que ce que nous appelons « invalidité du baptême », formule légaliste et tranchante nécessitée par la pratique, est présenté chez Didyme comme un baptême imparfaitement accompli, ce qui est une vue plus théologale et ne contredit en rien la notion d'invalidité.

— super hac re etiam Apostoli congruente sententia :
« Et sicut probati sumus a Deo ad credendum Euange-
8 lium, sic loquimur, non ut hominibus placentes, sed Deo
qui probavit corda nostra[b] », — hos eosdem quos Chris-
tis magistros esse praecepit, et Pater probavit et Spiritus
Sanctus dispensatores et praepositos in Ecclesia consti-
12 tuisse ueraciter perhibetur.

105. Siquidem cum Miletum Paulus apostolus presbyteros de diuersis locis et plurimis Ecclesiis congregasset :
« Attendite, inquit, uobis et uniuerso gregi super quo
4 Spiritus Sanctus posuit uos episcopos ad regendam Ecclesiam Domini quam acquisiuit per sanguinem suum[a]. »
Si enim quos Christus ad euangelizandum et baptizandas
nationes misit, Spiritus Sanctus Ecclesiae praeposuit, Pa-
8 tris sententia destinatos, nulli dubium est unam Patris et
Filii et Spiritus Sancti esse operationem et probationem
et consequenter eamdem Trinitatis esse substantiam.

106. Necnon et illud considerandum quod in corde et
sensu habitare non potest creatura nisi Deus et Sermo
eius in Spiritu Sancto, sicut ad quosdam loquitur Pater :
4 « Inhabitabo in eis et inambulabo[a] », et ad ipsum quidam
dirigit uocem : « Tu autem in sancto habitas, laus Israel[b]. » Altus quippe in altis habitat[c] uniuersae Conditor
creaturae.

AVΘ MYw BCΔ *Mi.*

8 loquuntur V[1] (-imur V[2]) ‖ 9 eosdem : eosdemque C ‖ 10 et 2° *om.*
BCΔ ‖ 11 dispensatores et praepositos *om.* B ‖ 11-12 const. in
eccl. ~ Θ ‖ constituisti A[ae] ‖ 12 ueraciter *om* BCΔ *Mi.* ‖ prohibetur Y
105. 1 miletum : multos C ‖ paulus : paulis V ‖ 1-2 apostolus
presbyteros *om.* AVΘ ‖ 2 de : ex MYw ‖ 3 quo : quos MYw Δ
Mi. quem uos C ‖ 4 uos *om.* w BCΔ ‖ ad episcopos ~ V[ac] ‖
6 ad *om.* V ‖ 8 unam *post* sancti AVΘ ‖ 9 esse *om.* BCΔ *Mi.*
106. 1 considerandum] + est Θ ‖ 2 creatura non potest ~ B
‖ creaturae C ‖ 4 perambulabo w ‖ inambulabo] + inambulabo

l'Apôtre exprime aussi une pensée qui va dans le même sens : « Et de la même façon que Dieu nous a éprouvés pour tenir la foi en l'Évangile, ainsi parlons-nous, non en cherchant à plaire aux hommes, mais à Dieu qui a éprouvé nos cœurs[b] » —, eh bien ! ces mêmes hommes auxquels le Christ a prescrit d'être des maîtres, le Père les a éprouvés et l'Esprit Saint, est-il dit avec justesse, les a établis dans l'Église en intendants et en dirigeants.

105. Quand l'Apôtre Paul réunit à Milet les Anciens de divers endroits et d'un grand nombre d'Églises, il leur dit : « Prenez soin de vous-mêmes et de tout le troupeau dont l'Esprit Saint vous a établis les gardiens ; régissez l'Église du Seigneur qu'il s'est acquise par son propre sang[a]. » Si en effet ceux que le Christ a envoyés pour évangéliser et baptiser les nations, l'Esprit Saint les a placés à la tête de l'Église selon que le Père les y avait destinés, il ne doit faire de doute à personne qu'il n'y a qu'une seule opération et une seule approbation du Père, du Fils et de l'Esprit Saint, et par suite que la Trinité n'a qu'une même substance.

...selon l'inhabitation divine au cœur des croyants

106. Il faut encore considérer qu'une créature ne peut pas habiter dans le cœur et l'esprit mais que Dieu et sa Parole dans l'Esprit Saint le peuvent, ainsi que le dit le Père en s'adressant à certains : « J'habiterai en eux et je marcherai[a] », et que vers lui-même quelqu'un fait monter sa voix : « Pour toi, tu habites en celui qui est saint, ô louange d'Israël[b]. » Car c'est « élevé dans les hauteurs[c] », qu'habite le Créateur de toute la création.

in eis *cancellat.* V ‖ 5 sanctis BCΔ ‖ 6 uniuersae (A²) : unius esse A¹ Θ ‖ 6-7 creat. conditor ~ MYw

104. b. I Thess. 2,4
105. a. Act. 20,28
106. a. II Cor. 6,16 ‖ b. Ps. 21,4 ‖ c. cf. Ps. 112,4-5

107. Habitat uero et Vnigenitus Filius in mente pura et corde credentium. Per fidem quippe habitare Christum in interiori homine in Spiritu, ait Apostolus ita scribens :
4 « In Spiritu in interiori homine habitare Christum per fidem in cordibus uestris[a]. » Ipse quoque de se loquitur : « Viuit in me Christus[b], et iterum : « Qui in me loquitur Christus[c] », et Saluator noster : « Veniemus, inquit, ego
8 et Pater — haud dubium quin ad eum qui eius praecepta seruauerit[d] —, et mansionem apud eum faciemus[e]. » Porro sic sermo ipse contexitur : « Si quis me diligit, sermonem meum seruabit, et ego diligam illum, et ad
12 illum ueniemus et mansionem apud illum faciemus[f]. »

108. In alio quoque loco, omnis natura rationabilium creaturarum domus dicitur Saluatoris, *[25]* Christus autem 'super domum suam', 'cuius domus sumus nos[a]' ;
4 ista domus Christi templum Dei est in quo Spiritus eiusdem habitat Dei. Scribens quippe Corinthiis Paulus ait : « Nescitis quia templum Dei estis et Spiritus Dei habitat in uobis ?[b] » Si autem in domo et templo quo Saluator et Pater inhabitat, illico inuenitur et Spiritus

---

AVΘ MYw BCΔ *Mi.*

107.   1 uero : ergo Δ V ‖ genitus AVΘ ‖ filius] + eius B ‖ 2 quippe : quidem V ‖ 3 interiore AVΘ MY ‖ hominum M ‖ in spiritu : ipsum B *om.* C ‖ 4 in 2° : et C ‖ interiore AVΘ MY ‖ 7 noster *codd.* : *om. Mi.* ‖ 8 haud : aut M[ac] V ‖ quin : quid quin V[ac] ‖ eius praecepta *codd.* : eius pr. eius Y pr. eius ~ *Mi.* ‖ 10 ipse : iste w ‖ ipse sermo ~ C ‖ diligit me ~ CΔ *Mi.* ‖ 11 ego diligam : pater meus diliget *Mi.* ‖ illum 1° : eum AVΘ *Mi.*

108.   1 rationalium B *Mi.* ‖ 2-3 christus — nos *om.* M[tx] *suppl.* M[1mg] ‖ 2 christus : sicut w C *Mi.* ‖ 3 domum : matrem Δ ‖ suam] + dominus iesus *Mi.* ‖ 4 ita : ista B Δ ≡ ≡ ≡ ≡ A quia A[pc] ‖ 4 est t. dei ~ w t. est dei ~ VΘ Δ ‖ 5 habitat *codd.* : inhabitat *Mi.* ‖ dei *expunx.* Θ ‖ paulus cor. ~ C ‖ 5-6 ait paulus ~ M ‖ 7 in uobis hab. ~ w ‖ si (A) : sic A[pc] ‖ in 2° *om.* Δ ‖ et] + in Yw ‖ quod BCΔ ‖ 8 pater et saluator ~ *Mi.* ‖ inhabitant BCΔ inhabitet A Θ ‖ illico : illic Δ ‖ inuenitur : conuenit Δ

107. Quant au Fils Unique aussi, il habite dans un esprit purifié et dans le cœur des croyants. Car par la foi, le Christ habite en l'homme intérieur par l'Esprit, au témoignage de l'Apôtre qui écrit : « Par l'Esprit dans l'homme intérieur, le Christ habite par la foi dans vos cœurs[a]. » Et parlant de lui-même, l'Apôtre dit aussi : « Le Christ vit en moi[b] », et encore : « Le Christ qui parle en moi[c] », et notre Sauveur dit : « Nous viendrons, mon Père et moi — vers celui, bien sûr, qui aura gardé ses préceptes[d] —, et nous établirons chez lui notre demeure[e]. » Plus loin le texte se poursuit ainsi : « Si quelqu'un m'aime, il observera ma parole et moi je l'aimerai, et nous viendrons à lui et nous établirons chez lui notre demeure[f]. »

108. Dans un autre passage[1], aussi, toute nature parmi les créatures raisonnables est dite « maison du Sauveur » ; [25] mais du Christ, il est dit qu'il est « au dessus de sa maison, et que sa maison, c'est nous[a] » ; cette maison du Christ est le temple de Dieu où habite l'Esprit de ce même Dieu. En effet, Paul écrivant aux Corinthiens dit : « Ne savez-vous pas que vous êtes le temple de Dieu et que l'Esprit de Dieu habite en vous ?[b] » Mais si, dans la maison et dans le temple où habitent le Sauveur et le Père, on trouve aussi du même coup l'Esprit Saint, alors cela démontre bien que la substance de la Trinité est

---

107. a. Éphés. 3,16-17 ‖ b. Gal. 2,20 ‖ c. II Cor. 13,3 ‖ d. cf. Jn 14,21 ‖ e. Jn 14,23 ‖ f. Jn 14,23
108. a. Hébr. 3,5-6 ‖ b. I Cor. 3,16

---

§ 108. 1. « un autre passage » : le renvoi est bien vague. Est-ce une allusion au *Ps.* 83,1-5 ? Cependant, le reste est bien un renvoi à *Hébr.* 3,4-6 ; on voit comment Didyme a développé tout ce passage. Littéralement, il est difficile de trouver un renvoi à l'expression « *domus Saluatoris* ».

8

Sanctus, ex hoc indiuisa Trinitatis substantia demonstratur. Et post non multa eiusdem Epistolae : « Nescitis,
inquit, quia corpora uestra templum Spiritus Sancti sunt,
12 quem habetis a Deo ?[c] »

109. Cum ergo Spiritus Sanctus, similiter ut Pater et
Filius, mentem et interiorem hominem inhabitare doceatur, non dicam ineptum sed impium est eum dicere
4 creaturam. Disciplinas quippe, uirtutes dico et artes, et
his contrarias perturbationes et imperitias et affectus in
animabus habitare possibile est, non tamen ut substantias, sed ut accidentes. Creatam uero naturam in sensu
8 habitare impossibile est. Quod si uerum est, et Spiritus
Sanctus absque ulla ambiguitate subsistens animae est
habitator et cordis, nulli dubium est quin cum Patre et
Filio credi debeat increatus.

110. Ex omnibus igitur quae praecedens sermo disseruit, incorruptibilis et sempiternus, secundum naturam
Patris et Filii, Spiritus Sanctus demonstratus, uniuersam
4 de se ambiguitatem et suspicionem abstulit, ne unus de

AVΘ MYw BCΔ *Mi.*

9 ex : et ex AVΘ CΔ ‖ substantia *om.* M[ac] ‖ 10 non *om.* BCΔ ‖
11 quia : 'quoniam (*sic*) Δ ‖ uestra] + quia' (*sic*) Δ ‖ 12 sunt
sp. s. ∼ AVΘ
   109. 1 sanctus *om.* C ‖ pater : patet V ‖ 3 impium : in spiritu
Θ]+ satanae Θ[2mg] ‖ est *om.* w[ac] ‖ 4 creaturam (w[1pc]) : esse
creatura w[1ac] ‖ disciplinam M ‖ et 2° : ex C ‖ 5 affectus : adi≡tus
A adiectus Θ adiectiones V effectus Δ ‖ 6 ut *om.* w (*suppl.* w[3sl])
‖ 6-7 substantias AΘ BCΔ : -tiuas V Yw *Mi.*
-tiuam M ‖ 7 ut : in B ‖ accedentes CΔ ‖ 9 sancti C ‖ nulla V ‖
est animae ∼ w ‖ 10 quin : quod CΔ quam M

cela démontre bien que la substance de la Trinité est indivise. Peu après, dans la même Épître, l'Apôtre dit : « Ne savez-vous pas que vos corps sont le temple de l'Esprit Saint qui vous vient de Dieu ?c »

109. Par conséquent, puisque l'Écriture enseigne que l'Esprit Saint, à l'instar du Père et du Fils, habite la pensée et l'homme intérieur, je dirai que d'en faire une créature est plus qu'un défi à la raison : une impiété. Que la connaissance, disons : que des qualités et du talent et, ce qui en est l'inverse, du désordre d'esprit, de l'ignorance et des passions habitent dans les âmes, certes, c'est possible ; pourtant, pas comme des substances, mais comme des accidents. Il est impossible d'autre part qu'une nature créée habite dans un esprit. Puisque c'est la vérité et que l'Esprit Saint habite en substance, de la manière la plus certaine, l'âme et le cœur, il n'est pas douteux qu'il faille le croire incréé avec le Père et le Fils.

D. — ORIGINE, ENVOI ET MISSION
DE L'ESPRIT SAINT

L'Esprit consolateur
Jn 15,26

110. Donc, après toutes les explications qui précèdent, il est démontré que l'Esprit Saint est, en conformité avec la nature du Père et du Fils, incorruptible et éternel. Il a levé lui-même à son sujet toute ambiguïté et toute incertitude pour qu'on ne considère

---

110. 1 ex omnibus : hominibus V^{ac} ‖ quae *om.* B ‖ 1-2 disseruit *codd.* (*Vallarsi*) : disserit *Mi.* ‖ 2 sempiternus *om.* Δ ‖ 3 spiritus : et sp. M ‖ sanctus (*duplic.* V) : -ti Δ ‖ demonstratur M Δ ‖ 4 abst. et susp. ∼ *Mi.*

108. c. I Cor. 6,19

creatis substantiis aestimetur is qui Spiritus Dei sit et
quem exire de Patre Saluatoris in Euangelio uerba decla-
rant : « Cum uenerit, inquit, Consolator quem ego mit-
8 tam uobis, Spiritum ueritatis qui de Patre egreditur, ipse
testimonium dabit de me[a] » Consolatorem autem uenientem Spiritum Sanctum dicit, ab operatione ei nomen
imponens, quia non solum consolatur eos quos se dignos
12 esse repererit et ab omni tristitia et perturbatione redit
alienos, uerum incredibile quoddam gaudium et hilari-
tatem eis tribuit, in tantum ut possit quis, Deo gratias
referens quod tali hospite dignus habeatur, dicere : « De-
16 disti laetitiam in corde meo[b]. » Sempiterna quippe laetitia
in eorum corde uersatur quorum Spiritus Sanctus habitator est.

111. Iste Spiritus consolator a Filio mittitur, non secundum angelorum aut prophetarum et apostolorum ministerium, sed ut mitti decet a Sapientia et Veritate
4 Spiritum Dei, indiuisam habentem cum eadem Sapientia
et Veritate naturam. Etenim Filius missus a Patre non
separatur atque disiungitur ab eo, manens in illo et
habens illum in semetipso.

AVΘ MYw BCΔ *Mi.*

5 creaturis A[ac]VΘ[ac] ‖ substantiuis V ‖ estimetur *codd.* : existimetur
sed et ambigi nequit quin *Mi.* (*ex Vall. qui legit haec uerba in
mg. cod.* « *Vat. reg. lat. 497* » *(= N). De familia percorrupta
huius ms., uide* « *Kyriakon* », *p. 374),* ‖ is : sed hic (s et hoc ? V)
isdem AVΘ *om.* BCΔ ‖ qui *om.* AVΘ *Mi.* ‖ dei spiritus ∼ Δ ‖
et *om.* AVΘ *Mi.* ‖ 6 uerba *om.* Θ ‖ 6-7 declaratur Θ declarent
MYw ‖ 8 spiritus BC ‖ de : a C ‖ 9 testimonium *om.* V[ac] (*rest.*
V[mg]) ‖ 10 ei : et V etiam AΘ ‖ 11 eos *om.* Θ ‖ 12 esse *om.* (Y)
Mi. ‖ repererit MYw : reperit BCΔ fecerit V fecit AΘ ‖ tristitia
et *om.* MY ‖ pert. et trist. ∼ B ‖ 14 posset w ‖ 15 referens :
agere AVΘ ‖ et dicere AVΘ ‖ 16 corde] + ≡ ≡ C ‖ 14 spiritus
] + sanctus A *Mi.*

pas comme une substance créée celui qui est l'Esprit de
Dieu et que les paroles du Sauveur dans l'Évangile
déclarent issu du Père : « Lorsque viendra le Consolateur
que je vous enverrai, l'Esprit de vérité qui sort du Père,
il rendra lui-même témoignage de moi[a]. » Le Consolateur
qui viendra, l'Écriture dit que c'est l'Esprit Saint, et le
nom qu'elle lui donne se rapporte à l'opération, car non
seulement il console ceux qu'il a trouvés dignes de lui et
les rend étrangers à toute tristesse et à tout désarroi,
mais encore il leur accorde une joie et une belle humeur
incroyables, au point que l'un d'eux peut dire en rendant
grâces à Dieu de ce qu'il ait été trouvé digne d'une tel
hôte : « Tu as mis de l'allégresse dans mon cœur[b]. » C'est
en effet une allégresse perpétuelle qui réside dans le cœur
de ceux qui sont habités par l'Esprit Saint.

La « sortie » de l'Esprit   **111.** Cet Esprit consolateur
                        est envoyé par le Fils, non pas
à la manière des anges ou des prophètes ou des apôtres
envoyés pour un ministère, mais comme il convient que
la Sagesse et la Vérité envoient l'Esprit de Dieu qui
possède, avec cette même Sagesse et Vérité, une nature
indivise. En effet, envoyé par le Père, le Fils n'en est pas
séparé ni disjoint : il demeure en lui comme il le porte
en lui-même.

---

111. 1 spiritus] + sanctus A *Mi.* ‖ 2 aut : et BCΔ ‖ et : aut
A Y *Mi.* ‖ 3 ut *om.* AΘ ‖ decet : debet V[ac] ‖ ueritate : uirtute Y
‖ 5 a patre missus ∼ w ‖ 6 atque *codd.* : nec *Mi.* ‖ eo : ea V ‖
in illo *codd.* : *om. Mi.*

---

110. a. Jn 15,26 ‖ b. Ps. 4,8

112. Quin Spiritus ueritatis supradicto modo missus a
Filio de Patre egreditur, non aliunde ad alia transmi-
grans. Impossibile quippe hoc pariter et blasphemum est.
4 Si enim de loco ad locum egreditur Spiritus, et ipse Pater
in loco inuenietur, et Spiritus ueritatis iuxta naturam
corpoream certo spatio circumscriptus, alium deserens
locum, ad alium commigrabit. Sed quomodo Pater non
8 consistit in loco, cum ultra omnem corporum sit naturam, ita et Spiritus veritatis nequaquam locorum fine
clauditur, cum sit incorporalis et, ut uerius dicam, excel-
lens uniuersam rationabilium creaturarum essentiam.

113. *[26]* Quia ergo impossibile est et impium ista
quae diximus de incorporalibus credere, exire de Patre
Spiritum Sanctum sic intellegendum ut se Saluator de
4 Deo exisse testatur, dicens : « Ego de Deo exiui et ueni[a]. »
Et sicut loca et commutationes locorum ab incorporalibus separamus, sic et prolationes, intus dico ac foris, ab

---

AVΘ MYw BCΔ *Mi.*

112. 1 quin : qui A[ac] BCΔ ‖ 2 filio : patre Θ ‖ 3 pariter : pater
A[ac] ‖ 4-7 si — commigrabit *de hac sententia per totam traditionem
manuscriptam uide « Kyriakon », p.357* ‖ 4 ad — pater *om.* AVΘ
‖ spiritus : -tum Y spiritus sanctus Δ ‖ 4-5 et — spiritus *om.*
MYw ‖ 5 loco : locum A[ac]VΘ ‖ inuenitur AVΘ Δ uenit Θ[2] ‖
6 corporum BCΔ *Mi.* ‖ aliu ≡ ≡ Θ aliu non Θ[2] ‖ deseret BΔ -
rit C -rans V[ac] ‖ 7 ad : et ad BCΔ ‖ commigrabit BΔ : -uit MYw
C demigrauit AVΘ demigrat Θ[2] ‖ 8 consistit *codd.* : consistens
Mi. ‖ cum : sed AVΘ *om. Mi.* ‖ corpoream C ‖ sit : est AVΘ
Mi. ‖ 9 et *om.* Θ ‖ 10 claudetur B ‖ 10-11 excedens BCΔ ‖
11 rationabilem BΔ *Mi.* ‖ creaturarum essentiam : creaturam BCΔ
Mi.

113. 1 est *om.* Θ[1] *post* impium Θ BCΔ ‖ 2 de incorporalibus
BCΔ : in corp. *uel* incorp. AVΘ[1] MYw in incorp. Θ[2] ‖ crederet
V ‖ exire credere ∼ Δ ‖ 3 sanctum *om.* V[ac] ‖ se *om.* C ‖ de : a
V ‖ 4 de : a AVΘ ‖ ueni] + in hunc mundum AVΘ ‖ 5 et
2° *om.* V ‖ communicationes (-ne Θ) AΘ M ‖ 6 probationes AVΘ
M ‖ ac : uel AVΘ et B *Mi.*

112. Bien plus : l'Esprit de vérité, envoyé par le Fils de la manière que nous avons dite, sort du Père sans passer d'un endroit à un autre, ce qui serait, à la vérité, impossible tout autant que blasphématoire. Car si l'Esprit devait sortir d'un lieu pour aller dans un autre, le Père lui-même devrait se trouver dans un lieu et l'Esprit de vérité, que la nature corporelle circonscrirait en un espace déterminé, quittant un lieu, irait s'établir dans un autre. Mais de même que le Père ne se tient pas dans un lieu puisqu'il transcende toute nature corporelle, de même l'Esprit de vérité n'est en aucune façon enfermé dans des limites spatiales puisqu'il est incorporel et que, pour mieux dire, il l'emporte en excellence sur toute essence des créatures raisonnables[1].

113. *[26]* Donc, puisqu'il est impossible et impie d'attribuer aux êtres incorporels les déplacements que nous venons de dire, il faut comprendre que l'Esprit Saint sort du Père à la façon dont le Sauveur atteste qu'il est lui-même sorti du Père, quand il dit : « Moi, je suis sorti de Dieu et je suis venu[a]. » Et de même que nous tenons pour incompatibles les lieux et les changements de lieux avec des êtres incorporels, de même faisons-nous une différence entre les prolations, — je veux dire internes et externes — et la nature des choses intellectuelles, car,

---

113. a. Jn 8,42

---

§ 112. 1. Tout ce passage sur l'impossibilité d'une sortie matérielle de l'Esprit est repris par AMBROISE qui le développe à sa façon (*De Sp.S.* I, 11, 117-124, *CSEL* p. 65 s.), bien plus longuement que Didyme, mais où l'influence de Didyme apparaît nettement.

intellectualium natura discernimus, quia istae corporum
8 sunt recipientium tactum et habentium uastitates.

114. Ineffabili itaque et sola fide noto sermone credendum est Saluatorem dictum esse exisse a Deo[a] et Spiritum
ueritatis a Patre egredi[b] loquente : « Spiritus qui a me
4 egreditur[c] ». Et pulchre « qui de Patre », inquit, egreditur[d] ; cum enim posset dicere : « de Deo », siue « de
Domino », siue « de Omnipotente », nihil horum tetigit,
sed ait : « de Patre », non quod Pater a Deo omnipotente
8 sit alius — quia hoc scelus est etiam cogitare —, sed
secundum proprietatem Patris et intellectum parentis
egredi ab eo dicitur Spiritus ueritatis.

AVΘ MYw BCΔ *Mi.*

7 itellectuum V[ac] ‖ natura : nata V ‖ quia] + et BCΔ ‖
8 recipientium] + uastitatem *cancellat.* V ‖ tactum *codd.* (*et
Vall.*) : factum *Mi.* ‖ uastitatem C
114. 1 noto : nato C ‖ sermonem Y ‖ 2 exisse esse ∼ Θ[ac] ‖
3 loquentem Yw ‖ spiritum AVΘ -tu *Mi.* ‖ 4-5 et pulchre qui de
patre inquit egreditur *codd. omnes* : *om. Mi.* ‖ 5 possit BΔ ‖ dicere
om. Δ ‖ dicere posset ∼ *Mi.* ‖ 6 siue : seu w ‖ de *om.* Θ ‖ nihil
horum ∼ MYw *Mi.* ‖ 7 quo BCΔ ‖ 8 alius (Θ[1] *ut uid.*) : aliud
Θ[2] ‖ est] + hoc M[ac] ‖ cogitasse A MYw B ‖ 9 secundum :
propter C ‖ patris AVΘ MY CΔ : *om.* w B ‖ parientis Θ

114. a. cf. Jn 16,28 ; 17,8 ‖ b. cf. Jn 15,26 ‖ c. Is. 57,16 ‖ d.
Jn 15,26

§ 113. 1. Les comparaisons tirées des phénomènes propres au
langage ne sont pas rares chez les anciens ; ils avaient analysé les
étapes de la pensée qui vient à l'expression, et ils distinguaient
deux sortes d'émissions, ou prolations, les intérieures et les extérieures, celles où le langage n'est encore qu'intentionnel et celles
où il a pris forme de sons et de mots. Didyme fait allusion à ces
deux étapes de la prolation. Pour être l'expression de la pensée,
le langage, prenant son origine dans une prolation intérieure, a
besoin d'un élément matériel, la voix, qui relève du corps physique
de l'homme ; pour « sortir », il emprunte des voies matérielles.
Telle n'est pas la sortie de Dieu par l'Esprit, on va le voir dans

celles-là (les prolations externes) appartiennent à des corps sensibles au toucher et pourvus de dimensions[1].

114. C'est pourquoi il faut croire qu'il a été dit, dans une parole ineffable et que la foi seule fait connaître, que le Sauveur est sorti de Dieu[a] et que l'Esprit de vérité sort du Père[b], puisqu'il dit : « L'Esprit qui sort de moi »[c1]. Et (l'Écriture) a parfaitement dit : « Qui sort du Père[d] », car elle aurait pu dire « de Dieu » ou « du Seigneur » ou « du Tout-Puissant » ; elle n'en a rien fait, mais elle a dit « du Père ». Ce n'est pas que le Père soit différent du Dieu Tout-Puissant — il serait criminel même de le penser —, mais c'est en conformité avec la propriété de Père et conformément à la portée du terme de parent qu'il est dit que l'Esprit de vérité sort de lui[2].

la suite. Elle pourrait cependant s'apparenter à la phase interne de la prolation.

§ 114. 1. « L'Esprit qui sort de moi » : ce texte d'*Isaïe* 57,16 est celui que Didyme et Jérôme lisaient alors dans la Septante : Πνεῦμα γὰρ παρ'ἐμοῦ ἐξελεύσεται, et que Jérôme lisait aussi dans l'hébreu : « Spiritus a facie mea egredietur ». C'était le texte ordinaire des Pères. Irénée le cite avec la proposition qui lui est coordonnée et le commente ainsi : « Isaïe range de la sorte l'Esprit dans une sphère à part, aux côtés de Dieu... ; mais il situe le souffle dans la sphère commune... » (*C. haer.* V, 12,2, SC 153, p. 144). Tertullien, Augustin et d'autres n'ont pas lu Isaïe autrement ; il faut en venir aux Bibles modernes pour lire en Isaïe un tout autre texte, celui-ci que nous relevons dans la TOB par exemple : « ...devant moi dépériraient le souffle et les êtres inanimés que j'ai faits ».

§ 114. 2. Cette phrase est elliptique. Il faut comprendre que le mot de père connote celui de fils ; pas de père, sans la réalité d'un fils. Et tout être issu d'un père, ne peut que reconnaître en lui une origine, un « parens » selon le mot latin. Ainsi le Père des cieux joue-t-il vis-à-vis de l'Esprit qu'il envoie le rôle qui est impliqué par l'idée de père et par celle de parent. Cependant, l'Esprit ne se reconnaîtra pas comme « le » Fils, puisque cette prérogative tout à fait exceptionnelle, n'appartient qu'à un seul, le Monogène (§ 115 & 138-139).

115. Licet enim ex Deo frequenter se dicat exisse
Saluator, proprietatem tamen et, ut ita dicam, familiari-
tatem, de qua iam saepe tractauimus, ex uocabulo magis
4 sibi Patris assumit dicens : « Ego in Patre, et Pater in
me[a] », et alibi : « Ego et Pater unum sumus[b] », et multa
his similia, quae in Euangelio obseruans lector inueniet.

116. Iste ergo Spiritus Sanctus qui de Patre egreditur
« testificabitur, inquit Dominus, de me[a] », testimonium
simile ferens ei Patris testimonio de quo ait : « Testimo-
4 nium dicit de me qui me misit Pater[b]. »

117. Mittente autem Filio Spiritum ueritatis, quem
Consolatorem uocauit, simul mittit et Pater. Neque enim
Pater Filio mittente non mittit, cum eadem uoluntate
4 Patris et Filii Spiritus ueniat, Saluatore quoque per prophetam loquente, sicut manifestum esse poterit ei qui,
totum perlegerit locum : « Et nunc Dominus misit me et
Spiritum suum[a] », siquidem non solum Filium, sed et
8 Spiritum mittit Deus.

118. Sed et Apostolus loquitur : « Quae nunc annuntiata sunt uobis per eos qui euangelizauerunt uos, Spiritu

AVΘ MYw BCΔ *Mi.*

115. 1 dicat se ~ V ‖ 2 proprietatem : et p. V proprie M ‖ 9
et *om.* M ‖ 3 saepe : spe Δ ‖ 4 assumens dicit CΔ ‖ assumit : ad
+ *uac. 6 litt.* V ‖ 5 me] + est Θw ‖ multa] + alia *Mi.* ‖
6 inueniet (A¹) : -niat A²
116. 2-3 sim. test. ~ w ‖ 3 ei : ex C ‖ ait : ut V ‖ 4 misit me
~ CΔ *Mi.*
117. 1 filium Δ ‖ 2 uocaui B ‖ 3 pater filio mittente : mitt. f.
pat. ~ AVΘ p. mitt. f. ~ *Mi.* ‖ mittit *cancellat.*] + et V ‖
4 saluatorem V ‖ 5 loquentem V Y ‖ poterit esse ~ w ‖ ei *om.*
AVΘ ‖ 6 et nunc : nunc et w et mane V et BCΔ ‖ 7 spiritum
suum : -tus eius AVΘ Δ ‖ et *om.* Θ ‖ 8 misit Θ
118. 2 uos : uobis AVΘ Y *Mi.* ‖ 2-3 sancto sp. C

115. Bien que ce soit fréquemment de Dieu que le Sauveur dise qu'il est sorti, cependant il revendique la propriété et en quelque sorte la familiarité dont nous avons déjà souvent parlé, en se servant plutôt pour lui-même du mot de Père ; il dit : « Je suis dans le Père et le Père est en moi[a] », et ailleurs : « Moi et le Père nous sommes un[b] », et beaucoup d'autres formules semblables qu'un lecteur attentif trouvera dans l'Évangile.

116. Donc, cet Esprit Saint qui sort du Père « rendra, dit le Seigneur, témoignage de moi[a] ». L'Esprit porte à son égard un témoignage semblable au témoignage du Père, à propos duquel il dit : « Le Père qui m'a envoyé porte témoignage à mon sujet[b] ».

Envoi de l'Esprit consolateur par le Père et le Fils

117. Mais quand le Fils envoie l'Esprit de vérité qu'il appelle le Consolateur, le Père aussi l'envoie en même temps. Car lorsque le Fils envoie, le Père n'est pas sans envoyer, étant donné que l'Esprit provient d'une même volonté du Père et du Fils, ce que le Sauveur énonce aussi par la bouche du prophète, comme on pourra le voir en lisant le passage entier : « Et maintenant le Seigneur m'a envoyé avec son Esprit[a]. » Car en vérité, Dieu n'envoie pas seulement le Fils, mais aussi l'Esprit.

118. Quant à l'Apôtre < Pierre > [1], il dit : « Le message vous a été annoncé par ceux qui vous ont évangélisés

---

115. a. Jn 14,10 ‖ b. Jn 10,36
116. a. Jn 15,26 ‖ b. Jn 5,37
117. a. Is. 48,16

§ 118. 1. C'est nous qui ajoutons < Pierre >, puisque le nom d'*Apostolus* est ordinairement réservé à Paul. Les lecteurs de Jérôme/Didyme étaient-ils à même de reconnaître Pierre sous la citation ?

Sancto misso de caelis[a]. » Et in *Sapientia* quae inscribitur
4 Πανάρετος ab his qui diuina charismata consecuti sunt,
uox gratias Deo perferens destinatur : « Quae autem in
caelis sunt quis inuestigauit ? uoluntatem autem tuam
quis cognouit, nisi quod tu dedisti sapientiam et Spiritum
8 Sanctum tuum misisti de excelsis ? Et sic correctae sunt
semitae eorum qui super terram erant, et placita tibi
edocti sunt homines[b]. »

119. Et in praesenti siquidem lectione, non sola Sapientia Dei, id est Vnigenitus Filius eius, datur a Patre,
sed et Spiritus Sanctus mittitur.

120. In ipso quoque Euangelio dari praedicatur a
Patre et mitti Spiritus Sanctus, Saluatore dicente : « Et
ego rogabo Patrem meum, et alium Paracletum dabit
4 uobis ut sit uobiscum in aeternum, Spiritum ueritatis[a] »,
et iterum : « Paracletus autem Spiritus Sanctus, quem
mittet Pater in nomine meo, ille uos docebit omnia[b]. »
Nam et in his sermonibus, alium Paracletum dare dicitur
8 Pater, alium autem absque eo qui a Filio mittitur, secundum illud : « Cum autem uenerit ille Paracletus quem
ego mittam uobis a Patre, Spiritum ueritatis[c]. » Quem
alium Paracletum nominauit non iuxta naturae differen-
12 tiam, sed iuxta operationis diuersitatem.

AVΘ MYw BCΔ *Mi.*

3 in sapientia quae BCΔ : in libro qui (+ in M) sapientia (-ae
VY) AVΘ MYw ‖ inscribitur : describitur V scribitur M ‖ 4
Πανάρετος (paraclitos C) BCΔ : *om. cett.* ‖ chrismata M[ac] ‖ 5
uox : uos M ‖ grates (-te A[ac]) AVΘ Y ‖ grates deo ~ Θ² ‖
praeferens AVΘ referens BCΔ ‖ 8 tuum sanctum BC ‖ sic : si A[ac]
‖ correptae B ‖ 10 edocti sunt : edoctissime V
   119. 1 et in : qui V ‖ 3 sanctus sp. ~ Δ
   120. 1 euangelio *om.* AVΘ ‖ praedicatur : hoc dicitur V ‖
2 sanctus sp. ~ M ‖ 3 dabis V[ac] ‖ 6 pater *om.* Θ¹ (*suppl. s.l.* Θ²)
‖ 7 his *om.* AΘ ‖ 8 alium autem : non alium V alium AΘ non
autem alium *Mi.* ‖ absque *codd.* : ab *Mi.* ‖ 9 autem *om.* V ‖

sous l'action de l'Esprit Saint envoyé des cieux[a]. » Et dans la *Sagesse* qui s'intitule[2] *Panaretos* (Toute vertueuse), une voix, du sein de ceux qui ont obtenu les dons divins, se détache qui rend grâces à Dieu : « Mais ce qui est dans le ciel, qui l'a exploré ? Mais ta volonté, qui l'aurait connue si tu n'avais donné toi-même la Sagesse et si tu n'avais envoyé d'en haut ton Esprit Saint ? Ainsi ont été rectifiés les sentiers des habitants de la terre et les hommes ont été instruits de ce qui te plaît[b]. »

119. En vérité, dans ce que nous venons de lire, ce n'est pas toute seule que la Sagesse de Dieu, c'est-à-dire son Fils Unique, est donnée par le Père, mais c'est aussi l'Esprit Saint qui est envoyé.

120. *[27]* L'Évangile aussi fait connaître que le Père donne et envoie l'Esprit Saint, car le Sauveur dit : « Et moi je prierai le Père, et il vous donnera un autre Paraclet qui soit avec vous pour toujours, l'Esprit de vérité[a] », et encore : « L'Esprit Saint Paraclet que le Père enverra en mon nom vous enseignera tout[b]. » Ces paroles indiquent en effet que le Père donne un autre Paraclet, mais autre que celui qui est envoyé par le Fils, d'après ce passage : « Lorsque viendra le Paraclet que je vous enverrai d'auprès du Père, l'Esprit de vérité[c]. » Et il l'a nommé « autre Paraclet », non pas en fonction d'une différence de nature, mais en fonction d'une opération distincte[1].

---

uenerit : ue$\bar{n}$re (*sic*) (uere ?) Δ ‖ 9 paracletus : ille par. *Mi.* ‖ 10 ego *om.* BΔ ‖ uobis a patre *om.* BΔ ‖ 12 iuxta *om. Mi.*

---

118. a I Pierre 1,12 ‖ b. Sag. 9,16-18
120. a. Jn 14,16-17 ‖ b. Jn 14,26 ‖ c. Jn 15,26

§ 118. 2. Voir *infra* : Notes complémentaires, p. 397.
§ 120. 1. Voir § 81, note 1, et *infra* § 122.

121. Cum enim Saluator mediatoris et legati personam habeat[a], ex qua pontifex deprecetur pro peccatis nostris, saluans in aeternum eos qui per ipsum accesserint ad
4 Deum, quia semper uiuens interpellat pro eis Patrem[b], Spiritus Sanctus secundum aliam significantiam Paracletus, ab eo quod consolatur in tristitia positos, nuncupatus est.

122. Verum noli ex Filii et Spiritus Sancti operatione diuersa uarias aestimare naturas. Siquidem in alio loco reperitur Paracletus Spiritus legati ad Patrem persona
4 fungi, ut in illo : « Quid enim oremus iuxta id quod oportet nescimus, sed ipse Spiritus interpellat pro nobis gemitibus inenarrabilibus. Qui autem scrutatur corda scit quid desideret Spiritus, quoniam secundum Deum pos-
8 tulat pro sanctis[a]. »

123. *[28]* Saluator quoque consolationem, a qua Spiritus Sanctus Paracletus nuncupatus est, operatur in cordibus eorum qui ea indigent. Scriptum est enim : « Et
4 humiles populi sui consolatus est[a]. » Vnde et is qui hoc beneficium fuerat consecutus, eum praedicans, loquebatur : « Domine, secundum multitudinem dolorum meo-

---

AVΘ MYw BCΔ *Mi.*

121. 1 et leg. et med. AVΘ ‖ elegati Δ ‖ 2 ex : in AVΘ et BΔ *Mi.* ‖ qua : quam B quasi Δ ‖ deprecetur : despectus V[ac] ‖ nostris *om.* Θ ‖ 3 accesserint A Mw BCΔ : -serunt VΘ Y *Mi.* ‖ 4 interpellet AV BΔ ‖ patrem *om.* Δ ‖ patrem pro eis ~ w ‖ 5 aliam *om.* AVΘ ‖ significationem M[ac] B ‖ 6 consoletur BΔ
122. 1 ex *om.* C ‖ sancti sp. ~ B ‖ 2 diuersa (B) : -sas B² ‖ uarias : et u. B ‖ siquidem : si quid enim V ‖ 3-4 persona fungi ad patrem ~ AVΘ ‖ 4 ut in illo : unde et illud B ut nullo Δ ‖ illo] + quidem *erasum* C ‖ quid enim : nam quid AΘ numquid V quid CΔ ‖ iuxta id quod : sicut AVΘ ‖ 5 interpellet A[ac] ‖ pro nobis *om.* BCΔ ‖ 6 inenarrabilibus : ineffabilibus BC ‖ scrutatur :

121. En effet, puisque le Sauveur tient un rôle de médiateur et de légat[a], en vertu duquel comme pontife il intercède pour nos péchés, sauvant pour toujours ceux qui par lui-même se sont approchés de Dieu, car il est toujours vivant pour intercéder auprès du Père en leur faveur[b], à cause de cela l'Esprit Saint a été appelé Paraclet avec une autre signification, celle de consoler ceux qui sont dans la tristesse.

122. Mais ne pense pas qu'il faille, à cause d'une distinction d'opération entre le Fils et l'Esprit Saint, conclure à des natures différentes. En réalité, dans un autre passage, on trouve que l'Esprit Paraclet tient le rôle de légat auprès du Père : « Car nous ne savons pas prier comme il faut, mais l'Esprit lui-même intercède pour nous en gémissements ineffables. Celui qui scrute les cœurs sait quelle est l'intention de l'Esprit, puisque c'est selon Dieu qu'il prie pour les saints[a]. »

123. *[28]* Le Sauveur de son côté opère, dans le cœur de ceux qui en ont besoin, la consolation dont l'Esprit Saint tire son nom de Paraclet. Il est écrit en effet : « Et il a consolé les humbles de son peuple[a]. » Ce qui fait dire publiquement à celui qui avait obtenu ce bienfait : « Seigneur, au milieu des abondantes douleurs de mon

---

-tor M[ac] -tus V[ac] -tis Δ ‖ 7 desideret : -erat AΘ ... ? *euanescens* V ‖ quoniam : quae M quomodo *Mi.* ‖ 8 pro sanctis postulat ∼ M
123. 3 scriptum est enim : secundum quod scriptum est AVΘ ‖ 4 sui *om.* A *Mi.* ‖ consolatus est : -latur Θ ‖ 5 eum : cum V ‖ 6 domino AVΘ

---

121. a. Hébr. 8,6 ; 9,15 ... ‖ b. Hébr. 7,25
122. a. Rom. 8,26-27
123. a. Is. 9,13

rum in corde meo, consolationes tuae laetificauerunt cor
8 meum », — siue « dilexerunt animam meam[b] », utroque
enim scriptum esse modo in diuersis exemplaribus inuenitur.

124. Sed et ipse Pater « Deus omnis consolationis[a] »
dicitur, consolans eos qui in tribulatione sunt, ut ex ipsis
angustiis per patientiam salutem primum, dehinc coro-
4 nam gloriae consequantur. Spiritus igitur Consolator et
Sanctus et Spiritus ueritatis datur a Patre, ut semper cum
Christi discipulis commoretur cum quibus et ipse Saluator
est, dicens : « Ecce ego uobiscum sum usque ad consum-
8 mationem saeculi[b]. »

125. Cum autem semper apostolis et Spiritus Sanctus
adsit et Filius, sequitur ut et Pater cum ipsis sit, quia
qui recipit Filium, recipit et Patrem, et mansionem Filius
4 cum Patre facit apud eos qui digni aduentu eius exstite-
rint[a]. Sed et ubi Spiritus Sanctus fuerit, statim inuenitur
et Filius. Siquidem cum in prophetis Spiritus Sanctus sit,
faciens eos futura praecinere et alia quae prophetalis

AVΘ MYw BCΔ *Mi.*

7-8 consolationes — meum MYw BCΔ : exhortationes tuae de-
lectauerunt animam meam et aliter consolationes tuae laetificauerunt cor meum (animam meam V) AVΘ *ad haec insuper, propter
uariantem « animam meam », addidit* et aliter consol. t. laet. cor
meum V ‖ 8 direxerunt Δ ‖ 9 modo scriptum esse ~ Θ[pc] ‖
scriptum esse : scriptura C¹ scriptum C² *om.* Δ ‖ exemplaribus]
+ scriptum Δ

124. 1 sed et : sed Θ[ac] Δ ‖ ipse *om. Mi.* ‖ 2 in : in omni AVΘ
‖ 3 per patientiam *om.* B ‖ 4 consequuntur V ‖ igitur : ergo C
‖ et] + spiritus *cancellat.* V ‖ 4-5 et sanctus : uel consolationis
C *om.* B ‖ 5 spiritus] + sanctus B ‖ 7 ego *codd.* : enim *Mi.*

125. 2 adsit : assistit C ‖ et 2° : et ipse Θ ‖ quia *om.* w ‖ 3
qui recipit f. : recipit qui f. Δ ‖ filius *post* 4 eos AVΘ ‖ 4 aduentus
M ‖ 4-5 exstiterunt V ‖ 5 statim : ibi statim C ‖ 6 prophetiis V ‖
sanctus *om.* VΘ ‖ sit *om.* B

cœur, tes consolations ont réjoui mon cœur », — ou
bien : « ont choyé mon âme »[b], car on trouve l'un et
l'autre dans des exemplaires différents[1].

124. Mais le Père lui-même aussi est appelé « le Dieu
de toute consolation[a] », consolant ceux qui sont dans la
tribulation pour qu'ils obtiennent, par la patience dans
leurs difficultés, d'abord le salut, ensuite la couronne de
gloire. Le Père donne donc l'Esprit qui est Consolateur,
qui est Saint et qui est Esprit de vérité pour qu'il demeure
toujours avec les disciples du Christ, avec lesquels se
trouve également le Sauveur lui-même selon sa parole :
« Voici que je suis avec vous jusqu'à la fin des temps[b]. »

**L'Esprit
dans les prophètes**   **125.** Mais comme, auprès des
apôtres, il y a toujours et l'Esprit
Saint et le Fils, il s'ensuit que le
Père est aussi avec eux, car qui reçoit le Fils, reçoit aussi
le Père ; et le Fils avec le Père établit sa demeure auprès de ceux qui se seront montrés dignes de son avènement[a]. Mais encore, là où se trouve l'Esprit Saint, là
se trouve aussi, par le fait même, le Fils. Ainsi, quand
l'Esprit Saint est dans les prophètes, leur faisant annoncer

123. b. Ps. 93,19
124. a. II Cor. 1,3 ‖ b. Matth. 28,20
125. a. cf. Jn 14,23

§ 123. 1. Les deux versions : *laetificauerunt cor meum* et *dilexerunt animam meam* sont connues des exégètes d'aujourd'hui, qui
préfèrent la première. Elles avaient cours sur des exemplaires qui
nous viennent de la Basse et de la Haute Égypte. La remarque
peut donc être attribuée aussi bien à Didyme, qui a fait plusieurs
fois des comparaisons de ce genre (v.g. § 232, ou *In Zach.* IV, 254,
SC 85, p. 935), qu'à Jérôme, très averti de ces questions (cf.
JÉRÔME, *Lettre 106*, à Sunnia et Frétéla). On remarque qu'en *De
Trin.* 3, 38, *PG* 39, 973, Didyme cite ce texte selon la première
version que nous avons dite, sans proposer la seconde.

8 operationis sunt, Sermo Dei ad eos dicitur factus, ut ad
id quod in consuetudine prophetarum est : « Haec dicit
Dominus[b] », etiam illud addatur : « Sermo qui factus
est[c] » ad Esaiam siue ad reliquos.

126. *[29]* Quod autem prophetae Spiritum Sanctum
habuerint, Deo manifeste loquente cognoscimus. Ait
enim : « Quaecumque ego mandaui in Spiritu meo seruis
4 meis prophetis[a] ». Et Saluator in Euangelio significat
iustos uiros et eos qui ante aduentum suum populo futura
cecinerant, Spiritus Sancti aspiratione completos. Inter-
rogans quippe pharisaeos quid eis de Christo uideretur,
8 et audiens quia filius esset Dauid, dixit : « Quomodo ergo
Dauid de eo loquitur : Dixit Dominus Domino meo :
Sede a dextris meis ? Si ergo Dauid in Spiritu Sancto
uocat illum 'Dominum', quomodo filius eius est ?[b] »

127. Et Petrus ad consortes fidei loquitur : « Oportebat
impleri Scripturam quam praedixit Spiritus Sanctus per
os Dauid de Iuda[a] », et cetera, et in eodem rursus libro :
4 « Qui per Spiritum, inquit, Sanctum ore Dauid pueri tui

AVΘ MYw BCΔ *Mi.*

8 sunt *om.* M[ac] ‖ dicitur ad eos ∼ Θ ‖ ad *om.* Δ ‖ 9 in BCΔ :
ad Θ Yw *Mi. om.* AV M ‖ consuetudinem MYw *Mi.* -tudo Θ
post ras. ‖ 10 etiam : et V
  126. 2 habuerit A[ac] ‖ 2-3 ait enim *om.* BCΔ ‖ 3 ego : inquit
ego C ergo B *om. Mi.* ‖ mando BCΔ ‖ 4 euangeliis MYw BΔ ‖
5 populo] + suo MY ‖ uentura BC *Mi.* ‖ 6 cecinerant V w B
Mi. : cecinerunt AΘ CΔ praecinerant MY ‖ repletos AVΘ ‖
8 esset filius ∼ V *Mi.* ‖ dixit : respondit dicens BCΔ *om.* Θ
loquitur *Mi.* ‖ quomodo *om.* AVΘ ‖ ergo *om.* AVΘ *Mi.* ‖ 9 de
eo loquitur MYw : loq. de eo ∼ AVΘ *om.* BCΔ in spiritu uocat
eum dominum *Mi.* (*ex Euang.*) ‖ 10-11 uocat illum (eum *Mi.*) in
sp. sancto ∼ w *Mi.*
  127. 2 compleri CΔ ‖ 3 de iuda *om.* AVΘ ‖ etc. Θ w *Mi.* ‖
4 sanctum inquit C ‖ ore : orare Δ per os AVΘ Mw

les choses de l'avenir et leur communiquant tout ce qui
relève de l'opération prophétique, il est écrit que la Parole
de Dieu leur a été donnée, car à l'expression « Voici ce
que dit le Seigneur[b] », qui est habituelle aux prophètes,
l'Écriture ajoute : « Parole qui a été donnée[c] » à Isaïe ou
à tel ou tel autre.

126. *[29]* Que les prophètes aient possédé l'Esprit
Saint, nous le savons à la suite de paroles évidentes de
Dieu ; il dit en effet : « Tout ce que j'ai confié par mon
Esprit à mes serviteurs les prophètes[a]. » Et le Sauveur,
dans l'Évangile, déclare que les hommes justes et ceux
qui, avant son avènement, avaient annoncé l'avenir au
peuple, furent remplis de l'inspiration de l'Esprit Saint.
Demandant, en effet, aux pharisiens ce qu'ils pensaient
du Christ, sur leur réponse qu'il était fils de David, il
dit : « Comment donc David dit-il de lui : « Le Seigneur
a dit à mon Seigneur : Siège à ma droite ? » Si donc
David, inspiré par l'Esprit Saint[1], l'appelle « Seigneur »,
comment est-il son fils ?[b] »

127. Pierre aussi dit à ses compagnons dans la foi :
« Il fallait que s'accomplît l'Écriture dans laquelle l'Esprit
Saint a annoncé par la bouche de David à propos de
Judas[a] », et cetera ; et il dit encore dans le même Livre :
« Toi qui as mis par l'Esprit Saint ces paroles dans la

125. b. cf. Is. 38,5 ‖ c. cf. Is. 38,4
126. a. Amos 3,7 ‖ b. Matth. 22,43-45
127. a. Act.1,16

§ 126. 1. *David inspiré par l'Esprit Saint* : l'Évangile cité ici,
Matth. 22,45, contient bien le mot *Esprit*, mais pas l'expression
Esprit Saint. Mingarelli, qui a édité le *De Trin.* de Didyme le fait
remarquer, note 83 du *De Trin.* III, 33, *PG* 39, 957 D, et pense
que c'est là une addition tendancieuse. Mais dans le contexte,
avec ou sans l'adjectif *sanctus*, le sens du passage est le même.
L'apparat permet de remarquer la confusion des manuscrits à
l'occasion de cette citation.

locutus es : ' Quare fremuerunt gentes, et populi meditati sunt inania ? '[b] ».

128. Esaias quoque cum Sermone Dei ad prophetandum fuisset impulsus, Spiritus Sancti imperio prophetasse perhibetur, ut in fine eorumdem Actuum scribitur :
4 « Bene Spiritus Sanctus locutus est per Esaiam prophetam ad patres uestros, dicens : ' Vade ad populum istum et dic : Aure audietis '[a] », et reliqua.

129. Hanc igitur prophetiam quam apostolus Paulus affirmat a Sancto Spiritu pronuntiatam, ipse liber prophetae a Domino dictam esse commemorat : « Et audiui,
4 inquit Esaias, uocem Domini dicentem : ' Quem mittam, et quis ibit ad populum istum ? ' Et dixi : ' Ecce ego, mitte me. ' Et dixit : ' Vade, et dic populo huic : Aure audietis '[a] », et post alia ipse Dominus ait : « Et conuer-
8 tentur, et sanabo eos[b] », et statim propheta : « Quousque, Domine[c] ? ». Cum enim Dominus ad prophetam dixisset ut ea quae scripta sunt diceret, et propheta iubenti Domino respondisset : « Usquequo, Domine ? », ea quae
12 in propheta a Domino dicta sunt, in Spiritu Sancto commemorata Paulus affirmat.

AVΘ MYw BCΔ *Mi.*

5 locutus *om.* Θ[ac]
128. 1 sermo A[ac]Θ[ac] ‖ domini AVΘ ‖ 2 fuerit BCΔ fuerat Y ‖ imp. ad proph. fuisset ~ *Mi.* ‖ 3 ut — scribitur *om.* Θ ‖ 4 loc. est sp. s. ~ MY ‖ locutus *om.* w ‖ 5 uestros : nostros B ‖ 6 audietis] + et non intellegitis B ‖ et reliqua : etc. w
129. 1 paulus ap. ~ w ‖ 2 confirmat V ‖ a : ad V[ac] *om.* MY ‖ sp. sancto ~ Θ Yw *Mi.* ‖ 3 dictum C scriptam Δ ‖ audiuit MYw ‖ 5 ibit : nobis C ‖ 6 et dixit : *om.* AVΘ MYw *Mi.* ‖ uade] + dixit MYw inquit *Mi.* ‖ 7 audietis : aurietis w audietis et non intellegetis B ‖ alia *om.* AVΘ ‖ 7-8 conuertantur CΔ ‖ 8 illos BC *Mi.* ‖ usquequo AVΘ C ‖ 7-9 dominus — domine *om.* AVΘ ‖ 10 iubenti : uiuenti M[ac] M[3MG] ‖ 11-12 ea — sunt : cum enim ea

bouche de David : Pourquoi ces grondements des nations et ces vaines entreprises des peuples ?[b] »

128. Isaïe aussi, après avoir été poussé par la Parole de Dieu à prophétiser, prophétisa, est-il rapporté, sous l'empire de l'Esprit Saint, ainsi qu'il est écrit à la fin des Actes (des Apôtres) : « Elle est juste[1] cette parole de l'Esprit Saint qui a déclaré à vos Pères par le prophète Isaïe : Va trouver ce peuple et dis-lui : Vous avez beau entendre[a] », et cetera.

129. Donc, cette prophétie que l'Apôtre Paul déclare annoncée par le Saint Esprit, le livre lui-même du prophète mentionne qu'elle a été dite par le Seigneur : « Et j'entendis, dit Isaïe, la voix du Seigneur qui disait : « Qui enverrai-je et qui ira à ce peuple ? » Et je dis : Me voici ! Envoie-moi. Et il dit : Va et dis à ce peuple : « Vous avez beau entendre »[a] ». Quelques mots plus loin, le Seigneur lui-même dit : « Et ils se convertiront et je les guérirai[b] », à quoi, aussitôt, le prophète : « Jusques à quand, Seigneur ?[c] » En effet, quand le Seigneur eut demandé au prophète de dire toutes ces paroles que nous lisons écrites et quand le prophète eut répondu à la demande du Seigneur : « Jusques à quand, Seigneur ? », — toutes ces paroles que le Seigneur a dites par le prophète, Paul donne comme certain que c'est l'Esprit Saint qui les a fait prononcer.

---

quae dominus ad prophetam dixit AVΘ ‖ 11 ea *om.* C ‖ 13 commemorat M ‖ paulus] + apostolus M[ac] ‖ affirmat (Θ[ac]) : -met Θ[pc]

---

127. b. Act.4,25
128. a. Act. 28,25-26
129. a. Is. 6,8-9 ‖ b. Is. 6,10 ‖ c. Is. 6,11

§ 128. 1. Cf. *supra*, § 7 note 1.

130. Ex quo liquido ostenditur, ut saepe iam diximus, una et uoluntas et natura esse Domini et Spiritus Sancti, et in nuncupatione Spiritus etiam Domini nomen intel-
4 legi.

131. Quomodo enim ad Corinthios[a] uocabulum Dei super Patre positum et Domini super Filio neque Patri aufert dominationem neque Filio deitatem, siquidem ea-
4 dem ratione qua Pater Dominus est et Filius Deus est, sic et Spiritus Sanctus Dominus nuncupatur. Si autem Dominus, consequenter et Deus, ut paulo ante iam diximus, cum uocem apostoli Petri ad Ananiam, qui pecu-
8 niam subtraxerat, poneremus, quia et deitas superintellegatur in Spiritu Sancto.

AVΘ MYw BCΔ *Mi.*

130. 1 ex quo *om.* AVΘ ‖ 2 una et uoluntas et natura : una et (et una ~ Θ[pc]) -ra et -tas ~ AVΘ unam et -tem et -ram C ‖ domini esse ~ *Mi.* ‖ 3-(131) 1 et — enim *om.* Δ ‖ (130) 3 in *om.* Θ ‖ nuncupationem B ‖ nomen domini ~ Θ BΔ *Mi.*

131. 1 uocabulum ad corinthios ~ Θ[ac] ‖ dei : domini Y[ac] ‖ 2 domini : deum Δ ‖ 3 dominationem (A[2mg]) : damnationem A[1] dominatione C ‖ diuinitatem V[ac] ‖ sic quidem w ‖ 3-4 eadem : ea de C[ac] ‖ 4 rationem A[ac] ‖ 4-5 dominus — sanctus *om.* AVΘ ‖ 4 est dominus ~ CΔ ‖ 4-5 et filius deus est sic *om.* Y ‖ 4 est deus ~ C ‖ 5 sic *om.* M ‖ sanctus *om.* Δ ‖ dominus : et d. AVΘ ‖ 6 deus : dominus M[ac] ‖ 7 uoce M ‖ 8-9 superintellegatur (A[1]) : -gitur A[2] BC *Mi.*

131. a. cf. I Cor. 8,5-6

§ 130. 1. Cf. v.g. § 85, 122...
§ 131. 1. Cf. § 83.

130. Par là apparaît clairement,
comme nous l'avons souvent déjà dit[1],
que le Seigneur et l'Esprit Saint n'ont
qu'une seule volonté et une seule nature et que, dans l'appellation d'Esprit, il faut
comprendre qu'il y a aussi le nom de Seigneur.

**L'Esprit Saint
est Seigneur,
il est Dieu**

131. En effet, de la même manière que, (dans la lettre)
aux Corinthiens[a], le mot de Dieu apposé à celui de Père
et celui de Seigneur apposé à celui de Fils n'enlève ni au
Père la Seigneurie, ni au Fils la Divinité, puisque c'est
pour la même raison que le Père est Seigneur et que le
Fils est Dieu, de même l'Esprit Saint porte aussi le nom
de Seigneur. Et s'il est Seigneur, il est aussi par conséquent Dieu, comme nous l'avons déjà dit peu
auparavant[1] lorsque nous avons cité le mot de Pierre à
Ananie qui avait retenu l'argent ; la déité en effet est
sous-entendue quand on dit « Esprit Saint »[2].

§ 131. 2. L'affirmation de la divinité du Saint Esprit est ici
assez catégoriquement exprimée, comme elle l'est aussi, à propos
du même texte concernant Ananie, dans *De Trin.* II, 10, 640 D et
dans AMBROISE, *De Sp. S.* III, 9, 57, *CSEL*, p. 173. On se rappelle
le reproche fait à Basile de ne jamais déclarer explicitement la
consubstantialité divine du Saint Esprit et comment on l'en lave
par une certaine règle d'« économie » — disons de « discrétion »
— à laquelle il se sentait obligé pour ne pas accentuer l'état de
violence où s'étaient jetés partisans et adversaires du mot
« consubstantiel » appliqué à la troisième personne de la Trinité.
Sur cette question, cf. B. PRUCHE, *Basile de Césarée, Sur le Saint
Esprit*, *SC* 17 bis, Introduction, ch. III, p. 79-110. Le climat théologique d'Alexandrie à peu près à la même époque n'était pas le
même pour Didyme, puisqu'on le voit dire explicitement que le
Saint Esprit est Dieu, § 83, 131, 139, 159, 224.

132. *[30]* Verum quoniam inde quaestionis ordo de-
ductus est : « Cum autem uenerit Paracletus Spiritus
Sanctus quem mittet Pater in nomine meo, ille uos
4 docebit omnia[a] », age nunc ex ipso sermone quaeramus
si quid in eo possumus inuenire cum his consentire quae
dicta sunt.

133. Spiritum Sanctum a Patre in suo mitti nomine
Saluator affirmat, cum proprie nomen Saluatoris sit Filius, si quidem naturae consortium et, ut ita dicam,
4 proprietas personarum ex ista uoce signatur. In qua
appellatione Filii missus a Patre Spiritus Sanctus, non
seruus, non alienus nec disiunctus a Filio intellegatur.

AVΘ MYw BCΔ *Mi.*

132. 1 quoniam : quod AVΘ ‖ 2-3 sp. s. paracletus ∼ M ‖
3 meo] + age *cancellat.* C ‖ 4 age *om.* Δ ‖ 5 possimus A Θ[pc]
CΔ *Mi.* ‖ inuenire] + quod V ‖ consentire : c. queat V sentire
Θ consistere B

133. 1 spiritus sanctus M[ac] ‖ a : in Θ[ac] ‖ in *om.* Θ ‖ 2 saluatoris
nomen ∼ *Mi.* ‖ nomen : non A ‖ 3 et *om.* Δ ‖ ut et ∼ M[ac] ‖
dicam *om.* B ‖ 4 ex ista : existat M[ac] ‖ qua *om.* AΘ ‖ 5-6 non
alienus non seruus ∼ B[ac] ‖ 6 non *om.* AVΘ ‖ alius *Mi.* ‖
intellegitur BCΔ

---

132. a. Jn 14,26

---

§ 132. 1. Didyme s'aperçoit qu'il s'est écarté de l'idée de sortie
et qu'il a été un peu long dans son développement depuis § 111.
Il y revient donc avec la nouvelle citation de saint Jean. — « Ce
qui a été dit », c'est, selon des termes qui n'apparaîtront qu'à une

TÉMOIGNAGES SCRIPTURAIRES

132. *[30]* Mais ce qui a entraîné le développement de la question est le texte suivant : « Quand viendra l'Esprit Saint Paraclet que le Père enverra en mon nom, il vous enseignera tout[a]. » Eh bien ! cherchons maintenant, dans le texte même, si nous pouvons trouver quelque chose qui puisse s'accorder avec ce qui a été dit[1].

A. — Jean 14,26 et 15,26
L'envoi

133. Le Sauveur affirme que l'Esprit Saint est envoyé par le Père « en son nom » ; or, à proprement parler, le nom du Sauveur est « Fils », étant entendu que la communauté de nature, et pour ainsi dire la propriété des personnes[1], est indiquée par ce mot. Et comme c'est au nom du Fils que l'Esprit Saint est envoyé par le Père, l'Esprit Saint ne doit être considéré ni comme un serviteur ni comme un étranger ni comme séparé du Fils.

époque plus avancée, la « procession », notion qui a été dévoilée par le texte de s. Jean et qui a occupé la rédaction, assez strictement entre § 111 et 116, et plus librement depuis § 116 jusqu'ici. Didyme va explorer à nouveau l'Évangile de Jean selon le sens indiqué dans les § 111-116.

§ 133. 1. Unique emploi du mot *persona*. En lisant en latin : *et, ut ita dicam, proprietas personarum*, on se rend compte qu'un concept nouveau se fait jour et que Didyme (ou Jérôme ? cf. *supra*, Introd. Ch. VII, p. 98) le propose avec précaution : *ut ita dicam*, « comme j'oserais le dire ». Sa crainte était qu'opérer une distinction dans la Trinité risquait de briser, pour parler comme lui, la communauté de nature. Le grec sous-jacent est ici : ἡ ἰδιότης τῶν προσώπων ; ce n'est pas encore ὑπόστασις, mot qui répondra plus tard, à l'époque du *De Trinitate*, au concept de Personne dans la Trinité.

134. Et quomodo Filius in Patris appellatione uenit, dicens : « Ego ueni in nomine Patris mei[a] », — Filii quippe tantummodo est in nomine Patris uenire, salua 4 proprietate Filii ad Patrem et Patris ad Filium —, sic, e contrario, nullus alius uenit in nomine Patris sed, uerbi gratia, in Domini et Dei omnipotentis. Quod manifestius animaduertere poteris prophetas relegens.

135. Nam et Moyses, magnus Dei minister et famulus, in nomine eius 'Qui est' et in nomine Dei Abraham, Isaac et Iacob uenit, Deo ad eum loquente : « Sic dices 4 filiis Israel : 'Qui est' misit me ad uos[a] », et rursus : « Dices eis : Deus Abraham, Isaac et Iacob misit me ad uos[b]. »

136. Seruorum quippe iustorum quales erant de quibus dixit : « Mandabo in Spiritu meo servis meis prophetis[a] », in nomine Dei facta est missio. Et quia dignos se exhi- 4 buerunt Deo, in nomine Dei uenisse referuntur ; rursus proficientes in maius et sub unius Dei imperio consis- tentes, in omnipotentis Dei nuncupatione uenerunt.

AVΘ MYw BCΔ *Mi.*

134. 1 et : sed V ‖ appellationem Δ[ac] ‖ 3 quippe : quoque w ‖ quippe sicut C ‖ 4 sicut V Y ‖ 5 patris nomine ∼ B ‖ patris *om.* w ‖ 6 domini : deo AVΘ ‖ dei : dei et MYw B *Mi.* dei nomine V ‖ manifestum *Mi.* ‖ 7 aduertere V *Mi.* aduerte AΘ *post* relegens BCΔ ‖ poteris *om.* AVΘ ‖ relegens] + ex animo *Mi.* ‖ religens Δ

135. 3 et *om.* AVΘ ‖ eum] + sic Δ ‖ 4 et] + dices V ‖ rursus : rursus haec A[2sl] rursum Θ BCΔ ‖ 5 dices : et d. V *om.* w ‖ eis : ad eos Θ *om.* w ‖ isaac : et i. MYw Δ

134. Et de même que le Fils vient au nom du Père, selon qu'il dit : « Je suis venu au nom de mon Père[a] » — car il n'appartient qu'au Fils de venir au nom du Père en sauvegardant le caractère propre de Fils par rapport au Père et de Père par rapport au Fils — , de même, à l'opposé, nul autre ne vient au nom du Père, sauf à venir au nom, par exemple, du Seigneur ou du Dieu Tout-Puissant.

135. Ainsi Moïse, le grand serviteur et ministre de Dieu, vient au nom de « Celui qui est » et au nom du Dieu d'Abraham, d'Isaac et de Jacob ; Dieu lui dit en effet : « Tu diras aux enfants d'Israël : « Celui qui est » m'a envoyé vers vous[a] », et encore : « Tu leur diras : Le Dieu d'Abraham, d'Isaac et de Jacob m'a envoyé vers vous[b] ».

136. Car aux serviteurs, à ces justes tels qu'étaient ceux dont il a dit : « A mes serviteurs les prophètes je donnerai une mission dans mon Esprit[a] », c'est au nom de Dieu que la mission a été donnée. Et parce qu'ils se montrèrent dignes de Dieu, l'Écriture rapporte qu'ils sont venus au nom de Dieu ; puis, progressant vers quelque chose de plus grand et demeurant établis sous la loi du Dieu unique, c'est au nom du Dieu Tout-Puissant qu'ils sont venus.

---

136. 2 mando Θ ‖ 3 dei : domini BCΔ ‖ missio : haec m. C ‖ 3-4 exhibuerant C ‖ 4 rursum Δ ‖ 5 in maius : in manu Δ innaius Y ‖ sub unius : sublimius w ‖ 6 uenerant C

---

134. a. Jn 5,43
135. a. Ex. 3,4 ‖ b. Ex. 3,15
136. a. Zach. 1,16

137. Quia uero filii Israel in Aegypto commorantes didicerunt eos qui non sunt, quasi deos colere, et mundi patres diuino honore uenerari, consequens fuit ut Moyses
4 sub eius 'Qui est' ad eos uocabulo mitteretur et, a falsis eos liberans diis, ad ueram transduceret deitatem et ad Deum patrum Abraham, Isaac, et Iacob.

138. *[31]* Quomodo ergo serui qui in nomine Domini ueniunt, per hoc ipsum quod subiecti sunt et seruiunt indicant Dominum, proprietatem eius ferentes — serui
4 quippe sunt Domini —, sic et Filius qui uenit in nomine Patris, proprietatem Patris portat et nomen, et per haec Vnigenitus Dei Filius approbatur.

139. Quia ergo et Spiritus Sanctus in nomine Filii a Patre mittitur, habens Filii proprietatem secundum quod Deus est, non tamen filietatem ut Filius eius sit, ostendit
4 quia unitate sit iunctus ad Filium. Vnde et Filii dictus est Spiritus, per adoptionem suam filios faciens eos qui se recipere uoluissent : « Quia enim, inquit, estis filii Dei,

AVΘ MYw BCΔ *Mi.*

137. 1 israel *om.* B ‖ 2 didicerant BCΔ ‖ 3 patres V w : partes *cett.* ‖ 4 sub : in AVΘ ‖ eos : eodem Δ ‖ uocabulo ad eos ∼ w *Mi.* ‖ mitterentur C ‖ 5 liberando C ‖ diis *om.* Δ ‖ diis liberans ∼ w ‖ transducere V ‖ deitatem : diuinitatem BCΔ natiuitatem Y ‖ et *om.* Δ ‖ 6 dominum MYw ‖ patrem Θ patris Δ ‖ et isaac MY CΔ

138. 3 referentes MYw ‖ ferentes] + domini AVΘ ‖ 5 proprietatem patris *om.* B ‖ portat patris ∼ V ‖ et 1° : et et Bᵃᶜ ‖ hoc V Δ ‖ 6 dei *om.* Δ

139. 1 et *om.* MY *Mi.* ‖ 2-3 secundum — sit *om.* BCΔ ‖ 3 filietatem AVΘ Mᵖᶜ Yw : filii etatem Mᵃᶜ filieitatem *Mi.* ‖ ut : in Mᵃᶜ ‖ eius *om.* AVΘ ‖ eius sit : eiusset Y ‖ 4 quia : qua Δ ‖ ⟦unc⟧ iunctus Bᵃᶜ ‖ 5 per : qui M ‖ adoptione sua C ‖ suam *om. Mi.* ‖ faciens filios ∼ B *Mi.* ‖ 6 uoluerit AVΘ ‖ quia *codd.* : qui *Mi.* ‖ estis inquit ∼ Θ CΔ

137. Mais, parce que les fils d'Israël lors du séjour en Égypte apprirent à honorer comme dieux des êtres qui ne le sont pas et à accorder des honneurs divins aux « pères du monde »[1], Moïse en conséquence leur fut envoyé au nom de « Celui qui est » ; les libérant des faux dieux, il les conduisit à la divinité véritable et au Dieu des pères, Abraham, Isaac et Jacob.

138. *[31]* Donc, pareillement aux serviteurs qui viennent au nom du Seigneur et qui font connaître le Seigneur par le seul fait de lui être soumis et de le servir en portant son caractère propre — car ils sont serviteurs du Seigneur —, de la même façon le Fils qui vient au nom du Père porte le caractère propre du Père ainsi que son nom, et par là est reconnu comme Fils Unique de Dieu.

139. Et comme l'Esprit Saint est envoyé par le Père au nom du Fils, comme il possède le caractère propre du Fils en tant que (le Fils est) Dieu, mais pas toutefois la filiation[1] qui ferait de lui son Fils, il montre par là l'unité qui le tient conjoint au Fils. Aussi est-il appelé Esprit du Fils, donnant, en les adoptant, la qualité de fils à ceux qui auront voulu le recevoir : « En effet, est-il dit, puisque vous êtes des fils de Dieu, le Père a envoyé

---

§ 137. 1. L'expression *mundi patres, « les pères du monde »*, traduit-elle le mot de Saint Paul : κοσμοκράτορες d'*Éphés*. 6, 12 ?

§ 139. 1. « filiation », *filietas*, mot rare en latin, qu'on trouve, à l'époque, chez Marius Victorinus (v. *TLL*), correspondant à υἱότης du grec. Nos mss l'ont bien écrit ; la faute de Migne (*filieitas*) s'explique par l'erreur du cod. M, que Vallarsi eut entre les mains. — Pour la traduction de *filietas*, voir *infra* : Notes complémentaires, p. 399.

misit Pater Spiritum Filii sui in corda nostra, clamantem
8 'Abba, Pater'ᵃ. »

140. Iste autem Spiritus Sanctus qui uenit in nomine
Filii, missus a Patre, docebit omnia eos qui in fide Christi
perfecti sunt, omnia autem illa quae spiritualia sunt et
4 intellectualia et, ut breuiter uniuersa concludam, ueritatis
et sapientiae sacramenta.

141. Docebit uero, non quasi doctor et magister disciplinae quam aliunde est consecutus — siquidem hoc
eorum est qui sapientiam et artes aliquas studio indus-
4 triaque didicere —, sed quasi ipse ars atque doctrina et
sapientia ueritatisque Spiritus, inuisibiliter menti insinuat
scientiam diuinorum. Nam et Pater docet sic discipulos
suos, dicente illo qui ab eo doctus fuerat : « Deus, do-
8 cuisti me sapientiamᵃ », et audacter alio clamante : « Do-
cuisti me, Deus, a iuuentute meaᵇ » ; atque ita omnes
fiunt docti.

142. Dei Filius quoque, ueritas et sapientia Dei, sic
docet participes suos ut disciplinam non arte doceat, sed

AVΘ MYw BCΔ *Mi.*

140. 1 uenit : uerus V ‖ 2 eos omnia ~ Δ ‖ 3 sunt *om.* w ‖
4 intellectualia] + sunt w ‖ ut *om.* Mᵃᶜ ‖ concludam] + omnia
Mi.

141. 2 est] + si MYw ‖ 3 qui : quid Y ‖ artes : uirtutes AΘ
Mw ‖ 3-4 industria studioque ~ BCΔ ‖ 4 quasi : sicut C ‖ ipsa
BC ‖ 5 sapientiae BΔ ‖ inuisibili AVΘ M ‖ mente V ‖ insinuans
BΔ ‖ 6 nam : sic C ‖ 6-7 suos discipulos ~ w ‖ 8 sapientia AVΘ
‖ clamante CΔ ‖ 8-9 deus doc. me ~ Θ ‖ 9 deus *om.* Δ ‖ 9-
10 ita omnes fiunt : o. i. f. ~ Θ i.f.o. M o. f. i. Δ

142. 1 deus AΘ ‖ quoque filius ~ Θ ‖ ueritatis B ‖ et sap. d.
et uer. ~ *Mi.* ‖ 2 arte : ante V

l'Esprit de son Fils dans nos cœurs, qui crie « Abba, Père »[a]. »[2]

L'enseignement   **140.** Mais cet Esprit Saint qui vient au nom du Fils et qui est envoyé par le Père, enseignera toute chose à ceux qui sont parfaits dans leur foi au Christ, toute chose s'entend de celles qui sont spirituelles et intellectuelles, et, pour tout dire brièvement, l'ensemble des mystères de la vérité et de la sagesse.

141. D'autre part, il n'enseignera pas comme un docteur ou comme le maître d'une discipline qu'il aurait acquise par ailleurs — ainsi font ceux qui ont appris la sagesse ou des connaissances par une studieuse application — ; mais, comme il est lui-même, pour ainsi dire, connaissance, doctrine, sagesse et Esprit de vérité, il insinue invisiblement dans l'esprit la science des choses divines. C'est de la sorte, aussi, que le Père instruit ses disciples, témoin celui-ci qui dit, pour avoir reçu de lui l'instruction : « O Dieu, tu m'as instruit de la sagesse[a] », et cet autre qui clame audacieusement : « O Dieu, tu m'as instruit dès ma jeunesse[b] » ; telle est la façon dont ils deviennent tous des doctes.

142. Le Fils de Dieu aussi, vérité et sagesse de Dieu, enseigne ceux qui participent à lui, non pas avec une méthode qu'il appliquerait à une discipline, mais avec sa

---

139. a. cf. Rom. 8,15-16
141. a. cf. Dan. 2,23 (?) ‖ b. Ps 70,17

§ 139. 2. Cette dernière phrase du paragraphe semble être donnée comme une citation puisqu'elle comporte le verbe *inquit*. En fait, ce n'est qu'une allusion à *Rom.* 8, 15-16, dont le sens est exactement rendu malgré la liberté de la formulation.

natura. Vnde et eum docentur solum magistrum vocare
4 discipuli[a]. Has easdem igitur disciplinas quae dantur a
Patre et Filio in corda credentium, Spiritus ministrat his
qui animales esse desierint. « Animalis quippe homo non
recipit ea quae sunt Spiritus[b] », arbitrans esse stultitiam[c]
8 quae dicuntur ; qui uero a perturbationibus purgauerit
mentem suam, Sancti Spiritus disciplinis, id est sermonibus sapientiae scientiaeque complebitur, in tantum ut
is qui ea susceperit dicat : « Nobis autem reuelauit Deus
12 per Spiritum Sanctum[d]. »

143. Deus autem his qui se ita praeparauerint, Spiritum sapientiae reuelationisque largitur ad cognoscendum
semetipsum ; qui accipientes Spiritum sapientiae, non
4 aliunde sed a Spiritu Sancto efficiuntur sapientes, et ab
ipso intellegunt Dominum et quidquid Dei est uoluntatis,
et eumdem illum Spiritum, ipso reuelante, cognoscunt,
ut sciant quae a Domino donata sunt eis, ita ut is qui
8 fuerit Spiritum reuelationis et sapientiae consecutus, suf-
ficiens sit ueritatis dogmata praedicare, non humana sed
Dei arte subnixus, sicut et unum ex his Apostolum

AVΘ MYw BCΔ *Mi.*

3 et : ad M[ac] *om.* BC Δ ‖ eum : cum V ‖ solum docentur ~
BCΔ ‖ 4 has *om.* C ‖ igitur MYw C : dicitur spiritus sanctus
docere AVΘ *om.* BΔ *Mi.* ‖ 5 corde V ‖ spiritus ministrat (am-
ministrat C) MYw BCΔ : ipsas ministrans AVΘ ‖ 6 desierunt V
Y ‖ 7 percipit Θ w *Mi.* ‖ spiritus sunt ~ *Mi.* ‖ 8 purgauerint B[ac]
-gauit Δ ‖ 9 sancti spiritus ~ C *Mi.* ‖ 9-10 sermone BC -nis VΘ
‖ 10 et scientiae C ‖ 11 is : hiis V ‖ eam AVΘ B ‖ susceperint
V[1] -rant V[2] ‖ dicat *om* Δ
  143. 1 preparauerint Θ[ac] ‖ 1-2 sapientiae spiritum ~ w ‖
4 aliunde : alium BΔ ‖ sed a : absque BCΔ ‖ ab] + ipso *Mi.* ‖
4-5 ab ipso *om* BCΔ ‖ 5 dominum : deum AVΘ Δ ‖ et —
uoluntatis *om* BCΔ ‖ dei *om.* Θ ‖ est dei ~ Y ‖ 6 eumdem :
eodem AVΘ BCΔ ‖ illum spiritum : illum spiritum sanctum A[ac]
illo spiritu sancto A[2] spiritu illum Δ ipsum spiritum *Mi.* ‖ ipso
om. AVΘ BCΔ ‖ 7 ut — eis *om.* BCΔ ‖ quae : quia w ‖ is : his

nature. C'est ce qui fait que les disciples reçoivent l'instruction de n'appeler maître que lui seul[a]. Et il est dit
que ce sont les mêmes enseignements, donnés par le Père
et le Fils dans le cœur des croyants, que dispense l'Esprit
Saint ; il les fournit à ceux qui ont cessé d'appartenir à
la seule nature[1] : « Car l'homme laissé à sa nature n'accepte pas ce qui vient de l'Esprit[b] », s'imaginant que c'est
de la folie[c] ; mais celui qui aura purgé son esprit de toute
passion, s'emplira des enseignements du Saint Esprit,
c'est-à-dire d'un langage de sagesse et de science, au
point qu'après les avoir reçus, il dira : « C'est à nous
que Dieu par l'Esprit Saint en a fait la révélation[d]. »

143. Mais Dieu, à ceux qui se sont ainsi préparés,
accorde l'Esprit de sagesse et de révélation pour se faire
connaître lui-même. Ceux qui reçoivent l'Esprit de sagesse
ne sont pas rendus sages par un autre que par l'Esprit
Saint lui-même ; c'est par lui qu'ils ont l'intelligence du
Seigneur et de tout ce qui relève de la volonté de Dieu ;
c'est par sa propre révélation qu'ils le connaissent, lui,
cet Esprit, et qu'ils savent ce qui leur a été donné par le
Seigneur. Ainsi, il suffira à celui qui aura reçu l'Esprit
de révélation et de sagesse, quand il annoncera les enseignements de la vérité, de se confier, non pas aux
moyens humains, mais à ceux de Dieu. En ce sens, nous
pouvons écouter la parole de l'un d'entre eux, l'Apôtre :

Y ‖ 8 et sapientiae *om.* C ‖ 9 ueritatis *om.* C ‖ 9-10 sed dei *om.*
Θ ‖ 10 subnixius M[ac] ‖ et *om.* Δ

142. a. cf Matth. 23,10 ‖ b. I Cor. 2,14 ‖ c. cf. I Cor. 2,14 ‖
d. I Cor. 2,10

§ 142. 1. Ceux pour qui nous avons gardé la traduction : *appartenir à la seule nature* sont les « psychiques », que Saint Paul
distingue des « spirituels », de ceux qu'anime l'Esprit de Dieu,
dans I *Cor.* 2, 14-15.

possumus audire dicentem : « Et sermo meus et praedi-
12 catio mea non in persuasibilibus humanae sapientiae
uerbis, sed in ostensione Spiritus et uirtutis Dei[a]. »

144. Aequalem uero Spiritui uirtutem non possumus
aliam praeter Christum Dominum interpretari. Ipse enim
discipulis ait : « Accipietis enim uirtutem Spiritus Sancti
4 uenientem super uos[a] », et ad Mariam archangelus :
« Spiritus, inquit, Sanctus superueniet in te, et uirtus
Altissimi obumbrabit te[b]. » Creatrix igitur uirtus Altissimi, Spiritu Sancto superueniente in uirginem Mariam,
8 Christi corpus est fabricata : quo ille usus templo, sine
uiri natus est semine.

145. *[32]* Ex quibus ostenditur esse Spiritum Sanctum
creatorem, ut iam in *Dogmatum* uolumine breuiter ostendimus. Et in Psalmo ad Dominum dicitur : « Auferes ab
4 eis Spiritum tuum, et deficient et in terram suam reuer-
tentur. Emitte Spiritum tuum, et creabuntur, et renouabis
faciem terrae[a]. » Nec mirum si dominici tantum corporis
Spiritus Sanctus conditor sit, cum Patri Filioque sociatus

AVΘ MYw BCΔ *Mi.*

144. 1 aequalem : equale w qualem V ‖ spiritum V Δ ‖ possimus Y ‖ 2 dominum : deum Δ dominum nostrum *Mi.* ‖ 2-3 ipse
— ait *om.* BCΔ ‖ 4 uenientis MY ‖ super : in w ‖ uos] + ad
apostolos dicitur (d. *om.* Δ) BCΔ ‖ mariam : uirginem Δ ‖
archangelus : angelus AVΘ[ac] *Mi.* ‖ 5 ueniet super te Mw B super
te ueniet Y ‖ 6 obumbrauit A[ac] M ‖ te : tibi Yw ‖ 7 uirgine VΘ
‖ maria V ‖ 8 est fabricata : fabricauit *Mi.* ‖ usus : usque M ‖
sine : siue Δ

145. 1 sp. s. esse ∼ AVΘ ‖ esse *om.* B ‖ 3 deum BCΔ ‖ aufers
A[ac] VΘ ‖ 4 spiritum] + sanctum M ‖ sp. t. ab eis ∼ BCΔ ‖
terram : puluerem w ‖ 4-5 conuertentur BCΔ ‖ 5 emitte : et mitte
M et mittes A[ac] ‖ innouabis MY B ‖ 6 terrae *om.* M ‖ dominici :
deum Δ ‖ corporis tantum ∼ AVΘ ‖ 7 sancti sp. ∼ B ‖ patre
MY C ‖ filioque : et f. V ‖ sociatus] + et Y

« Ma parole et ma prédication n'avaient rien des discours persuasifs de la sagesse humaine, mais elles étaient une démonstration de l'Esprit et de la puissance de Dieu[a]. »

144. Or pour trouver une puissance égale à l'Esprit, nous ne pouvons recourir à aucune autre que le Christ Seigneur. Lui-même en effet dit à ses disciples : « Car vous recevrez la puissance de l'Esprit Saint qui viendra sur vous[a] », et l'archange dit à Marie : « L'Esprit Saint viendra sur toi et la puissance du Très-Haut te couvrira de son ombre[b]. » Ainsi la puissance créatrice du Très-Haut, à la descente de l'Esprit Saint en la vierge Marie, a fabriqué le corps du Christ ; s'en servant comme d'un temple, ce dernier naquit sans semence d'homme[1].

145. *[32]* Par là, il s'avère que l'Esprit Saint est créateur, comme nous l'avons déjà brièvement démontré dans le volume sur *les Doctrines*[1]. Et dans le Psaume, on dit au Seigneur : « Enlève leur ton Esprit, ils expireront et retourneront à leur poussière ; envoie ton Esprit, ils seront créés et tu renouvelleras la face de la terre[a]. » Il n'y a rien d'étonnant à ce que l'Esprit Saint soit le créateur du corps, du corps seulement, du Seigneur,

---

143. a. I Cor. 2,4
144. a. Act. 1,8 ‖ b. Lc 1,35
145. a. Ps. 103,29-30

---

§ 144. 1. Didyme a rappelé assez souvent la prérogative virginale de Marie. Ici, l'image du temple est heureuse et la réalité du mystère simplement énoncée. Même image et un peu plus d'explications dans son *Commentaire sur la Genèse*, 220-221, *SC* 244, p. 167.

§ 145. 1. Ce *volume sur les doctrines* ne nous est pas autrement connu que par ce passage et par une mention de JÉRÔME dans le *De vir. illustr.*, 109. « Encore n'est-il pas sûr que Jérôme en ait pris personnellement connaissance » (Bardy). C'est un autre ouvrage que celui *Sur les Sectes* mentionné aux § 19 et 93.

8 eadem creet omnia quae Pater creat et Filius : « Emitte
enim, ait, Spiritum tuum, et creabuntur[b]. » Porro iam
frequenter ostendimus eiusdem operationis esse Spiritum
Sanctum, cuius est Pater et Filius, et in eadem operatione
12 unam esse substantiam, et reciproce eorum quae
ὁμοούσια sunt operationem quoque non esse diuersam.

146. Vt autem et aliud testimonium quod nos possit
in fide Sancti Spiritus adiuuare ponamus, in Euangelio
ita sermo contexitur : « Adhuc multa habeo uobis dicere,
4 sed non potestis ea portare modo. Cum autem uenerit
ille Spiritus ueritatis, diriget uos in omnem ueritatem.
Neque enim loquetur a semetipso, sed quaecumque audiet loquetur, et quae uentura sunt annuntiabit uobis.
8 Ille me clarificabit, quia de meo accipiet et annuntiabit
uobis. Omnia quae habet Pater, mea sunt. Propterea dixi
uobis quia de meo accipiet et annuntiabit uobis[a]. »

147. *[33]* Ex his enim sacramentorum uerbis edoce-
mur quod, cum multa docuisset discipulos suos Iesus,

AVΘ MYw BCΔ *Mi.*

8 eadem (eamdem A²Θ) *codd.*] + potestate *Mi.* ‖ creet : creat
CΔ rem et AVΘ creauerit *Mi.* ‖ pater] + per filium AVΘ ‖
creat : creauit Y BCΔ *Mi.* ‖ et filius : hanc et spiritus sanctus
AVΘ ‖ emittes Y B -ttis Δ ‖ 11 sanctum *om.* BCΔ ‖ est : et
AVΘ ‖ eamdem operationem V ‖ 12 reciprocat C ‖ 13 ὁμοούσια
nos ὁμούσια *edd.* : omousia w B homousia (-sya Δ) CΔ *sim. gr.*
AVΘ MY ‖ non *om.* Δ
    146. 1 alium VΘ[ac] ‖ aliud] + quoque *Mi.* ‖ 2 adiuuare *ante*
in fide w *Mi.* ‖ sp. sancti ∼ *Mi.* ‖ 2-3 ita in euang. ∼ w ‖ 4 ea
om. w ‖ ea non pot. ∼ Δ ‖ modo portare ∼ BC ‖ 5 diriget :
docet A¹Θ M docebit A²V w ‖ in : *erasit* A *om.* Θ Mw ‖ 6 loquitur
A[ac]V ‖ semetipse A[ac] ‖ quaecumque : quaeque Θ[ac] ‖ 6-7 audierit
V Y BCΔ ‖ 7 loquitur A[ac]V ‖ 8 clarificauit M glorificabit BCΔ ‖
quia : qui Θ[ac] ‖ de : ex BC ‖ nuntiauit M ‖ 9-10 omnia -uobis
om. MV ‖ 10 nuntiabit BΔ
    147. 1 sacramentorum *om.* BCΔ ‖ 1-2 docemur BCΔ

puisque, associé au Père et au Fils, il crée toutes les choses et les mêmes que crée le Père ainsi que le Fils : « Envoie, dit en effet le Psaume, ton Esprit et ils seront créés[b]. » Or nous avons déjà souvent montré[2] que l'Esprit Saint accomplit la même opération que le Père et le Fils, et que la même opération suppose l'unité de substance et, réciproquement, que des êtres qui sont ὁμοούσια (consubstantiels)[2] ne peuvent pas avoir d'opération divergente.

B. — Jean 16,12-15
L'Esprit de vérité

146. Mais pour apporter un autre témoignage qui puisse nous aider dans notre foi, voici comment l'Évangile s'exprime tout au long : « [12]J'ai encore bien des choses à vous dire, mais, actuellement, vous n'êtes pas à même de les supporter. [13]Lorsque viendra l'Esprit de vérité, il vous fera accéder à la vérité tout entière. Car il ne parlera pas de son propre chef, mais il dira ce qu'il entendra et il vous communiquera ce qui doit venir. [14]Il me glorifiera, car il recevra de ce qui est à moi et il vous le communiquera. [15]Tout ce que possède mon Père est à moi. C'est pourquoi je vous ai dit qu'il recevra de ce qui est à moi et qu'il vous le communiquera[a]. »

147. *[33]* Ces paroles mystérieuses nous apprennent qu'après avoir beaucoup enseigné ses disciples, Jésus leur

145. b. Ps. 103,30
146. a. Jn 16,12-15

§ 145. 2. On peut se reporter aux §§ 11, 75, 76, 81, 96, 105, 110, 120, 122.
§ 145. 3. Nous écrivons ὁμοούσια. Les manuscrits et les éditeurs ont tous écrit ou, déformant le grec, voulu écrire ὁμούσια. Une fois de plus, faisons ressortir le rejet par Jérôme du *consubstantialis* latin.

dixerit : « Adhuc habeo plurima dicere uobis[a] », quia
4 uerbum istud : « adhuc multa habeo dicere uobis », non
ad nouos quoslibet et penitus Dei sapientiam nescientes
dirigitur, sed ad eos qui uerborum eius auditores necdum
fuerant omnia consecuti.

148. Quaecumque enim sufferre poterant tradens eis,
in futurum tempus reliqua distulit, quae sine disciplina
Spiritus Sancti scire non poterant, quia ante aduentum
4 dominicae passionis non erat datus hominibus Spiritus
Sanctus, euangelista dicente : « Non enim erat Spiritus
datus, quia Iesus necdum fuerat glorificatus[a] », glorificari
dicens Iesum mortem gustare pro cunctis[b]. Itaque post
8 resurrectionem apparens discipulis suis et insufflans in
faciem eorum : « Accipite, inquit, Spiritum Sanctum[c] »,
et rursum : « Accipietis uirtutem Spiritus Sancti uenientis
super vos[d]. »

149. Quo ueniente in corda credentium, implentur sermone sapientiae et scientiae, et sic spirituales effecti,
suscipiunt Sancti Spiritus disciplinam quae possit eos ad
4 omnem deducere ueritatem.

AVΘ MYw BCΔ *Mi.*

3 plurima habeo ∼ CΔ ‖ plura V ‖ quia : qui Δ quid sibi uult
C ‖ 4 uerbum istud (Θ¹) : istud u. ∼ Θ² ‖ istud] + deest B id
est CΔ ‖ multa (M^sl) : *om.* M^ac ‖ habeo multa ∼ Θ ‖ uobis dicere
∼ A w ‖ uobis] + hoc est C ‖ 5 nouos : unus Δ^ac unos Δ^pc ‖
et : ac AΘ ‖ 5-6 penitus dei sapientiam nescientes dirigitur (-get
C) BCΔ : nesc. dei sap. dir. Mw penitus nesc. sap. dir. Y plenos
dei sapientia dir. sicut fuerunt iusti et prophetae AVΘ penitus dei
gratia uacuos dir. *Mi.* ‖ 6 uerborum eius auditores AVΘ : aud.
uerb. eius MYw aud. eius BCΔ ‖ 7 consecuti omnia ∼ AVΘ

148. *(ab 1* (quaecumque) *ad 7* (glorificatus) *uide notam)* ‖ 1
sufferre : sufficere B *Mi.* ‖ poterat Δ ‖ 3 sancti *om.* w ‖ 5 non
enim : nondum w non M^acY ‖ spiritus : sp. cuiquam Mw sp.
cuiusquam Y cuiquam sp. *Mi.* ‖ 6 nondum B ‖ fuerat : erat MYw

a dit : « J'ai encore bien des choses à vous dire[a]. » Or ces mots : « j'ai encore beaucoup de choses à vous dire », ne s'adressent pas à des novices ni à des gens complètement ignorants de la sagesse de Dieu, mais à ceux qui avaient été les auditeurs de sa parole et n'en avaient pas encore atteint toutes les conséquences.

148[1]. En leur livrant, en effet, ce qu'ils pouvaient supporter, (Jésus) reporta dans l'avenir ce qu'ils ne pouvaient pas comprendre sans l'enseignement de l'Esprit Saint, et cela parce que, tant que n'avait pas eu lieu la passion du Seigneur, l'Esprit Saint n'avait pas été donné aux hommes, selon que le dit l'évangéliste : « L'Esprit Saint n'était pas encore donné, parce que Jésus n'avait pas encore été glorifié[a]. »[2] Il entend par glorification le fait que Jésus goûte la mort pour tous[b]. C'est pourquoi, apparaissant à ses disciples après la résurrection et soufflant sur eux, il leur dit : « Recevez l'Esprit Saint[c] », et encore : « Vous recevrez la puissance de l'Esprit Saint qui viendra sur vous[d]. »

149. Cette venue dans le cœur des croyants les emplit de la parole de sagesse et de science ; et ainsi, devenus spirituels, ils reçoivent du Saint Esprit un enseignement apte à les conduire à toute la vérité.

‖ honorificatus MY ‖ 9 facies Δ ‖ 10 accipiens Δ ‖ 10-11 superuenientis in uos C
149. 1 impletur AVΘ[ac] implerentur Y ‖ 1-2 sermo AVΘ[ac] M[ac] sermonibus *Mi.* ‖ 3 spiritus sancti ~ w *Mi.* ‖ posset w Δ ‖ 3-4 deducere in omnem *Mi.* ‖ 4 ducere Y

---

147. a. Jn 16,12
148. a. Jn 7,39 ‖ b. cf. Hébr. 2,9 ‖ c. Jn 20,22 ‖ d. Act. 1,8

---

§ 148. 1. Voir *infra* : Notes complémentaires, p. 399.
§ 148. 2. Voir *infra* : Notes complémentaires, p. 400.

150. Necdum ergo instante hora in qua oportebat eos
Spiritu Sancto repleri tunc quando dixit ad eos : « Adhuc
multa habeo uobis dicere[a] », consequenter addidit : « sed
4 non potestis ea sufferre modo[b] ». Adhuc enim typo legis
et umbrae et imaginibus seruientes[c], non poterant ueritatem, cuius umbram lex portabat, inspicere, unde neque
spiritualia sustinere. « Cum autem, ait, uenerit ille — hoc
8 est Paracletus —, Spiritus ueritatis diriget uos in omnem
ueritatem[d] », sua doctrina et institutione uos transferens
a morte litterae ad Spiritum uiuificantem[e], in quo solo
omnis Scripturae ueritas posita est.

151. Ipse ergo Spiritus ueritatis, ingrediens puram et
simplicem mentem, signabit in uobis scientiam ueritatis
et, semper noua ueteribus adiungens[a], diriget uos in
4 omnem ueritatem.

152. *[34]* Ad Deum quoque Patrem quidam allegans
preces, loquitur : « Dirige me in ueritate tua[a] », id est
Vnigenito tuo, propria uoce testante : « Ego sum ueri-
4 tas[b]. » Quam perfectionem tribuit Deus mittens Spiritum
ueritatis qui credentes in totam dirigit ueritatem[c].

153. Dehinc in consequentibus de Spiritu ueritatis qui
a Patre mittatur et sit Paracletus, Saluator — qui et

AVΘ MYw BCΔ *Mi.*

150. 1 inst. ergo ~ Δ ‖ 2 spiritu — eos : intellegere AVΘ ‖
sancto sp. ~ BCΔ ‖ 4 ea *om.* MY ‖ sufferre *codd.* : portare *Mi.*
‖ typis BCΔ ‖ 6 portauit AVΘ ‖ nec Δ ‖ 7 ait uenerit : aduenerit
AVΘ ait adu. w ‖ 7-8 id est w ‖ ueritis Θ ‖ ueritatis sp. par. ~
Y ‖ 9 institutionem A[ac] ‖ 11 scriptura : scripti V
151. 2 signauit VΘ M ‖ 3 adiungentes C
152. 1 dominum MY ‖ quidem A[ac] ‖ alligans A[ac]V[ac] Θ[ac] ‖ 2 id
codd. : hoc *Mi.* ‖ 3 unigenito : unito Θ[ac] ‖ 5 diriget AVΘ
153. 1 dehinc — ueritatis *om.* AVΘ ‖ de hinc : de hunc Δ ‖
1-2 qui a : quia B ‖ 2 mittitur Δ ‖ est Δ ‖ 2-3 qui et ueritatis *om.*
BCΔ

150. Donc l'heure où ils devaient être remplis de l'Esprit Saint n'était pas encore venue quand il leur dit : « J'ai encore bien des choses à vous dire[a] », c'est pourquoi il ajouta : « mais actuellement vous n'êtes pas à même de les supporter[b] ». Comme ils rendaient encore un culte à l'esquisse qu'était la loi, à l'ombre et aux images[c], ils ne pouvaient pas regarder de près la vérité, dont la loi portait l'ombre, ni, par conséquent, supporter les choses spirituelles. « Mais, dit-il, quand celui-ci sera venu — celui-ci, c'est-à-dire le Paraclet —, l'Esprit de vérité vous fera accéder à la vérité tout entière[d] », vous faisant passer par sa doctrine et sa conduite de la mort de la lettre à l'Esprit vivifiant[e], en qui seul réside toute la vérité de l'Écriture.

151. Ainsi donc, l'Esprit de vérité lui-même, pénétrant dans une intelligence pure et sans détour, scellera en vous la connaissance de la vérité et, ajoutant toujours des choses nouvelles aux anciennes[a], vous fera accéder à toute la vérité.

152. *[34]* Adressant aussi à Dieu le Père ses prières, un suppliant dit : « Fais-moi marcher en ta vérité[a] », c'est-à-dire en ton Fils Unique, ce que celui-ci confirme de sa propre voix en disant : « Je suis la vérité[b]. » Cette perfection, Dieu l'accorde en envoyant l'Esprit de vérité ; celui-ci fait accéder les croyants à la vérité tout entière[c].

La parole de l'Esprit   **153.** En conséquence, dans la suite, s'agissant de l'Esprit de vérité qui est envoyé par le Père et qui est le Paraclet, le Sauveur, qui, lui aussi, est la Vérité, dit : « Il ne parlera pas de

---

150. a. Jn 16,12 a ‖ b. Jn 16,12 b ‖ c. cf. Hébr. 8,5 ; 9,23 ; 10,1 ‖ d. Jn 16,12 ‖ e. cf. II Cor. 3,6
151. a. cf. Matth. 13,52
152. a. Ps. 25,5 ‖ b. Jn 14,6 ‖ c. Jn 16,12

ueritas — ait : « Non enim loquetur a semetipso[a] », hoc
4 est non sine me et sine meo et Patris arbitrio, quia
inseparabilis a mea et Patris est uoluntate, quia non ex
se est, sed ex Patre et me est : hoc enim ipsum quod
subsistit et loquitur a Patre et a me illi est. Ego ueritatem
8 loquor, id est inspiro quae loquitur, siquidem Spiritus
ueritatis est.

154. Dicere autem et loqui in Trinitate, non secundum
consuetudinem nostram qua ad nos invicem sermocina-
mur et loquimur accipiendum, sed iuxta formam incor-
4 poralium naturarum et maxime Trinitatis, quae uoluntatem suam inserit in corde credentium et eorum qui
eam audire sunt digni ; hoc est 'dicere et loqui'.

155. *[35]* Nos quippe homines quando de aliqua re
ad alterum loquimur, primum quod uolumus mente
concipimus absque sermone. Deinde in alterius sensum
uolentes transferre, linguae organum commouemus et,

AVΘ MYw BCΔ *Mi.*

3 loquitur C ‖ 4 non *om.* C ‖ et 2°] + sine AVΘ ‖ arb. patris
~ B[ac] ‖ 5 inseparabilis (-ralis Θ[ac])] + est AVΘ ‖ est : eius Δ
om. AVΘ Y ‖ uoluntate] + et amplius AVΘ ‖ 5-6 ex se non
est ~ w ‖ quia — est 2° *om.* BCΔ ‖ 6 ipsud A[ac]V ‖ 6-7 quod
loq. et quod subs. w ‖ 7 a patre et a me illi est *om.* BCΔ ‖ a
2° *om.* A *Mi.* ‖ ueritas BCΔ ‖ 8-9 spiritus ueritatis : christus ueritas
B ‖ 9 est ueritas ~ C
154. 1 in *om.* CΔ ‖ trinitatem Δ ‖ 2 ad *del.* A ‖ inuicem :
inuice C *om.* AVΘ ‖ 3 accipiendum] + est MYw ‖ 4 naturam
CΔ ‖ 5 ingerit AVΘ ‖ corde (A¹) : corda A²V BCΔ ‖ eorum] +
inserit A¹ (*del.* A²) VΘ ‖ 6 eam : ea BCΔ ‖ audire eam ~ MYw
‖ dicere] + scire et intellegere AVΘ ‖ et] + denique ne quis...
B = *transitio ad* § 160, 1, *uide « Sacris erudiri » XVIII*, p. 381.
155. 1 homines] + homines Θ ‖ 3 concipimus] + et quia
non ualemus BCΔ ‖ inde BC *Mi. om.* Δ ‖ in *om.* AVΘ ‖ alterum
BCΔ ‖ sensui AVΘ sensa B sensu C ‖ 4 uolentes *om.* BCΔ ‖ tr.
uol. ~ AVΘ

son propre chef[a] », c'est-à-dire pas sans moi ni sans le gré du Père et le mien, car il ne peut être séparé de la volonté du Père ni de la mienne puisqu'il ne vient pas de lui-même, mais qu'il vient du Père et de moi, puisque le fait même qu'il subsiste et qu'il parle lui vient du Père et de moi. C'est moi qui dis la vérité, c'est-à-dire que j'inspire ce qu'il dit, étant entendu qu'il est l'Esprit de vérité[1].

Comment Dieu parle

154. Quant au fait, pour la Trinité, de dire et de parler, il ne faut pas l'entendre au sens courant où nous parlons et nous entretenons les uns avec les autres, mais en tenant compte de la condition des natures incorporelles et spécialement de la Trinité ; celle-ci fait pénétrer sa volonté dans le cœur des croyants et de ceux qui sont dignes de l'entendre : c'est cela (pour elle), « dire et parler ».

155. *[35]* Chez nous, les hommes, quand nous parlons de quelque chose à quelqu'un, nous concevons d'abord dans l'esprit ce que nous voulons dire, mais sans parole. Puis, pour le faire passer dans l'esprit d'un autre, nous

---

153. a. Jn 16,13

§ 153. 1. Ce paragraphe, avec les suivants, est particulièrement important, car il serre de près les conditions de la sortie et de l'accomplissement de sa mission par le Saint Esprit. Celui-ci, selon Didyme, tient tellement au Père et au Fils ensemble qu'il ne subsiste que par eux, que son envoi ne se fait pas sans la volonté commune des deux autres, que ses paroles ne peuvent lui venir que du Père et du Fils ; ici, fin du § 153, on entend bien que l'inspirateur de l'Esprit de vérité est le Fils, lui-même vérité. Il est bon de lire, à côté de ces passages, une même doctrine, mais plus élaborée, dans *De Trin.* II, 5, *PG* 39,489 B-492 A s. ; *ibid.* 12, 673 B s., où le verbe ἐκπορεύομαι joue entièrement son rôle. AMBROISE a repris l'idée de ce passage et de ce qui le suit dans son *De Sp.S.*, II, 12, 130-132, *CSEL*, p. 137.

4 quasi quoddam plectrum chordis dentium collidentes,
uocalem sonum emittimus. Quomodo igitur nos linguam,
quam palato dentibusque collidimus, et ictum aerem in
8 diuersa eloquia temperamus ut nobis nota communice-
mus in alios, ita et auditorem necesse est patulas praebere
aures et nullo uitio coartatas in ea quae dicuntur erigere,
ut possit ita scire quae proferuntur quomodo ea nouit
12 ille qui loquitur.

156. Porro Deus, simplex et incompositae specialisque
naturae, neque aures neque organa quibus uox emittitur
habet, sed solitaria incomprehensibilisque substantia nul-
4 lis membris partibusque componitur. Quae quidem et de
Filio et de Spiritu Sancto similiter accipienda.

157. *[36]* Si quando ergo legimus in Scriptura : « Dixit
Dominus Domino meo[a] », et alibi : « Dixit Deus : Fiat
lux[b] » et si qua his similia, digne Deo accipere debemus.

158. Neque enim ignorante Filio qui sapientia et ueritas est, Pater suam nuntiat uoluntatem, cum omne quod
loquitur, sapiens uerusque subsistens, in sapientia habeat

AVΘ MYw BCΔ *Mi.*

5 chordis A[1] : cordis A[2] *cett.* ‖ 6 lingua AVΘ ‖ 7 quam *om.* BCΔ
‖ collidimus : concludimus B ‖ ictu C ‖ 8 temperamus eloquia ~
Mi. ‖ ut (w[2]) : et w[1] ‖ 9 in : ad w ‖ et : ut Θ Y ‖ 10 nullo —
erigere : nulla uicio coartata sine aliis quae dicuntur excipere C ‖
arrigere BC excipere Δ ‖ 11 poscit M[ac] ‖ ea *om.* Θ ‖ nouit ea ~
Mi.

156. 1 compositae Θ incomposita V CΔ ‖ specialisque *codd.* :
spiritualisque *Mi.* ‖ 2 natura V BCΔ ‖ 3 incomprehensibilique
AVΘ ‖ 3-4 membris nullis ~ B[ac] ‖ 4 et *om.* M B ‖ 5 de *om.* M[ac]
‖ similiter *om.* C

157. 2 deus : dominus Y ‖ 3 his : is V M ‖ deo : de deo AVΘ
Δ *erasit* C de eo C[2mg] ‖ deb. accipere ~ Θ[pc]

agitons l'organe de la langue et, en frappant comme d'un plectre, les cordes des dents, nous émettons le son de la voix. Frappant donc le palais et les dents avec la langue et modulant l'air ainsi frappé en fonction des différentes énonciations, nous pouvons communiquer aux autres ce que nous savons ; il faut également que l'auditeur prête des oreilles bien ouvertes, qu'aucun défaut ne les resserre, et qu'il les tende vers les paroles dites pour pouvoir acquérir sur les choses émises la même connaissance que celui qui parle[1].

156. Or Dieu, qui est simple et qui a une nature spéciale et sans composition, n'a ni oreilles ni organes pour émettre la voix ; sa substance solitaire et insaisissable n'est composée ni de membres ni de parties. Et cela vaut également pour le Fils et pour l'Esprit Saint.

157. *[36]* Si donc il nous arrive de lire dans l'Écriture : « Le Seigneur a dit à mon Seigneur[a] », et ailleurs : « Dieu dit : que la lumière soit ![b] », ou toute autre parole semblable, nous devons les comprendre d'une manière digne de Dieu.

158. En effet, ce n'est pas sans que le Fils le sache, lui qui est la sagesse et la vérité, que le Père fait connaître sa volonté, puisque tout ce qu'il dit, lui, substantiellement sage et vrai, il le possède en sagesse et en substance.

---

158. 3 uerumque AVΘ BΔ uereque C

---

157. a. Ps. 109,2 ‖ b. Gen. 1,3

---

§ 155. 1. Cette description est intéressante, mais elle ne prouve pas que Didyme ait par lui-même beaucoup réfléchi sur la formation du langage. Elle a pu être empruntée à une source profane. Voir déjà § 113, note. Ambroise ne la reprend pas, il y fait seulement une allusion lointaine, *l.c.* 132 début, p. 138.

4 et in substantia. Loqui ergo Patrem et audire Filium, uel
e contrario Filio loquente audire Patrem, eiusdem naturae in Patre et Filio consensusque significatio est.

159. Spiritus quoque Sanctus, qui est Spiritus ueritatis
Spiritusque sapientiae, non potest Filio loquente audire
quae nescit, cum hoc ipsum sit quod profertur a Filio.

160. Denique ne quis illum a Patris et Filii uoluntate
et societate discerneret, scriptum est : « Non enim a
semetipso loquetur, sed sicut audiet loquetur[a]. » Cui
4 simile etiam de seipso Saluator ait : « Sicut audio, et
iudico[b] », et alibi : « Non potest Filius a se facere quicquam, nisi quod uiderit Patrem facientem[c]. »

AVΘ MYw BCΔ *Mi.*

4 in substantia : ueritate (-tis C) substantiam BCΔ ‖ loqui ergo :
liquide ergo est dicere AVΘ ‖ 4-5 uel — patrem *om.* V ‖ 4-6 uel
— naturae *om.* C ‖ 5 e contrario : contraria Δ ‖ filium loquentem
AΘ ‖ 6 consensoque Δ
159. 1 quoque *om.* AVΘ ‖ 2 audire filio loquente ~ AVΘ ‖
3 sit *om.* w ‖ filio] + non cum damno suo... B *transitio ad*
§ 164, 2, *uide « Sacris erudiri » XVIII,* p.381 ‖ 3 filio BCΔ] + id
est (ad eum w) procedens deus de deo spiritus ueritatis procedens
a ueritate consolator manans de consolatore AVΘ id est procedens
a ueritate consolator manans de consolatore deus de deo spiritus
ueritatis procedens MYw *Mi.*
160. 3 loquetur A[pc] B : loquitur A[ac]V MYw CΔ ‖ cui : qui
AVΘ ‖ 4 etiam simile ~ *Mi.* ‖ seipso : ipso se B[ac] se ipse Mw ‖
et *om.* BCΔ ‖ 5 a se *om.* BΔ ‖ 6 nisi — facientem *om.* C ‖ quod
om. MY BΔ

160. a. Jn 16,13 ‖ b. Jn 5,30 ‖ c. Jn 5,19

Ainsi, que le Père parle et que le Fils entende, ou, à l'inverse, que le Fils parle et que le Père entende[1], cela signifie qu'il y a dans le Père et dans le Fils même nature et plein accord.

159. L'Esprit Saint de son côté, qui est Esprit de vérité et Esprit de sagesse, ne peut pas, quand le Fils parle, entendre des choses qu'il ignorerait, puisqu'il est lui-même ce qui est proféré par le Fils[1].

160. Et pour que personne ne le sépare de la volonté ni de la communauté du Père et du Fils, il est écrit : « Il ne parlera pas, en effet, de son propre chef, mais il parlera comme il entendra[a]. » Semblablement à lui, le Fils dit de lui-même : « Je juge selon ce que j'entends[b] », et dans un autre endroit : « Le Fils ne peut rien faire de lui-même, mais seulement ce qu'il voit faire au Père[c]. »

---

§ 158. 1. « *à l'inverse, que le Fils parle et que le Père entende* », ce membre de phrase n'est pas sans étonner, car voir le Père écouter le Fils n'est pas habituel dans le commentaire des paroles de Jean (16, 14) sur le Saint Esprit. Voir ce que nous en avons déjà dit, *supra*, dans l'*Introduction*, Chap. VI, p. 84. Mais ce n'est pas par recherche de symétrie inverse que Didyme l'a écrite. On trouve en effet dans le *De Trin.*, III, 40, 981 B, ces mots : (le sujet est le Saint Esprit et c'est le Fils qui parle) Δοξάσει οὖν, φησίν, καθὸ τὰ αὐτὰ ὑμᾶς διδάξει ἅπερ ἐγώ, ἐγὼ δὲ ἅπερ ἤκουσεν ὁ Πατήρ « Il glorifiera donc, dit-il, selon qu'il vous enseignera les mêmes choses que moi, et moi que celles que le Père a entendues. » C'est à tort que Mingarelli a traduit ce qui nous intéresse par : *ego autem quae audiui a Patre* (*PG* 39, 982 B). Didyme entend bien, par cette réciprocité, montrer l'unité substantielle de la Trinité.

§ 159. 1. Pour la suppression importante que nous effectuons ici, voir *Introduction*, ch. VI, p. 86, et ch. VIII, p. 114. *Infra :* Notes complémentaires, p. 400.

161. Si enim unus est Patri Filius, non iuxta Sabellii
uitium Patrem et Filium confundentis, sed iuxta indiscre-
tionem essentiae siue substantiae, non potest quicquam
4 absque Patre facere, quia separatorum diuersa sunt
opera, sed uidens operantem Patrem, et ipse operatur,
non in secundo gradu et post illum operans. Alia quippe
Patris, alia Filii opera esse inciperent, si non aequaliter
8 fierent.

162. Scriptum est autem : « Quae enim ille facit —
haud dubium quin Pater — , haec eadem Filius similiter
facit[a]. » Quod si operante Patre et Filio, non iuxta
4 ordinem primi et secundi sed iuxta idem tempus ope-
randi, eadem et indissimilia subsistunt uniuersa quae
fiunt, et Filius non potest a semetipso quid facere quia
a Patre non potest separari, sic et Spiritus Sanctus ne-
8 quaquam separatus a Filio propter uoluntatis naturaeque

AVΘ MYw BCΔ *Mi.*

161. 1 patri : pater et B ‖ sabelli CΔ ‖ 2 uitium *codd.* : dictum
Mi. iuxta edd. anter. ‖ confundentes AVΘ ‖ sed] + ut M ‖ 2-
3 discretionem C ‖ 4 facere absque patre ∼ M abque *(sic)* p. f.
w ‖ sunt] + corpora Δ[ac] carporeat(?) Δ[pc] ‖ 5 uidens] + filius
AVΘ ‖ operator Θ ‖ 6 in : enim V *om.* M *Mi.* ‖ alia : aut alia
AVΘ ‖ 7 esse opera ∼ Δ
162. 1 autem : enim w ‖ 1-3 quae — facit *om.* Θ ‖ 2 haud :
aut A ‖ dubium] + loqui nos quippe... B = *transitio ad* § 154-
155, 1 ; *uide* « *Sacris erudiri* » *XVIII*, p. 381 ‖ 3 filio et p. ∼ w ‖
4 sed : et Θ ‖ 5 et : etiam AVΘ ‖ indissimilia : similia AVΘ MY
insimilia Δ ‖ subsistant AΘ MY ‖ 6 quid : non Δ quidquam *Mi.*
‖ quia : qui MYw *Mi.* ‖ 7 non potest a patre ∼ AVΘ ‖
8 separatur AVΘ M ‖ filio] + se *cancellat.* V

---

162. a. Jn 5,19

---

§ 161. 1. *Sabellius* : seul hérétique nommé dans le *De Sp.S.*
Sabellius avait vécu au IIIème siècle, mais son nom resta attaché
jusqu'au Vème siècle aux formes modalistes des hérésies trinitaires,

**Unité d'action
et de nature entre Père,
Fils et Esprit**

161. Si, en effet, le Fils ne fait qu'un avec le Père, non pas selon l'opinion dévoyée de Sabellius[1] qui confond le Père et le Fils, mais selon l'indivisibilité de l'essence ou de la substance, il ne peut rien faire sans le Père : à ouvriers séparés, en effet, œuvres différentes ; mais voyant agir le Père, il agit lui-même, sans agir en second rang ni après lui. Car les œuvres du Père et celles du Fils se mettraient à être différentes, si elles ne se produisaient pas sur un mode d'égalité.

162. Il est écrit d'autre part : « Ce qu'il fait — « il » : évidemment le Père — , le Fils le fait pareillement[a]. » Or si l'opération du Père et du Fils, qui ne comporte, dans l'ordre, ni premier ni second, et qui est une opération simultanée[1], permet à tous les êtres créés de subsister dans la similitude de leur nature et si le Fils ne peut rien faire de lui-même puisqu'il ne peut pas être séparé du Père, alors, de la même façon aussi, pour l'Esprit Saint, qui n'est d'aucune manière séparé du Fils étant donné leur communauté de volonté et de nature, il y a lieu de croire qu'il ne parle pas de lui-même, mais

selon lesquelles Dieu, n'étant qu'une seule personne, se manifestait sous trois aspects différents.

§ 162. 1. Réflexion importante. JUSTIN, *Dialog.* 56, 11, avait dit que le Dieu vu par Moïse et « qui est désigné comme Dieu est autre que le Dieu qui a fait toutes choses, j'entends pour le nombre et non pas pour la pensée » (trad. Archambault) ; de même, peu avant ce premier texte, au n° 4 : « il y a et il est dit qu'il y a un autre Dieu et Seigneur au dessous du Créateur de toutes choses ; il est aussi appelé ange ». Sans doute la réflexion trinitaire balbutiait encore à l'époque de Justin (deuxième moitié du IIe siècle), mais des textes de ce genre étaient intolérables deux siècles plus tard. Didyme avait résolument pris parti contre toute infiltration subordinatienne d'où qu'elle vînt.

consortium, non a semetipso creditur loqui, sed iuxta uerbum et ueritatem Dei loquitur uniuersa quae loquitur.

163. Hanc opinionem sequentia Domini uerba confirmant, dicentis : « Ille me clarificabit — id est Paracletus — quia de meo accipiet[a]. » Rursum hic 'accipere' ut
4 diuinae naturae conueniat intellegendum.

164. *[37]* Quomodo enim Filius dans non priuatur his quae tribuit neque cum damno suo impertit aliis, sic et Spiritus non accipit quod ante non habuit. Si enim prius
4 quod non habebat accepit, translato in alium munere, uacuus largitor effectus est, cessans habere quod tribuit.

165. Quomodo igitur supra de naturis incorporalium disputantes intelleximus, sic et nunc Spiritum Sanctum a Filio accipere id quod suae naturae fuerat cognoscendum
4 est, et non dantem et accipientem sed unam significare substantiam, siquidem et Filius eadem a Patre accipere

AVΘ MYw BCΔ *Mi.*

9 non : nam AVΘ ‖ a *codd.* : *om. Mi.* ‖ 10 dei *om.* AVΘ ‖ loquitur 1° — loquitur 2° *om.* Δ ‖ quae loquitur *om.* C
163. 1 uerba domini VΘ ‖ 1-2 confirment A[ac] ‖ 2-3 *hic in margine glossa legitur* eo quod sp. s. procedit a filio A[2] ; *postea in mg. quoque scr.* A[3] subtilissime de Patre et Filio et Spu Sto ‖ 2 dicentes Y ‖ glorificabit BCΔ claribit Θ[ac] clarificauit M ‖ 3 rursum : et r. AVΘ ‖ accipere hic ~ Y ‖ ut : uim Δ ‖ 4 conuenit BCΔ
164. 1 enim : etiam AVΘ ergo *Mi.* ‖ 2 tribuet C ‖ neque] + suum ostendens eius... B = *transitio ad* § 169, 3 ; *uide « Sacris erudiri »* XVIII, p. 382. ‖ impertitur C imperat AΘ ‖ alii B ‖ 3 spiritus] + sanctus w ‖ quo dante V ‖ non ante ~ Δ ‖ 3-4 quod prius BC *Mi.* ‖ 4 translatum M[ac] ‖alium : illum AVΘ M C illo BΔ
165. 1 ergo C ‖ 2 intellexerimus w ‖ et nunc] + et Y ‖ 3-5 id — accipere *om.* B ‖ 4 dantem et accipientem : -tis et -entis aliquid diuersum AVΘ ‖ sed unam *om.* V ‖ 5 eadem et filius ~ Θ ‖ 5-6 dicitur accipere w

que tout ce qu'il dit, il le dit selon la parole et la vérité de Dieu.

163. Confirment cette opinion les paroles suivantes de Dieu, qui dit : « Celui-ci — c'est-à-dire le Paraclet — me glorifiera, car il recevra de ce qui est à moi[a]. » Ici encore, il faut comprendre le mot « recevoir » d'une manière qui convienne à la nature divine[1].

164. *[37]* Quand le Fils donne, il ne se prive pas des dons qu'il accorde et ce n'est pas à son détriment qu'il partage avec d'autres : de même façon, l'Esprit ne reçoit rien qu'il ne l'ait possédé auparavant. Si, en effet, ce qu'il ne possédait pas d'abord lui était octroyé, il deviendrait, après avoir transféré le don à un autre, un dispensateur vacant, dépossédé de ce qu'il a accordé[1].

165. Aussi faut-il savoir maintenant, comme nous l'avons compris plus haut en parlant des natures des incorporels, que l'Esprit Saint reçoit du Fils ce qui appartenait à sa nature. Et cela ne signifie pas qu'il y a un donneur et un receveur, mais une seule substance, puisqu'il est rapporté du Fils qu'il reçoit du Père tout ce

---

163. a. Jn 16,14

---

§ 163. 1. Cf. *De Trin.* III, 40, 981 B. Même développement, qui se poursuit selon le § 164 et s.

§ 164. 1. Cet argument, que l'Esprit donne sans s'appauvrir puisqu'il est la source même des dons, est utilisé par Didyme, on l'aura remarqué, extrêmement souvent, comme à tout propos, — depuis 11, 13, 19... La richesse inépuisable de l'Esprit Saint est une preuve, elle-même inépuisable, de sa divinité. — D'autre part, même développement (« le Fils ne se prive pas de ses dons... ») en *De Trin.* III, 40, *PG* 39, 981 C.

dicitur quibus ipse subsistit. Neque enim quid aliud est
Filius exceptis his quae ei dantur a Patre, neque alia
8 substantia est Spiritus Sancti praeter id quod ei datur a
Filio.

166. Propterea autem ista dicuntur ut eamdem in Trinitate credamus esse naturam Spiritus Sancti quae est
Patris et Filii.

167. *[38]* Quia enim omnis humana uox nihil potest
aliud indicare quam corpora, et Trinitas, de qua nunc
nobis sermo est, omnes materiales substantias superat,
4 idcirco nullum uerbum potest ei proprie coaptari et eius
significare substantiam, sed omne quod loquimur
καταχρηστικῶς, id est abusiue, et de incorporalibus
cunctis et maxime de Trinitate loquimur.

AVΘ MYw BCΔ *Mi.*

6 quibus AVΘ : quae w BCΔ quia MY ‖ aliquid C ‖ 7 neque]
+ enim AVΘ ‖ 8 est sp. sancti subst. ~ MYw sanctus VΘ ‖
datur ei ~ *Mi.*
   166. 1 autem *om.* Θ ‖ eadem A^{ac}V ‖ 2-3 spiritus — filii *om.*
BCΔ ‖ quae : cui A^{ac} cuius V
   167. 1 enim *codd.* : ergo *Mi.* ‖ 2 indicare BC : iudicare MYw
Δ dicere AVΘ ‖ corpora : corporea Δ^{ac} corporalia AVΘ ‖ 3 sermo
est nobis ~ w ‖ sermo est : sermone Δ ‖ substantias *om.* Δ ‖
separat Θ ‖ superat subst. ~ w ‖ 5 significare : digne proloqui
uel fari AVΘ ‖ 6 καταχρηστικῶς *edd.* : *sim. gr.* AΘ MY CΔ
transcr. lat. pessima V B w *glossa in mg.* A « id est abusiue » ‖
id est : ac idem Θ M ‖ abusiue *codd.*] + est *Mi.* ‖ 7 de *codd.* :
cum de *Mi.*

§ 165. 1. Cette dernière phrase indique très nettement ce qu'on
a appelé le diagramme rectiligne des processions à l'intérieur de
la Trinité, à savoir que l'Esprit procède « du Père par le Fils » :
a Patre per Filium. La procession dite triangulaire serait « du Père
et du Fils » : *a Patre Filioque,* ou si l'on préfère *ab utroque.* Cette

qui fait qu'il subsiste. Le Fils, en effet, n'est pas autre chose que ce qui lui est donné par le Père, et l'Esprit Saint n'a pas d'autre substance que ce qui lui est donné par le Fils[1].

166. Mais la raison d'être de ces propos est de nous amener à croire que, dans la Trinité, la nature de l'Esprit Saint est la même que celle du Père et du Fils[1].

167. *[38]* Parce que la voix humaine ne peut bien révéler que ce qui est corporel et que la Trinité, dont nous nous occupons présentement, surpasse toutes les substances matérielles, il faut bien se dire qu'aucun mot ne peut exactement s'ajuster à elle ni signifier sa substance ; mais tout ce que nous disons, nous le disons καταχρηστικῶς — c'est-à-dire improprement — quand il s'agit des « incorporels » en général et particulièrement de la Trinité[1].

schématisation logique importait peu à Didyme. Rectiligne ou triangulaire, c'est une explication orthodoxe. Le point important est de ne pas confondre la *génération* pour l'origine du Fils et la *procession* pour l'origine de l'Esprit. Saint Jean Damascène ajoute : « En quoi consiste la différence, nous ne le savons pas. » (*De fide orthod.* I, 8, *PG* 94, 824 A)

§ 166. 1. Remarquer que les mots *Spiritus Sancti quae est Patris et Filii* sont absents de la famille γ (BCΔ) et par conséquent des 36 manuscrits qui dépendent d'elle. Ce qui fait comprendre la remarque de Vallarsi : « *alii absunt* ». Nous n'avons pas pensé que ce membre de phrase doive passer pour une interpolation dans les familles α et β, malgré les soupçons que les § 159 et 230 peuvent faire planer sur ces familles. Le cas n'est pas le même ; mais ici, toutefois, l'explication qui viendrait d'un homoiotéleute ne peut pas servir à expliquer l'absence des mots en γ. Accident d'inattention ? — c'est possible... ! Difficulté pour Jérôme d'accepter la consubstantialité (*eamdem naturam*) sans l'attribuer nommément aux personnes ? — cette raison ne nous satisfait guère...

§ 167. 1. Cf. encore *De Trin. ibid.* 984 A, où avec la même idée on retrouvera sans surprise le même mot grec καταχρηστικῶς.

168. Glorificat itaque Filium Spiritus Sanctus, ostendens illum et in apertum proferens his qui mundo corde eum intellegere et uidere sunt digni[a] et scire splendorem
4 substantiae et imaginem Dei inuisibilis[b]. Rursum ipsa imago, ostendens se puris mentibus, glorificat Patrem, insinuans eum nescientibus : « Qui enim, ait, me uidet, uidet et Patrem[c]. »

169. Pater quoque reuelans Filium his qui ad calcem scientiae peruenire meruerunt, glorificat Vnigenitum suum, ostendens eius magnificentiam atque uirtutem. Sed
4 et ipse Filius tribuens Spiritum Sanctum his qui se dignos eius munere praeparauerunt et pandens eis sublimitatem glorificationis et magnitudinis eius, glorificat illum.

170. Deinde interpretationem inferens quomodo dixisset : « de meo accipiet », protinus subiecit : « Omnia quae habet Pater, mea sunt ; propterea dixi 'de meo accipiet
4 et annuntiabit uobis'[a] », quodammodo loquens : licet a Patre procedat Spiritus ueritatis[b] et det illis Deus Spiritum Sanctum petentibus se[c], tamen quia omnia quae habet Pater mea sunt, et ipse Spiritus Patris meus est et
8 de meo accipiet.

AVΘ MYw BCΔ *Mi.*

168. 1 itaque : igitur BCΔ ‖ 2 et *om.* V ‖ 3 intell. eum ∼ w ‖ uid. et intell. ∼ ‖ digni s. ∼ Δ ‖ scire *post* 4 inuisibilis *Mi.* ‖ 4 imaginis A ‖ rursus w ‖ 4-5 imago ipsa ∼ MYw ‖ 5 se p. ment. ost. ∼ w ‖ 6 qui : quia w ipse *Mi. iuxta edd. anter.* ‖ enim] + cum A²ˢˡ *om.* w Δ ‖ ait] + qui AVΘ MYw Δ ‖ me uidet : me uidit AᵃᶜVΘᵃᶜ C uidet me ∼ *Mi.* ‖ 7 uidet : uidit AᵃᶜVΘᵃᶜ C ‖ patrem] + insinuans eum *cancellat. ut uid.* V

169. 1 reuelat AᵃᶜVΘ ‖ calcem : callem Δ ‖ 2 scientiae : sapientiae AVΘ ‖ unigenitum : genitum V]+ quin patri haec eadem B *transitio ad* § 162, 2 ; *uide « Sacris erudiri » XVIII,* p. 382 ‖ 4 et *om.* AVΘ ‖ 5 eis : eius A¹ (*del.*A²) VΘ C *om. Mi.* ‖ 6 et magnitudinis *om.* Δ ‖ eius] + uirtutem *Mi.* ‖ glorificans AᵃᶜVΘ

170. 1 deinde : denique BCΔ ‖ quo modo (quomodo *codd.*) : quomo Δ cum modo *Mi.* ‖ 2 protinus *om.* Δ ‖ 5 spiritus] +

168. Donc l'Esprit Saint glorifie le Fils en le manifestant et en le révélant à ceux qu'un cœur pur rend dignes de le comprendre, de le voir[a] et de connaître la splendeur de la substance et l'Image du Dieu invisible[b]. A son tour, l'Image elle-même, en se dévoilant à des âmes pures, glorifie le Père, en faisant entendre à ceux qui ne le connaissent pas : « Celui qui me voit, voit aussi le Père[c]. »

169. Le Père aussi, en révélant le Fils à ceux qui ont mérité de parvenir au sommet de la science, glorifie son Fils Unique en montrant sa magnificence et sa puissance. Mais le Fils aussi le glorifie en accordant l'Esprit Saint à ceux qui ont travaillé à se rendre dignes d'en recevoir le don et en déployant pour eux la sublimité de sa glorification et de sa grandeur.

170. Abordant ensuite l'explication de ce qu'il entendait par « il recevra de ce qui est à moi », il ajouta aussitôt : « Tout ce que possède mon Père est à moi ; c'est pourquoi j'ai dit : Il recevra de ce qui est à moi et vous l'annoncera[a]. » C'était dire équivalemment : Bien que l'Esprit de vérité procède[1] du Père[b] et que Dieu donne l'Esprit Saint à ceux qui le lui demandent[c] cependant, puisque tout ce que possède le Père est à moi, même l'Esprit du Père est à moi et il recevra de ce qui est à moi.

---

sanctus *cancellat.* C ‖ dedit AVΘ ‖ illis : illi *Mi. om.* BCΔ ‖ 6 se *om.* AVΘ ‖ tamen : tantum V ‖ 7 ipse : iste ipse BCΔ ‖ patris spiritus ∼ Y ‖ patris : sanctus AVΘ

---

168. a. cf. Matth. 5,8 ‖ b. cf. Col. 1,15. Hébr. 1,3 ‖ c. Jn 14,9
170. a. Jn 16,15 ‖ b. cf. Jn 15,26 ‖ c. cf. Lc 11,13

---

§ 170. 1. « *procedat* », c'est la seule fois que le mot apparaît dans le Traité. Il marque bien, selon l'Évangile, ἐκπορεύεσθαι, *Jn* 15, 26, la sortie pour accomplir la mission. L'emploi du mot, ici, contrairement au § 159, n'est pas douteux ; cf. *Introduction*, ch. VIII, p. 114-115.

171. Caue autem cum ista dicuntur ne prauae intelle-
gentiae labaris in uitium et putes rem esse aliquam et
possessionem quae a Patre habeatur et Filio. Verum quae
4 habet Pater iuxta substantiam, id est aeternitatem, immutabilitatem, incorruptionem, immutabilem bonitatem
de se et in se subsistentem, haec eadem habet et Filius.
Et ut plus inferam, quicquid Filius ipse subsistit et
8 quaecumque sunt Filii, haec eadem et Pater habet.

172. Procul hinc absint dialecticorum tendiculae et
sophismata a ueritate pellantur, quae occasionem impietatis ex pia praedicatione capientia, dicunt : Ergo et Pater
4 est Filius, et Filius Pater. Si enim dixisset : « Omnia
quaecumque habet Deus mea sunt », haberet occasionem
impietas confingendi et uerisimile uideretur esse mendacium. Cum uero dixerit : « Omnia quae habet Pater mea
8 sunt », Patris nomine se Filium declarauit, paternitatem
qui Filius erat non usurpauit, quamquam et ipse per
adoptionis gratiam multorum sanctorum sit pater, secundum illud quod in Psalmis legitur : « Si custodierint filii
12 tui[a] », et iterum : « Si dereliquerint filii eius legem
meam[b]. »

AVΘ MYw BCΔ *Mi.*

171. 1 dicantur A ‖ pravae (-e) AVΘ : praua BC pra Δ graue
MYw *Mi.* ‖ 1-2 intellegentia BCΔ ‖ lab. intell. ∼ w *Mi.* ‖ 2 in
uitium : in initium Δ ‖ putes] + eum *cancellat.* Y ‖ aliquam
esse ∼ *Mi.* ‖ 3 habeatur a patre ∼ w ‖ 4 pater habet ∼ AVΘ ‖
aeternitatem : -tis C[2sl] trinitatem Δ ‖ 5 immutabilem : immortali-
tatem BCΔ ‖ 6 filius : filium M[ac] ‖ 7 et 1° *om.* M ‖ inferant V ‖
filius *om.* AVΘ ‖ subsistit]+ sic et filius et spiritus sanctus
subsistunt AVΘ

172. 1 absint : sint Δ[ac] ‖ dialeticorum Θ ‖ 3 capientia : capienda
Y sapientiae C ‖ 4 diceret Δ ‖ 5 quae M[ac] C ‖ habet : haberet V
‖ 6 impietatis B ‖ confingere C ‖ 6-7 mend. esse ∼ M ‖ 7 dixerint
M[ac] ‖ quaecumque AVΘ ‖ 8-173, 1 se — sermone *om.* BCΔ ‖
9 quaquam y ‖ 10 adoptionis (A²Θ²) : optionis A[ac]Θ[ac] ‖ 11 psalmo
MY ‖ 12 tui]+ testamentum meum A[2sl]

171. Prends garde néanmoins, en disant cela, de tomber dans le travers d'une intelligence erronée et de penser qu'il s'agit de la possession d'une chose matérielle qui serait tenue par le Père et le Fils. Mais tout ce que possède le Père comme substance, c'est-à-dire l'éternité, l'immutabilité, l'incorruptibilité, la bonté immuable qui subsiste de soi et en soi, tout cela le Fils aussi le possède. Et pour aller plus loin, tout ce que le Fils est en substance et tout ce qui appartient au Fils, tout cela aussi est possession du Père.

172. Loin de nous les pièges des dialecticiens[1] ! La vérité, préservons-la des sophismes qui prennent occasion d'une pieuse prédication pour verser dans l'impiété et qui disent : « Donc le Père est le Fils et le Fils est le Père ! » — S'il avait dit : « Tout ce que Dieu possède est à moi », l'impiété aurait prétexte à se donner libre cours et son mensonge paraîtrait vraisemblable. Mais comme il a dit : « Tout ce que le Père possède est à moi », par le nom du Père, il s'est déclaré Fils ; tout Fils qu'il était, il n'a pas revendiqué la paternité[2], bien que lui aussi soit le père d'une multitude de saints par la grâce de l'adoption, au témoignage de ce qu'on lit dans les Psaumes : « Si tes fils gardent[a]... », et encore : « Si tes fils abandonnent ma loi[b]. »

---

172. a. Ps. 131,12 ‖ b. Ps. 88,31

---

§ 172. 1. G. BARDY, *Didyme l'Aveugle,* p. 222, a dit le cas que faisait Didyme des raisonnements des hérétiques : captieux et pervers ; il s'en méfiait et les combattait ; mais de son côté il savait user pour les contrebattre de la rhétorique apprise dans les écoles.

§ 172. 2. *la paternité* : à des mots de ce genre, on voit se préciser la propriété des personnes. Plus haut, nous avons rencontré le mot très précis de « *filietas* », § 139.

173. Sed in hoc sermone sensuque praeposito, consequenter, ea quae superius diximus Patris esse, habet et
Filius, et quae Filii sunt habet et Spiritus Sanctus. Ait
4 quippe : « De meo accipiet, propterea et uentura annuntiabit uobis[a]. » Per Spiritum siquidem ueritatis, futurorum sanctis uiris scientia certa conceditur. Vnde et prophetae hoc eodemque repleti Spiritu praenuntiabant
8 sensu et quasi praesentia intuebantur quae erant deinceps
secutura.

174. Satis haec abundeque iuxta nostri ingenii paupertatem de praesenti Euangelii capitulo dixisse sufficiat. Si
quibus autem Dominus reuelauerit, et in uiciniam ueri-
4 tatis adducti sunt magisque possunt cernere ueritatem,
disputationi illorum concedamus meliora, quibus ille suf-
fragatur qui est Spiritus ueritatis, et petamus eos qui
lecturi sunt ut ignoscant imperitiae studioque dent ue-
8 niam cupienti totum Deo offerre quod potuit, licet suam
non quiuerit implere uoluntatem.

AVΘ MYw BCΔ *Mi.*

173. 1 sed : si w ‖ sensu sermoneque AVΘ (sermo neque V) ‖
praeposito V ‖ 2 diximus superius ∼ *Mi.* ‖ 3 habet et sp. sanctus :
omnia sunt et spiritus sancti AVΘ ‖ et 2° *om.* B ‖ 4 et *om.* CΔ
‖ 5 ueritas Δ ‖ 5-6 sanctis uiris futurorum ∼ *Mi.* ‖ 6 conseditur
V consequitur B ‖ unde *om.* BCΔ ‖ 7 eodem BCΔ *Mi.* ‖ spiritu
repleti ∼ AVΘ ‖ spiritus M[ac] ‖ 8 sensu (A[pc]) : sensum A¹VΘ
MYw ‖ 8-9 deinceps secutura : de eo postea futura C
174. 1 haec A² : et A¹ ac C ‖ ingenii nostri ∼ *Mi.* ‖ 1-
2 paupertatem : prouidentiam C ‖ 2 praesentis C ‖ 3 autem : ergo
C ‖ reuelauit w B -labit MYΔ ‖ dominus *om.* A[ac] ‖ reuel. dom.
∼ AΘ ‖ uiciniam : -nia BΔ -nam AVΘ uiam C ‖ 3-4 ueritatem
AVΘ ‖ 4 abducti Θ ‖ magisque : magis A[ac] satisque C ‖ cernere
(A[2sl]) : certe (-ta) eruere A¹VΘ ‖ 5 eorum AVΘ ‖ concedimus AΘ
consedimus V cedamus C ‖ 5-6 meliora — ueritatis *om.* BCΔ ‖
7 petamus : petimus A² *Mi.* ‖ studioque : et praesumptioni C ‖
dent : cedant C dant Δ ‖ 8 cupiendi Δ ‖ totum *om.* Δ ‖ cupienti
— quod : pariterque stilo quotatum (qui V quo totum Θ) deo
offerre uoluit et fratribus quidquid (+ et Θ) AVΘ ‖ suam *abhinc*

173. Mais de cette phrase et dans le sens qu'on a établi, il faut tirer la conséquence que tout ce que nous avons dit plus haut appartenir au Père, le Fils aussi le possède, et ce qui appartient au Fils, l'Esprit Saint aussi le possède. Car (le Fils) dit : « Il recevra de ce qui est à moi, c'est pourquoi il vous annoncera ce qui doit venir[a]. » C'est bien par l'Esprit de vérité qu'une connaissance assurée de l'avenir est accordée à de saints personnages. C'est ce qui fait que les prophètes, remplis de ce même Esprit, prédisaient en paroles et voyaient comme actuels les événements qui devaient ensuite survenir.

Conclusion provisoire   **174.** En voilà assez dit et, compte tenu de la faiblesse de notre esprit, c'est abondamment suffisant sur ce chapitre de l'Évangile. Mais si, par révélation du Seigneur, quelques-uns sont amenés au voisinage de la vérité et peuvent mieux la percevoir, laissons-leur de meilleures explications auxquelles celui qui est l'Esprit de vérité apporte son soutien : demandons à ceux qui nous liront d'être indulgents à notre inexpérience et d'excuser le zèle de quelqu'un qui a voulu offrir à Dieu tout ce qui était en son pouvoir en dépit des pauvres résultats de sa bonne volonté[1].

---

usque § 248, 1 sonet *deest* C *cuius locum* tenet Γ ‖ 9 non quiuit A[ac] nequiuerit V ‖ implere non quiuerit BΔ

---

173. a. Jn 16,13

---

§ 174. 1. Voilà finies les explications données depuis le § 132 sur l'Évangile de Jean, ch. 14, 15, 16, qui ont permis de préciser la nature et le mode d'enseignement de l'Esprit de vérité. Didyme a l'air de considérer qu'il en a fini pour le moment. Il fait une pause et prie qu'on l'excuse de la faiblesse de ses moyens. Cette modestie lui est coutumière ; on l'a déjà rencontrée au début, § 2, on en trouvera encore l'expression à la fin du livre, § 277, et, plus tard, dans le *De Trin.*, entre autres I, 35-36, 437 & 440, qui sont précisément les deux derniers chapitres du Livre I.

175. *[39]* Proponamus autem et Pauli Apostoli ad Romanos Epistolae testimonium[a] quaeque nobis in illo uidentur praesenti materiae congruere uentilemus.

« **176.** [4]Vt iustificatio, inquit, legis impleatur in uobis, « qui non iuxta carnem ambulatis sed iuxta Spiritum. « [5]Qui enim iuxta carnem sunt, ea quae carnis sunt 4 « sapiunt ; qui uero iuxta Spiritum, ea quae Spiritus sunt « sentiunt. [6]Sapientia quippe carnis mors, sapientia uero « Spiritus, uita et pax ; [7]quia sapientia carnis inimica est « Deo, legi quippe Dei non subicitur, neque potest. [8]Qui 8 « uero in carne sunt, Deo placere non possunt.

« **177.** [9]Vos autem non estis in carne, sed in Spiritu, « si tamen Spiritus Dei habitat in uobis. Si quis autem « Spiritum Christi non habet, hic non est eius. [10]Si autem 4 « Christus in uobis, corpus quidem mortuum est propter « peccatum, Spiritus uero uita propter iustitiam. [11]Si au- « tem Spiritus eius qui suscitauit Iesum a mortuis habitat « in uobis, qui suscitauit Iesum Christum a mortuis 8 « uiuificabit et mortalia corpora uestra per inhabitantem

---

AVΘ MYw BΓΔ *Mi.*

175. 1 proponemus V[ac] (-na- V[2pc]) ‖ autem *om. Mi.* ‖ pauli *om.* A BΓΔ ‖ 1-2 ep. ad rom. apost. ∼ B ‖ 2 epistolam et AVΘ ‖ testimonia AVΘ ‖ quaeque : quae Δ[ac] ‖ illo : illa B V *Mi.* ‖ 2-3 uid. in i. ∼ Θ ‖ 3 praesentis M[ac] ‖ congruere]+ ut V

176. 1 ut : et B ‖ in quid Δ ‖ 2 quia Θ ‖ ambulatis *post* spiritum MY ‖ iuxta 2° : secundum *Mi.* ‖ 3 carnem]+ 6 *litt. eras.* A ‖ ea *om.* ΓΔ ‖ sunt carnis ∼ ΓΔ ‖ 4 sunt spi. ∼ BΓΔ ‖ 5 sentiunt *om.* BΓΔ ‖ quippe : quoque w ‖ mors]+ est B *Mi.* ‖ 5 uero : autem *Mi.* ‖ 6 quoniam *Mi.* ‖ 7 non *om.* Γ ‖ non subi. dei ∼ MYw ‖ neque : minime neque ΓΔ neque enim *Mi.*

177. 2 si : sic M[ac] ‖ 3 hic : is B iste ΓΔ ‖ 4 christus]+ est w *Mi.* ‖ est *om.* BΓΔ ‖ 5 uita : uiuit MYw *Mi.* ‖ 6 iesum]+

C. — Témoignage de l'Apôtre Paul

175. *[39]* Mais apportons le témoignage de l'Apôtre Paul dans l'Épître aux Romains et faisons-en ressortir ce qui nous paraît s'y rapporter au sujet que nous traitons.

176. « [*Rom. 8, 4-17*], ⁴Que la justice exigée par la loi, soit accomplie en vous qui ne marchez pas sous l'empire de la chair mais de l'Esprit. ⁵Ceux, en effet, qui vivent selon la chair ont une aspiration aux choses de la chair, mais ceux qui vivent selon l'Esprit ont un sens qui les attire aux choses de l'Esprit. ⁶Car la chair aspire à la mort ; l'Esprit, au contraire, aspire à la vie et à la paix. ⁷Aussi les aspirations de la chair sont-elles en révolte contre Dieu, car elles ne se soumettent pas à la loi de Dieu ; elles ne le peuvent pas. ⁸Ceux qui sont sous l'empire de la chair ne peuvent pas plaire à Dieu.

177. ⁹Or vous, vous n'êtes pas sous l'empire de la chair mais de l'Esprit, si vraiment l'Esprit de Dieu habite en vous. Mais si quelqu'un n'a pas l'Esprit du Christ, celui-là ne lui appartient pas. ¹⁰Mais si le Christ est en vous, le corps, à la vérité, est mort à cause du péché, mais l'Esprit est la vie à cause de la justice. ¹¹Et si l'Esprit de Celui qui a ressuscité Jésus d'entre les morts habite en vous, Celui qui a ressuscité Jésus d'entre les morts donnera aussi la vie à vos corps mortels par son Esprit[1] * qui habite en vous.

---

christum MYw BΔ ‖ a : ex AΘ ‖ 7 qui — mortuis (Θᵐᵍ) : *om.*
Θᵗˣ MYw ‖ christum *om.* AVΘ ‖ a : ex AΘᵐᵍ (a Θᵗˣ) BΔ ‖
8 uiuificauit AVΘ ‖ per Yw BΓΔ : propter AVΘ M

176-178. a. Rom. 8, 4-17 (om. v. 12-13)

---

§ 177. 1*. Voir *infra :* Notes complémentaires, p. 401.

« Spiritum eius in uobis. [12]Ergo, fratres, debitores sumus
« non carni, ut iuxta carnem uiuamus. [13]Si enim iuxta
« carnem uiuitis, moriemini ; si autem Spiritu facta carnis
12 « mortificatis, uiuetis.

« 178. [14]Quicumque enim Spiritu Dei aguntur, hi filii
« Dei sunt. [15]Non enim accepistis spiritum seruitutis ite-
« rum in timore, sed accepistis Spiritum adoptionis in
4 « quo clamamus : Abba, Pater. [16]Ipse enim Spiritus tes-
« timonium perhibet spiritui nostro quia sumus filii Dei.
« [17]Si autem filii, et heredes, heredes quidem Dei, cohe-
« redes autem Christi, si tamen compatimur ut et conglo-
8 « rificemur. »

179. Ex praesenti Apostoli capitulo plurima de societate Spiritus quam habet cum Patre et Filio demonstran-
tur.

180. Ait quippe Apostolus iustificationem diuinam et
spiritualis legis expleri in his non qui iuxta carnem
ambulant sed iuxta Spiritum. Iuxta carnem ambulantem
4 eum qui, per uoluptates et uitia carnis corpori copulatus,
facit omnia quae carnis esse et corporis opera, apostolicus

AVΘ MYw BΓΔ *Mi.*

9 spiritum *om.* A[ac] ‖ eius *om.* M[ac]Y ‖ nobis Δ ‖ 10 carnis V[ac] w
‖ iuxta 1° : secundum *Mi.* ‖ enim : autem w ‖ iuxta 2° : secundum
Mi. ‖ 11 uiuitis AV BΓ : uiuetis Θ MYw uiuimus Δ uiuatis A[2]
uixeritis *Mi.* ‖ spiritu *om.*Θ[ac] ‖ facta : opera BΓΔ ‖ 12 mortificatis
BV MYw : -cetis AV[2]Θ -caueritis ΓΔ *Mi.* ‖ uiuentis V
178. 1 spiritus M[ac] ‖ aguntur : ducuntur BΓΔ ‖ 1-2 sunt filii
dei ~ ΓΔ f. sunt dei ~ ΘMi. ‖ 2 spiritum : -tus Y *om.*Δ[ac] ‖ 2-
3 iterum in timore : uerum in morte Δ ‖ 3 adoptionis]+ filiorum
AΘ ΓΔ ‖ 5 perhibet : reddit MYw ‖ nostro : sancto Δ ‖
6 quidem : autem B ‖ 7 autem : uero BΓΔ ‖ tamen : autem V ‖
compatiamur AΘ MYw ‖ 7-8 glorificemur MYw Γ
179. 1 ex : et in Y BΓΔ in *Mi.* ‖ plurimi V
180. 1 diuinae BΓΔ ‖ 2 legis *om.* Γ ‖ non in his ~ BΓΔ ‖
non qui : qui non ~ Θ[ac] ‖ 3 sed — ambulantem *om.* AVΘ ‖

[12]Ainsi donc, frères, nous avons une dette, mais pas envers la chair pour vivre selon la chair ; [13]car si vous vivez de façon charnelle, vous mourrez, mais si, par l'Esprit, vous faites mourir les œuvres de la chair, vous vivrez.

178. [14]Tous ceux, en effet, qui sont conduits par l'Esprit de Dieu, ceux-là sont fils de Dieu. [15]Vous n'avez pas reçu un esprit qui vous rend esclaves et vous ramène à la peur, mais vous avez reçu un Esprit qui fait de vous des fils adoptifs et par lequel nous crions : Abba, Père. [16]Cet Esprit lui-même atteste à notre esprit que nous sommes enfants de Dieu. [17]Or si nous sommes enfants, nous sommes aussi héritiers : héritiers de Dieu, cohéritiers du Christ, si vraiment nous souffrons avec lui pour être aussi glorifiés avec lui. »

Aspirations de la chair et aspirations de l'Esprit

179. Ce chapitre de l'Apôtre met en relief bien des traits de la communauté que l'Esprit forme avec le Père et le Fils.

180. Car l'Apôtre dit que la justification exigée par Dieu et par la loi spirituelle est accomplie en ceux qui ne marchent pas selon la chair mais selon l'Esprit. Et la parole apostolique définit celui qui marche selon la chair : parole apostolique définit celui qui marche selon la chair : c'est celui qui, lié au corps par les voluptés et les vices de la chair, accomplit tout ce que réclament la chair et

---

ambulante BΔ -lant Γ ‖ 4 eum qui : eo qui Γ eo quod AVΘ ‖ uoluptates : uoluntates AΘ MYw Δ ‖ et *codd. et Vall.* : *om. Mi.* ‖ carnis : carni et V BΓΔ ‖ corporis A^{ac} M ‖ 4-5 corpori — esse *om.* Θ ‖ 4 copulatus : -latos B -lat Δ ‖ 5 faciat V ‖ esse : sunt w *Mi.*

176-178. a. Rom. 8, 4-17 (om. v. 12-13)

sermo describit ; porro iuxta Spiritum ambulantem eum
qui, in praeceptis Euangelii gradiens, spiritualium sequi-
8 tur ordinem mandatorum. Siquidem sicut carnalium uitium est ea sapere quae carnis sunt, ea cogitare quae
corporum, sic, e contrario, spiritualium uirtus est semper
12 de caelestibus et aeternis et his tractare quae Spiritus
sunt.

181. Sed carnis sapientia, illico morte sibi sociata,
interficit eos qui iuxta carnem gradiuntur et sapiunt ;
sapientia uero Spiritus tranquillitatem mentis et pacem
4 et uitam habentibus se largitur aeternam. Quam cum
possederint, omnes perturbationes et genera uitiorum et
ipsos quoque daemones — qui haec suggerere nituntur
— habebunt sub pedibus suis. Sapientia ergo carnis, cum
8 morti iuncta sit, inimica est Deo. Inimicos quippe eos
reddit qui suis legibus uixerint, contraria semper et re-
pugnans uoluntati et legi Dei.

182. Neque enim fieri potest ut qui in sapientia carnis
est, Dei praecepta custodiat et uoluntati illius subiciatur.
Quamdiu seruimus uoluptatibus, Deo seruire non pos-
4 sumus. Cum autem titillantem subiecerimus nostris pedibus luxuriam et, totos nos ad Spiritum transferentes,
nequaquam fuerimus in carne, id est in carnis passioni-
bus, tunc subiciemur Deo.

AVΘ MYw BΓΔ *Mi.*

6 describit : descripsit w BΓΔ ‖ ambulantes AVΘ -lante (-late)
BΓΔ ‖ 6-7 eum qui : eo quod AVΘ eo qui BΓΔ ‖ 7 praeceptis
]+ legis dei et *Mi.* ‖ gradientes AVΘ ‖ 7-8 sequuntur A² Θ² ‖
sicut *om.* BΓΔ ‖ 9 ea 1° : et AΘ ‖ ea 2° : et AVΘ ‖ 9-10 ea
corporum quae cogitare ∼ Y ‖ 10 semper *codd.*]+ cogitare *Mi.*
‖ 11 et 2° : ex A et ex VΘ ‖ tractare *post* aeternis w ‖ spiritus :
sancti sp. MYw

181. 1 illico *om.* AVΘ ‖ mortem Mᵃᶜ ‖ sibi morte ∼ BΓΔ ‖
2 interfecit Mᵃᶜ ‖ 3 mentis tranq. ∼ *Mi.* ‖ 4 inhabentibus se AΘᵃᶜ
in se hab. Θᵖᶜ ‖ qua Mᵃᶜ ‖ 6 haec : ipsos Vᵃᶜ ‖ suggere AᵃᶜV Γ ‖
7 ergo *om.* Aᵃᶜ ‖ carnis ergo ∼ V w ‖ 8 iunta Aᵃᶜ ‖ quippe :

les œuvres du corps ; et plus loin, celui qui marche selon l'Esprit, c'est celui qui, avançant dans les préceptes de l'Évangile, suit l'ordre des commandements spirituels. Si justement la faute des charnels est de se plaire aux œuvres de la chair et de fixer leur pensée à celles du corps, semblablement, mais à l'inverse, la vertu des spirituels est de s'occuper sans cesse des réalités célestes et éternelles et de celles qui relèvent de l'Esprit.

181. Mais les aspirations de la chair, auxquelles la mort est inévitablement liée, détruisent ceux qui marchent selon la chair et qui s'y plaisent, tandis que les aspirations de l'Esprit procurent abondamment à ceux qui le possèdent la tranquillité de l'esprit, la paix et la vie éternelle ; quand ils les posséderont, ils fouleront aux pieds toutes les passions, toutes les espèces de vices et les démons eux-mêmes qui s'efforcent de les entretenir. Les aspirations de la chair, associées à la mort, sont donc en révolte contre Dieu. Elles font des révoltés de ceux qui vivent selon leurs lois ; elles sont toujours en résistance et en lutte contre la volonté et la loi de Dieu.

182. Il est, en effet, impossible à celui qui vit dans les aspirations de la chair de garder les commandements de Dieu et de se soumettre à sa volonté. Aussi longtemps que nous servons les voluptés, nous ne pouvons pas servir Dieu. Mais quand nous aurons foulé aux pieds les démangeaisons de la luxure et que, nous retournant tout entiers vers l'Esprit, nous ne serons plus du tout dans la chair, c'est-à-dire dans les passions de la chair, alors nous serons soumis à Dieu.

quoque w ‖ 8-9 eos reddit : eius reddit w ei reddit eos BΓΔ ‖ 9 suis : in suis MYw ‖ contraria]+quippe *cancellat.* V ‖ 10 et legi : legis AVΘ ‖ dei]+ sui Θ

182. 1 qui : si quis AVΘ ‖ in sap. car. qui ∼ Δ ‖ 2 ipsius BΓΔ ‖ 3 seruire deo ∼ *Mi.* ‖ 4 subiecerimus]+ sub AVΘ B ‖ 4-5 ped. nostris ∼ Θ ‖ 6 carnis]+ in Δ

183. Neque enim de carne hac in qua uiuimus et in cuius vasculo nostra anima continetur, Apostoli sermo est, quia omnes sancti, corpore et carne circumdati, 4 placuerunt Deo, sed ad id potius quod contra Dei prae- ceptum ex humana societate perpetratur, de quibus est : « Diliges Dominum Deum tuum[a] », et : « Quod tibi non uis[b] » et cetera.

184. Vos autem, ait, — haud dubium quin discipuli Christi — qui sapientiam Spiritus suscepistis et uitam et pacem, non estis in carne, id est in carnis operibus, neque 4 enim eius opera perpetratis, siquidem Spiritum Dei ha- betis in uobis. Idem autem Spiritus Dei et Spiritus Christi est, educens et copulans eum qui se habuerit Domino Iesu Christo. Vnde et in consequentibus scribitur : « Si 8 quis autem Spiritum Christi non habet, hic non est eius[a]. »

185. *[40]* Rursum in praesenti discimus societatem quam habet Spiritus Sanctus ad Christum et ad Deum.

186. Sed et in Epistola Petri, Spiritus Sanctus esse Christi Spiritus comprobatur : « Scrutantes, inquit, et inquirentes — id est prophetae de quibus et fuerat sermo

---

AVΘ MYw BΓΔ *Mi.*

183. 1 de : in Γ ‖ in 1° *om.* Δ ‖ in 2° *om* Y ‖ 2 apostolicus AVΘ apostolo B ‖ 4-7 sed — et cetera *om.* BΓΔ ‖ 4 ad id : addit Θ^{mg} (? Θ^{tx}) ‖ 5 ex (A¹) : *del.* A² et VΘ MY (ex Θ^{pc}) ‖ 7 uis]+ fieri *Mi.* fieri alii ne feceris A^{2sl} ‖ et cetera AΘ MY : etc. V w *Mi.*

184. 1 ait : ut V ‖ haud : aut MYw ‖ 2 suscepimus Y ‖ 3 estis : eis Y ‖ 4 enim *om.* MYw ‖ spiritus M^{ac} ‖ 6 adducens BΓΔ deducens *Mi.* ‖ qui]+ in V w ‖ 6-7 dominum iesum christum MYw ‖ 7 et *om.* BΓΔ ‖ sequentibus BΓΔ

185. 1 et rursum AVΘ ‖ praesenti : sequenti MYw ‖ dicimus ΓΔ diximus M ‖ 2 habeat B ‖ ad deum et ad christum ∼ *Mi.*

183. L'Apôtre ne parle pas de cette chair dans laquelle nous vivons et où notre âme est contenue comme dans une capsule, car tous les saints, que le corps et la chair enveloppaient tout aussi bien, ont su plaire à Dieu, mais il vise plutôt ce qui s'accomplit dans la communauté humaine contre les commandements de Dieu, contre ceux-ci entre autres : « Tu aimeras le Seigneur ton Dieu[a] », et : « Ce que tu ne veux pas... »[b] et cetera.

184. Quant à vous, dit l'Apôtre — il s'agit évidemment de disciples du Christ —, qui avez reçu les aspirations de l'Esprit ainsi que la vie et la paix, vous n'êtes pas dans la chair, c'est-à-dire pas dans les œuvres charnelles qu'effectivement vous n'accomplissiez pas puisque vous avez l'Esprit de Dieu en vous. Or de Dieu ou du Christ, l'Esprit est le même ; il conduit et il unit celui qui le possède au Seigneur Jésus Christ. C'est pourquoi il est dit dans la suite : « Si quelqu'un n'a pas l'Esprit du Christ, celui-là ne lui appartient pas[a]. »

Communauté de l'Esprit avec le Christ et Dieu

185. *[40]* Toujours dans notre texte, nous apprenons la communauté que forme l'Esprit Saint avec le Christ et avec Dieu.

186. L'Épître de Pierre reconnaît elle aussi que l'Esprit du Christ est l'Esprit Saint. Elle dit, s'agissant des prophètes dont il avait été question dans les lignes précédentes : « Ils enquêtaient et ils cherchaient à savoir quel

---

186. 1 esse]+ et AVΘ ‖ 2 spiritus : esse *cancellat*. V ‖ probantur V[1] comprobantur V[2] ‖ 3 exquirentes AVΘ BΓΔ ‖ id est : idem Y ‖ prophetas AVΘ

---

183. a. Deut. 6,5. Matth. 22,37 ‖ b. cf. Tob. 4,16
184. a. Rom. 8,9

4 superior — in quod aut quale tempus significabat is qui
in eis erat Spiritus Christi, testificans in Christo passiones
et ea quae post erant secutura decreta quibus reuelatum
est, quia non sibi sed nobis ministrabant ea quae nunc
8 annuntiata sunt uobis per Spiritum Sanctum[a]. »

187. Iste autem Spiritus Sanctus dictus est et Spiritus
Dei, non in praesenti tantum sermone, sed et in aliis
locis compluribus, ut ibi : « Ea quae Dei sunt nemo nouit
4 nisi Spiritus Dei[a]. »

188. Deinde sequitur post hoc quod ait : « Si quis
autem Spiritum Christi non habet, hic non est eius[a] », et
infertur : « Si autem Christus in uobis[b] », et manifestis-
4 sime demonstratur inseparabilem esse Spiritum Sanctum
a Christo, quia ubicumque Spiritus Sanctus fuerit, ibi et
Christus est, et undecumque Christi Spiritus discesserit,
inde pariter recedit et Christus.

189. « Si quis enim Spiritum Christi non habet, iste
non est eius[a] » ; cui coniuncto si quis contrarium assumat,

AVΘ MYw BΓΔ *Mi.*

4 quod : quo AV MYw B ‖ aut : ait AVΘ (+ uel Θ²) MYw et
Mi. ‖ significat B ‖ is : his Y B *om.*Δ ‖ passiones]+ de ea
expunct. V ‖ 6 post erant : oportuerant AVΘ ‖ quibus : in q.
AVΘ (*exp.* in Θ) *Mi.* ‖ 7 quoniam BΔ ‖ 8 sunt]+ a AΘ[ac] ‖
nobis Γ
    187. 1 spiritus 2° *om.*w ‖ 2 et *om.* B ‖ in *om.* Y ‖ 3 quam
pluribus V BΓ quam plurimis Δ ‖ nouit nemo ∼ w
    188. 1 deinde : denique V[ac] ‖ 2 spiritus M[ac] ‖ christi B : dei
cett. Mi. ‖ hic : iste AVΘ ΓΔ ‖ 3 christus : spiritus Δ ‖ nobis V
‖ 4 spiritum Δ ‖ 5 sanctus *om.* BΓΔ ‖ 6 undecumque]+ spiritus
sanctus *cancellat.* V ‖ christus Δ ‖ 7 recedit *om.* Θ ‖ et *om.*Δ[ac]
    189. 1 iste : hic w *Mi.* ‖ 2-190, 3 cui — (iste non est) eius *om.*
Γ ‖ 2 coniunctio Δ[ac]

186. a. I Pierre 1,11-12
187. a. I Cor. 2,11

temps et quelles circonstances pouvait indiquer l'Esprit
du Christ qui était en eux et qui témoignait des souffrances réservées au Christ et des événements qui s'en-
suivraient, au cours desquels il a été révélé que ce n'était
pas pour eux-mêmes mais pour nous qu'ils transmettaient
le message qui maintenant vous est annoncé par l'Esprit
Saint[a]. »

187. Mais cet Esprit Saint est aussi appelé Esprit de
Dieu, et pas seulement dans le texte actuel, mais encore
en bien d'autres endroits, comme celui-ci : « Ce qui est
en Dieu, personne ne le connaît sinon l'Esprit de Dieu[a]. »

188. Ensuite, après la phrase : « Mais si quelqu'un n'a
pas l'Esprit du Christ, celui-là ne lui appartient pas[a] »,
il est ajouté ceci : « Mais si le Christ est en vous[b] », ce
qui démontre à l'évidence que l'Esprit Saint est inséparable du Christ, car partout où se trouve l'Esprit Saint,
là aussi se trouve le Christ ; et de quelque endroit que
s'en aille l'Esprit du Christ, de cet endroit aussi se retire
le Christ.

189. C'est entendu, « si quelqu'un n'a pas l'Esprit du
Christ, celui-là ne lui appartient pas[a] » ; que l'on prenne
le contraire de cette proposition conjointe[1], et l'on pourra

188. a. Rom. 8,9 ‖ b. Rom. 8,10
189. a. Rom. 8,9

§ 189. 1. Ces §§ 188-191 semblent faire appel aux procédés de
la logique, et particulièreement de la logique stoïcienne qui s'était
attachée à l'étude de syllogismes conjonctifs et disjonctifs. Dans
un syllogisme conjonctif, la majeure, très composée, entraîne toute
la conclusion. Dans un syllogisme disjonctif, la conclusion disjoint
et exclut un des éléments alternatifs de la majeure ; p. ex. : Ou il
est éclairé ou il ne l'est pas / Or il ne l'est pas / Donc il est
éclairé /. On aura un exemple intéressant de l'utilisation de
syllogismes de ce genre dans le chapitre II du *Contra Manichaeos*,
PG 39, 1088-1089.

dicere potest : Si quis Christi est ita ut Christus in eo
4 sit, in hoc Spiritus Christi est.

190. Hoc autem idem et de Deo Patre similiter usur-
pandum. Si quis Spiritum Dei non habet, iste non est
eius. Cui rursum contrarium quis assumet, dicens : Si
4 quis Dei est, in hoc Spiritus Dei est. Vnde scribitur :
« Nescitis quia templum Dei estis, et in uobis habitat
Spiritus Dei[a] ? » Et in Iohannis Epistola : « In hoc co-
gnoscitur Deus habitans in quibusdam, cum manserit in
8 eis Spiritus quem dedit[b]. »

191. Ex quibus omnibus indissociabilis et indiscreta
Trinitatis substantia demonstratur.

192. *[41]* Cum ergo ait : « Si Christus in uobis, corpus
quidem mortuum propter peccatum[a] », nequaquam uitiis
lasciuiaeque deseruiens sed mortificatum peccato, non
4 commouebitur ad uitia et nequaquam erit uitale peccato.
Postquam autem corpus peccato mortuum fuerit, Christus in his qui sua corpora mortificauerint praesens, Spiritum uitae ostendit per iustitiam operum, siue correctio-

---

AVΘ MYw BΓΔ *Mi.*

3 christi *codd.* : dei *Mi.*
    190. 1 idem *om.* B ‖ de deo patre : deo patri MYw ‖ 2 quis
]+ autem MYw ‖ dei sp. ∼ Δ ‖ hic MY ‖ 3 rursus w Δ ‖ quis
(qui Y) *codd.* : si quis *Mi.* ‖ assumens BΓΔ -mat *Mi.* ‖ dicit B
dicet ΓΔ ‖ 4 hoc : hos Γ ‖ unde]+ et B ‖ 5-6 sp. dei hab. in
uobis Θ[pc] BΓΔ ‖ 6 in iohannis : iohannes in MY ‖ 8 spiritus *om.*
Θ[tx] (per spiritum Θ[mg]) ‖ dedit]+ eis MY BΔ
    191. 1 indissociabile A[acV] BΓΔ ‖ et : atque A *Mi.* ‖ indiscretum
A[acV] BΓΔ ‖ 2 ternitatis Δ
    192. 1 si *om.* AVΘ BΓΔ ‖ uobis MYw]+ est AVΘ BΓΔ *Mi.*
(cf. 177, 4 et 188, 3) ‖ 2 mortuum]+ est B ‖ 3 deserens A[ac] ‖
sed : si MY et BΓΔ ‖ 4 commouetur AVΘ *Mi.* ‖ et *om.* Θ ‖

dire : « Si quelqu'un appartient au Christ et que le Christ soit en lui, en celui-là se trouve l'Esprit du Christ. »

190. Cette même manière de dire doit être également employée à propos de Dieu le Père. Prenons l'opposé, cette fois, de : « Si l'on n'a pas l'Esprit de Dieu, on ne lui appartient pas », nous dirons : « Si on appartient à Dieu, on a l'Esprit de Dieu en soi. » Aussi est-il écrit : « Ne savez-vous pas que vous êtes le temple de Dieu et que l'Esprit de Dieu habite en vous ?[a] » et dans l'Épître de Jean : « A ceci il est reconnu que Dieu habite en certaines personnes, quand demeure en elles l'Esprit qu'il leur a donné[b]. »

191. Tous ces textes prouvent que la substance de la Trinité est indissociable et indivisible.

Vivre dans l'Esprit en fils de Dieu   **192.** [41] Lors donc que l'Apôtre dit : « Si le Christ est en vous, le corps, du moins, est mort à cause du péché[a] », cela ne veut pas dire du tout que le corps est au service des vices et de la volupté, mais que, rendu mort au péché, il ne se laissera pas entraîner aux vices et ne donnera d'aucune façon force vitale au péché. Quand le corps est mort au péché, le Christ, présent en ceux qui ont mortifié leur corps, manifeste l'Esprit de vie par la justice des œuvres, ou par l'amen-

---

peccatum AVΘ M[ac] ‖ 6 mortificauerint : -runt M *Mi.* ‖ 6-7 spiritus Y ‖ 7 uitam AVΘ BΓΔ ‖ ostendet B ‖ operum : corporum Δ ‖ 7-8 operum siue correctionem : siue correct. operum ∼ *Mi.* ‖ 7 siue (V[1]) : sua AV[2]Θ

---

190. a. I Cor. 3,16 ‖ b. I Jn 3,24 ; 4,13
192. a. Rom. 8,10

8 nem uitiorum mortalium, siue fidem Iesu Christi in his
qui iuxta fidem illius conuersantur.

193. Deinde Apostolus alio syllogismo coniuncto uti-
tur, quod significantius dialectici ἀξίωμα uocant, et ait :
« Si autem Spiritus eius qui suscitauit Iesum Christum a
4 mortuis, habitat in uobis, qui suscitauit Christum a mortuis, uiuificabit et mortalia corpora uestra per inhabitantem Spiritum suum in uobis[a] ». Nonne tibi uidetur dicere
quia si Spiritus eius qui suscitauit Iesum Christum — id
8 est qui eiusdem Iesu Christi Spiritus est — habitat in
uobis, consequenter uiuificabuntur et mortalia corpora
uestra cum immortalibus animabus ab eo qui suscitauit
Iesum Christum a mortuis, principem et primogenitum
12 illum resurrectionis[b] ostendens.

194. Et quia tale tantumque diuinitus per Spiritum
Sanctum munus indultum est, debitores sumus Spiritui,
non carni ut iuxta eam uiuamus[a]. Siquidem qui iuxta
4 carnem uixerit, morietur illa morte quae peccatum sequitur. « Peccatum quippe cum consummatum fuerit,

AVΘ MYw BΓΔ *Mi.*

8 correctionem MYw Δ : correctione AVΘ correptionem BΓ ‖
uitiorum (*uar. propos. a Maurinis e cod. Vat. Reg. lat. 497, s.XI/
XII de quo uide « Kyriakon »,* p.369) : uirtutum *codd. nostri* ‖
mortalium AVΘ ΓΔ : moralium B immortalium MYw ‖ siue :
sine ΓΔ ‖ fide ΓΔ fidei AVΘ ‖ 9 conseruantur VΘ
193. 1 deinde : de<m>um (?) Δ ‖ syllogismo *om.* BΓΔ ‖ 2
significantius Yw B : signantius Θ signatius AV² ΓΔ signamus V¹
significantium M ‖ dialetici (dy- V) AᵃᶜV w Δ ‖ ἀξίωμα *edd.* :
sim. gr. AVΘ MY aziama w axioma ΓΔ azioma B ‖ 3 iesum *om.*
A *Mi.* ‖ 4 inhabitat ΓΔ ‖ qui — mortuis *om.* Δ Yw ‖ christum :
iesum (*s.l.*) chr. Θ ‖ a : ex ΓΔ ‖ 5 uiuificauit AV ‖ et *om.* ΓΔ ‖
6 uidetur tibi ∼ MYw ‖ 7 si w B : *om. cett.* ‖ christum iesum ∼
A *Mi.* ‖ id est *om.* Γ ‖ 8 qui : quia Vᵃᶜ ‖ spiritus *om.* ΓΔ ‖
10 uestra corp. ∼ AVΘ ‖ immortalium AVΘ ‖ animabus (Θ¹) :
animarum Θ² ‖ 11 christum iesum ∼ *Mi.* ‖ christum *om.* MY ‖

dement des vices mortels, ou par la foi en Jésus Christ
pour ceux qui vivent selon la foi en lui.

193. Ensuite l'Apôtre emploie un autre syllogisme
conjonctif[1], que les dialecticiens appellent d'une manière
plus expressive ἀξίωμα, et il dit : « Mais si l'Esprit de
Celui qui a ressuscité Jésus Christ d'entre les morts habite
en vous, Celui qui a ressuscité le Christ d'entre les morts
donnera aussi la vie à vos corps mortels par son Esprit
qui habite en vous[a]. » N'est-ce pas dire, à ton avis : Si
l'Esprit de Celui qui a ressuscité Jésus Christ, c'est-à-dire
Celui qui est l'Esprit de ce même Jésus Christ, habite en
vous, alors, en conséquence, vos corps mortels seront
aussi vivifiés avec vos âmes immortelles par Celui qui a
ressuscité Jésus Christ d'entre les morts, l'ayant fait
apparaître comme le prince et le premier-né de la résurrection[b].

194. Et puisque un tel bienfait, si important, nous a
été divinement accordé par l'Esprit Saint, nous avons
une dette envers l'Esprit, non envers la chair pour vivre
à sa façon[a]. Qui vivra selon la chair, mourra, à la vérité,
de la mort qui suit le péché. Car « le péché arrivé à

promogenitum A[ac] ‖ 12 illum *codd.* : *om. Mi.* ‖ ostendens *om.*
AVΘ *Mi.*
194. 1 quia : quibus MYw *Mi.* ‖ tantumque tale ∼ Θ[1] tantum
taleque Θ[2] ‖ 2 sanctum *om.* A BΓΔ *Mi.* ‖ munus *post* tantumque
ΓΔ ‖ 3 ut iuxta eam *om.* Δ ‖ 5 cum *om.* BΓΔ ‖ fuerit *om.* BΓΔ

193. a. Rom. 8,11 ‖ b. cf. Act. 3,15. Col. 1,18. Apoc. 1,5
194. a. cf. Rom. 8,12

§ 193. 1. Forme évidente de raisonnement ; en français, un
« axiome ». Il entraîne la vérité par simple mise en présence —
coniunctio — des éléments considérés. Ces vérités, dit-on, vont de
soi. « *Enuntiatum quod ex se intellegitur.* »

generat mortem[b] », secundum Iacobum. Sed et Ezechiel
peccantem animam mori scribit separatam a uita quae
8 in sapientia Spiritus[c] collocata est.

195. *[42]* Si quis autem transcenderit uitam carnis et
Spiritu opera eius mortificauerit, uiuet beata aeternaque
uita relatus in filios Dei et directus in uiam ueram propter
4 Spiritum Sanctum, qui et Dei Spiritus appellatur. « Si
enim, inquit, iuxta carnem uixeritis, moriemini. Quod si
Spiritu opera carnis mortificaueritis, uiuetis[a] », et in
consequentibus : « Quotquot enim Spiritu Dei aguntur,
8 hi filii Dei sunt[b]. » Rursum refocillans eos et consolans
et prouocans sperare meliora quibus loquebatur, ait :
« Non enim accepistis spiritum seruitutis iterum in timore[c] », id est non in similitudinem seruorum, metu et
12 terrore poenarum uos abstinetis a uitiis, quia habetis
uobis datum a Patre Spiritum adoptionis, id est Spiritum
Sanctum, qui ipse, Spiritus Filii Dei et Christi, et ueritatis
dicitur atque sapientiae. Si autem iste Spiritus adoptat
16 in filios Dei eos quorum dignatione sui habitator efficitur,
tibi consequentium super potentia eius intellegentiam de-
relinquo.

AVΘ MYw BΓΔ *Mi.*

6 mortem : peccatum Γ ‖ et *om.* Δ ‖ 7 animam : ainai□□ *sic* Δ
‖ separatam (-ta B) : separatur iam AVΘ -ratur enim iam *Mi.*
195. 1 transcendit V ‖ uita Δ uitia BΓ ‖ 2 eius MYw BΓΔ :
carnis AVΘ *Mi.* ‖ 2-3 beata aeternaque (-na B) uita : beatae
aeternaeque (-naque V) uitae (aet. beataeque ∼ Θ) AVΘ ‖
aeternaque — et *expunx.* A² ‖ 3 uita]+ sociabitur Θ[mg] ‖ filium
AV filio Θ ‖ ueram : ueritatis Δ rectam B *Mi.* ‖ 5 uiueritis A[ac]
uiuitis ΓΔ ‖ 6 carnis opera ∼ AVΘ w facta carnis *Mi.* ‖
mortificatis AVΘ ‖ 8 sunt dei ∼ ΓΔ *Mi.* ‖ rursum (-sus AVΘ
w)]+ et MYw ‖ eos *om.* Γ ‖ 10 enim *om.* AV BΓΔ ‖ sp. seru.
it. Θ[pc] Y B : sp. seru. ΓΔ sp. it. seru. ∼ AVΘ[ac] Mw it. sp. seru.
∼ *Mi.* ‖ 11 in *om.* AVΘ B *Mi.* ‖ similitudinem (A[ac]) : -dine A[pc]

maturité engendre la mort[b] », selon que le dit Jacques. Quant à Ézéchiel il écrit aussi que l'âme pécheresse meurt puisqu'elle s'est séparée de la vie qui réside en la sagesse de l'Esprit[c].

195. *[42]* Mais si, par l'Esprit, on a dépassé la vie charnelle et qu'on en ait mortifié les œuvres, on vivra de la vie bienheureuse et éternelle, on sera mis au nombre des fils de Dieu et conduit au chemin de la vérité à cause de l'Esprit Saint, qui est aussi appelé Esprit de Dieu. « Car si vous vivez de façon charnelle, dit l'Apôtre, vous mourrez. Mais si, par l'Esprit, vous faites mourir les œuvres de la chair, vous vivrez[a] », et la suite : « Car ceux-là sont fils de Dieu, qui sont conduits par l'Esprit de Dieu[b]. » Puis, pour réconforter, pour consoler, pour inciter ses correspondants à espérer une vie meilleure, il dit : « Car vous n'avez pas reçu un esprit de servitude qui vous ramène à la peur[c] », c'est-à-dire : ce n'est pas comme des esclaves, sous le coup de l'effroi et de la crainte des châtiments que vous vous abstenez des vices, mais vous avez reçu du Père l'Esprit d'adoption, c'est-à-dire l'Esprit Saint, qui, lui, étant Esprit du Fils de Dieu et du Christ, est aussi appelé Esprit de vérité et de sagesse. Or si cet Esprit adopte pour fils de Dieu ceux en qui il daigne habiter, je te laisse à penser aux conséquences de son action toute puisssante.

VΘ B *Mi.* ‖ 12 abstinere M ‖ quia : qui MYw B ‖ 13 datum a patre uobis ∼ AVΘ ‖ 14 filii dei et : filii et AVΘ et dei et *Mi.* ‖ 15 atque : et w ‖ 5 spiritus iste ∼ *Mi.* ‖ 15-16 adoptat in : ad optatui Δ ‖ 16 filio Θ ‖ dei *om.* B ‖ 17 consequentium : potentium Γ ‖ potentia : consequentia Γ

194. b. Jac. 1,15 ‖ c. Éz. 18,26
195. a. Rom. 8,13 ‖ b. Rom. 8,14 ‖ c. Rom. 8,15

196. Porro in hoc adoptionis Spiritu clamant qui habuerint illum Patrem Deum, sicut ostendit sermo dicens : « In quo clamamus : Abba, Pater[a] », ipso Spiritu qui nos
4 adoptat in filios testimonium praebente participatione sui qui a nostro spiritu possidetur, quia filii Dei sumus[b]. Cui consequens est Deum quidem quasi patrem hereditarias nobis diuitias contulisse spiritualia dona, Christi uero
8 coheredes nos esse, eo quod frates eius per gratiam et benignitatem ipsius appellamur. Erimus autem heredes Dei et coheredes Christi si compatiamur, ut et conglorificari ei ex passionum societate mereamur[c].

197. *[43]* Verum quia et ad haec iuxta quod potuimus dissertum est, proponamus capitulum prophetae quaedam de Spiritu Sancto continens, ut non solum de Nouo,
4 uerum etiam de Veteri Testamento super eius fide intellectuque doceamur. Nam et superius praelocuti sumus,

---

AVΘ MYw BΓΔ *Mi.*

196. 1 in hoc *duplic. et expunx. alterum* Δ ‖ clamaru V[ac] clamat Δ ‖ 1-2 habuerunt *Mi.* ‖ illum *om.* Θ ‖ deum patrem ∼ M ‖ sermo *om.* M ‖ 4 obadoptat V[ac] ‖ praebente : perhibet ex ΓΔ ‖ 5 qui MYw : quibus AVΘ qua B quia ΓΔ quod *Mi.* ‖ quia : qui Δ ‖ 6 dominum M[ac] ‖ hereditarias : -riam A[ac]VΘ *om.* BΓΔ ‖ 7 contulisse spiritualia dona *om.* BΓΔ ‖ dona AVΘ w] + aliter hereditari a nobis (uobis Y) MY ‖ 8 coheredes : heredes MY ‖ nos : non Δ ‖ eius Θ[1] (*exp.* Θ[2]) ‖ 9 ipsius : ipsimus Δ ‖ appellemur B ‖ 10 et coh. : coh. autem *Mi.* ‖ compatimur M -tiamus A ‖ ut *om.* BΓΔ ‖ et *om.* ΓΔ ‖ 10-11 glorificari M[ac]
197. 1 et *om.* MYw ‖ ad *om.* AVΘ ‖ haec : hoc V *Mi.* ‖ 2 edissertum BΓΔ *Mi.* ‖ proph. cap. ∼ *Mi.* ‖ 3 s. sp. ∼ BΓ ‖ 4-5 intellectuque (w[ac]) : et intellectu w[2]

---

196. a. Rom. 8,15 ‖ b. cf. Rom. 8,16 ‖ c. cf. Rom. 8,17

§ 196. 1. Depuis le § 175, Didyme, commentant *Rom.* 8, 4-17, a fait ressortir, au cours de sa longue paraphrase, ce qui allait à

196. De plus, en cet Esprit d'adoption, ceux qui ont reçu ce Dieu pour Père s'écrient, comme le montre la parole suivante : « En qui nous crions : Abba, Père !ᵃ ». L'Esprit lui-même qui nous adopte pour fils apporte le témoignage, par la participation à lui-même dont jouit notre esprit, que nous sommes fils de Dieuᵇ. Il suit de là que Dieu, comme un père, nous a donné ses richesses en héritage, à savoir les dons spirituels et que, d'autre part, nous sommes les cohéritiers du Christ, puisque, par sa grâce et sa bonté, nous sommes appelés ses frères. Mais nous serons les héritiers de Dieu et les cohéritiers du Christ si nous souffrons avec lui, de manière à mériter d'être glorifiés avec lui pour avoir participé à ses souffrances ᶜˡ.

D. — Témoignage du prophète Isaïe

197. *[43]* Maintenant que nous avons développé, autant qu'il était en nous, le texte précédent, présentons un passage du prophète qui contient des leçons sur l'Esprit Saint, de façon que ce ne soit pas seulement le Nouveau, mais aussi l'Ancien Testament qui nous enseigne à son sujet ce qu'il faut croire et ce qu'il faut comprendre. Car, plus haut[1], nous avons déjà dit que la

son sujet, savoir l'union de l'Esprit au Père et au Fils dans l'opération spirituelle qui transforme les hommes en fils de Dieu ; cette transformation dont l'homme est bénéficiaire grâce aux aspirations de l'Esprit déposées en lui suppose que l'Esprit Saint est l'Esprit du Christ et que cet Esprit est invinciblement lié au Père puisqu'il nous fait dire « Abba, Père ». Tout cela est tiré de *Rom.* 8. A la suite de quoi, en exprimant dans une transition les raisons de la progression de son développement, Didyme passe à un texte d'Isaïe qu'il va encore commenter selon le mode paraphrastique déjà employé pour saint Paul. Mais le développement, §§ 199-230, sera plus riche en digressions, et plus long, presque trop long, comme Didyme le reconnaîtra au § 231.

§ 197. 1. *plus haut*, voir § 3.

in omnibus sanctis, tam his qui post aduentum Domini
nostri fuerunt quam etiam retro, in patriarchis uidelicet
8 et prophetis, Spiritus Sancti gratiam fuisse uersatam et
eos diuersis charismatibus uirtutibusque complesse. Quomodo enim unius Dei et Vnigeniti eius gratiam possidentes, tam hi qui ante quam etiam illi qui post aduen-
12 tum eius iustitiae erexere uexillum, ueritatis sunt scientiam consecuti, sic et Spiritus Sancti gratiam possidebunt,
quia inseparabilem a Patre et Filio esse Spiritum Sanctum, in multis supra locis frequenter ostendimus.

198. Scriptum est ergo in propheta : « [7]Misericordiae
« Domini recordatus sum, et uirtutis eius in omnibus
« quibus nobis retribuit. Dominus, iudex bonus domui
4 « Israel, infert nobis iuxta misericordiam suam et iuxta
« multitudinem iustitiae suae. [8]Et dixit : Nonne populus
« meus filii, et non praeuaricabuntur ? Et factus est illis
« in salutem [9]ex omni tribulatione ; non legatus neque
8 « angelus, sed ipse saluauit eos eo quod dilexerit eos et
« pepercerit eis. Ipse redemit eos et suscepit eos et exal-
« tauit eos in omnibus diebus saeculi. [10]Ipsi uero non
« crediderunt et irritauerunt Spiritum Sanctum eius ; et
12 « conuersus est eis ad inimicitiam ; ipse debellauit eos.
« [11]Et recordatus est dierum antiquorum qui eduxit de
« terra pastorem ouium, qui posuit in eis Spiritum Sanc-
« tum, [12]congregans dextera Moysen[a]. »

AVΘ MYw BΓΔ *Mi.*

6 tam]+ in VΘ de M ‖ 7 fuerint AVΘ[ac] ‖ uidelicet : uidet Δ *om.*
MY ‖ 8 et : ut Δ ‖ s. sp. ~ ΓΔ ‖ 11 qui 1° *om.* M[ac] ‖ 12-
13 scientiam sunt ~ w ‖ 13 sic : sicut w ‖ 14 qui Δ ‖ quia
inseparabilem Mw : indisparabilem B indisseparabilem ΓΔ inse-
rabilem Y *om.* AVΘ ‖ 15 locis supra ~ w ‖ supra *om.* AVΘ ‖
frequenter *om. Mi.*

198. 1 est *om.* Δ ‖ ergo : enim AVΘ ‖ 2 uirtus Θ ‖ 3 quibus :
quae MY *Mi.* ‖ nobis : nos Γ ‖ tribuet AVΘ w retribuet Γ ‖
retribuit n. ~ *Mi.* ‖ 4 inferre AVΘ MYw inferens *Mi.* ‖
5 iustitiae : misericordiae Γ ‖ 7 tribulatione]+ eorum V *Mi.* ‖

grâce de l'Esprit Saint avait été répandue dans tous les saints, aussi bien ceux d'après l'avènement de notre Seigneur que ceux qui le précédèrent en remontant dans le passé, c'est-à-dire les patriarches et les prophètes, et les avait remplis de charismes et de vertus diverses. Possédant, en effet, la grâce du Dieu Un et de son Fils Unique, ceux qui ont élevé l'étendard de la justice aussi bien avant qu'après son avènement, ont obtenu la connaissance de la vérité ; ainsi posséderont-ils aussi la grâce de l'Esprit Saint, car l'Esprit Saint est inséparable du Père et du Fils, comme nous l'avons déjà souvent montré plus haut en maints endroits.

198. Il est donc écrit dans le prophète : [*Isaïe 63, 7-12*] « [7]Je me suis souvenu de la miséricorde du Seigneur et de sa puissance dans tous les biens qu'il nous a rendus. Le Seigneur, juge plein de bonté pour la maison d'Israël, agit avec nous selon sa miséricorde et son abondante justice. [8]Il a dit : Ne sont-ils pas mon peuple, des fils, et qui ne trahiront pas ? Et il a été pour eux un Sauveur [9]en toute tribulation. Ce n'est pas un délégué, ce n'est pas un ange, mais lui-même qui les a sauvés, car il les a aimés et les a épargnés. Il les a lui-même rachetés, portés, élevés tous les jours du monde. [10]Mais eux, ils n'ont pas cru et ils ont irrité son Esprit Saint. Il s'est changé pour eux en ennemi et lui-même leur a infligé la guerre. [11]Et il s'est souvenu des jours anciens, lui qui a fait sortir de la terre le pasteur des brebis ; il a mis en eux l'Esprit Saint, [12]il (les) a rassemblés par la main de Moïse[a]. »

---

neque : non MY ‖ 8 sed : si V ‖ saluabit MYw ΓΔ ‖ eos 1° : nos Δ ‖ eos 2°] + et suscepit eos Δ ‖ 9 eis : illis w ‖ et suscepit eos *om.* Δ ‖ 9-10 exaltabit ΓΔ ‖ 10 in *om.* AV Δ ‖ 12 inimiciam A[ac] ‖ 15 congregantes V[ac] ‖ dexteram B ‖ moysi MY

---

198. a. Is. 63,7-12

199. *[44]* Qui frequenter Dei adepti sunt beneficia, scientes gratia magis et misericordia eius quam propriis haec se fuisse operibus consecutos, quasi unus omnes
4 sensu et animo concordantes loquuntur : « Misericordiae Domini recordatus sum[a]. »

200. Cogitantes enim quae ab eo frequenter in Moyse[a] dona susceperint, gratias referunt, et cum misericordia etiam uirtutum Domini recordantur, siue mirabilium
4 quae crebro pro eis fecit in populis, siue profectuum animae quibus per legem et prophetas et praecepta illius salubria eruditi sunt, siquidem in Scripturis uirtutis nomen utrumque significat.

201. Recordari autem se misericordiae et uirtutum eius, inquiunt, in omnibus in quibus retribuit eis, non iuxta iustitiam suam, sed iuxta misericordiam et bonita-
4 tem[a] eius qui est iudex « domui uidenti » et sensu mundo cernenti Deum[b]; hoc siquidem ex hebraeo sermone in

AVΘ MYw BΓΔ *Mi.*

199. 1 dei freq. ~ Θ ‖ adepta w ‖ 2 gratiam Y ‖ magis : eius AVΘ ‖ eius : magis AVΘ ‖ 3 haec : ex A *Mi.* ‖ operibus *om.* V ‖ uno MYw *Mi.* ‖ omnibus ΓΔ ‖ 4 sensu *codd.* : consensu *Mi.* ‖ recordantes AVΘ

200. 1-3 cogitantes — recordantur *om.* AVΘ ‖ 1 in moyse : in moysen ΓΔ immo semper B ‖ 2 susceperunt M ‖ 3 uirtutem etiam w ‖ 4 pro *om.* AVΘ ‖ eis (Θ[1]) *exp.* Θ[2] ‖ profectum A[ac]VΘ Y B ‖ 5 et prophetas : et prophetis A[ac]VΘ *om.* ΓΔ ‖ illius : *om.* AVΘ eius *Mi.* ‖ 6 salubria *om.* BΓΔ ‖ siquidem : si quid enim V ‖ 6-7 nomen uirt. ~ *Mi.*

201. 1 recordari V ‖ uirtutem MY ‖ 2 in quibus *codd.* : quae *Mi.* ‖ retribuet AVΘ ‖ 3 suam : eorum AVΘ ‖ 4 est : erit V ‖ domui : dominum ΓΔ ‖ uidenti : uiuentis A[ac] (uiuenti A[pc]) VΘ ‖ domui uid. iudex ~ w ‖ sensu *codd.* : sensui *Mi.* ‖ mundo : mundi cordis MYw mundo corde *Mi.* ‖ 5 dominum MYw *Mi.* ‖ hoc : ex hoc B

Justice, miséricorde : bienfaits du Seigneur

199. *[44]* Ceux qui ont souvent reçu des bienfaits de Dieu, sachant qu'ils les ont obtenus par sa grâce et sa miséricorde plutôt que par leurs propres œuvres, s'accordant de cœur et d'esprit, disent tous, à l'instar d'un seul, ces paroles : « Je me suis souvenu de la miséricorde du Seigneur[a]. »

200. Songeant, en effet, aux dons fréquents qu'ils ont reçus en Moïse[a], ils rendent grâce et ils rappellent, en même temps que la miséricorde, les manifestations de puissance du Seigneur, merveilles qu'il a souvent accomplies pour eux parmi les peuples, ou progrès de l'âme auxquels ils ont été amenés par la loi et les prophètes ainsi que par les préceptes salutaires de Moïse, — étant entendu que dans les Écritures le mot de *uirtus* comporte les deux significations (puissance/vertu)[1].

201. Ils disent qu'ils rappellent la miséricorde et la puissance du Seigneur en tous les bienfaits qu'il leur a rendus, non pas selon sa justice mais selon sa miséricorde[a], selon la bonté de celui qui est le juge de la « maison qui voit » et du cœur pur qui voit Dieu[b], — car tel est,

---

199. a. Is 63,7
200. a. cf. Hébr. 11,23-30
201. a. Is. 63,7 ‖ b. cf. Matth. 5,8

---

§ 200. 1. Le mot grec sous-jacent, δύναμις, comporte aussi, comme en latin *uirtus*, les deux significations de puissance et de vertu. La vertu, c'est la force de Dieu, ou grâce, qui permet à l'âme de progresser dans la vie intérieure ; la puissance, c'est la force de Dieu, ou grâce aussi, qui permet ces manifestations de puissance que sont les actions prodigieuses ; ces deux aspects des choses auxquels Didyme semble se tenir ici n'épuisent pas toutes les significations que l'Écriture donne au mot δύναμις.

lingua nostra interpretatur Israel, id est « mens uidens Deum ».

202. Licet enim tormenta et cruciatus iudex nonnunquam inferat iudicatis, tamen is qui causas rerum altius intuetur, uidens propositum bonitatis eius qui cupit cor-
4 rigere peccantem, bonum illum confitetur, dicens : « Infert nobis iuxta misericordiam suam[a]. » Si enim iniquitates eorum quos iudicat attendat Dominus, quis sustinebit[b] ? Porro « quia apud Dominum propitiatio est[c] », Dominus
8 uidelicet noster atque Saluator infert nobis secundum misericordiam suam et omnia quae nos provehant ad salutem. Inferens quoque iuxta misericordiam suam et hoc faciens in iudicio, cum iustitia nobis tribuit quae
12 admixta misericordiae bonitate largitus est.

203. *[45]* Arguendus ex praesenti capitulo haereticorum error, qui bonitatem a iustitia separantes, alium Deum bonum, alium iustum esse finxerunt. Ecce enim

AVΘ MYw BΓΔ *Mi.*

7 dominum MYw

202. 2 iudicatis (V^{mg}) : cruciatis V^{ac} iudicium merentibus *Mi.* ‖ is : his M^{ac}Y B^{ac}Δ *om. Mi.* ‖ 3 eius *om.* ΓΔ ‖ 4 illi ΓΔ ‖ infer A^{ac} Θ Δ infere w inferens *Mi.* ‖ 5 iuxta : secundum AVΘ ‖ suam (Θ^1) : tuam Θ^2 ‖ 6 dominus : deus AΘ ‖ dominus att. ∼ V ‖ 7 dominum : deum BΓΔ ‖ dominus *om.* V ‖ 8 atque : ad A^{ac} ‖ 9 et *om. Mi.* ‖ 9-10 omnia — suam *om.* Θ ‖ 9 nos : nobis V MY ‖ 11 hoc : in hoc ΓΔ ‖ faciens in *om.* AVΘ ‖ iudicium VΘ^{pc} (-cio Θ^{ac}) ‖ quae : qua Y ‖ 12 admixta : eam mixta Yw eam iuxta M ‖ largitus est bonitate ∼ M bonitatem largitur est B

203. 1 arguendus : arguens AVΘ arguendus est *Mi.* ‖ 2 errorem AVΘ ‖ a : et Θ^{pc} *om.* AV M^2 ‖ iustitiam AΘ^{ac} M^2 ‖ 3 dominum MY ‖ esse *om. Mi.* ‖ enim Γ

202. a. Is. 63,7 ‖ b. cf. Ps. 129,3 ‖ c. cf. Ps. 129,4

§ 201. 1. Nous n'avons pas à conclure de cette interprétation étymologique d'un mot hébreu que Didyme connaissait la langue hébraïque. Jérôme de son côté la savait, mais ce n'est pas lui qui a inséré ici le sens et la réflexion qui concernent le mot Israël.

traduit de l'hébreu en notre langue, le sens du mot Israël :
« l'esprit qui voit Dieu »[1].

202. Bien qu'un juge, en effet, puisse avoir recours
parfois à la torture et aux supplices à l'encontre des
condamnés, cependant quand on considère le motif profond des choses, on se rend compte de l'intention bien-
veillante de celui qui désire corriger le pécheur et on
convient qu'il est bon, en disant : « Il nous traite selon
sa miséricorde[a]. » Si, en effet, le Seigneur considère les
fautes de ceux qu'il juge, qui tiendra ?[b] Mais au delà,
puisque « auprès du Seigneur se trouve le pardon »[c],
Celui qui est notre Seigneur et notre Sauveur accorde
selon sa miséricorde tout ce qui peut nous amener au
salut. En nous rétribuant selon sa miséricorde et en le
faisant sous jugement, c'est avec justice qu'il nous accorde ce qu'il nous donne dans une miséricordieuse
bonté[1].

**Unité du Dieu de l'Ancien
et du Nouveau Testament**

203. *[45]* Avec ce chapitre, il faut dénoncer l'erreur des hérétiques qui,
séparant la bonté de la justice, imaginent qu'il y a un
Dieu bon et un autre juste[1]. Voilà justement, en l'occur-

Quiconque a lu Origène — et Didyme fut un de ses lecteurs —
sait qu'il existait alors des recueils d'étymologies pour les noms
propres bibliques. Didyme y a puisé directement plus d'une fois.

§ 202. 1. Ici, tout à fait intempestivement, tombait pour les
anciens éditeurs la fin du Livre II. Cf. § 94, note 1.

§ 203. 1. *un Dieu bon et un Dieu juste* : cela avait été l'enseignement de Marcion, mais le marcionisme, après plus de deux
siècles, toujours reconnu comme hérésie, ne pouvait passer pour
une secte dangereuse à l'époque de Didyme en Égypte, tandis que
la propagande manichéenne était encore vivace. Elle aussi prônait
l'existence de deux sortes de dieux. Didyme a écrit un petit traité
Contre les Manichéens, *PG* 39, 1090-1110, et il les prend à partie
dans le *De Trin.* plusieurs fois : III, 18, 881 B ; 21, 904 A ; 42,
989, B ; dans l'*In Zach.*, 309, 22 ; dans l'*In Gen.*, 167, 19 ; etc.

4 impraesentiarum ipse est Deus et bonus et iudex et iuxta
   misericordiam suam iustitiamque restituens, et pariter
   bonus iustusque subsistens.

   204. Frustra igitur iniquum dogma simulantes, bonum
   Deum Euangelii, et Veteris Testamenti iustum esse de-
   fendunt, quia et in pluribus aliis locis et nunc in pro-
4 phetae sermone, 'iudex bonus' scribitur Deus et, e contrario, quod nolunt, in Pauli apostoli Epistola — qui certe
   Noui Instrumenti praedicator est — Deus 'iustus iudex'
   refertur : « Reposita est mihi, inquit, corona iustitiae
8 quam restituet mihi 'iustus iudex'[a]. »

   205. Idem est ergo, licet nolint, Noui et Veteris Testamenti Deus, uisibilium et inuisibilium conditor, Saluatore etiam in Euangelio iustum et bonum Patrem liquido
4 contestante : « Pater iuste, mundus te non cognouit[a]. »
   Et in alio loco : « Nemo bonus, nisi unus Deus[b]. » Sed
   et in ueteri lege, alibi iustus alibi bonus Deus dicitur ; in
   Psalmis : « Iustus, inquit, Dominus et iustitiam dilexit[c] »,
8 et e contrario in Ieremia : « Bonus Deus his qui sustinent

AVΘ MYw BΓΔ *Mi.*

4 et 2° *om.* Y BΓΔ ‖ iusta A[ac] M ‖ 6 bonus iustusque : bonusque
Δ
   204. 1 dogmata Δ ‖ 2 dei M ‖ 3 et 1° *om.* Y ‖ in *om.* AΘ ‖
plurimis *Mi.* ‖ nunc et ∼ B ‖ 4 e *om.* Y ‖ 5 noluit AVΘ ‖
apostoli *om.* Θ Δ ‖ 6 instrumenti : testamenti Θ M Δ *Mi.* ‖
praedicator Y ‖ est *om.* ΓΔ ‖ deus *om.* MY *post* iudex w ‖ iustus
om. Θ ‖ iudex *om.* AVΘ BΓΔ ‖ 7 infertur Θ ‖ inquit mihi ∼
AV Mw mihi inquit mi Θ ‖ 8 restituet : reddet Γ *Mi.* ‖ mihi]+
dominus in illa die *Mi*
   205. 1 ergo est ∼ Γ ‖ est *om.* M ‖ licet nolint : nolint uelint
AVΘ ‖ 2 inuisibilium] + est Θ ‖ 3 liquido : loquendo ΓΔ ‖ 4
attestante *Mi.* ‖ iuste] + et MYw B ‖ 5 et *om.* AVΘ Yw ‖

rence, un passage où Dieu lui-même est à la fois bon et
juge, où il rétribue selon sa miséricorde et sa justice, et
où il subsiste également dans sa bonté et sa justice.

204. C'est donc en vain que, forgeant une doctrine
abominable, ils prétendent que le Dieu de l'Évangile est
bon, tandis que celui de l'Ancien Testament est juste. En
vain, car, d'une part, en plusieurs passages autres que le
texte du prophète dont nous nous occupons maintenant,
il est écrit que Dieu est un « juge bon », et d'autre part,
à l'inverse qu'ils récusent, dans une Épître de l'Apôtre
Paul — qui est assurément un prédicateur du Nouveau
Testament —, Dieu est présenté comme un « juste juge » :
« Il m'est réservé, dit Paul, la couronne de justice qu'en
retour me donnera le juste juge[a]. »

205. Il est donc identique, en dépit de leur refus, le
Dieu du Nouveau et de l'Ancien Testament, créateur des
choses visibles et invisibles. Le Sauveur lui-même atteste
clairement dans l'Évangile que le Père est « juste et
bon » : « Père juste, le monde ne t'a pas connu[a] », et
dans un autre passage : « Nul n'est bon que Dieu seul[b]. »
Dans la Loi ancienne, il est dit tantôt que Dieu est juste,
tantôt qu'il est bon ; dans les Psaumes : « Le Seigneur
est juste, il aime la justice[c] », et dans Jérémie, au
contraire : « Le Seigneur est bon pour ceux qui espèrent

unus : solus Δ ‖ 6 et *om.* M ‖ in *om* Γ ‖ deus *om.* AVΘ ‖
dicitur : noster w ‖ dic. deus ∼ *Mi.* ‖ in ps. : et in ps. AVΘ ‖ 7
dominus inquit ∼ B *Mi.* ‖ iustitias MYw *Mi.* ‖ 8 ieremio Γ ‖
dominus AVΘ *Mi.*

204. a. II Tim. 4,8
205. a. Jn 17,25 ‖ b. Mc 10,18 ‖ c. Ps. 10,7

eum[d]. » Rursum in Psalmis : « Quam bonus Deus Israel
his qui recto sunt corde[e]. » Et haec quidem e latere
contra haereticos strictim dicta sint.

206. Tempus autem est ut propositum prophetae ordinem prosequamur, qui ita contexitur : « Et dixit —
haud dubium quin Dominus — : Nonne populus meus,
4 filii, nec praevaricabuntur[a] ? » Non erunt, inquit, similes
his qui generati sunt et exaltati et eum qui illos genuit
despexere. « Et factus est eis in salutem[b] », id est illis de
quibus Dominus ait : « Nonne populus meus filii, et non
8 praeuaricabuntur ». Hoc enim ipsum quod non praeuaricati sunt nec spreuerunt Patrem, eis factus est in salutem ; uel ob idipsum quod appellati sunt filii, causa eis
salutis effectus est.

207. Quae salus in Christo Domino contributa, angeli
quoque ad pastores uoce firmatur, dicentis : « Ecce euan-
gelizo uobis gaudium magnum, quod erit omni populo ;
4 quia natus est uobis hodie Saluator qui est Christus
Dominus, in ciuitate Dauid[a]. » Ipse factus est cunctis qui
in eum credunt occasio salutis aeternae[b], et ipse est

AVΘ MYw BΓΔ *Mi.*

9 rursus MYw *Mi.* ‖ israel deus ∼ V[pc] MY B ‖ 11 strictam Δ ‖
sunt Mw Δ *Mi.*
   206. 1 proph. prop. ∼ w ‖ prophetae : est Γ ‖ 3 haud : aut A
‖ deus Δ ‖ meus *om.* Δ ‖ 4 nec : et non V Γ ‖ erunt : erant
MYw *Mi.* ‖ 6 despexere : despicere AVΘ ‖ 7 et non : nec w ‖
8 enim : autem ΓΔ ‖ 9 factum B ‖ 10 idipsum : id AVΘ
   207. 1 in *codd.* : a *Mi.* ‖ domino]+ est ΘB ‖ contributa] +
est V ‖ 2 voce ad past. ∼ Θ[ac] ‖ 3 gaudium : euangelium MY ‖
4 nobis AΘ MY ‖ qui est *om.* MYw ‖ 4-5 dominus christus ∼
AΘ[ac] Y B dominus iesus w ‖ 6-7 saluator est ∼ w

en lui[d] », et dans les Psaumes : « Comme Dieu est bon pour Israël, pour les hommes au cœur pur ![e] » — Voilà, en passant, quelques mots rapides contre les hérétiques[1].

Le Sauveur du monde **206.** Mais il est temps de poursuivre dans l'ordre voulu par le prophète[1]. Le texte continue ainsi : « Il a dit — il s'agit évidemment du Seigneur — : Ne sont-ils pas mon peuple, des fils, et qui ne trahiront pas ?[a] » Ils ne seront pas semblables, dit-il, à ces enfants qui se sont dressés et qui ont méprisé celui qui les avait engendrés. « Et il est devenu pour eux un Sauveur[b] », eux, c'est-à-dire ceux dont le Seigneur dit : « Ne sont-ils pas, eux, mon peuple, des fils, et qui ne trahiront pas ? » Par le fait même qu'ils n'ont pas trahi et qu'ils n'ont pas méprisé leur Père, il est devenu pour eux le salut ; ou bien, par cela même qu'ils ont reçu l'appellation de fils, il est devenu pour eux une cause de salut.

207. Et ce salut a été procuré par le Christ Seigneur, ainsi que le confirme la voix de l'ange aux bergers quand elle dit : « Voici, je vous annonce une bonne nouvelle qui sera une grande joie pour tout le peuple : Il vous est né aujourd'hui, dans la ville de David, un Sauveur, qui est le Christ Seigneur[a]. » Il est devenu pour tous ceux qui croient en lui l'occasion du salut éternel[b], et il est lui-

---

205. d. Lam. 3,25 ‖ e. Ps. 72,1
206. a. Is. 63,8 ‖ b. Is. 63,8
207. a. Lc 2,10-11 ‖ b. cf. Hébr. 5,9

---

§ 205. 1. L'abondance et la précision de cette réfutation d'un des points doctrinaux du manichéisme laissent entendre que l'influence de la secte était alors bien réelle et montre à quel point l'orthodoxie de Didyme se sentait blessée par des affirmations pareilles.

§ 206. 1. Voir *infra* : Notes complémentaires, p. 401.

Saluator mundi qui uenit ut quaereret quod perierat[c]. Et
8 de ipso chorus sanctorum canit : « Deus noster, Deus
saluandi[d]. »

208. *[46]*Quia igitur Deus erat qui salutem praebebat
aeternam, dictum est : « Non legatus neque angelus[a] »,
id est non propheta, non patriarcha, non legislator
4 Moyses saluauit eos. Omnes enim quos nominaui poterant ad Deum fungi legatione pro populo[b]. Denique
Moyses, interpellans eum pro delinquente plebe, ait : « Si
dimittis eis peccatum eorum, dimitte[c]. » Sed obsecrauit
8 ueniam quadraginta diebus ieiunans et misericordiam Dei
animae afflictione prouocans. Nemo autem de horum
numero legatorum poterat esse saluator, indigens et ipse
eo qui salutis largitor est uerus. Nam et angeli, quam-
12 quam spiritus sint et ad diuersa, propter eos qui salutem
accepturi sunt[d], ministeria mittantur, non sunt tamen
auctores salutis, sed eum qui fons salutis est interpretantur et nuntiant.

209. Vnde dictum est : « Non legatus neque angelus,
sed ipse Dominus saluauit eos », non propter aliud quid,

AVΘ MYw BΓΔ *Mi.*

7 ut quaereret : quaerere AVΘ *Mi.* ‖ 8 de ipso : ipse est de quo
Mi. ‖ noster : dominus AΘ deus V (*ergo ter* deus *ante* saluandi
V)
    208. 2 est *om.* ‖ neque : non w ‖ 3 non 1° : neque Γ ‖ 4 saluabat
B ‖ nominauit AVΘ ‖ 5 dominum MYw *Mi.* ‖ legatione (-nem
V) fungi ∼ AVΘ ‖ pro *om.* V ‖ 6 interpellans : deprecans AVΘ
‖ pro eum ∼ Y ‖ 7 dimitti Y ‖ ei B ‖ 8 quadraginta : XL w ΓΔ
‖ 9 animae : animi V animia A[ac]Θ nimia A[pc] ‖ de horum : deorum
Θ[ac] de eorum V[ac]Θ[pc] ‖ 10 potest MYw *Mi.* ‖ 11 eo *om.* ΓΔ ‖
uerus est ∼ *Mi.* ‖ 11-12 quamquam : quam quod Δ ‖ spiritus :
sancti AVΘ ‖ qui] + ad Δ ‖ 12-13 accepturi sunt salutem ∼ w
‖ 13 sunt 1° : sint AVΘ ‖ ministeria : ministri AΘ misteria w ‖
admittantur AΘ ‖ 14 est salutis ∼ w ‖ est *om.* AVΘ ‖ 14-
15 interpretatur AΘ ‖ 15 et nuntiant : enuntiant AVΘ

même le Sauveur du monde venu chercher ce qui était
perdu[c]. C'est de lui aussi que le chœur des saints dit en
chantant : « Notre Dieu est un Dieu sauveur[d]. »

208. *[46]* Donc, puisque c'était Dieu qui accordait le
salut éternel, il a été dit : « Ce n'est pas un délégué, ce
n'est pas un ange[a] »[1], c'est-à-dire que ce n'est pas un
prophète, pas un patriarche, pas Moïse le législateur, qui
les a sauvés. Tous ceux, en effet, que je viens de nommer
pouvaient s'acquitter d'une ambassade auprès de Dieu
en faveur du peuple[b]. Moïse, intercédant auprès de Dieu
pour le peuple qui avait péché, dit : « Si tu veux remettre
leurs péchés, remets[c] » ; cependant, il implora le pardon
en jeûnant quarante jours et il provoqua la miséricorde
de Dieu par l'affliction de son âme. Mais personne au
nombre de ces délégués ne pouvait être un sauveur, car
il manquait alors Celui qui est le véritable dispensateur
du salut. Quant aux anges, bien qu'ils soient des esprits
et bien qu'ils soient envoyés en divers ministères auprès
de ceux qui sont destinés à recevoir le salut[d], ils ne sont
pourtant pas les auteurs du salut, mais ils sont les
interprètes et les messagers de Celui qui est la source du
salut.

209. D'où la phrase : « Ce n'est pas un délégué, ce
n'est pas un ange, mais le Sauveur lui-même qui les a

---

209. 1 neque : non w ‖ 2 ipse : ape (*lapsus cal. uel* 'a patre' ?)
Δ ‖ dominus *om.* AVΘ ‖ propter aliud : prevaluit V ‖ quid :
quod Δ

---

207. c. cf. Matth. 18,11. Lc 15,4-7 ‖ d. Ps. 67,21
208. a. Is. 63,9 ‖ b. cf. II Cor. 5,20 ‖ c. Ex. 32,31 ‖ d. cf.
Hébr. 1,14

---

§ 208. 1. Même citation d'Isaïe en *De Trin*, III, 27, 944 A, avec
même développement sotériologique correspondant.

sed propter id « quod diligeret eos et parceret eis[a] ».
4 Parcere autem dicitur quasi creaturis suis, iuxta illud
quod alibi scribitur : « Parcis autem omnibus, Domine
amator animarum, quia tua sunt, neque enim odiens
quid fecisti[b]. »

210. Quapropter et pro eorum salute proprio Filio
non parcens, Pater tradidit eum in mortem[a], ut per
mortem Filii sui, destructo eo qui habebat mortis impe-
4 rium, hoc est diabolo[b], redimere omnes qui ab eo cap-
tiuitatis uinculis tenebantur[c]. Vnde subicitur : « Ipse autem redemit eos et suscepit eos, et exaltauit illos[d]. »
Suscipit enim exaltatque saluatos et redemptos, in su-
8 blime tollit uirtutum alis et eruditione et scientia ueritatis,
non ad unum tantummodo et alterum diem, sed in
omnibus aeternitatis diebus habitans in eis et cum eis, et
usque ad consummationem saeculi uitam eis tribuens
12 salutisque auctor exsistens. Omnibus autem diebus saeculi
illuminans corda eorum, non sinit eos in tenebris igno-
rantiae et errore uersari.

211. Et hoc puto esse quod scriptum est : « in omnibus
diebus exaltari eos ».

AVΘ MYw B$\Gamma\Delta$ *Mi.*

3 *om.* AVΘ ‖ 4 parcere : parceret V ‖ quasi] + de Y ‖ 5 parces
MYw *Mi.* ‖ domine omnibus ∼ V ‖ 6 tuae MYw B *Mi.* ‖ odies
w *Mi.* ‖ 7 quod MYw Δ quos *Mi.*

210. 2 morte B ‖ 2-4 ut — imperium : *om.* Θ^{tx} ut uinceret
principes mundi Θ^{2mg} ‖ 3 mortis habebat ∼ B$\Gamma\Delta$ ‖ 4 diabolum
AVΘ ‖ redimeret] + autem Θ^2 eos Δ ‖ qui] + ≡≡≡ Θ ‖ 5
uinculo *Mi.* ‖ 6 eos 2° (A¹) : illos A²V ‖ illos : *om.* V¹ eos AV²Θ
‖ 7 suscepit AVΘ $\Gamma\Delta$ ‖ enim : eos (*expunct.*) enim Δ ‖ exal-
tauitque AVΘ exaltaque Δ ‖ 8 tulit AVΘ ‖ alis : aliis A¹VΘ B
alios A² ‖ et 1° *om.* AVΘ ‖ 9 tantummodo : tantum *Mi.* ‖

sauvés », et cela, sans autre raison que « parce qu'il les aimait et qu'il les épargnait[a] ». Il emploie le mot d'épargner comme pour ses créatures, selon ce qui est écrit en un autre endroit : « Tu les épargnes tous, Seigneur, ami des âmes, parce qu'ils sont à toi et que tu ne peux haïr tes créatures[b]. »

210. C'est pourquoi le Père, pour leur salut, n'épargnant pas son propre Fils, l'a livré à la mort[a] ; il voulait, par la mort de son Fils, après avoir réduit à l'impuissance celui qui détenait le pouvoir de la mort, c'est-à-dire le diable[b], racheter tous ceux que celui-ci tenait dans les liens de la captivité[c]. Aussi ajoute-t-il : « Il les a lui-même rachetés, portés, relevés[d]. » Il porte, en effet, et il élève ceux qu'il a sauvés et rachetés ; il les porte vers les hauteurs avec les ailes des vertus, avec l'enseignement et la connaissance de la vérité, habitant en eux et avec eux, non point seulement pour un ou deux jours, mais pour tous les jours de l'éternité, leur accordant la vie et se faisant l'auteur de leur salut jusqu'à la consommation du monde. Illuminant leur cœur tous les jours du monde, il ne les laisse pas demeurer dans les ténèbres de l'ignorance ni dans l'erreur.

211. Tel est, je pense, le sens des mots : « Il les a élevés tous les jours ».

---

10 diebus aetern. ∼ *Mi.* ‖ 9 cum eis et in eis ∼ w ΓΔ ‖ et 2° *om.* AVΘ Yw B ‖ 11 ad consummationem : in cons. V in finem B
211. 1 quod scr. est *om.* Mᵃᶜ ‖ in *om.* ΓΔ ‖ 2 diebus *om.* B ‖ exaltati Vᵃᶜ ‖ eos (V²ᵐᵍ) : *om.* V¹

---

209. a. Is. 63,9 ‖ b. Sag. 11,27.25
210. a. cf. Rom. 8,32 ‖ b. cf. Hébr. 2,14 ‖ c. cf. Hébr. 2,14 ‖ d. Is. 63,9

212. *[47]* Quia uero mutabiles et ad uitia sponte labentes, post tanta beneficia Deo fuerunt increduli et praecepta illius reliquerunt et exacerbauerunt Spiritum
4 Sanctum Dei, qui eis bona multa largitus est, in peccatum simile corruentes his qui, postquam geniti sunt et exaltati, spreuerunt Patrem suum, uel certe ipsi nunc describuntur qui et antea descripti sunt, siquidem et ibi post peccatum
8 dicitur ad eos : « Dereliquistis Dominum et ad iracundiam concitastis Sanctum Israel[a] », et nunc aeque : « Ipsi non crediderunt et exacerbauerunt Spiritum sanctum eius[b]. »

213. Et ex praesenti ergo loco societas Spiritus ad Deum ostenditur : qui dereliquit Dominum et est incredulus, ad iracundiam prouocat Sanctum Israel et exacer-
4 bat Spiritum Sanctum eius. Et eadem indignatio super peccatoribus tam ad Sanctum Spiritum quam ad Sanctum refertur Israel.

214. Unde et in consequentibus similis copula Trini-tatis ostenditur, dicente Scriptura Dominum ad inimici-tias esse conuersum his qui exacerbauerunt Spiritum
4 Sanctum eius, et tradidisse eos sempiterno cruciatui, post-

---

AVΘ MYw BΓΔ *Mi.*

212. 2 labentes : habentes V ‖ deo : *om.* AV dei Δ ‖ 3 et *om.* A Mw ‖ exaceruauerunt A[ac]V ‖ 4 multa bona ∼ V w ΓΔ *Mi.* ‖ est larg. ∼ w ‖ 5 corruerunt *Mi.* ‖ exaltati Y ‖ 6 nunc ipsi ∼ MYw *Mi.* ‖ descr. nunc ∼ Θ ‖ 7 qui et : quia M[ac] ‖ descr. sunt : describuntur Γ ‖ 8 dereliquisti V ‖ deum ΓΔ ‖ 8-9 ad iracundiam *om.* B ‖ 9 concitatus V prouocastis BΓΔ ‖ aeque : atque Θ ea quae MYw quod *Mi.* ‖ 10 et *om.* Y B ‖ exaceruauerunt AV ‖ sanctum *om.* M
213. 1 et *om.* B *Mi.* ‖ ex *om.* V ‖ 1-3 et — incredulus *duplic. post* 4 eius Γ ‖ 2 deum : dominum MYw ‖ derelinquit Θ w ΓΔ ‖ 3 ad : et ad w BΓΔ *Mi.* ‖ 3-4 exaceruat A[ac]V ‖ 4 sanctum *om.*

Les pécheurs irritent l'Esprit Saint

212. *[47]* Mais parce qu'ils sont changeants et qu'ils glissent d'eux-mêmes vers le vice, ils devinrent après de si grands bienfaits, incrédules à l'égard de Dieu et abandonnèrent ses commandements ; ils irritèrent l'Esprit Saint de Dieu qui leur avait largement dispensé toute sorte de biens, ils se précipitèrent dans un péché semblable à celui de ceux qui, après avoir été engendrés et élevés, ont méprisé leur Père. Ceux qui sont décrits maintenant sont sûrement ceux qui ont été décrits auparavant, puisque, alors, après le péché, il leur est dit : « Vous avez abandonné le Seigneur et vous avez excité la colère du Saint d'Israël[a] », et maintenant, équivalemment : « Ils ne crurent pas et ils ont irrité son Esprit Saint[b]. »

213. Le passage actuel montre donc aussi la communauté de l'Esprit avec Dieu, (quand il énonce que) celui qui abandonne le Seigneur et se rend incrédule, excite la colère du Saint d'Israël et irrite son Esprit Saint : une même indignation à l'endroit des pécheurs se rapporte aussi bien au Saint Esprit qu'au Saint d'Israël.

214. Si bien que, dans la suite, semblable union de la Trinité se découvre quand l'Écriture dit que le Seigneur s'est changé en ennemi pour ceux qui ont irrité son Esprit Saint et qu'il les a livrés à un tourment éternel

B ‖ et *om. Mi.* ‖ 5 spiritum sanctum ∼ *Mi.* ‖ sanctum 2° : deum MYw ‖ 6 israel refertur ∼ Δ*Mi.*

214. 1 in *om.* w ‖ consequentes Θ ‖ similibus *Mi.* ‖ 2-3 inimicitiam M^ac nuntias Δ ‖ 3 esse *om.* V ‖ exaceruauerunt AV ‖ 3-4 s. sp. ∼ Θ B

212. a. Is. 1,4 ‖ b. Is. 63,10

quam non sermone sed rebus in Sanctum eius Spiritum
blasphemauerunt. Ipse igitur qui « eis conuersus est ad
inimicitias, debellauit eos[a] », et subiecit multiplicibus lon-
8 gisque cruciatibus, ut nec in praesenti tempore nec in
futuro[b] consequantur ueniam peccatorum. Exacerbauerunt enim Spiritum Sanctum eius et blasphemauerunt in
illum.

215. *[48]* Si autem uolueris hoc de Iudaeis intellegere
qui crucifixerunt Dominum Saluatorem et idcirco exacerbauerunt Spiritum Sanctum, id quod scriptum est « ipse
4 debellauit eos » ad illam intellegentiam referendum quod
Romanis traditi sunt quando uenit super eos ira Dei in
finem.

216. In uniuerso enim orbe cunctisque regionibus soli
exsules patriae et in terra uagantur aliena, non urbem
antiquam, non sedes proprias possidentes[a]. Id quod pro-
4 phetis et Saluatori suo fecerunt, receperunt. Quia enim
sanguinarii et uesano semper furore raptati, non solum
prophetas occiderunt lapidaueruntque eos qui ad se missi
fuerant[b], sed ad impietatis culmen egressi, Dominum

AVΘ MYw BΓΔ *Mi.*

5 rebus : horum VΘ[tx] opere Θ[mg] in rebus Y ‖ sed] + in Y ‖ in
om. ΓΔ ‖ sp. s. eius Θ MYw ‖ 7 inimicitiam A M *Mi.* ‖ eos *om.*
AVΘ ‖ 7-8 longisque : multisque AVΘ ‖ unciatibus M[ac]
9 consequentur Θ[ac] -querentur BΓΔ ‖ 9-10 exaceruauerunt V ‖
enim *om.* AVΘ ‖ eius sanctum ~ w ‖ in *exp.* Θ
     215 1 intellege Y ‖ 2 deum ΓΔ ‖ 3 ipse *om.* Γ ‖ 4 ad (A²Θ²) :
om. A¹VΘ¹ ‖ illam : hanc A² *om.* A¹VΘ¹ ‖ illam]+ est *Mi.* ‖
referendum]+ est A²Θ² ‖ 5 ira dei super eos ~ Δ ‖ 6 fine B
     216. 2 et *om. Mi.* ‖ non : in M ‖ 3 antiquam : aliquam Γ ‖
propria Y ‖ 4 fecerant AΘ B ‖ ceperunt Y[ac] ‖ quia : qui AVΘ ‖
enim : enim et Θ ‖ 5 furore : foro M ‖ raptati : rapti ΓΔ capti
Mi. ‖ 6 occiserunt A[ac] ‖ missi : remissi Θ[ac] ‖ 7 fuerunt w ‖ sed
]+ et V w ‖ ad *om.* MY ‖ egressi *om.* AVΘ

pour avoir blasphémé, non en paroles mais par des actes, contre le Saint Esprit. C'est lui-même donc qui « s'étant changé en ennemi pour eux leur a infligé la guerre »[a] et les a soumis à de nombreuses et longues tortures sans espoir d'obtenir le pardon des péchés ni dans le temps présent ni dans le temps futur[b]. Ils ont en effet irrité son Esprit Saint et ils ont blasphémé contre lui.

Exil, errance et châtiment des Juifs, en attendant que tout Israël soit sauvé
215. *[48]* Veux-tu appliquer cela aux Juifs qui crucifièrent le Seigneur Sauveur et, par là, irritèrent l'Esprit Saint ? Alors, rapporte ces mots : « lui-même a infligé la guerre », à l'interprétation suivante : ils ont été livrés aux Romains quand, à la fin, la colère de Dieu a fondu sur eux.

216. En effet, dans le monde entier, partout, ils errent en terre étrangère[1], solitaires, exilés de leur patrie, dépossédés de ville antique, de lieux de séjour bien à eux[a]. Ce qu'ils firent aux prophètes et à leur Sauveur, ils le subissent. Sanguinaires et constamment emportés par une frénésie délirante, ils ne se sont pas contentés de tuer les prophètes et de lapider ceux qui leur avaient été envoyés[b], mais, parvenus au comble de l'impiété, ils ont livré et

---

214. a. cf. Is. 63,10 ‖ b. cf. Mc 3,29
216. a. cf. Ps. 106,4-7 ‖ b. cf. Matth. 23,37. Lc 13,34

---

§ 216. 1. Le thème des Juifs errants, châtiés pour avoir « livré et crucifié le Seigneur Sauveur », mais appelés à « entrer » par la porte ouverte à tous, se trouve également sous la plume de Didyme, dans *In Zach.* IV, 185-193 ; V, 28-30. On y relève même que, pour les détails du châtiment, Didyme renvoie à Josèphe l'historien.

8 Saluatorem, qui pro cunctorum salute descendere dignatus fuerat ad terras, prodiderunt et crucifixerunt ; propterea expulsi sunt urbe quam prophetarum et Christi
cruore maculauerunt.

217. Secundum hunc igitur sensum debellatos eos a
Domino[a] intellegere debemus, non ad breue tempus, sed
ad omne futurum saeculum usque ad consummationem
4 mundi, quippe, ut diximus, profugi atque captiui, in
uniuersis oberrant nationibus, non urbem, non regionem
propriam possidentes. Attamen quia naturaliter benignus
est et misericors is qui eos antea debellauerat, tribuit eis
8 locum paenitentiae si uelint ad meliora conuerti.

218. Vnde dicitur « et recordatus est dierum saeculi[a] ».
Recordatus enim temporum futurorum, clausam ianuam
aliqua eis ex parte reserauit, ut postquam intrauerit
4 plenitudo gentium, tunc omnis Israel qui hac fuerit dignus appellatione[b] saluetur[c].

219. Licet enim in id temeritatis eruperint ut eum qui
propter eos missus fuerat interficerent, dicentes : « San-
guis eius super nos et super filios nostros[a] », tamen Deus
4 suscitauit eum de terra, in cuius corde tribus diebus et

AVΘ MYw BΓΔ *Mi.*

8-9 fuerat dignatus ∼ MYw BΔ ‖ terram M ‖ 10 prophetae
A[ac]VΘ[ac] ‖ 11 maculauerant AΘ B
217. 1 hunc sensum igitur Θ ‖ igitur hunc ∼ MYw *Mi.* ‖
hunc : huic M[ac] ‖ depellatos Δ ‖ 1-2 a domino *om.* Θ ‖ 3 ad 1° :
in BΓΔ ‖ 4 quippe mundi ∼ AVΘ BΓΔ ‖ profugi atque (*in uno*
M) : profugatque Δ ‖ 5 uniuerso V ‖ aberrant *Mi. om.* M ‖
nationibus : in n. Θ[ac] ‖ non 1° : in M[ac] ‖ 7 et misericors est ∼ Δ
‖ is : his Y ΓΔ ‖ qui : quos ΓΔ ‖ eos antea Mw : antea ΓΔ eos
ante Y B ante eos AΘ autem eos V eos *Mi.* ‖ debellauerunt M
-uerunt V
218. 1 et dicitur ∼ *Mi.* ‖ 3 aliqua : aliquam M[ac] *om.* AVΘ ‖

crucifié le Seigneur Sauveur qui avait daigné descendre
sur la terre pour le salut de tous les hommes. Aussi ont-
ils été chassés d'une ville qu'ils avaient souillée par le
sang des prophètes et par celui du Christ.

217. C'est donc en conformité avec ce sens que nous
devons comprendre que « le Seigneur leur a infligé la
guerre »[a], non pas une guerre de peu de durée, mais de
tout le siècle à venir jusqu'à la consommation du monde ;
car, comme nous avons dit, proscrits et captifs, ils errent
à travers toutes les nations, sans ville à eux, sans contrée
qui leur appartienne. Et pourtant, comme Celui qui leur
avait, auparavant, infligé la guerre, est par nature bienveillant et miséricordieux, il leur accorda un tour de
pénitence s'ils voulaient revenir à une meilleure conduite.

218. Aussi est-il dit qu'« il s'est souvenu des jours du
monde[a] ». Il s'est, en pensée, représenté les temps à venir :
il leur a entrouvert la porte fermée pour que, une fois
entrée la plénitude des nations, tout Israël, devenu digne
de cette appellation[b], soit sauvé[c].

219. En effet, bien qu'ils se soient précipités dans la
témérité au point de mettre à mort Celui qui avait été
envoyé à cause d'eux, en disant : « Que son sang retombe
sur nous et sur nos enfants[a] », cependant, celui-là, Dieu
l'a fait se relever de la terre, au sein de laquelle il était

---

eis *om.* AVΘ ‖ resecauit V[ac] ‖ introisset AVΘ ‖ 4-5 dignus fuerit
~ w ‖ appell. dignus AVΘ
219. 1 eruperunt A[ac]Θ eriperint V[ac] ‖ eum *om.* Θ ‖ 2 fuerat]
+ inter omnes *cancellat.* V ‖ interfecerint BΓ -fecerunt Δ ‖ 3 deus
om. M ‖ 4 illum Θ B ‖ terra in cuius corde : corde terrae MYw

---

217. a. cf. Is. 63,10
218. a. cf. Is. 63,9 ‖ b. cf. Rom. 9,6 ‖ c. cf. Rom. 11,25-26
219. a. Matth. 27,35

tribus noctibus[b] fuerat commoratus, 'pastorem ouium suarum', siquidem ita contexitur : « qui eduxit de terra pastorem ouium[c] ».

220. *[49]* Quod uero pastor est ouium Dei qui nunc prophetali sermone describitur Dominus noster Iesus Christus, manifestius in Euangelio didicimus, ipso Salua-
4 tore testante : « Ego sum pastor bonus, et animam meam pono pro ouibus meis [a] », et iterum : « Oues meae uocem meam audiunt[b]. »

221. Post quae omnia, prophetes ait:« Vbi est qui po-suit super eos Spiritum Sanctum[a] ? » Admiratur quippe de quanta felicitate ad quantas miserias peruenerint, et
4 quodam modo loquitur : Qui eos redemerat, qui exal-tauerat, qui posuerat in illis Spiritum Sanctum suum, habitans cum eis, ubi nunc est ? quo abiit ? Dereliquit eos, quia ipsi prius dereliquerunt, et ad iracundiam
8 prouocauerunt Sanctum Israel. Posuerat autem dudum in eis Spiritum Sanctum Deus cum adhuc boni essent et praeceptis eius obsequi niterentur.

AV⊖ MYw B⌈Δ *Mi.*

5 tribus *om.* AV⊖ Δ ‖ fuerat : ubi f. MYw ‖ 7 ouium] + suarum A MYw
220. 1 pastor est : pastorem Y pastor B⌈ *Mi.* ‖ dei *codd.* : deus *Mi.* ‖ 2-3 d. n. i. c. A⊖ M : i. c. d. n. Yw d. n. sit i. c. V d. n. sit B⌈Δ d. sit *Mi.* ‖ 3 dicimus Δ discimus B *Mi.* ‖ 5 ponam ⊖ ‖ meis *om.* A⊖ M B⌈ ‖ meam uocem ∼ B ‖ 6 audient Δ
221. 1 post quae : postquam AV post haec *Mi.* ‖ 2 adm. : et adm. V admirantur Δ ‖ 3 et *om.* AV⊖ ‖ 4 quodam modo : quomodo MYw ‖ qui 1° : quis ⊖ ‖ redimerat AV⊖[1] M[ac] ⌈ redemerit ⊖[2] ‖ 4-5 qui exaltauerat (⊖[1]) : quis -rit ⊖[2] *om.* Myw *Mi.* ‖ 5 qui (⊖[1]) : quis ⊖[2] ‖ posuerat (⊖[1]) : -rit ⊖[2] -rant Y ‖ 6 habitans *ut uid.* (⊖[1]) : habitet ⊖[2] qui habitet ⊖[3] ‖ cum : in AV⊖

resté trois jours et trois nuits[b], — en pasteur de ses brebis, puisque le texte poursuit ainsi : « qui fit sortir de la terre le pasteur des brebis »[c].

220. *[49]* Que notre Seigneur Jésus Christ soit le pasteur des brebis de Dieu que le texte du prophète décrit maintenant, nous l'avons appris plus clairement dans l'Évangile où le Sauveur lui-même atteste : « Je suis le bon Pasteur et je donne ma vie pour mes brebis[a] », et encore : « Mes brebis écoutent ma voix[b]. »

221. Après tout cela, le prophète dit « Où est-il celui qui a placé sur eux l'Esprit

Comment l'Esprit Saint relève les pécheurs

Saint[a] ? », car il s'étonne de les voir tombés de tant de bonheur à tant de misères, et il dit en quelque sorte : Celui qui les avait rachetés, qui les avait élevés, qui avait établi sur eux son Esprit Saint, qui habitait avec eux, où est-il maintenant, où est-il parti ? Il les a abandonnés, puisque eux-mêmes, en premier, l'ont abandonné et qu'ils ont provoqué à la colère le Saint d'Israël. Pourtant, naguère, Dieu avait établi sur eux l'Esprit Saint, alors qu'ils étaient encore bons et qu'ils s'efforçaient d'obéir à ses commandements.

|| quo abiit : qui habiit Δ || dereliquit MYw : -querant A[1] -querunt A[2] et reliquit VΘ BΓΔ || 7 eos *om.* V[ac] || quia : qui Δ || 8 posuerunt Y || 8-9 in eis dudum ~ w || 9 eis : eos MY || in eis *dupl.* Δ[ac] || deus sp. s. ~ BΓΔ || deus *om.* AVΘ || boni : poni w || et : ex V || 10 obsequium V || mitterentur M

219. b. Matth. 12,39-40 || c. Is. 63,11
220. a. Jn 10,11 || b. Jn 10,27
221. a. Is. 63,11

222. His enim tantummodo Spiritus Sanctus inseritur, qui, uitiis derelictis, uirtutum sectantur chorum et iuxta eas et per eas in Christi fide uictitant. Quod si paulatim
4 neglegentia subrepente coeperint ad peiora corruere, concitant aduersum se habitatorem suum Spiritum Sanctum, et eum qui illum dederat uertunt ad inimicitias. Huic quid simile et Apostolus ad Thessalonicenses scri-
8 bens ait : « Neque enim uocauit uos Deus ad immunditiam, sed in sanctificationem[a]. »

223. *[50]* Itaque qui spernit — siue quod melius habetur in graeco 'qui praeuaricatur' —, non hominem praeuaricatur sed Deum, qui dedit Spiritum Sanctum
4 suum in uobis[a]. Nam in his sermonibus, Deus uocans per fidem in sanctificationem, id est ut sancti fierent credentes, dedit eis Spiritum Sanctum. Et quamdiu praecepta Dei seruauerunt, permansit in eis Spiritus Sanctus
8 quem acceperunt. Quando uero uitio lubrico corruerunt et ad immunditiam sunt delapsi, spreuerunt, siue praeuaricati sunt Deum, qui dederat eis Spiritum Sanctum, non ut immunditiae deseruirent sed ut sancti fierent[b]. Vnde

AVΘ MYw BΓΔ *Mi.*

222. 2 uitiis derelictis : utens deliciis V ‖ 3 fide christi MΔ *Mi.* ‖ si *om.* ΓΔ ‖ 4 subrepente : suggerente MYw ‖ corruere : confluere MYw *Mi.* ‖ 5 concitat ΓΔ ‖ 6 euertunt *codd.* : conuertunt *Mi.* ‖ inimicitiam M[ac] ‖ 7 qui A[ac] ‖ 8 uos : nos MYw *Mi.* ‖ 9 in : ad MYw *Mi.*

223. 1 spernit : spreuit V spernit haec B ‖ 2 homines M ‖ 3 praeuaricabitur MYw B *Mi.* ‖ deum : dominum MYw ‖ qui dedit : quid est V ‖ spiritum *om.* V[ac] ‖ 3-4 suum sanctum ~ A ΓΔ ‖ 4 suum *om.* Θ ‖ nam]+ et Θ ΓΔ ‖ 5 sanctificatione A ‖ id est : idem Y ‖ ut *om.* V ‖ sancti fierent AVΘ B : sancti spiritus fierent Yw *Mi.* sp. sancti f. M ‖ 6-10 et — sanctum *om.* AVΘ ‖ 6-7 dei praec. ~ BΓΔ ‖ 7 seruarunt ΓΔ ‖ in eis *om.* Δ ‖ spiritum Δ ‖ sanctus *om.* BΓΔ ‖ 8 uitio : uitiorum BΓΔ amore *Mi.* ‖ 9 sunt : suam B ‖ dilapsi BΓΔ ‖ 10 deum : dominum MYw *Mi.*

222. C'est que l'Esprit Saint ne s'introduit qu'en ceux qui, après avoir rejeté les vices, suivent le chœur des vertus[1] et, à leur modèle et par leur moyen, vivent dans la foi au Christ. Et si, peu à peu, la négligence les gagne insidieusement et qu'ils en viennent à s'écrouler dans le mal, ils soulèvent contre eux celui-là même qui les habite, l'Esprit Saint, et ils changent en ennemi celui qui le leur avait donné. A cela correspond quelque chose de semblable chez l'Apôtre, quand il écrit aux Thessaloniciens : « En effet, Dieu ne vous a pas appelés à l'impureté, mais à la sanctification[a]. »

223. *[50]* Dans ces conditions, celui qui méprise — ou, ce qui rend mieux le grec, « celui qui trahit »[1] — ne trahit pas l'homme, mais Dieu qui a mis son Esprit Saint en vous[a]. Car, dans ces textes, quand Dieu a appelé à la sanctification par la foi, c'est-à-dire pour les croyants à devenir des saints, il leur a donné l'Esprit Saint. Et aussi longtemps qu'ils ont gardé les commandements de Dieu, l'Esprit Saint qu'ils avaient reçu est resté en eux. Mais quand ils se sont précipités au chemin glissant du vice et qu'ils sont tombés dans l'impureté, ils méprisèrent, ou trahirent Dieu, qui leur avait donné l'Esprit Saint « non pour s'asservir à l'impureté, mais pour devenir des saints[b] ». C'est pourquoi ceux qui ont commis ces fautes

---

‖ 10-11 non ut *codd.* : ut non *Mi.* ‖ 11 sed *om.* V ‖ ut 2° *om.* AVΘ Δ ‖ sancti fierent : sanctificarentur MYw *Mi.* ‖ unde] + et AVΘ

---

222. a. I Thess. 4,7
223. a. cf. Is. 63,8.11 ‖ b. cf. I Thess. 4,7

---

§ 222. 1. *le chœur des vertus* : l'expression est ancienne. Cicéron l'a employée (*TLL*), Jérôme aussi plusieurs fois (*id.*). Est-ce à lui que l'image doit sa place ici ?
§ 223. 1. Voir *infra* : Notes complémentaires, p. 402.

12 poenas luent qui ista commiserint, non quasi hominem
sed quasi Deum spernentes.

224. Et ut sciamus Deum esse Spiritum Sanctum qui
datur credentibus, ex ipsius prophetae Esaiae discamus
eloquio, qui inducit ad quempiam dicentem Deum : « Spi-
4 ritus meus in te est, et uerba mea dedi in os tuum[a]. »
Ostenditur enim ex sermone praesenti quod qui acceperit
Spiritum Dei, simul cum eo et uerba Dei possideat,
sermones uidelicet sapientiae atque scientiae. Necnon in
8 alio loco eiusdem prophetae Deus loquitur : « Dedi Spiritum meum super eum[b]. »

225. Qui posuit ergo in eis Spiritum Sanctum Moysen
dextera sua[a] sanctificatum esse commemorat, siue illum
illustrem uirum et mysteriorum Dei initiatorem, de quo
4 ad Iesum filium Naue Dominus ait : « Moyses famulus
meus[b] », siue legem suam quae in Veteri scripta est
Instrumento. Nam crebro legisse me memini Moysen
appellatum esse pro lege, ut ibi : « Vsque ad hodiernum
8 diem, quando legitur Moyses[c] ». Et Abraham ad diuitem
in suppliciis constitutum : « Habent, inquit, ibi Moysen

AVΘ MYw BΓΔ *Mi.*

12 luent : luas Γ ‖ commiserunt B *Mi.*
224. 1 deum : dominum MYw *Mi.* ‖ 2 datur : dicit V ‖ ex : et
w ‖ es. proph. ∼ Γ ‖ discimus Δ dicamus AVΘ dicimus Γ ‖ 3
ad *om.* Θ M ‖ deum : dominum MYw spiritum Θ (*ante* dicentem
Θ[pc]) ‖ 4 hos Y ‖ 5 qui *om.* M[ac] ‖ 6 uerba dei ∼ MYw *Mi.* ‖
7 uidelicet : scilicet w ‖ 6 sap. atq. sc. AVΘ ΓΔ : sc. atq. sap. B
sc. siue sap. MYw sc. et sap. *Mi.* ‖ necnon : ideo non V[ac] ‖ in :
enim Δ et in *Mi.* ‖ 8 eiusdem (A¹) : eidem A²Θ
225. 1 ergo posuit ∼ M *Mi.* ‖ in eis *om.* MY ‖ 2 esse *om.* w
‖ 3 mysteriorum : ministerium M[ac] ministeriorum Δ ‖ 4 naue filium
∼ Γ[ac] ‖ dominus : deus ΓΔ ‖ 5 legem *om.* B ‖ suam *om.* Θ ‖
quae : qui M ‖ scriptum M ‖ 7 esse *om.* M[ac] ‖ ut ibi (ubi B[ac]) :
dicentibus MYw ut in apostolo *Mi.* ‖ odiernam V ‖ 8 die V *om.*

subiront des châtiments non pas comme s'ils avaient
méprisé un homme, mais comme ayant méprisé Dieu.

224. Pour que nous sachions que l'Esprit Saint donné
aux croyants est Dieu[1], apprenons-le de la bouche du
prophète Isaïe lui-même qui représente Dieu disant à
quelqu'un : « Mon Esprit est sur toi et j'ai mis mes
paroles dans ta bouche[a] ». Ce que montre ce passage,
c'est que celui qui a reçu l'Esprit de Dieu possède
simultanément avec lui les paroles de Dieu, c'est-à-dire
les discours de sagesse et de science. Dans un autre
passage du même prophète, Dieu, encore, parle : « J'ai
mis mon Esprit sur lui[b]. »

225. Or celui qui a mis sur eux l'Esprit Saint rappelle
que Moïse a été sanctifié par sa droite[a], qu'il s'agisse de
l'homme lumineux et chargé de faire connaître les mystères de Dieu, dont le Seigneur dit à Jésus fils de Navé :
« Moïse, mon serviteur[b] », ou de la Loi qui porte son
nom et qui est écrite dans l'Ancien Testament. Car je
me souviens d'avoir lu bien des fois que le nom de Moïse
est pris pour celui de la Loi[1], là par exemple : « Jusqu'à
ce jour, quand on lit Moïse[c] », ou lorsque Abraham dit
au riche plongé dans les supplices : « Ils ont là-bas Moïse

M ‖ quando : dum quando B ‖ legit V ‖ 9 ibi (*ante* inquit Θ *post*
moysen V) : *om.* ΓΔ

---

224. a. Is. 59,21 ‖ b. Is. 42,1
225. a. cf. Is. 63,12 ‖ b. Jos. 1,13.15 ‖ c. II Cor. 3,15

---

§ 224. 1. Très nette expression de l'affirmation que l'Esprit
Saint est Dieu.
§ 225. 1. Le nom de Moïse peut désigner également l'homme
ou son œuvre. Didyme, qui s'intéresse aux questions grammaticales, tient à faire cette remarque.

et prophetas [d]. » Et certe liquido comprobatur ibi Moysen, non supradictum uirum significatum esse, sed legem.

226. *[51]* Porro quae est dextera Dei quae adduxit Moysen, nisi Dominus et Saluator noster ? Ipse est enim dextera Patris, per quem saluat et exaltat et facit uirtu-
4 tem, sicut alibi de Deo dicitur : « Saluauit ei dextera sua et brachium sanctum eius [a]. » Et rursum : « Dextera Domini fecit uirtutem, dextera Domini exaltauit me : non moriar, sed uiuam, et narrabo opera Domini [b]. »

227. Et certe uocem hanc ex persona Dominici Hominis proferri, quem Vnigenitus Filius Dei assumere est dignatus ex Virgine, ex ipso loco manifestissime compro-
4 batur, quia ipse est et dextera Dei, sicut scriptum est in Actibus Apostolorum [a] quod factus sit ex semine Dauid secundum carnem [b], genitus de Virgine, superueniente in eam Spiritu Sancto et uirtute Excelsi obumbrante eam [c],
8 de quo Dauid prophetauit in Spiritu quod a mortuis resurgens, assumptus sit in caelos, Dei dextera subleuatus [d].

AVΘ MYw BΓΔ *Mi.*

10 prophetam M ‖ certo ΓΔ ‖ liquide AVΘ ‖ 11 uirum *om.* AVΘ
    226. 1 dextra Mw *Mi.* ‖ adduxit] + ad Y ‖ 2 est *om.* BΓΔ ‖
3 quam AVΘ B ‖ 4 deo : eo Θ ‖ saluabit M ‖ ei *codd.* : sibi *Mi.*
‖ sua : eius AVΘ ‖ 6 exaltauit me...fecit uirtutem ~ BΓΔ ‖
uirtutem] + et exaltauit V
    227. 1 hanc uocem ~ ΓΔ ‖ dominica + *uac. 6 litt.* V ‖ 2
quam M[ac] ‖ 3 dignatus est ~ Θ *Mi.* ‖ manifeste *Mi.* ‖ 4 et *om.*
Θ w B *Mi.* ‖ 5 semine : mine Θ[ac] ‖ 6 carnem] + natus Δ ‖ 7
eam : ea Γ eo Δ ‖ altissimi BΓ *om.* Δ ‖ eam obumb. ~ Δ ‖
8 quo : eo AΘ ‖ dauid *om.* M ‖ proph. dau. ~ w ‖ 9 dei] + in
M ‖ dext. dei ~ *Mi.* ‖ 9-10 subleuatur V

et les prophètes[d].» Et là, assurément, c'est une preuve
évidente que le nom de Moïse n'a pas désigné l'homme
évoqué plus haut, mais la Loi.

226. *[51]* Ensuite, quelle
est cette droite de Dieu qui
conduisit Moïse, sinon notre
Seigneur et Sauveur ? C'est en effet lui, la droite du
Père* ; par lui, le Père sauve et montre sa puissance,
selon qu'ailleurs il est écrit de Dieu : « Sa droite lui a
apporté le salut ainsi que son bras saint[a] », et encore :
« La droite du Seigneur a montré sa puissance, la droite
du Seigneur m'a élevé ; je ne mourrai pas, mais je vivrai
et je raconterai les œuvres du Seigneur[b]. »

La « droite » du Père
et l'Homme-Seigneurial

227. Ce passage porte vraiment en lui la preuve manifeste que ces mots sont exprimés au nom de l'Homme-
Seigneurial[1] (*Dominicus Homo*) que le Fils Unique de
Dieu a daigné assumer de la Vierge, car il est lui-même
aussi la droite de Dieu, comme il est écrit dans les Actes
des Apôtres[a] ; il est issu selon la chair de la lignée de
David[b], engendré de la Vierge lorsque survint en elle
l'Esprit Saint et que la Puissance du Très-Haut la couvrit
de son ombre[c] ; et de lui David, inspiré par l'Esprit,
prophétisa que, ressuscité des morts, il serait emporté
aux cieux, élevé par la droite de Dieu[d].

225. d. Lc 16,29
226. a. Ps. 97,1 ‖ b. Ps. 117,16-17
227. a. cf. Act. 2,33 ‖ b. Rom. 1,3 ‖ c. cf. Lc 1,35 ‖ d. cf. Ps.
117,16-17

§ 227. 1. Voir *infra* : Notes complémentaires, p. 403.

228. Scribitur ibi autem in hunc modum : « Prouidens
« idem Dauid locutus est de resurrectione Christi, quo-
« niam non est derelictus in inferno neque caro eius uidit
4 « corruptionem. Hunc Iesum suscitauit Deus, cuius nos
« omnes testes sumus. Dextera igitur Dei eleuatus et
« repromissionem Spiritus Sancti accipiens a Patre, effudit
« hoc donum in nobis quod uos uidetis et auditis. Neque
8 « enim Dauid ascendit in caelos[a]. » Nulli quippe dubium
exaltatum dextera Dei et ab inferis resurgentem esse
Dominum Iesum, sicut ipse Scripturae sermone testatus
est. Iste ergo qui resurrexit a mortuis dicit : « Ego dor-
12 miui et somnum cepi, et resurrexi quia Dominus suscitauit me[b]. »

229. *[52]* Ipse ergo sermone Dei assumptus in caelos,
eleuatus esse ab ea, de qua supra diximus, Dei dextera
praedicatur et accepisse repromissionem Spiritus a Patre
4 et effudisse illum in credentes, ita ut omnium linguis
loquerentur magnalia Dei[a]. Nam et Dominicus Homo
accepit communicationem Spiritus Sancti, sicut in Euangeliis scribitur : « Iesus ergo plenus Spiritu Sancto reuer-
8 sus est a Iordane[b] », et in alio loco : « Reuersus est Iesus
in uirtute Spiritus in Galileam[c]. »

AVΘ MYw BΓΔ *Mi.*

228. 1 ibi *om.* Θ ‖ autem ibi w BΓΔ ‖ praeuidens B *Mi.* ‖ 2
idem : id est AV Y BΔ ‖ de : deus V[ac] ‖ resurrectionem V ‖ 2-3
quoniam : quod MY ‖ 3 est derel. : derel. ut ∼ w derel. sit MY
derel. *Mi.* ‖ 4 hunc : hinc M ‖ cuius : cui A MYw *Mi.* ‖ 5 omnes
om. AVΘ ‖ deus Θ[ac] (uel dei Θ[sl]) ‖ 6 acc. sancti ∼ Δ ‖ a *om.*
M ‖ 7 donum *om.* BΓΔ ‖ uobis V ‖ uos *om.* VΘ ‖ 9 domini Θ
‖ et *om.* Δ ‖ resurgentem : -rrexisse B ‖ esse *om.* B ‖ 10 deum Δ
‖ ipsius AVΘ B ‖ 11 surrexit V Y surgens BΓΔ ‖ a *om.* Γ ‖ 11-
229, 1 dicit — ergo *om.* BΓΔ ‖ 12 cœpi Y ‖ exsurrexi V ‖ 12-
13 suscitauit : suscepit VΘ
229. 1 [ipse ergo *om.* BΓΔ *e praeced. cf. supra 11*] ‖ sermone :
a serm. BΓΔ ‖ dei] + est BΓΔ ‖ caelum MYw *Mi.* ‖ 2 ab ea
esse ∼ V ‖ dextera dei (domini M) ∼ MYw *Mi.* ‖ 3 precatur

228. Mais voici comment il en est écrit dans les Actes :
« David, par une vue prophétique, a parlé de la résurrection du Christ, disant qu'il n'a pas été abandonné au
séjour des morts et que sa chair n'a pas connu la
corruption. Ce Jésus, Dieu l'a ressuscité, nous en sommes
tous témoins. Exalté par la droite de Dieu, il a donc
reçu du Père l'Esprit Saint promis et il a répandu sur
nous ce don, comme vous le voyez et l'entendez. Car ce
n'est pas David qui est monté aux cieux[a]. » On ne peut
douter que c'est le Seigneur Jésus qui a été exalté par la
droite de Dieu et qui est ressuscité du séjour des morts,
comme il l'a attesté lui-même par les paroles de l'Écriture.
C'est donc celui-là même qui est ressuscité des morts qui
dit : « Je me suis couché et me suis endormi, et je suis
ressuscité car Dieu m'a relevé[b]. »

229. *[52]* La parole de Dieu proclame donc que celui-
là même qui est monté aux cieux a été élevé par cette
droite de Dieu dont nous venons de parler, qu'il a reçu
du Père l'Esprit promis et qu'il l'a répandu sur les
croyants en sorte que c'était en toutes les langues qu'ils
disaient les merveilles de Dieu[a]. L'Homme-Seigneurial,
en effet, a reçu communication de l'Esprit Saint, selon
ce qui est écrit dans les Évangiles : « Jésus, rempli de
l'Esprit Saint, revint du Jourdain[b] », et en un autre
passage : « Jésus, avec la puissance de l'Esprit, revint en
Galilée[c]. »

ΓΔ ‖ repromissionis MYw *Mi.* ‖ spiritus] + sancti MYw *Mi.* ‖
4 in : non V ‖ ita *om.* AVΘ ‖ omnium BΓΔ ‖ 6 recepit BΓΔ ‖
communionem A[ac] ‖ sic Δ ‖ 6-7 euangelio A ‖ ergo] + spiritus
Γ ‖ plenus *codd.* : repletus *Mi.* ‖ 7-8 reuersus : regressus w *Mi.* ‖
8 est 1° *om.* A

---

228. a. Act. 2,31-34 ‖ b. Ps. 3,6
229. a. cf. Act. 2,11 ‖ b. Lc 4,1 ‖ c. Lc 4,14

230. Haec autem absque ulla calumnia de Dominico Homine, sensu debemus pietatis accipere, non quod alter et alter sit, sed quod de uno atque eodem quasi de altero
4 secundum naturam Dei et hominis disputetur, et quia Verbum Deus, Vnigenitus Filius Dei, neque immutationem recipit nec augmentum, siquidem ipse est bonorum plenitudo.

231. *[53]* Satis abundeque etiam de prophetae testimonio disputatum est. Nunc ad reliqua pergamus ut, quomodo Pater et Filius sanctos et bonos sui commu-
4 nicatione perficiunt, sic Spiritus quoque Sanctus participatione sui bonos efficiat sanctosque credentes, et ex hoc etiam unius cum Patre et Filio substantiae esse doceatur.

232. Dicitur in Psalmis ad Deum : « Spiritus tuus bonus diriget me in terra recta[a]. » Scimus autem in quibusdam exemplaribus scriptum esse : « Spiritus tuus

---

AVΘ MYw BΓΔ *Mi.*

230. 2 homine BΓΔ] + qui totus (+ est w) christus unus est iesus filius dei AVΘ MYw *cf. Introd.* p. 90 & 116 ‖ 2 piet. deb. ~ AVΘ ‖ quo ΓΔ ‖ 3 et *om.* M ‖ de uno : denuo A ‖ 4 secundum *om.* M[ac] ‖ 5 uerbum deus BΓΔ : dei uerbum MYw uerbum dei AVΘ deus uerbum *Mi.* ‖ dei filius ~ w ‖ 6 recipiat V recipit w Δ ‖ neque AVΘ B

231.1 abundanteque Δ ‖ etiam : iam B *om.* ΓΔ *Mi.* ‖ 2 nunc *codd. (Martianay et Vallarsi)* : nec *Mi.* ‖ 3 quomodo] + scimus quod w *Mi.* ‖ filius] + et sp. sanctus AVΘ sanctus et bonus ΓΔ ‖ sanctos et *om.* AVΘ ‖ 4 perficiat AVΘ ‖ sic : sicque AΘ *om.* BΓΔ ‖ sp. q. s. : s. q. sp. ~ MYw *Mi.* ‖ 5 bonos *om.* Θ ‖ 6 esse : eius Y ‖ doceatur : docetur A[ac]V *uac.* Γ.

232. 1 ad dominum Yw *Mi.* a domino M ‖ 2 diriget *codd.* : deducet *Mi.* ‖ terra : uia AVΘ Δ terram MYw *Mi.* ‖ recta : rectam MYw *Mi.* ‖ 3-4 sanctus tuus ~ Mw *Mi.*

230. Et cela, nous devons le recevoir dans le sens de la foi, sans soulever de contestation à propos de l'Homme-Seigneurial[1] : ce n'est pas qu'il soit autre et autre, mais on raisonne au sujet d'un seul et du même comme s'il était autre selon la nature de Dieu et autre selon celle de l'homme, et parce que le Verbe Dieu, Fils Unique de Dieu ne subit ni changement ni accroissement, étant lui-même la plénitude des biens.

RÉFLEXIONS COMPLÉMENTAIRES

Rôle sanctificateur de l'Esprit avec le Père et le Fils

231. *[53]* Voilà assez et même beaucoup de réflexions sur le témoignage du prophète. Allons droit maintenant sans digression à ce qui reste : nous savons que le Père et le Fils, en se communiquant eux-mêmes, remplissent les croyants de sainteté et de bonté et que de même façon, l'Esprit Saint, aussi, en se donnant en participation de lui-même, produit en eux bonté et sainteté. De cela tirons encore l'enseignement que l'Esprit est consubstantiel au Père et au Fils. (latin : *unius substantiae*)

232. Il est dit à Dieu dans les Psaumes : « Ton bon Esprit me dirigera sur un terrain aplani[a]. » Mais nous savons que dans certains exemplaires[1] il est écrit : « Ton

---

232. a. Ps. 142,10

---

§ 230. 1. Voir *infra* : Notes complémentaires, p. 403.

§ 232. 1. *certains exemplaires* : la leçon ἅγιον est, pour nous aujourd'hui, celle des mss *Vaticanus* et *Alexandrinus* ; la leçon ἀγαθόν, celle de mss venant de Haute Égypte et du *Veronensis* du VIème siècle.

4 Sanctus ». Porro in Esdra absque ulla ambiguitate bonus
Spiritus appellatur : « Spiritum tuum bonum dedisti ut
eos faceres intellegere[b]. »

233. Quod autem Pater sanctificet, Apostolus scribit,
dicens : « Deus autem pacis sanctificet uos per omnia[a]. »
Et Saluator ait : « Pater, sanctifica illos in ueritate ; Ver-
4 bum tuum ueritas est[b] », perspicue dicens : In me — qui
Verbum tuum sum et veritas tua — sanctifica illos fide
et consortio mei. Dictus est et alibi bonus Deus : « Nemo
bonus, nisi unus Deus[c]. »

234. Superius quoque ostendimus quoniam Filius
sanctificet, Paulo in uerba eadem congruente : « Etenim
qui sanctificat et qui sanctificantur, ex uno omnes[a] »,
4 sanctificantem significans Christum, et sanctificatos eos
qui possunt dicere : « Factus est nobis sapientia ex Deo
Christus, et iustitia et sanctificatio[b] », appellatur siquidem
et Spiritus sanctificationis. Vnde et ad eum dicitur : « Et
8 omnes sanctificati sub manibus tuis, et sub te sunt[c]. »

235. Bonus Dominus noster Iesus Christus, et ex bono
Patre generatus est, et de eo legimus : « Confitemini
Domino quoniam bonus[a]. » Confitentur autem illi qui

AVΘ MYw BΓΔ *Mi.*

4 ezra B ‖ 5 bonum *om.* Δ ‖ 6 eis Δ ‖ facias M faceret V
   233. 2 per omnia : perfectos BΓΔ *Mi.* ‖ 3 pater] + sancte Yw
Mi. ‖ eos *Mi.* ‖ ueritate] + tua AVΘ[ac] BΓΔ ‖ 4-5 quia uerbum
MYw *Mi.* ‖ 5 est ueritas ∼ *Mi.* ‖ sum *colloc. post* tua ∼ V ‖
in fide AVΘ ‖ 6 consortii M ‖ est *om.* ΓΔ
   234. 2 pauli AVΘ ‖ uerba in eadem ∼ AVΘ in eadem uerba
Mi. ‖ 3 qui 2° *om.* AVΘ ‖ 4 significans : sanctificans Y Δ ‖ eos :
esse AVΘ ‖ 6 sanctificatio] + eius *cancellat.* V ‖ 7 et 2° *om.* VΘ
Y ‖ eum : deum Γ ‖ 8 sub 1° (A[1]) : sunt A[2]VΘ

Esprit Saint ». Ailleurs, dans Esdras, l'Esprit est qualifié de bon, sans aucune variante : « Tu leur as donné ton bon Esprit pour les rendre prudents[b]. »

233. D'autre part, c'est le Père qui sanctifie, comme l'Apôtre l'écrit quand il dit : « Que le Dieu de paix vous sanctifie totalement[a]. » Et le Sauveur dit : « Père, sanctifie-les dans la vérité ; ton Verbe est vérité[b] » ; c'est dire clairement : En moi, qui suis ton Verbe et ta Vérité, sanctifie-les par la foi et par l'union avec moi. Ailleurs encore, Dieu est dit bon : « Nul n'est bon que Dieu seul[c]. »

234. Plus haut, nous avons aussi montré que le Fils sanctifie[1] ; à quoi Paul est en accord avec les mêmes mots : « Car le sanctificateur et les sanctifiés ont même origine[a] », « sanctificateur » signifiant le Christ et « sanctifiés » ceux qui peuvent dire : « Le Christ est devenu pour nous sagesse venant de Dieu, justice et sanctification[b] », et cela puisqu'il est appelé aussi Esprit de sanctification. Aussi, est-ce à lui qu'il est dit : « Et tous les sanctifiés sont dans tes mains et sont sous ton pouvoir[c]. »

235. Notre Seigneur Jésus Christ est bon, et il a été engendré d'un Père bon, et nous lisons à son propos : « Manifestez au Seigneur qu'il est bon[a]. » Ceux qui le

---

235. 1 deus AVΘ ‖ christus *om.* Y ‖ et *om.* BΓΔ ‖ 3 confitentur : -teantur MYw *Mi.* ‖ illi autem ∼ *Mi.* ‖ qui] + ab eo MYΘ *Mi.* ‖ 3-4 qui aut : quia ut (-a ut *expunct.*) Θ

---

232. b. II Esdr. 9,20
233. a. I Thess. 5,23 ‖ b. Jn 17,17 ‖ c. Lc 18,19
234. a. Hébr. 2,11 ‖ b. I Cor. 1,30 ‖ c. Deut. 33,3
235. a. Ps. 117,1

---

§ 234. 1. *le Fils sanctifie* : cf. *supra*, § 17 & 26.

4 aut ueniam obsecrant peccatorum aut gratias referunt
eius clementiae pro indultis beneficiis.

236. Spiritus quoque Sanctus eos quos dignatur implere sanctificat, ut iam superius demonstratum est
quando ostendimus eum participabilem et a multis simul
4 capi posse. Et nunc ex praesenti Pauli testimonio largitor
sanctificationis ostenditur, in eo quod ait : « Debemus
autem nos gratias agere Deo semper pro uobis, fratres
dilecti a Domino, quia elegit nos Deus primitias in
8 salutem, in sanctificatione Spiritus et fide ueritatis[a]. »
Nam et in hoc loco charismata Dei superintelleguntur in
Spiritu, cum in sanctificatione Spiritus fides pariter et
ueritas possidentur.

237. *[54]* Quia ergo recte et pie et ut se ueritas habet
haec diximus, sanctitatis bonitatisque uocabulum et ad
Patrem et ad Filium et ad Spiritum Sanctum aeque
4 refertur, sicut ipsa quoque appellatio spiritus. Nam et
Pater spiritus dicitur, ut ibi : « Spiritus Deus[a] », et Filius

---

AVΘ MYw BΓΔ *Mi.*

4 obsecrat A^{ac} ‖ aut : autem Δ ‖ gratiam ΓΔ
   236. 1 sp. s. quoque ∼ ΓΔ ‖ 2 superius iam ∼ *Mi.* ‖
3 participalem AΘ participabilium V ‖ et *om.* Δ ‖ a *om.* Γ ‖
4 posse capi ∼ w ‖ posse : non posse ΓΔ ‖ ex *codd.* : in *Mi.* ‖
largitur V ‖ 6 autem] + et M *Mi.* ‖ semper deo ∼ B^{ac} ‖ uobis
] + in gratia dei Δ ‖ 7 deo Θ^{pc} ‖ deus nos ∼ *Mi.* ‖ nos : uos
V ‖ dominus AVΘ ‖ 8 salute AΘ ‖ in *om.* Θ ‖ sp.] + sancti
MYw *Mi.* ‖ 9 in 1° *om.* M ‖ subintelliguntur *Mi.* ‖ 10 in *om.*
AVΘ ‖ fides *om.* Δ ‖ 10-11 et ueritas pariter ∼ Δ
   237. 2 sanctitas Y sanctificationis *Mi.* ‖ bonitatisque *om.* B ‖
3 ad 1° *om.* Δ ‖ aeque : atque Θ ‖ 4 referuntur AVΘ ΓΔ -retur
B w ‖ 5 spiritus 2°] + est AVΘ

---

236. a. II Thess. 2,13
237. a. Jn 4,24

de leurs péchés, soit ceux qui rendent grâce à sa clémence pour les bienfaits accordés.

236. L'Esprit Saint lui aussi sanctifie ceux qu'il daigne remplir : nous l'avons déjà exposé plus haut[1] quand nous avons montré qu'il était participable et que beaucoup pouvaient le recevoir en même temps. Maintenant, le témoignage actuel de Paul montre quel généreux sanctificateur il est. Paul dit : « Quant à nous, nous devons continuellement rendre grâce à Dieu pour vous, frères aimés du Christ, car Dieu nous a choisis comme prémices pour le salut, par l'Esprit qui sanctifie et par la foi en la vérité[a]. » Dans ce passage, les dons de Dieu sont sousentendus dans le nom d'Esprit, puisque, avec la sanctification qui vient de l'Esprit, on possède également la foi et la vérité.

Les significations du mot « esprit »   **237.** *[54]* Conformément à la raison, à la foi et à la vérité avec lesquelles nous nous sommes exprimé, les mots de sainteté et de bonté se rapportent également au Père, au Fils et à l'Esprit Saint, tout ainsi que l'appellation elle-même d'esprit. Car, aussi bien, le Père est-il dit esprit dans ce texte : « Dieu est esprit[a] »[1], aussi

---

§ 236. 1. Cf. *supra*, § 21-24.

§ 237. 1. *Dieu est esprit* : en deux endroits du *De Trin.* (II, 4, 488 A 12 ; II, 10, 641 A 11), ayant à batailler avec les hérétiques, Didyme leur reproche de rapporter ce passage de *Jn* 4, 24 au Père (« ils disent que le Père est l'Esprit lui-même »), alors qu'il faut comprendre que Dieu est « de puissance spirituelle », selon que le montre le dialogue avec Nicodème. Saint Ambroise (*De Sp.S.* III, 10, 59, *CSEL* 79, p. 174) fait allusion à ce texte de Jean, mais il le cite selon une addition qui ne se trouve que dans de rares manuscrits latins : *quia Deus spiritus est*, et il accuse les ariens de l'avoir supprimé de leurs bibles pour ne pas avoir à confesser la divinité de l'Esprit Saint. De la part des ariens, c'était mal comprendre le texte, mais c'était de toute façon une mutilation

spiritus : « Dominus, inquit, Spiritus est[b]. » Et Spiritus
Sanctus semper spiritus appellatione censetur, non quo
8 ex consortio tantum nominis Spiritus cum Patre ponatur
et Filio, sed quo una natura unum possideat et nomen.
Et quia spiritus uocabulum multa significat, enumeran-
dum est breuiter quibus rebus eius nomen aptetur.

238. Vocatur spiritus et uentus, sicut in Ezechiele :
« Tertiam autem partem disperges in spiritum [a] », id est
in uentum. Quod si uolueris secundum historiam illud
4 sentire quod scriptum est : « In spiritu uiolento conteres
naues Tharsis[b] », non aliud ibi spiritus quam uentus
accipitur. Necnon Salomon inter multas gratias hoc
quoque munus a Deo accepit, ut sciret uiolentias spiri-
8 tuum, non aliud se in hoc accepisse demonstrans quam
scire rapidos uentorum flatus et quibus causis eorum
natura subsistat[c].

AVΘ MYw BΓΔ *Mi.*

6 dominus : deus Δ ‖ spiritus 2° : et sp. w ‖ et *om.* MYw *Mi.* ‖
spiritus 3°] + autem MY *Mi.* + autem spiritus w ‖ 7 spiritus]
+ sancti MYw *Mi.* ‖ quo : quod AVΘ *Mi.* ‖ 8 cum] + a M ‖
9 quo : quod AVΘ *Mi.* ‖ et *om.* M[ac] ‖ 10 et quia *codd.* : quia
uero *Mi.* ‖ multas Θ (*in mg.* appellationes Θ²) ‖ 11 rebus : horum
AVΘ ‖ nomen eius ∼ *Mi.* ‖ eius *om.* MY
238. 1 uocatum V ‖ ezechiel BΓΔ ‖ 2 tertium V ‖ partem :
panem V patrem Δ ‖ dispergens M ‖ spiritu M spiritus w ‖ id :
hoc AVΘ *Mi.* ‖ 3 uento MY uentos w ‖ 4 uiolento : uehementi
AVΘ ‖ conterens AV M ‖ 5 alius V ‖ quam : quem M[ac] ‖ uentus :
uetus A[ac] ‖ 6 necnon] + et AVΘ ‖ multas gratias : multa MYw
Mi. ‖ 7 a deo munus ∼ MY ΓΔ ‖ suscepit V ‖ 8 in se hoc ∼
M in hoc se ∼ w ‖ quam : qua V ‖ 9 et : in AΘ ‖ causis *om.* w
‖ 10 subsistit

237. b. II Cor. 3,17
238. a. Éz. 5,2 ‖ b. Ps. 47,8 ‖ c. cf. Sag. 7,20

sacrilège de la parole divine : saint Ambroise a beau jeu de leur
reprocher soit la mutilation soit l'incompréhension. Didyme s'en

bien le Fils est-il dit esprit dans celui-là : « Le Seigneur est esprit[b] »[2]. Quant à l'Esprit Saint, il est toujours mentionné avec l'appellation d'Esprit, non pas seulement en vertu de la communauté nominale qui fait que l'Esprit est rangé avec le Père et le Fils, mais parce qu'il ne possède avec eux qu'une seule nature à laquelle ne répond qu'un seul nom. Et comme le mot « esprit » a beaucoup de significations, il faut brièvement énumérer quelles réalités s'attachent à son nom[3].

... le vent
238. Est appelé esprit, d'abord, le vent. Ainsi en Ézéchiel : « Quant au troisième tiers, tu le disperseras à l'« esprit »[a] », c'est-à-dire au vent. — Et là : « Dans l'« esprit » violent, tu fracasseras les bateaux de Tharsis[b] », si tu veux comprendre au sens historique ce qui est écrit, il ne faut pas donner à « esprit » un autre sens que celui de vent. — Et puisque Salomon[1], entre beaucoup d'autres grâces, reçut aussi de Dieu le don de connaître les « violences des esprits », il indique par là qu'il n'a pas reçu autre chose que de connaître les rapides impulsions des vents et les causes qui président à leur nature[c].

tient au texte que nous lisons aujourd'hui : *spiritus est Deus*, traduction exacte du grec : πνεῦμα ὁ Θεός.

§ 237. 2. Ce texte de saint Paul, II *Cor.* 3, 17, qu'on traduit ici selon la pensée de Didyme par : *le Seigneur est esprit* (avec « e »), se retrouve en DID. *De Trin.* III, 23, 928 C 4. Sur la difficulté d'interprétation qu'ont souvent présentée ces deux textes de *Jn* 4, 24 et II *Cor.* 3, 17, se reporter aux commentaires de II *Cor.*, ainsi : anciennement F. PRAT, *Saint Paul* II, p. 221 ; plus récent E.B. ALLO, *La deuxième Épître aux Corinthiens*, Paris 1956, p. 94-96 et 107-111. — Déjà saint Hilaire avait traité cette question : *De Trin.* II, 31.

§ 237. 3. ATHANASE, *Lettre à Sérapion*, I, 7-8, *SC* 15, p. 93 s., a aussi passé en revue les différents sens du mot *esprit*.

§ 238. 1. *Le livre de la Sagesse*, attribué à Salomon. Cf. § 118, 2.

239. Vocatur et anima spiritus, ut in Iacobi Epistola :
« Quomodo corpus sine spiritu mortuum est[a] », et reliqua. Manifestissime enim hic spiritus nihil aliud nisi
4 anima nuncupatur. Iuxta quam intellegentiam et Stephanus animam suam spiritum uocat : « Domine Iesu, suscipe spiritum meum[b]. » Illud quoque quod in Ecclesiaste
dicitur : « Quis scit si spiritus hominis ascendat sursum
8 et spiritus iumenti descendat deorsum[c] ? » Considera
utrumnam et pecudum animae spiritus appellentur.

240. Dicitur etiam excepta anima et excepto Spiritu
Sancto alius quis esse in homine spiritus, de quo Paulus
scribit : « Quis enim scit hominum ea quae sunt hominis,
4 nisi spiritus hominis qui est in eo[a] ? » Si enim uoluerit
quispiam contendere hic animam significari in spiritu,
quis erit homo cuius cogitationes et arcana et secreti
cordis occulta nesciat alius homo nisi spiritus eius, quia
8 de corpore solitario hoc intellegere uelle perstultum est.

AVΘ MYw BΓΔ *Mi.*

239. 3 spiritus hic ∼ MYw *Mi.* ‖ 5 uocans MYw *Mi.* ‖ domine : ait domine MYw ‖ domine] + inquit *Mi.* ‖ 6 sp. meum
suscipe ∼ V ‖ ecclesiasten ΓΔ ‖ 7 quis : quid M[ac] ‖ si : an *Mi.*
‖ ascendit M ‖ 8 iumenti : iumentorum w -ti si AVΘ B ‖
considerandum MYw *Mi.* ‖ 9 pe≡dum A[ac] pecodum M[ac] ‖ appellantur Γ
240. 1 excepta : accepta Γ ‖ et *om.* B ‖ excepto : exempto V ‖
sancto *codd.* : nostro *Mi.* ‖ 2 alius : spiritus alius *Mi.* ‖ aliud Δ ‖
quis : quidem AVΘ quid Δ ‖ hominem B ‖ sp. in h. ∼ w ‖ 4 in
eo est ∼ AVΘ *Mi.* ‖ eo : homine w ‖ 5 cont. quispiam ∼ *Mi.* ‖
contendere : consentire AVΘ ‖ animam hic ∼ *Mi.* ‖ significari :
non sign. MYw ‖ in *om.* Θ ‖ 6 secreta Y *Mi.* ‖ secreti et ∼ B ‖
7 sciat V ‖ alius *om.* w *Mi.*

239. a. Jac. 2,26 ‖ b. Act. 7,59 ‖ c. Eccl. 3,21
240. a. I Cor. 2,11

§ 239 (et suivants). note 1. — Voir *infra* : Notes complémentaires, p. 404.

... l'âme   **239**[1]. Est appelée esprit, ensuite, l'âme. Ainsi, dans l'Épître de Jacques : « De même que le corps sans « esprit » est mort[a] », etc. ; il est évident qu'ici, cet « esprit » n'est autre chose que l'âme. — C'est selon cette interprétation aussi qu'Étienne donne le nom d'« esprit » à son âme : « Seigneur Jésus, reçois mon « esprit »[b]. » — Il y a encore ce mot de l'Ecclésiaste : « Qui sait si l'« esprit » de l'homme monte vers le haut et l'« esprit » de la bête descend vers le bas ?[c] » Réfléchis et demande-toi si les âmes des animaux aussi peuvent être appelées des « esprits ».

... l'« esprit » de l'homme   **240.** Il y a encore dans l'homme, hormis l'âme et hormis l'Esprit Saint, un autre « esprit », dont Paul écrit : « Quel homme sait en effet ce qu'il y a dans l'homme sinon l'« esprit » de l'homme qui est en lui ?[a] » En effet si quelqu'un voulait prétendre qu'ici, c'est « âme » que veut dire le mot « esprit », quel serait l'homme sinon son esprit, dont les pensées, les secrets et les sentiments enfouis au plus profond du cœur, seraient ignorés d'un autre homme ? Vouloir comprendre cela d'un corps tout seul serait complètement stupide[1].

§ 240. 1. Saint Paul dit que l'homme connaît ce qui est en lui grâce à son esprit. Le raisonnement de Didyme à ce sujet est assez elliptique. Nous le développerions ainsi : Si on réduit l'esprit à n'être qu'une âme, c'est-à-dire si on en fait un pur influx biologique comme dans l'animal, on peut se demander si, dans ces conditions, ce qui est dit homme pourrait faire connaître ou dissimuler des sentiments et des pensées qu'il aurait en vertu de sa nature d'homme mais qu'il devrait tenir cachés aux autres puisqu'il lui manquerait l'esprit, l'esprit nécessaire et seul capable d'exprimer les profondeurs de l'homme. C'est une absurdité ; un corps matériel n'est pas un homme. Pour qu'il y ait un homme, il faut qu'il y ait un esprit. — S. Basile a dit beaucoup plus simplement à propos du même texte de *I Cor*. 2,10 : « Aucune personne du dehors ni aucun étranger ne peut jeter de regard sur les réflexions intérieures à notre âme » (*C. Eun*. III, 4, *SC* 305, p. 161).

241. *[55]* Quod si arguta nititur fraude subripere de Spiritu Sancto haec scripta contestans, diligenter uerba ipsa considerans cessabit asserere mendacium. Siquidem
4 ita scriptum est : « Quis enim hominum scit quae sunt hominis, nisi spiritus hominis qui est in eo ? Sic et ea quae sunt Dei nemo scit, nisi Spiritus Dei[a]. » Quomodo enim alius est homo et alius Deus, sic et spiritus hominis
8 qui est in eo separatur a Spiritu Dei qui est in eo : quem Spiritum Sanctum esse frequenter ostendimus.

242. Sed et in alio loco idem Apostolus a nostro spiritu Spiritum Dei secernens ait : « Ipse Spiritus testimonium perhibet spiritui nostro[a] », hoc significans quod Spiritus
4 Dei, id est Spiritus Sanctus, testimonium praebeat spiritui nostro, quem nunc diximus esse spiritum hominis. Et ad Thessalonicenses : « Integer, inquit, spiritus uester et anima et corpus[b]. » Sicut enim alia est anima et corpus
8 aliud, sic et aliud est spiritus ab anima, quae suo loco specialiter appellatur. De quo et orat ut integer cum anima seruetur et corpore, quia incredibile est atque blasphemum orare Apostolum ut Spiritus Sanctus integer
12 seruetur, qui nec imminutionem potest recipere nec profectum.

AVΘ MYw BΓΔ *Mi.*

241. 1 subrepere *Mi.* ‖ 2 contestans] + si *Mi.* ‖ 2-3 ipsa uerba ∼ AVΘ ‖ 3 consideret *Mi.* ‖ cessauit V ‖ asserente V[ac] ‖ 4 scit hominum ∼ MYw *Mi.* ‖ 5 in eo est ∼ AVΘ *Mi.* ‖ 6 dei sunt ∼ M ‖ 7 est *om.* Γ ‖ et *om.* MYw B *Mi.* ‖ alius 2°] + est MYw *Mi.* ‖ 9 esse *om.* MYw *Mi.*

242. 1 et *om.* Y Γ Δ ‖ a nostro : aueito *(cancellat.)* V ‖ spiritu nostro ∼ w ‖ 2 spiritum] + sanctum BΓ + *de linea anter.* spiritum sanctum esse frequenter ostendimus sed in alio loco idem apostolus *duplic.* Δ ‖ dei] + iure V[mg] ‖ secernens dei ∼ MYw ‖ 3 perhibet : praebet M reddit Y ‖ sign. hoc ∼ w ‖ 3-4 hoc — praebeat *om.* Γ ‖ 4 id : hoc AVΘ ‖ praebet MY perhibet w ‖ 4-5 nostro sp. ∼ B ‖ sp. n. praebeat ∼ *Mi.* ‖ 5 nunc : ≡ ≡ ≡c M[ac] ‖ sp. esse ∼ w ‖ spiritum : filium Δ ‖ et *om. Mi.* ‖

241. *[55]* Et si, avec une ingénieuse mauvaise foi, un contestataire s'efforce de soustraire ces paroles à l'Esprit Saint, s'il considère attentivement les mots eux-mêmes, il cessera de soutenir une fausseté. Car voici ce qui est écrit : « Qui, en effet, parmi les hommes connaît ce qui est dans l'homme, sinon l'esprit de l'homme qui est en lui ? De même, ce qui est en Dieu, personne ne le connaît, sinon l'Esprit de Dieu[a]. » De la même façon qu'autre est l'homme et autre Dieu, ainsi aussi l'esprit de l'homme qui est en lui est distinct de l'Esprit de Dieu qui est en lui, et celui-ci, nous l'avons souvent montré, est l'Esprit Saint.

242. Mais aussi ailleurs le même Apôtre, distinguant l'Esprit de Dieu de notre esprit, dit : « L'Esprit lui-même atteste à notre esprit[a] », signifiant par là que l'Esprit de Dieu, c'est-à-dire l'Esprit Saint, fournit un témoignage à notre esprit, dont nous affirmons maintenant qu'il est l'esprit de l'homme. Et il dit aux Thessaloniciens : « Qu'intègre soit votre esprit, votre âme et votre corps[b]. » De même en effet que l'âme est différente du corps, de même aussi l'esprit est différent de l'âme, qui est appelée de son propre nom à sa place. C'est pour cet esprit, pour qu'il soit préservé dans l'intégrité avec l'âme et le corps, que l'Apôtre prie, car il serait incroyable et blasphématoire qu'il prie pour que l'Esprit Saint soit préservé dans l'intégrité, alors qu'il ne peut ni subir de diminution ni recevoir de progrès.

6 thess.] + quoque *Mi.* ‖ uester *om.* V BΓΔ ‖ et *om.* AVΘ ‖ 7 corpus] + est MY ‖ 8 sic : si A^{ac} ‖ aliud 2° A Δ : alius VΘ MYw BΓ ‖ spiritus est ~ w ‖ 6 quae] + et Θ ‖ 9 specialiter] + spiritus A² ‖ orauit *Mi.* ‖ 12 reseruetur V BΓ Δ ‖ minutionem B immutationem MYw ‖ 12-13 profectum (A¹) : defectum A²

241. a. I Cor. 2,11
242. a. Rom. 8,16 ‖ b. I Thess. 5,23

243. De humano ergo, ut diximus, spiritu et in hoc loco Apostoli sermo testatus est.

244. *[56]* Appellantur quoque supernae rationabilesque uirtutes quas solet Scriptura angelos et fortitudines nominare, uocabulo spiritus, ut ibi : « Qui facit angelos
4 suos spiritus[a] », et alibi : « Nonne omnes sunt administratorii spiritus[b] ? » Puto ad hunc sensum et illud referri quod in Actibus Apostolorum scribitur : « Spiritus Domini rapuit Philippum, et non uidit eum amplius eunu
8 chus[c] », id est : angelus Domini in sublime eleuans Philippum transtulit in alium locum.

245. Rationabiles quoque aliae creaturae et de bono in malum sponte propria defluentes, spiritus pessimi et spiritus appellantur immundi, sicut ibi : « Cum autem
4 immundus spiritus exierit ab homine[a] », et in consequentibus : « Assumit alios septem spiritus nequiores semetipso[b]. »

246. Spiritus quoque daemones in Euangeliis appellantur. Sed et hoc notandum, numquam simpliciter spiritum, sed cum aliquo additamento spiritum significare contra-

AVΘ MYw BΓΔ *Mi.*

243. et *om.* B *Mi.* ‖ hoc : alio Δ ‖ loco *om. Mi.*
244. 2 quam M[ac] ‖ scripturas Θ[ac] ‖ 3 ubi Δ ‖ faciat V facis *Mi.* ‖ 4 tuos *Mi.* ‖ 4-5 et — spiritus *om.* w ‖ administratorii : -tores MYw -torum V[ac] ‖ 5 ad : et AVΘ ‖ et : ad AVΘ ‖ illud (V[ac]) : illum AV[pc] aliud ΓΔ ‖ referri et illud ∼ w ‖ 6 spiritus] + autem AVΘ BΓ ‖ 7 non uidit eum amplius : n. e. a. u. MYw n. e. u. a. Ba. n. u. e. Δn. a. e. u. *Mi.* ‖ 8 id est : idem M ‖ eleuans : eleuari AΘ eius et V ‖ 8-9 philippum *om.* w ‖ 9 transtulit] + illum *Mi.*
245. 1 rationales M Δ *Mi.* ‖ 2 profluentes MYw *Mi.* ‖ spiritus 1° : spiritum (*cancellat.*) spiritus V ‖ et *om.* AVΘ ‖ 3 sicut] + et Γ ‖ autem *om.* V ‖ 4 sp. imm. ∼ A w BΓ *Mi.* ‖ 5 assumit : -met Θ -mpsit Δ -mi Γ ‖ alios septem : alios spiritus septem Y

243. C'est donc de l'esprit humain, comme nous avons dit, qu'en ce passage aussi témoignent les paroles de l'Apôtre.

244. *[56]* On donne en-
... les esprits raisonnables bons ou mauvais
core le nom d'esprit aux puissances supérieures et raisonnables que l'Écriture appelle des anges et des puis-
sances. Ainsi, ici : « Qui fait de ses anges des esprits[a] », ou ailleurs : « Ne sont-ils pas tous des esprits remplissant des fonctions ?[b] » Je pense que c'est aussi en ce sens qu'il faut prendre ce qui est écrit dans les Actes des Apôtres : « L'esprit du Seigneur emporta Philippe et l'eunuque ne le vit plus[c] », ce qui veut dire : l'ange du Seigneur, enlevant Philippe dans les airs, le fit passer à un autre endroit.

245. D'autres créatures raisonnables aussi, qui ont glissé volontairement du bien au mal, sont appelées esprits mauvais et esprits impurs. Ainsi, ici : « Mais lorsque l'esprit impur est sorti d'un homme[a] », et dans la suite : « Il va prendre sept autres esprits plus mauvais que lui[b]. »

246. Les démons sont aussi appelés « esprits » dans les Évangiles. Mais il faut noter ceci : ce n'est jamais le mot esprit employé seul qui signifie un esprit hostile, mais c'est lorsqu'il est accompagné d'un mot complémentaire,

alios VII w Γ alios + *uac. 4/5 litt.* B alios Γ septem alios ∼ V *Mi.* ‖ 5-6 semetipso *codd.* : se *Mi.*
246. 1 daemonis AVΘ B ‖ 1-2 appellatur AVΘ B ‖ 2 hoc] + quoque ΓΔ ‖ simpliciter : similem similiter AVΘ ‖ 3 aliquo : alicuius AVΘ ‖ significari *Mi.*

244. a. Hébr. 1,6 ‖ b. Hébr. 1,14 ‖ c. Act. 8,39
245. a. Matth. 12,43 ‖ b. Matth. 12,45

4 rium, ut spiritus immundus et spiritus daemonis. Hi uero
qui sancti spiritus sunt absque ullo additamento spiritus
simpliciter appellantur.

247. *[57]* Sciendum quoque quod nomen spiritus et
uoluntatem hominis et animi sententiam sonet.

248. Volens quippe Apostolus uirginem non solum
opere, sed et mente, esse sanctam, id est non tantum
corpore, sed et motu cordis interno, ait : « Vt sit sancta
4 corpore et spiritu[a] », spiritum uoluntatem et corpus opera
significans.

Considera utrum hoc ipsum in Esaia sonet quod scriptum est : « Et scient qui spiritu errant, intellectum[b]. »
8 Qui enim errore iudicii alia pro aliis bona existimant,
accipient intellectum ut corrigatur error illorum et pro
prauis ea quae recta sunt eligant. — Necnon et illud :
« Vana fortitudo spiritus uestri[c] », uide an idipsum os-
12 tendat.

249. Et super omnia uocabulum spiritus altiorem et
mysticum in Scripturis sanctis significat intellectum, ut
ibi : « Littera occidit, spiritus autem uiuificat[a] », litteram
4 dicens esse simplicem et manifestam iuxta historiam nar-

AVΘ MYw BCΔ *Mi.*

4 immundus : in mundo exierit *(ut uid., cf. Lc 12,43)* Δ ‖ hi *om.*
B ‖ 4-5 qui uero ~ B ‖ 5 sunt spiritus ~ MYw *Mi.*
   248. 1 uolens *abhinc denuo adest* C *(uide §174), relinquimus
ergo codicem* Γ ‖ 2 sanctam esse ~ MYw *Mi.* ‖ tantum *om.*
AVΘ ‖ 3 corpore : opere B ‖ ait] + enim C ‖ sancto V[ac] ‖
4 uoluntate V ‖ spiritum uoluntatem *codd.* : uoluntatem spiritu
Mi. ‖ corpus : corporis A[ac] *ut uid.* VΘ C corpore *Mi.* ‖ operam
A[ac]V ‖ 6 considerans M ‖ sonuit C ‖ quia C ‖ 7 erant V M ‖
intellectu C ‖ 8 qui enim : quia AVΘ ‖ iudiciali C ‖ 9 accipiunt
AVΘ CΔ ‖ eorum B ‖ et : ut MYw *Mi.* ‖ 10 prauis (V[mg]) : pretiis
V[ac] ‖ eligant : eligunt C]+ ut (uel Y) intellegant MY ‖ 11 uana
AΘ BCΔ : una V MYw *Mi.* ‖ uestri : uiri Δ ‖ uide : unde B[ac] ‖
ipsum AVΘ MYw

comme par exemple esprit impur ou esprit du démon.
Quant à ceux qui sont des esprits saints, ils sont simplement nommés esprits sans aucun mot complémentaire.

... la volonté humaine   **247.** *[57]* Il faut savoir encore que le nom d'esprit signifie
aussi la volonté humaine et le jugement personnel.

248. Désirant, en effet, qu'une vierge soit sainte non
seulement dans ses actes mais dans sa pensée, c'est-à-
dire non seulement de corps mais dans les mouvements
intimes du cœur, l'Apôtre dit : « Qu'elle soit sainte de
corps et d'esprit !a », donnant le sens de volonté à l'esprit
et d'actes au corps. Examine si ce n'est pas la même
chose qu'Isaïe veut signifier quand il écrit : « Et les égarés
d'esprit découvriront l'intelligenceb ». Ceux, en effet, qui
par erreur du jugement estiment comme bons des actes
qui ne le sont pas, recevront l'intelligence pour corriger
leur erreur et pour choisir le bien à la place du mal. —
Et ce texte encore : « Vaine est la force de votre espritc »,
demande-toi s'il n'indique pas la même chose[1].

... l'intelligence de   **249.** Par dessus tout, le mot es-
la Sainte Écriture   prit signifie une intelligence plus
profonde et mystique des Saintes
Écritures, ainsi ici : « La lettre tue, mais l'esprit donne
la viea », où (Paul) veut dire que la lettre est l'exposé
simple, évident, selon l'histoire, tandis que l'esprit est

---

249. 2 mystice A misticis VΘ ‖ int. in scr. s. sign. ∼ Y ‖
3 autem *om.* Δ ‖ 4 esse *om. Mi.* ‖ historiam : -ricam Δ -riae AVΘ

---

248. a. I Cor. 7,34 ‖ b. Is. 29,24 ‖ c. Is. 33,11
249. a. II Cor. 3,6

---

§ 248. 1. Migne se référant faussement à *Is.* 11, 15, donne le
texte *una fortitudo...* Il faut rétablir *Is.* 33,11 et lire *uana fortitudo.*

rationem, spiritum uero, sanctum et spirituale nosse quod
legitur. In hanc congruit uoluntatem et illud : « Nos
sumus circumcisio, qui spiritu Domino seruientes et non
8 in carne confidentes[b]. »

250. Qui enim non littera carnem concidunt, sed cor
spiritu circumcidunt, auferentes eius omne superfluum
quod generationi proximum est et amicum, hi uere spiritu
4 circumcisi sunt, in occulto Iudaei[a] et ueri Israelitae in
quibus non est dolus[b]. Qui transcendentes umbras et
imagines Veteris Testamenti, cultores veri adorant Patrem
in spiritu et ueritate[c] : in spiritu, quia corporalia et
8 humilia transcenderunt ; in ueritate, quia typos et umbras
et exemplaria relinquentes[d], ad ipsius ueritatis uenere
substantiam, et, ut iam supra diximus, humili et corporea
uerborum simplicitate contempta, ad spiritualem legis
12 notitiam peruenerunt.

251. *[58]* Haec interim iuxta possibilitatem ingenioli
nostri quot res spiritus significaret attigimus, suo tempore

AVΘ MYw BCΔ *Mi.*

5 sanctum : sacratum AVΘ C sacramentum Δ ‖ spiritualem Y[ac]
‖ 6 in — uoluntatem *om.* AVΘ ‖ hac... uoluntate B ‖ et : ut C ‖
7 qui *(NT)* : *om.* w C ‖ spiritui C ‖ domino : deo V BΔ dei C ‖
seruientes] + sumus *Mi.*
    250. 1 qui enim : quia AVΘ ‖ occidunt Δ ‖ 2 spiritu (-tum M)
cor ∼ MY ‖ circumcidunt : -ciditur M[ac] concedunt Δ ‖ omne
eius ∼ *Mi.* ‖ eius *om.* Θ MY ‖ 3 hi : hunc Δ ‖ uero AVΘ ‖
spiritum Δ *om.* w ‖ 4 cir. sunt sp. ∼ *Mi.* ‖ ueri : uiri Δ uere
MYw ‖ in *om.* Θ ‖ 5 dolus non est ∼ M ‖ 6 ueri] + dei B ‖
adorat A[ac] ‖ 7 in 2° *om.* AVΘ ‖ 7-8 in 2° — ueritate *om.* M ‖
8 typo Θ ‖ 9 ueritatis : ueram MYw ‖ uenire AVΘ ‖ 10 supra
om. Mi. ‖ humilia M[ac]Y ‖ et *om.*Δ ‖ corporea : corpore a Θ Δ
‖ 11 simplitate Θ[ac] ‖ 12 notitiam : normam V[ac]
    251. 1 ingenioli *codd.* : -nii *Mi.* ‖ 2 quot res A[1] B : quo tres Θ
MYw quod res V CΔ quid res A[2] ‖ 7 significarent AVΘ -are Δ

une connaissance sainte et spirituelle de ce qu'on lit[1].
Cette façon de voir trouve un accord dans ce texte :
« C'est nous qui sommes la circoncision, servant le Seigneur en esprit[2] et ne plaçant pas notre confiance dans
la chair[b]. »

250. En effet, ceux qui ne mutilent pas leur chair selon
la lettre, mais opèrent la circoncision du cœur en esprit,
lui retranchant tout superflu en ce qui touche et favorise
la génération, ceux-là sont les véritables circoncis, Juifs
en secret[a] et véritables Israëlites en qui il n'y a pas
d'artifice[b]. Ils dépassent les ombres et les images de
l'Ancien Testament, ils rendent un culte véritable et
adorent le Père en esprit et en vérité[c] : en esprit, car ils
ont dépassé les interprétations matérielles et basses ; en
vérité, car ils ont abandonné les types, les ombres et les
esquisses[d] et en sont venus à la substance de la vérité
elle-même ; et, comme nous venons de le dire, dédaignant
la simplicité basse et matérielle des mots, ils sont parvenus à la connaissance spirituelle de la Loi.

251. *[58]* Voilà pour l'instant, selon les petites pos-
sibilités de notre entendement, toutes les choses que nous
avons pu atteindre signifiées par le mot « esprit ». Plus

---

249. b. Phil. 3,3
250. a. cf. Rom. 3,29 ‖ b. cf. Jn 1,47 ‖ c. cf. Jn 4,24 ‖ d. cf.
Hébr. 8,5

---

§ 249. 1. On retiendra cette définition succincte et claire des
deux sortes d'interprétation de l'Écriture, selon la lettre et selon
l'esprit.
§ 249. 2. Voir *infra* : Notes complémentaires, p. 407.
§ 251. 1. Une de ces protestations d'humilité que nous avons
fait remarquer dès le début, § 2.

quid unumquodque significet, si Christus tribuerit, dis-
4 serturi.

252. Nonnunquam autem Spiritus et Dominus noster
Iesus Christus, id est Dei Filius, appellatur : « Benignus
siquidem est Spiritus sapientiae[a] », et in alio loco : « Do-
4 minus autem Spiritus est[b] », ut ante iam diximus, ubi
etiam illud adiunximus : « Spiritus Deus est[c] », non iuxta
nominis tantum communionem, sed iuxta naturae subs-
tantiaeque consortium.

253. Quomodo enim quorum diuersa substantia est,
interdum euenit ut communi uocabulo nuncupentur, et
haec dicuntur ὁμώνυμα, ita eorum quorum eadem est
4 natura atque substantia, cum societate uocabuli naturae
quoque aequalitas copulatur, et disciplinae dialecticorum
est haec appellare συνώνυμα. Idcirco et Spiritus uocabulum, et si quid aliud in Trinitate usurpari solet, συνώ-

AVΘ MYw BCΔ *Mi.*

3 quod w ‖ quodque Θ ‖ significat AVΘ[ac] ‖ christus si ∼ Y ‖
tribueret M[ac] ‖ dissernituri V[ac] dissertiri Y deserturi Δ
252. 2 id est ies. chr. ∼ Δ ‖ id est : idem Mw ‖ 3 siquidem]
+ benignus C ‖ est siq. ∼ MYw ‖ spiritus *om.* Δ ‖ in *om.* AΘ
‖ 3-4 deus A[2sl] ‖ 4 iam ante ∼ Δ ‖ iam *om. Mi.* ‖ ibi C ‖ 5 est
deus ∼ AVΘ dei est B ‖ sed : et w ‖ 6-7 substantiae MY
253. 2 euenit ut : uenit Δ eu. in B ‖ nuncupantur V[ac] ‖
3 ὁμώνυμα *Mi.* : omonima A² MYw BΔ *uacat* C *sim. gr.* A¹VΘ
‖ 4 atque : absque w ‖ substantia] + est Δ ‖ 5 aequalitas :
qualitas AVΘ CΔ societas B ‖ 6 appellare haec ∼ MYw *Mi.* ‖
συνώνυμα *Mi.* : synonyma B cinomina Δ *uacat* C sinonima A²
sinanima w *sim. gr.* A¹VΘ MY ‖ et *om.* AVΘ ‖ 6-7 uocabulum
] + (est Θ) nuncupatur AVΘ ‖ 7 aliud *om.* C ‖ συνώνυμον *Mi.* :
sim. gr. AVΘ¹ MY sinonimon Θ² sinanima w synonyma B *uacat*
C cynonimon Δ

tard, en son temps, si le Christ veut bien nous l'accorder, nous expliquerons ce que signifie chacune d'entre elles[2].

... le Fils de Dieu **252.** Mais parfois, c'est aussi notre Seigneur Jésus Christ, c'est-à-dire le Fils de Dieu, qui est appelé esprit, puisque : « Il est bienveillant l'esprit de sagesse[a] », et dans un autre endroit : « Mais le Seigneur est esprit[b] », comme nous avons déjà dit plus haut[1], où nous avons ajouté : « Dieu est esprit[c] », non pas en vertu, seulement, de la communauté de nom, mais bien de la communauté de nature et de substance.

Homonymie et synonymie **253.** Ainsi, avec des êtres de substance différente, il arrive parfois qu'on leur donne un nom unique ; on dit alors qu'ils sont « homonymes » (ὁμώνυμα) ; de la même façon, avec des êtres de même nature et de même substance, l'identité de la nature est attachée au mot qui leur revient en commun, et c'est le propre de la science des dialecticiens de les appeler « synonymes » (συνώνυμα). C'est pourquoi le mot esprit, ou tout autre qu'on a l'habitude d'employer pour la Trinité, est « synonyme »

---

252. a. Sag. 1,6. cf. Gal. 3,22-23 ‖ b. II Cor. 3,17 ‖ c. Jn 4,24

---

§ 251. 2. C'est une annonce conditionnelle : « si le Christ veut bien » ! Didyme aime renvoyer à ses œuvres, passées et à venir. Dans l'*In Zach*, IV, 144, il annonce un futur *Commentaire sur Ézéchiel*, dont, du reste, la postérité ne nous a rien transmis. L'annonce faite ici aurait-elle abouti au Περὶ ψυχῆς dont il est resté un possible fragment dans le cod. *Parisinus graecus* 151 (Bardy, p. 35) ?

§ 252. 1. *Plus haut* : cf. § 237.

8 νυμον est, uerbi gratia sanctus, bonus, et cetera his similia de quibus paulo ante perstrinximus.

254. *[59]* Porro ad haec necessario deuoluti sumus ut, quia frequenter appellatio spiritus in Scripturis est res-persa diuinis, non labamur in nomine, sed unumquodque 4 secundum locorum uarietates et intellegentias accipiamus. Omni itaque studio ac diligentia uocabulum spiritus, ubi et quomodo appellatum sit, contemplantes, eorum so-phismata et fraudulentas decipulas conteramus qui Spi-8 ritum Sanctum asserunt creaturam.

255. Legentes enim in propheta : « Ego firmans toni-truum et creans spiritum[a] », ignorantia multiplicis in hac parte sermonis, putauerunt Spiritum Sanctum ex hoc 4 uocabulo demonstrari, cum impraesentiarum spiritus no-men uentum sonet. Necnon et in Zacharia audientes locutum Deum quod ipse sit qui creet spiritum hominis in eo[b], existimauerunt Spiritum Sanctum etiam in hoc

---

AVΘ MYw BCΔ *Mi.*

8 sanctus : spiritus MYw ‖ his cetera ∼ B[ac] ‖ 9 prestrinximus V perstringimus Δ perspeximus C
254. 1 necessaria MYw ‖ euoluti Δ ‖ 2 spiritus *om.* C ‖ 3 diuinas A[ac] ‖ labamur : laboramus A[ac]VΘ ‖ nomine Θ[lmg] : *rasura in tx* Θ ‖ sed] + in C ‖ 4 secundum *om.* AVΘ ‖ locorum secundum ∼ Δ ‖ uarietates : qualitates w ‖ intellegentiam M[ac] ‖ 5 ac : et B ‖ 6 appellati sunt MYw ‖ 6-7 soph. eorum ∼ *Mi.* ‖ 7 fraudulentas : -tes A M] + eorum V
255. 1 prophetam C -tum V ‖ ego] + sum *Mi.* ‖ firmans CΔ : confirmans AVΘ B confirmaui MYw ‖ 2 ignorantias V ‖ multiplici Θ BC -plices V[ac] ‖ 2-3 in hac parte *om.* Δ ‖ 3 putarunt AVΘ ‖ 5 et *om. Mi.* ‖ 6 locutum : loquax V loquuex A[ac] locu≡≡ M[ac] locutum esse Θ ‖ dominum MYw *Mi.* ‖ creet : crearet V creat Δ *Mi.* ‖ in eo *om.* C ‖ 7 aestimarunt V existimauerunt A *Mi.* ‖ sanctum *om.* B ‖ in : cum V[ac]

---

255. a. Am 4,12 ‖ b. cf. Zach. 12,1

(συνώνυμον), comme par exemple saint, bon et autres mots semblables que nous avons rapidement indiqués un peu plus haut[1].

Ne pas trébucher sur les mots à sens multiples **254.** *[59]* En outre, nous avons été amené à notre manière de faire par nécessité : comme l'appellation d'esprit se trouve fréquemment dispersée çà et là dans les Écritures divines, nous ne devions pas trébucher sur le mot, mais le comprendre chaque fois en fonction de la diversité des passages et du sens à leur donner. Aussi, après avoir mis toute notre application et notre soin à regarder et à déterminer où et comment a été employé le mot « esprit », détruisons les sophismes et les pièges trompeurs[1] de ceux qui affirment que l'Esprit Saint est une créature.

255. Ils ont lu, en effet, dans le prophète : « C'est moi qui donne force au tonnerre et qui crée l'esprit[a]. » Ignorant qu'il y avait à cet endroit un langage à sens multiple, ils ont pensé que ce mot indiquait l'Esprit Saint, alors qu'en l'occurrence le mot d'esprit signifie le vent[1]. De même, en Zacharie, entendant Dieu dire que c'est lui-même qui crée l'esprit de l'homme qui est en lui[b], ils ont cru que l'Esprit Saint était encore désigné dans ce pas-

§ 253. 1. *un peu plus haut* : cf. § 231-236. Didyme a renvoyé plusieurs fois au cours du *De Sp.S.* aux dialecticiens et à la science des dialecticiens (cf. §§ 172, 193) ; ce sont les grammairiens de l'époque. Didyme a passé par cette discipline. Les catégories où elle rangeait les phénomènes peuvent éclairer un texte. Ici, homonymie et synonymie sont de grande importance quand il s'agit d'attributs de la Trinité (cf. § 256). — Nous gardons la forme grecque des mots que les mss latins ont transmis en grec.

§ 254. 1. *les sophismes et les pièges trompeurs* : expression stéréotypée des manœuvres des hérétiques, cf. déjà § 172.

§ 255. 1. C'est une reprise de l'idée des §§ 65-73.

8 capitulo significari, non adnimaduertentes quod animam
hominis aut spiritum — quem tertium in homine esse
iam diximus — spiritus appellatio significet.

256. Ergo, ut praelocuti sumus, quomodo unumquodque dictum sit consideremus, ne forte per ignorantiam in barathrum incidamus erroris. Siquidem in aliis
4 rebus ex consortio uocabulorum error eueniens, confu-
sionem et pudorem ei qui errauit importat, de supernis
uero et diuinis lapsus ad praua ad aeternam poenam
ducit et tartarum, maxime cum semel deceptus noluerit
8 resipiscere sed suum defensare impudenter errorem.

257. Decebat quidem etiam et magnitudo uoluminis
exigebat ut finem acciperet oratio. *[60]* Verum quia infert
se quaestio aduersus ea quae superius disputauimus,
4 quam idcirco tunc praetermisimus ne textum sermonis
irrumperet et inter piam praedicationem impia contentio
poneretur, necessarium puto ad propositum respondere
et lectoris arbitrio, quid super his sentiat, derelinquere.

AVΘ MYw BCΔ *Mi.*

8 capitulo : apostolo Y ‖ animo aduertentes w ‖ 9 hominem Δᵃᶜ
‖ esse *om.* Θ ‖ 10 spiritus *om.* AVΘ
  256. 2 forte *om.* C ‖ 3 in *om.* ΘMᵃᶜ ‖ barathrum : barbarum
C ‖ decidamus *Mi.* ‖ errorem C ‖ 4 rebus : horum AVΘ ‖ errore
ueniens AV errore conueniens Θ errorum eueniens Δ ‖ 5 ei : et
B ‖ inporta V ‖ superius Vᵃᶜ ‖ 6 lapsum C lapsis Δ ‖ praua] +
dogmata et ab his C ‖ 7 ducitur B deducit CΔ *Mi.* ‖ et : ad Θᵃᶜ
et ad Θᵖᶜ ‖ tartarum : barathrum MYw ‖ deceptum Mᵃᶜ ‖ noluit
MY ‖ 8 respicere V w Δ ‖ suum : unum MY ‖ defensore Vᵃᶜ
  257. 1 quidem *om. Mi.* ‖ etiam quidem ~ MYw ‖ magnitudinem Cᵃᶜ ‖ 2 exiebat w Δ ‖ 3 aduersum BCΔ ‖ 4 quam : cum V
‖ textum sermonis : ex tunc sermonem Θ tectum sermonis w ‖
5 interrumperet Δ ‖ contexio AVΘ C contextio B contextum Δ
‖ 6 opponeretur Δ ‖ 7 quod Mw ‖ super his : supernis Mᵃᶜ superis
Mᵖᶜ

sage, ne remarquant pas que l'appellation d'esprit se rapporte à l'âme de l'homme ou à son esprit, à celui qui est le troisième dans l'homme, ainsi que nous avons déjà dit[2].

256. Donc, comme énoncé précédemment, examinons chaque mot pour voir comment il a été dit, de peur que l'ignorance ne nous précipite dans le gouffre de l'erreur. S'il est vrai que, en d'autres sujets, une erreur qui découle d'une alliance de mots entraîne honte et confusion pour celui qui s'est trompé, alors, quand il s'agit des choses d'en haut et de Dieu, la chute dans l'erreur conduit à la peine éternelle et à l'enfer, surtout quand, après s'être trompé une fois, on ne veut pas s'en repentir, mais qu'on cherche impudemment à prendre la défense de son erreur.

257. Or il faudrait, et la dimension du volume[1] le demanderait, mettre fin à notre discours. *[60]* Mais puisque se présente la question qui se rapporte à l'objet de nos discussions antérieures et que nous l'avons alors laissée pendante pour qu'elle n'interrompe pas la suite du développement, pour éviter aussi qu'un conflit soulevé par l'impiété ne vienne se situer au milieu d'un exposé propre à la foi, je crois nécessaire de répondre au sujet en question et de laisser au lecteur le soin de juger ce qu'il doit en penser.

---

§ 255. 2. Voir *infra* : Notes complémentaires, p. 407.

§ 257. 1. La dimension du volume était réglée par la longueur du rouleau de papyrus dont on se servait couramment. Ne voulant pas entamer un nouveau rouleau, l'auteur mesurait son texte à la place qui restait. — Quant à ce qui suit, la question avait été laissée pendante au moment où Didyme s'était mis à faire de la lexicologie avec le mot esprit (§ 237).

258. Disputantibus ergo supra quod animam et mentem hominis nulla creatura iuxta substantiam possit implere, nisi sola Trinitas, quia tantummodo secundum
4 operationem et uoluntatis errorem siue uirtutem animus de his quae creata sunt impletur, oborta est quaestio nostra, quasi sententiam soluens, quod creata substantia quae in Scripturis Satanas appellatur, ingrediatur in ali-
8 quos et cor quorumdam implere dicatur.

259. Nam ad eum qui medietatem pretii de agro uendito sibi, aliud profitens, reseruarat, a Petro apostolo dictum est : « Anania, quare impleuit Satanas cor
4 tuum ?ᵃ » Et de Iuda loquitur ipse Saluator, quod intrauerit in eum Satanas, ad quod postea respondendum est.

260. Interim nunc agendum est aduersum id quod scriptum est : « Quare impleuit Satanas cor tuum ?ᵃ », quomodo Satanas mentem alicuius et principale cordis
4 impleat, non ingrediens in eum et in sensum eius atque, ut ita dicam, aditum cordis introiens, siquidem haec

AVΘ MYw BCΔ *Mi.*

258. 1 supra] + quoddam *cancellat.* V ‖ 1-2 et mentem BCΔ : mentemque MYw in manu AVΘ uel mentem *Mi.* ‖ 2 hominis *om.* Δ ‖ posset B ‖ 4 uoluptatis AVΘ ‖ uirtutis Vᵃᶜ ‖ animas Cᵃᶜ ‖ 5 de : quia (*cancellat.*) de V ‖ de his *om.* C ‖ quae : quia V ‖ impleretur BCΔ ‖ 5-6 quaestio nostra : quaestio nostram B nobis quaestio C ‖ 6 soluat MYw

259. 2 aliud profitens : aliquam particulam A aliquid particulae VΘ ‖ reseruarat : -uauerat AVΘ M -uaret *Mi.* ‖ 3 implebit Mᵃᶜ ‖ 4-5 introierit AVΘ intrauit Δ ‖ in eum intr. ∼ Θ

260. 1 nunc interim ∼ Θᵖᶜ ‖ agendum est C : disputemus *Mi.* *om. cett.* ‖ aduersus V ‖ 2 cor satanas ∼ w ‖ 4 impleat (A¹) : implet A² ‖ et : ut AVΘ ‖ in 2° *om.* AVΘ B ‖ 5 introiens (A¹ *ut uid.*) : impleat A²

259. a. Act. 5,3
260. a. Act. 5,3

258. Donc, nous expliquions

**Satan peut-il
« remplir » le cœur ?** plus haut[1] qu'aucune créature ne

peut remplir en substance l'âme et l'intelligence humaines, mais que, seule, le peut la Trinité, car c'est seulement en fonction de l'opération et selon qu'il s'agisse d'égarer la volonté ou de la porter à la vertu, que l'esprit peut être rempli par des créatures. Alors a surgi notre question, qui semblait ruiner la pensée exposée : il y a dans l'Écriture une substance créée qu'on appelle Satan, qui pénètre en quelques individus et dont il est dit qu'elle leur remplit le cœur.

259. En effet, à celui qui s'était réservé

Cas d'Ananie la moitié du prix du champ qu'il avait vendu en déclarant autre chose, l'Apôtre Pierre dit : « Ananie, pourquoi Satan a-t-il rempli ton cœur ?[a] » Et le Sauveur, en parlant de Judas, dit que Satan était entré en lui. Sur ce dernier point, il faudra répondre après l'autre.

260. Pour le moment, il faut répondre à l'objection qu'on tire de ce qui est écrit : « Pourquoi Satan a-t-il rempli[1] ton cœur ?[a] » Comment Satan peut-il remplir, en quelqu'un, l'intelligence et le fond du cœur[2], sans pénétrer en lui, dans sa sensibilité, et pour ainsi dire sans franchir la porte du cœur, alors que le pouvoir de remplir ap-

---

§ 258. 1. *plus haut* : § 30 et 34.

§ 260. 1. « *quare impleuit Satanas* » : la Vulgate latine porte « *cur tentauit S.* ». Dans un cas comme celui-là, on mesure combien Jérôme restait, malgré des écarts que nous avons signalés, proche du grec qu'il avait sous les yeux : le grec de *Act.* 5, 3 porte ἐπλήρωσεν : mais Athanase et Épiphane ont cité ce passage avec ἐπείρασεν.

§ 260. 2. *le fond du cœur*, en latin *principale cordis,* en grec ἡγημονικόν, c'est là un mot cher aux stoïciens, que Didyme ne craint pas d'employer ; cf. *In Zach.* sept emplois relevés.

potestas solius est Trinitatis, sed quasi callidus quidam
et nequam ac fallax fraudulentusque deceptor, in eos
8 animam humanam malitiae affectus trahat, per cogitationes et incentiua uitiorum quibus ipse plenus est.

261. Denique et Elymas magus filius diaboli, iuxta
nequitiam malitiamque subsistens, plenus omni dolo et
omni nequitia scribitur, Satana patre eius hanc ei uolun-
4 tatem et ex consuetudine quasi secundam pene iniciente
naturam. Arguens itaque eum Apostolus Paulus atque
corripiens ait : « O plene omni dolo et omni iniquitate,
fili diaboli !ᵃ » Quia enim uersipellis et callidus omnem
8 in se dolum fraudulentiamque susceperat, appellatur diaboli filius, qui impleuit cor et principale ipsius fraude et
iniquitate et omni malitia, in tantum illiciens eum atque
decipiens ut ipse Satanas implesse animam ipsius et
12 habitare in eodem putaretur, quem ad omnes suae per-
uersitatis dolos ministrum sibi ac famulum praepararat.

262. *[61]* Ad id uero quod secundum proposueramus
exemplum, quia in Iudam introisset Satanasᵃ, hoc dicen-
dum est.

AVΘ MYw BCΔ *Mi.*

6 est solius ∼ MYw ‖ quidam call. ∼ w ‖ 7 et *om.* AVΘ ‖ ac
fallax : ac pellax BCΔ ac pellarum V appellatus AΘ ‖ deceptus
Δ ‖ 8 mal. : in malitia B ‖ affectibus C effectus AΘ MYw ‖
trahit C *Mi.* ‖ 9 incenti auitiorum V ‖ ipse *om.* M ‖ est plenus
∼ Δ
261. 1 et *om.* AVΘ ‖ et] + ipse *Mi.* ‖ iuxta *om.* w ‖ 2 nequitia
malitiaque w malitiam nequitiamque ∼ *Mi.* ‖ plenus] + et A ‖
3 omni *om. Mi.* ‖ nequitia : malitia AVΘ *Mi.* ‖ patre : pater AᵃᶜΘ
parte V¹ partre V² ‖ 3-4 ei uol. : ex voluntate Δ ‖ 4 et ex cons :
ex cons. M quasi ex cons. *Mi.* ‖ 4-5 secundum naturam p. in. ∼
C secundum p. iniciante n. Δ uitiorum in naturam uertente *Mi.*
‖ 5 eum itaque ∼ MYw ‖ 5-6 atque corr. ap. p. ∼ B ‖ 6 dolo...
iniq. ∼ *Mi.* ‖ 7 diaboli] + inimice iustitiae dei MYw *Mi.* ‖ qui
B ‖ et *om.* Mw ‖ callidus *om.* M ‖ 8 fraudulentiae MYw *Mi.* ‖

partient seulement à la Trinité ? C'est que, comme un filou et un vaurien, agissant avec perfidie et fourberie en imposteur qu'il est, il entraîne l'âme humaine, par des pensées et des incitations perverses, à ces passions vicieuses dont il est lui-même rempli.

Cas d'Élymas **261.** Quant à Élymas le magicien, l'Écriture le dit fils du diable, pétri de malice et de méchanceté, plein de toute sorte de ruse et de perversité ; c'est que Satan, son père, suscite en lui cette volonté, qui devient, par l'habitude, comme une seconde nature. Aussi, l'Apôtre Paul, le dénonçant et le prenant à partie, lui dit : « Toi qui es plein de toute sorte de ruse et d'iniquité, fils du diable ![a] » Souple et rusé, il avait accueilli en lui toute espèce de tromperie et de fourberie, c'est pourquoi il est appelé fils du diable. Le diable a rempli son cœur et le fond de son âme de fourberie, d'iniquité et de toute sorte de malice, le séduisant et le trompant au point que Satan lui-même passait pour avoir rempli son âme et pour habiter en lui, s'étant ainsi préparé un ministre et un serviteur de toutes les ruses de sa perversité.

Cas de Judas **262.** *[61]* Au sujet du second exemple que nous avons proposé, à savoir que Satan était entré en Judas[a], voici ce qu'il faut dire.

8-9 filius diaboli ~ w *Mi.* ‖ 9 qui — ipsius *om.* MY ‖ quia w *Mi.* ‖ implebat w *Mi.* in plenum C ‖ cor et : ipse omne w *Mi.* ‖ illius *Mi.* ‖ 10 malitia : opere nequam MYw ‖ eum *om.* Δ ‖ 11 implesset AVΘ ‖ animam : cor Θ ‖ illius V B ‖ 12 eo AVΘ ‖ ad *om.* C ‖ 13 famulum : filium M ‖ praeparat M B praeparauerat C *Mi.*

262. 1 posueramus BCΔ *Mi.* ‖ 2 in *om.*Θ[ac] ‖ introierit Θ[ac] ‖ satanam M[ac]

261. a. Act. 13,10
262. a. Jn 13,27

263. Obseruans diabolus quibusdam motibus et operationum signis ad quae potissimum Iudae cor esset uitia procliuius, deprehendit eum patere insidiis auaritiae et, reperta cupiditatis ianua, misit in mentem eius quomodo desideratam pecuniam posset accipere et, per occasionem lucri, proditor magistri et sui Saluatoris exsisteret, argentum pro pietate commutans et suscipiens pretium sceleris a pharisaeis atque Iudaeis[a].

264. Haec ergo cogitationis occasio locum tribuit Satanae ut, in cor eius introiens, impleret eum pessima uoluntate. Introiuit uero non secundum substantiam, sed secundum operationem, quia introire in aliquem increatae naturae est et eius quae participetur a pluribus. Imparticipabilis autem est diabolus, non creator sed creatura subsistens. Vnde et conuertibilis atque mutabilis, de sanctitate decidit et uirtute.

265. Diximus supra τὸ μετοχικόν, id est quod participatione capiatur esse incorruptibile et immutabile et consequenter aeternum, quod autem mutari potest fac-

AVΘ MYw BCΔ *Mi.*

263. 1-2 operationem A[ac] ‖ 2 ad quae : atque AVΘ MYw ‖ iudae cor : et iudae cor V iudae Θ[ac] cor iudae ∼ Θ[pc] iudae cor quod MYw cor eius C ‖ esset : esse Δ ad A esse ad V ‖ uitia : ad u. MYw ‖ 3 proclivus MY ‖ patere insidiis : pater infidus V ‖ 4 eius *om.*Δ ‖ 5 desideratas Y ‖ posset accipere : possit acc. AVΘ CΔ acciperet *Mi.* ‖ 6 proditorum V ‖ proditor — existeret *om.* w ‖ sui et salu. ∼ B et in sui salu. Y et salu. sui *Mi.* ‖ 6-7 argentumque w ‖ 7 pro pietate : proprietate A[ac]VΘ MY ‖ premium V[ac] ‖ sceleris : sanguinis AVΘ ‖ 8 atque : ac Θ

264. 1 concitationis B ‖ 2 ut : et A[ac]VΘ ‖ intr. in corde eius MYw ‖ impleret (Θ[ac]) : ut impl. Θ[pc] ‖ ipsum C ‖ 3 introiit C ‖ uero : ergo A C *Mi.* ‖ 5 et *om.* MYw *Mi.* ‖ 5-6 imparticipalis AVΘ inprincipalis (princi *sl*) Θ ‖ 6 autem : *om.* MYw ergo *Mi.* ‖ diabolus est ∼ *Mi.* ‖ 7 conuersibilis B ‖ de : e MYw *Mi.* ‖ 8 cecidit AVΘ descendit C ‖ et : atque C *Mi.*

265. 1 τὸ μετοχικόν *nos* : to meteXton B to mettecton C thometecton Δ poreosxton w *sim. gr. attestans* τὸ μ. AVΘ MY

263. Le diable avait observé, à certains mouvements de l'âme et aux manifestations visibles de l'activité, quels étaient les vices principaux auxquels le cœur de Judas était le plus enclin. Il se rendit compte qu'il donnait prise aux embûches de l'avarice. Alors, ayant découvert la porte de la cupidité, il fit pénétrer dans sa pensée le moyen qui lui procurerait l'argent convoité, ce qui, à l'occasion d'un gain, devrait en faire celui qui livrerait son Maître et son Sauveur, celui qui échangerait sa fidélité contre de l'argent, celui qui recevrait le prix du crime des mains des pharisiens et des Juifs[a].

264. C'est donc l'occasion de cette pensée qui fournit à Satan le moyen de pénétrer dans son cœur et de le remplir de la volonté la plus détestable. Cependant, il n'y entra pas selon la substance, mais en fonction de l'opération, car entrer en quelqu'un est le propre d'une nature incréée et de celui qui peut se donner en participation à plusieurs. Or le diable n'a pas cette faculté de se donner en participation, il n'est pas créateur, c'est une créature[1]. C'est pourquoi, susceptible de changement et d'altération, il a déchu de la sainteté et de la vertu.

265. Nous avons dit plus haut[1] que τὸ μετοχικόν — c'est-à-dire ce qui peut être reçu en participation — est incorruptible, immuable, et par conséquent éternel, mais que ce qui est soumis au changement est créature et a

μετ. *sine artic. Mi.* ‖ 2 capitur C ‖ 3 aeternam V ‖ 3-4 quod — principium *om.* M

---

263. a. cf. Matth. 27,3-5

---

§ 264. 1. On trouvera la même idée énoncée plus haut, §§ 23, 34, 109.

§ 265. 1. *plus haut* : § 16 et suiv. — Le mot grec τὸ μετοχικὸν a été conservé par Jérôme, qui, pourtant, en a donné l'équivalent latin dans une périphrase.

4 tum esse et habere principium, porro quod incorruptibile
sit esse et retro et deinceps sempiternum. Non ergo, ut
quidam putant, participatione naturae siue substantiae
implet quempiam diabolus aut eius habitator efficitur,
8 sed per fraudulentiam et deceptionem et malitiam inhabitare in eo creditur quem repleuit.

266. Hac utens fallacia et contra presbyteros qui
aduersus Susannam amorem in crudelitatem uerterant,
impleuit animas eorum incendio libidinis et sera senii
4 uoluptate. Scriptum est enim : « Venerunt autem et duo
presbyteri, pleni iniqua cogitatione[a]. » His insidiis impleuit et uniuersum populum Iudaeorum, dicente propheta de eo : « Vae, gens peccatrix, populus plenus pec-
8 catis, semen pessimum, filii iniqui[b] » ; semen quippe nequam diaboli et filii eius propter iniquitatem et plenitudinem dicti sunt peccatorum.

267. Si autem ab his qui eius in Scripturis filii nomi-
nantur iuxta substantiae participationem non capitur,
siquidem impossibile hoc esse in creaturis frequenter

AVΘ MYw BCΔ *Mi.*

4 quod] + in Δ ‖ 5 esse : et sit C ‖ sempit. : aeternum Δ ‖
6 putant : dicunt putant Θ ‖ participationem C ‖ 8-9 habitare Yw
Mi. ‖ in eo inhab. ∼ M ‖ 9 eos AVΘ ‖ credatur AVΘ ‖ quem :
quos AVΘ ‖ replet AVΘ repleuerit C
266. 1 hac : hic C[ac] ‖ utens : autem MYw *Mi.* ‖ et contra : et
MYw etiam *Mi.* ‖ 2 amorem *om.* MYw *Mi.* ‖ in crudelitatem
AVΘ BC[pc] : in crudelitatis Δ in credulitatem C[ac] saeuiebant in
crudelitatem Yw seruiebant incredulitatem M ‖ uerteret MYw C
uerterunt AVΘ se uerterant *Mi.* ‖ 3 impleuit *codd.* : intrauit
implens *Mi.* ‖ animam M[ac] animos C ‖ eorum] + ex MYw ‖
seras V ‖ senii : seni AΘ et enim V sensum Δ ‖ 4 uoluntate B ‖
enim : autem AVΘ ‖ et *om.* MYw ‖ 5 his : haec B ‖ 5-6 et impl.
∼ Θ ‖ 7 genti peccatrici AVΘ C ‖ populo pleno Θ[ac] C ‖ 8 semini
pessimo filiis iniquis C ‖ 8-9 nequam quippe ∼ Θ ‖ 9 diabolus
MYw *Mi.* ‖ 10 peccatores w *Mi.*

un commencement ; par suite, ce qui est incorruptible est éternel à le prendre dans le passé ou dans l'avenir. Ce n'est donc pas comme le pensent certains, en faisant participer à sa nature ou substance que le diable remplit quelqu'un ou qu'il en devient l'hôte, mais on sait que c'est par fourberie, tromperie et méchanceté qu'il habite en celui qu'il remplit.

Cas des accusateurs de Suzanne
266. C'est en usant de cette perfidie que (le diable), se retournant contre les « anciens » qui avaient travesti l'amour en cruauté envers Suzanne, remplit leur âme des feux de la sensualité et d'une tardive volupté de vieillard. Il est écrit en effet : « Or arrivèrent les deux « anciens » pleins d'une pensée criminelle[a]. » Avec des pièges de ce genre, le diable remplit tout le peuple juif, comme dit de lui le prophète : « Malheur, nation pécheresse, peuple chargé de péchés, race de malfaisants, fils corrompus ![b] » ; s'ils sont traités de race détestable et de fils du diable, c'est à cause de leurs crimes et de l'abondance de leurs péchés[1].

267. Mais s'ils tirent leur nom de ceux qui, dans l'Écriture, sont ainsi nommés fils du diable, il ne faut pas comprendre que c'est en participation de substance, puisque, nous l'avons dit et redit, cela est impossible à

---

267. 1 ab his : habes Δ ‖ in *om.* w C ‖ scripturis *om.* C ‖ filius C ‖ 2 substantiae participationem : -tiam -patione MYw BCΔ

---

266. a. Dan. 13,28 ‖ b. Is. 1,4

---

§ 266. 1. Le *Livre de Suzanne* est utilisé ici comme tout autre livre canonique. Didyme, pas plus que son traducteur, ne fait aucune objection pour recevoir ce Livre. Pour nous qui le recevons aussi, il est dit « deutérocanonique », car la Bible hébraïque ne le contient pas.

4 ostensum est, neque alius quis potest eum capere participatione substantiae, sed tantummodo assumptione fraudulentissimae uoluntatis.

268. Operationem quippe et studia non solum bonorum operum, sed etiam malorum participabiles esse etiam in creaturis diximus ; naturam uero atque substantiam
4 solius in alios posse Trinitatis intrare.

269. *[62]* Abunde, ut reor, occursum est propositae quaestioni. Quia uero ineptum et stultum uidetur aduersum fatua respondere, et si quid in buccam ruerit impio-
4 rum hoc uelle dissoluere — non enim tantum impietas est scelerata proponere quantum et de sceleratis saltem resistentem uelle tractare —, idcirco illud quod solent iactitare praetereo, sacrilega aduersum nos audacia pro-
8 clamantes : si Spiritus Sanctus creatus non est, aut frater est Dei Patris aut patruus est Vnigeniti Iesu Christi, aut filius Christi est aut nepos est Dei Patris, aut ipse filius Dei est, et iam non erit Vnigenitus Dominus Iesus Chris-
12 tus cum alterum fratrem habeat.

AVΘ MYw BCΔ *Mi.*

4 quis *om.* V^ac ‖ eum potest ∼ Θ
   268. 1 operatione C ‖ studio C ‖ 1-2 bonum V^ac ‖
2 participabilis (-pales AVΘ Δ) esse etiam : *om.* MYw *Mi.* ‖
3 dicimus AVΘ ‖ 4 aliis B ‖ trin. in al. posse ∼ C
   269. 2-3 aduersus MYw *Mi.* ‖ 3 fatuos Δ ‖ et : ut w ‖ irruerit
V^ac ‖ 3-4 imp. r. ∼ Θ^ac ‖ 4 hoc *om.* AVΘ ‖ 5 scelesta AΘ ‖ et
om. B ‖ scelestis AΘ^pc celestis Θ^ac ‖ saltem (-tim V Δ) *codd.* :
cum *Mi.* ‖ 6 tractari AVΘ ‖ illum AVΘ^ac ‖ 7 iactare V^ac CΔ *Mi.*
tractare MYw autitare B ‖ aduersus MYw *Mi.* ‖ 7-8 proclamantes
om. CΔ ‖ 8 si] + inquiunt C ‖ sanctus *om.* Θ^ac ‖ non est : est
non est C^ac (non est C^pc) ‖ 9 aut 1° : et BCΔ ‖ est 2° *om.* C ‖
iesu christi *om.* C ‖ christi] + est V ‖ aut 2° : at A^ac ‖ 10 filius
christi est aut *om.* V^ac *restituit* V^mg ‖ aut 1° : et C ‖ dei patris est
∼ Θ ‖ aut 2° : aut et VΘ ‖ 10-11 filius est dei ∼ (*id est* dei

des créatures, et que nul ne peut recevoir le diable en
participant à sa substance, mais seulement en adoptant
sa volonté bourrée de fourberie.

268. Car, si l'on considère l'opération et le zèle, on
les trouve, avons-nous dit, en participation chez les créatures, aussi bien pour les bonnes œuvres que pour les
mauvaises ; mais, seule, la nature et substance de la
Trinité peut pénétrer chez les autres.

Inepties et impiété   **269.** *[62]* Voilà, me semble-t-il,
abondamment répliqué à la ques-
tion posée. Mais il serait inepte et sot de répondre à des
questions vaines et de vouloir réfuter tout ce qui est
éructé par la bouche des impies[1]. — En effet il y a
impiété, non seulement à exposer des idées abominables,
mais tout autant, à supposer même qu'on s'y oppose, à
vouloir discuter d'idées abominables. — C'est pourquoi
je passe sous silence ce propos qu'ils ont coutume de
lancer en public en nous prenant à partie avec une audace
sacrilège en disant : si l'Esprit Saint n'est pas créé, il est
ou bien frère de Dieu le Père et oncle du Fils Unique
Jésus Christ, ou bien fils du Christ et petit-fils de Dieu
le Père, ou bien lui-même fils de Dieu, et alors, le
Seigneur Jésus Christ ayant un autre frère ne sera plus
le Fils Unique.

f. est ∼) Y dei f. e. Θ Mw ‖ 11 et iam : etiam Θ C ‖ dominus
] + noster AVΘ CΔ

---

§ 269. 1. Balivernes, si l'on veut, en présence desquelles Didyme
préfère garder le silence. Mais ATHANASE, *Lettre à Sérapion*, I, 15-
17, *SC* 15, p. 108 s., qui les qualifie de « plaisanteries de gens
infâmes », a jugé qu'il fallait répondre, et il l'a fait plusieurs fois
tout au long des Lettres. Didyme a dû juger suffisantes les réponses
d'Athanase, et depuis qu'on les avait entendues, ces objections-
plaisanteries avaient dû faire long feu.

270. Miseri atque miserabiles, non sentientes de incorporeis et inuisibilibus iuxta corporalium et uisibilium disputari non licere naturam. Fratrem esse uel patruum, 4 nepotem uel filium, corporum nomina sunt et imbecillitatis humanae uocabula. Trinitas uero omnes has praetergreditur nuncupationes, et quotienscumque in aliqua de his cadit, nominibus nostris et incongruis uocabulis 8 non suam naturam loquitur.

271. Cum igitur sancta Scriptura amplius de Trinitate non dicat nisi Deum Patrem esse Saluatoris et Filium generatum esse de Patre, hoc tantummodo debemus sen- 4 tire quod scriptum est et, ostenso quod Spiritus Sanctus increatus sit, consequenter intellegere quod cuius non est creata substantia, recte Patri Filioque societur.

272. *[63]* Haec iuxta nostri eloquii paupertatem in praesenti dicta esse sufficiant, timorem tantum meum, in eo quod de Spiritu Sancto loqui ausus sum, indicantia.

273. Quicumque enim in eum blasphemauerit, non solum in hoc saeculo uerum etiam in futuro non dimit-

AVΘ MYw BCΔ *Mi.*

270. 1 misereri Y ‖ 2 corporum BCΔ corporeum Θᵃᶜ incorporeum AVΘᵃᶜ -ream Aᵃᶜ ‖ et *om.* B ‖ inuisibilium AᵃᶜVΘ inuisibilem A² ‖ 13 disputare w *om.*Δ ‖ patruum] + uel AVΘ ‖ 4 nepotem] + esse MYw BCΔ ‖ uel filium corporum *om.* AVΘ ‖ nomina sunt : nominans AVΘᵃᶜ nominantes Θᵖᶜ ‖ et *om.* C ‖ 5 humanae] + sunt A²
271. 2 dicat : sentit MYw ‖ 3 de *codd.* : a *Mi.* ‖ tantummodo : modo autem Δ ‖ 4 ostensum B ‖ 5 sit] + et B ‖ intellege Y
272. 1 eloq. n. ∼ MYw *Mi.* ‖ paruitatem AVΘ ‖ n. eloq. paup. : paup. eloq. Δ ‖ 2 esse *om.* V C *Mi.* ‖ sufficiat CΔ -ciunt V ‖ tantum *om. Mi.* ‖ 2-3 in eo *om. Mi.* ‖ sum *codd.* : sim *Mi.* ‖ indicaui MYw

Transcendance de la Trinité

270. Les malheureux ! les misérables ! ils ne comprennent pas que pour les êtres incorporels et invisibles, on n'est pas libre d'en discuter comme si c'était des êtres de nature corporelle et visible. Etre frère ou oncle, petit-fils ou fils, ce sont des dénominations physiques et des mots qu'on doit à la faiblesse humaine. Toutes ces appellations, la Trinité les transcende ; toutes les fois qu'elle se prête à l'une d'elles, avec nos mots et notre vocabulaire impropres elle ne révèle pas sa nature.

271. Donc, lorsque la Sainte Écriture ne dit rien de plus sur la Trinité sinon que Dieu est le Père du Sauveur et que le Fils a été engendré du Père, nous devons nous en tenir à cela seulement qui a été écrit, et, une fois qu'on a montré que l'Esprit Saint est incréé, comprendre en conséquence que celui dont la substance n'est pas créée fait partie de plein droit de la communauté du Père et du Fils.

CONCLUSION

Humble appel à l'indulgence du lecteur

272. *[63]* C'en est assez, pour le moment, de ces propos exprimés à la mesure de notre pauvre langage ; qu'on en retire comme seule indication ma crainte d'avoir osé parler de l'Esprit Saint[1].

273. Quiconque, en effet, aura blasphémé contre l'Esprit ne sera pas pardonné, non seulement en ce monde,

---

273. 1 blasphemauerint B[ac] -uerat Y ‖ 2-3 remittetur AVΘ

§ 272. 1. Voir *infra* : Notes complémentaires, p. 408.

tetur ei[a], nec ulla misericordia et uenia reseruabitur illi
4 qui conculcauerit Filium Dei et contumeliam fecerit Spiritui gratiae in quo sanctificatus est[b].

274. Quod quidem et in Deo Patre est intellegendum.
Nam qui blasphemauerit in eum et impie egerit, sine
uenia cruciabitur, nullo pro eo Dominum deprecante,
4 iuxta illud quod scriptum est : « Qui autem in Domino
Deo peccauerit, quis orabit pro eo[a] ? »

275. Necnon et qui Filium negauerit coram hominibus,
negabitur ab eo coram Patre et angelis eius[a].

276. Ergo quia nulla uenia in Trinitatem conceditur
blasphemantibus, omni studio et cautela est prouidendum
ut ne in breuem quidem paruumque sermonem de ea
4 disputantes labamur.

277. Quin potius si quis hoc uolumen legere uoluerit,
quaesumus ut mundet se ab omni opere malo et cogita-
tionibus pessimis, quo possit, illuminato corde, ea intel-
4 legere quae dicuntur et, plenus sanctitate atque sapientia,
ignoscere nobis, sicubi uoluntatem nostram non impleuit
effectus, et tantummodo consideret qua mente quid dictum sit, non quibus expressum sermonibus. Sicut enim

---

AVΘ MYw BCΔ *Mi.*

4 dei *om.* Θ ‖ contumeliam : iniuriam MYw *Mi.* ‖ 4-5 spiritu B[ac]
‖ 5 gratiae *codd.*] + eius *Mi.* ‖ in : ei in w
   274. 1 et *om.* Δ ‖ 3 nullum w ‖ dominum : deum A[ac]Δ domino
VΘ[ac] M[ac]Yw ‖ deprecante domino Y ‖ 4 iuxta illud quod : sicut
Mi. ‖ 4-5 dominum deum *Mi.* ‖ 5 orauit V
   275. 2 ab eo *om.* AVΘ
   276. 1 ueniam Δ ‖ in trinitatem conceditur *Mi. nos* : in trinitate
conc. BCΔ MYw conc. in -tate (-tem Θ) AVΘ ‖ 2 prou. est ∼
V ‖ 3 in *om.* C ‖ breui... paruoque sermone *Mi.* ‖ de ea : de
eadem V *om.* MY

mais aussi dans le monde à venir[a], et aucune miséricorde ni pardon ne seront réservés à celui qui aura foulé aux pieds le Fils de Dieu et qui aura outragé l'Esprit de la grâce dans lequel il a été sanctifié[b].

274. Cela vaut également de Dieu le Père, car celui qui aura blasphémé et se sera mal conduit à son endroit souffrira des tourments sans rémission, n'ayant personne qui prie le Seigneur pour lui, selon qu'il est écrit : « Mais celui qui aura péché contre le Seigneur Dieu, qui intercédera pour lui ?[a] »

275. Quant au Fils, également, celui qui l'aura renié devant les hommes, sera renié par lui devant le Père et ses anges[a].

276. Donc, puisque aucun pardon n'est accordé à ceux qui blasphèment contre la Trinité, il nous faut prendre garde avec un soin et une prudence extrêmes, en discourant sur elle, même dans un bref et petit exposé, de ne pas trébucher.

277. Bien plus, si quelqu'un veut lire ce volume, nous le prions de se purifier de tout ce qui est mal dans ses actions et de ce qu'il y a de pervers dans ses pensées. Il pourra ainsi, avec un cœur éclairé, comprendre nos paroles et, rempli de sainteté et de sagesse, se montrer indulgent à notre égard s'il se trouve que le résultat n'a pas été à la mesure de notre volonté. Qu'il considère

277. 4 plenius V ‖ sapientia : -tiae M scientia Θ ‖ 5 implebit A ‖ 6 effectur C[ac] ‖ quid : quod Y

273. a. cf. Matth. 12,31-32 ‖ b. cf. Hébr. 10,29
274. a. I Sam. 2,25
275. a. cf. Matth. 10,33

8 pietatis sensum nobis audacter iuxta nostram conscientiam uindicamus, ita quantum ad eloquii pertinet uenustatem et rhetoricam facundiam et consequentiam textumque sermonis, procul nos abesse simpliciter confite-
12 mur. Studii quippe nostri fuit, de sanctis Scripturis dis-
serentibus, pie intellegere quae scripta sunt, et imperitiam
mensuramque nostri non ignorare sermonis.

AVΘ MYw BCΔ *Mi.*

8 audaciter MY *Mi.* ‖ nostram : dominum Θ ‖ 8-9 conscientiam
]+ minime C ‖ 9 ad eloquii VΘ BCΔ : ad eloqui A a deo (adeo
M) loqui MY ad eum loqui w de eo loqui *Mi.* ‖ 9-10 uenustatem :
ueritatem AVΘ (ad uer. Θ^{ac}) ‖ 10 et 1° *om. Mi.* ‖ facundiam et
codd. : facundiamque iuxta *Mi.* ‖ 10-11 textumque : contextumque
Δ ‖ 11 nos procul ∼ A ‖ nos *om. Mi.* ‖ 12 studium Θ^{pc} (studi
Θ^{ac}) id studii C ‖ fuit : est C ‖ scrip. s. ∼ *Mi.* ‖ 13 scriptura C

seulement l'intention avec laquelle les choses ont été dites, et non pas les termes avec lesquels il en a été discouru. Si nous revendiquons pour nous hautement, selon notre conscience, le sens de la foi, nous avouons simplement d'autre part qu'en ce qui concerne l'élégance du langage, l'aisance dans le maniement de la rhétorique, l'ordre et l'organisation du discours, nous en sommes bien éloigné. Notre travail, en effet, en examinant les Saintes Écritures, a été de comprendre les textes selon la foi, sans méconnaître l'inexpérience et les limites de notre langage.

in fine sermonis] + explicit sermo sancti didimi de spiritu sancto AV explicit liber didimi de spiritu sancto Θ *uacat* M explicit liber didimi Y explicit w explicit iuuante domino didimi uidentis liber de spiritu sancto de greco in latinum translatus a beato iheronimo presbitero B explicit liber de spiritu sancto C finit liber didimi de spiritu sancto Δ *uacat Mi.*

NOTES COMPLÉMENTAIRES

§ 21. 1. Comparer avec les §§ 21 et 22 de Didyme le passage suivant du *De Spiritu Sancto* ambrosien, I, 7,81 (*CSEL* 79, p. 48-49). Cela permet de se rendre compte de la manière dont Ambroise puisait son inspiration chez Didyme : « Comme toute créature est circonscrite aux limites fixes de sa nature, et que les créatures invisibles aussi, qui ne sont pas soumises à la contrainte des lieux et des limites, sont cependant astreintes à la propriété de leur substance, comment oserait-on appeler le Saint Esprit une créature, alors qu'il n'a pas cette qualité d'être circonscrit et d'être limité, puisqu'il est continuellement en tout et partout, ce qui est le propre de la divinité et de la souveraineté. *A Dieu, en effet, la terre et sa plénitude* (Ps. 23,1).Et c'est pourquoi, lorsque le Seigneur décida que de simples serviteurs deviendraient ses apôtres, il établit, pour nous faire comprendre qu'autre était la part du créé et autre celle de la grâce spirituelle, les uns dans un endroit et les autres dans un autre, car ils ne pouvaient pas être partout tous à la fois. Alors il leur donna le Saint Esprit, qui, malgré les séparations entre les apôtres, leur infusait le don d'une grâce inséparable. Ils étaient donc dispersés comme personnes, mais d'eux tous l'opération s'effectuait en un seul résultat puisque l'Esprit Saint est un, comme il est dit de lui : « *Vous recevrez la force de l'Esprit Saint qui viendra sur vous, et vous serez mes témoins à Jérusalem, dans toute la Judée et la Samarie et jusqu'aux extrémités de la terre* (*Act.* 1,8). »

§ 24. 1. De nature, la créature n'est pas sainte ; il faut qu'elle trouve ailleurs qu'en elle-même la sainteté. De nature, l'Esprit de Dieu est saint, il est même toute sainteté et c'est ce qui le différencie de la créature, de toute créature, fût-elle angélique ;

la substance de l'Esprit Saint est communicable (§ 13). La substance de la créature est d'une autre espèce ; elle ne se communique pas, mais elle reçoit en participation ce que l'Esprit veut bien lui donner de lui-même (si elle s'en rend digne). Ce genre de raisonnement sera constant tout au long du traité *Du Saint Esprit.* — La substance : ce qui est permanent dans un être non changeant (Esprit Saint), ou changeant (créature). En grec, οὐσία que Jérôme traduit ordinairement par *substantia* — peut-être aussi par *essentia* (cf. § 112, 161, 265), mot qui n'a pas paru convenir aux latins de cette époque ; O. Faller n'en relève aucun emploi dans l'Index du *De Sp. S.* d'Ambroise, *CSEL* 79. A l'adresse des philosophes, A. LALANDE, *Vocabulaire de la philosophie*, 1956[7], p. 1050, sub v. *substance*, écrit : « Au Vème siècle, saint Augustin parle encore d'*essentia* comme d'un mot rare et un peu étrange. D'où la difficulté de rendre en latin l'opposition théologique d'οὐσία et ὑπόστασις dans la formule employée par l'Église grecque pour exprimer le dogme de la Trinité ; c'est ce qui a conduit l'Église occidentale à employer *persona* comme équivalent d'ὑπόστασις ; et cet usage de *persona* a eu une influence décisive sur l'emploi ultérieur du mot *personne* dans le langage philosophique. » Sous la plume du traducteur de notre *De Sp.S.*, le mot *natura* frôle aussi pour le sens celui de *substantia* (§ 265) ; Jérôme n'a-t-il donc pas su établir une distinction claire entre les trois mots *essentia-substantia-natura* ?....

§ 28. 1. Il était indispensable de déterminer exactement quels pouvaient être la place et le rôle des anges dans la création quand on lit les étrangetés qui étaient attribuées à Origène à cette époque. On les trouvera, sous la plume de JÉRÔME, dans sa *lettre* 124, *A Avitus*. La question n'est pas simple, car Jérôme, tout à sa querelle avec Rufin, prétendait relever les erreurs qui se trouvaient dans la traduction du *Traité des principes* par Rufin en 398. Cette lettre à Avitus de 410 renvoie à la falsification d'une autre traduction faite aussi jadis par Jérôme et dont il s'efforce alors de citer les passages dans leur exactitude première. D'après le texte de Jérôme, les erreurs d'Origène sont considérables. En particulier sur ces créatures raisonnables et spirituelles que sont les anges. Didyme, qui lisait à Alexandrie le *Traité des Principes* dans le grec original, — et ce, bien avant la querelle Jérôme/Rufin, — devait à son sens de l'orthodoxie de ne pas glisser dans les erreurs sur les anges. Voici donc en quelques lignes, pris dans la lettre de Jérôme à Avitus, un exemple « des scorpions et des serpents » — *dixit* Jérôme — dont a su se garder notre Didyme : « Il entremêle ainsi tous les êtres : un archange peut devenir diable, un diable peut être transformé en ange. Mais ceux qui...n'auront pas complètement chu, seront soumis pour être régis... vers le bien... ; et c'est peut-être de ces êtres-là que sera constitué le genre humain dans l'un des mondes, lorsque, selon Isaïe, le ciel et la terre seront renouvelés » (ORIGÈNE, *Traité des Principes* (*Peri archôn*), traduction par M. Harl et al., *Ét. Aug.* 1976, p. 277). On mesure, par ce texte comparé aux §§ 25-28, la distance qui sépare Didyme d'Origène sur ces questions.

§ 87. 1. L'image des mains ou de la droite du Père, comme celle du doigt de Dieu, dérive de l'Écriture (les mains : *Job*, 10,8 ; *Ps.* 118,78... ; le doigt : *Lc* 11,20...) et il est peu de Pères qui ne s'en soient servi pour parler de l'action de Dieu ; ainsi, dès la fin du second siècle, saint Irénée a de fortes pages sur la Main de Dieu, c'est-à-dire le Verbe (III, 21,10 ; IV, 39,2 ; V, 15,2-3 ;...), ou sur les Mains de Dieu, c'est-à-dire le Fils et l'Esprit (IV, 7,4 : V, 6,1...), mais non point sur le doigt de Dieu (sauf le passage inexpliqué de *Démonstratio*, 26). CLÉMENT d'AL. a dit du doigt de Dieu qu'il était la « puissance de Dieu δύναμις Θεοῦ » (*Strom.* VI, 16). Origène demande que le doigt de Dieu soit compris « d'une manière digne de Dieu », c'est-à-dire sans anthropomorphisme (*In Ioan.* I, 38,282, *GCS* 10, 49, 28). Mais ATHANASE, *De incarn. Dei Verbi et contra Arianos*, 19, *PG* 26, 1020, affirme explicitement que l'Écriture nomme l'Esprit Saint doigt de Dieu : ἡ Γραφὴ τὸν Χριστὸν βραχίονα ὀνομάζει τοῦ Πατρός, τὸ ἅγιον Πνεῦμα δάκτυλον Θεοῦ καλεῖ ; Didyme se range donc dans la tradition alexandrine et confirme cette interprétation pour ceux qui viendront après lui : AMBROISE, évidemment, *De Sp.S.*, III, 3, 11-16, *CSEL* p. 154 s. s'en sert abondamment ; CYRILLE d'AL., dans son *Thesaurus*, Assert. 34, *PG* 75, 576, cite un anonyme, qui paraît bien proche de Didyme : « Il appelle ici doigt de Dieu le Saint Esprit qui, en quelque sorte, bourgeonne de la nature divine et y demeure suspendu comme le doigt par rapport à la main humaine...(ἐκπεφυκὸς καὶ φυσικῶς αὐτῆς ἐκκρεμαμένον ὥσπερ καὶ ὁ δάκτυλος ἐκ τῆς ἀνθρωπείας χειρός). Il est évident que le Saint Esprit n'est pas étranger à la nature divine, mais procède d'elle et demeure en elle naturellement : puisque le doigt corporel est dans la main et de même nature qu'elle, et qu'à son tour la main est dans le corps, non comme une substance étrangère, mais comme se rapportant à lui » (cité par Th. DE RÉGNON, *Études sur la Sainte Trinité*, III, p. 69). Au delà de ces auteurs, il faudrait citer saint Augustin (*Qu. Ex.* 25 ; *Serm.* 156,14 ; *Civ.Dei* 16,43 ;...), et d'autres encore ; on pourrait aller jusqu'au *Veni Creator*... occidental : *Tu digitus paternae dexterae* !

§ 94. 1. Les éditeurs anciens jusqu'à Vallarsi exclusivement ont fait commencer ici ce qu'ils appelaient le « Livre second » du *De Spiritu Sancto*. Plus bas, au § 203, commençait aussi le « Livre troisième ». Cette division n'a pas de fondement sérieux dans la tradition manuscrite ; elle coupe le développement, ici et plus bas, sans souci de la continuité logique. Le responsable semble en être le manuscrit de *Yale University, Marston 17*, du XIIIème siècle, qui appartint au Collège de Clermont. A l'encre rouge, de première main, on y trouve au f°6r (début de § 94) : *Explicit liber primus. Incipit liber secundus*, et, plus loin, à hauteur du § 203 : *Incipit liber tertius*. Sur ce codex comme modèle, a été copié (la collation le démontre), au XVème s., le ms. *Vaticanus Reginensis latinus 228* — il appartint à Jean, puis Guillaume Budé —, qui comporte de ce fait la division en trois livres. Benet, premier éditeur, en 1500, eut communication de ce ms., qui appartenait, à l'époque, à Radin : le prestige de l'imprimé suffit alors pour sceller jusqu'au milieu du XVIIIème siècle l'intempestive division en trois livres, car, hormis le ms.de Jumièges, *Rouen A 343*, qui porte en marge, d'une main tardive, l'indication voulue pour le *liber secundus*, il n'y a absolument aucun autre manuscrit qui fasse état d'un deuxième et d'un troisième livres dans notre *De Spiritu Sancto*. Le ms. w (*Heidelberg, Salem 9*, XIIIème s.) se donne même la liberté d'inscrire d'une main récente dans sa marge : *ibi in impressis exemplaribus [..] finit liber primus.*

§ 94. 2. Des spéculations sur le Fils en tant que sagesse et vérité subsistante inséparable du Père se trouvent chez Origène, *De Princ.* I, 2, 6-7, et il n'est pas interdit de penser que Didyme ait pu en avoir connaissance. Mais l'invisibilité de Dieu, reproduite en le Fils image du Père, ne nous semble pas, par ce que nous pouvons lire aujourd'hui du *De Princ.* (Kœtschau, p. 36 ; ou trad. Crouzel, *SC* 252, p. 124), être expliqué à la façon dont le rapporte Jérôme dans sa *lettre à Avitus* (lettre 124) où on lit : « le Fils, image du Père invisible, comparé au Père n'est pas vérité ; auprès de nous cependant, qui ne pouvons recevoir la vérité du Dieu tout-puissant, il paraît être une vérité en image (*imaginariam ueritatem uideri*), de telle sorte que la majesté et la grandeur du plus grand soient perçues en quelque sorte circonscrites dans le Fils » (trad. Harl, *l.c.* § 28 n.). Jérôme nous semble avoir le trait épais, car le *De princ.* est plus subtil et ne mérite pas de reproches : « le Fils de Dieu s'étant introduit dans la petitesse d'un corps humain indiquait par l'analogie de ses actes et de sa puissance la grandeur immense et invisible de Dieu le Père qui était en lui », est-il écrit selon la traduction latine de Rufin, *De Princ.*, I, 2, 8. Mais qui, de Jérôme ou de Rufin, faut-il croire ? On sait que le débat dure toujours.

§ 101. 1. Dans le passage du *De Trin.* cité à la note précédente, Didyme ne reconnaît pas comme valide le baptême conféré par les Eunomiens et par les Montanistes (les « Phrygiens »), car il n'est pas conféré « au nom des trois hypostases ». Cette réflexion appelle deux observations : la première, que le vocabulaire du *De Trin.* est plus évolué que celui du *De Sp. S.* (cf. le mot « hypostase ») ; la seconde, qu'il nous faut distinguer entre Phrygiens et Phrygiens, car il en était parmi eux, si nous en croyons les témoignages des anciens, de deux sortes : ceux qui, avec Tertullien, étaient fidèles à la règle de foi catholique en ce qui concerne le Père, le Fils et l'Esprit (Épiphane, *Panarion Haer.* 48, 1, *GCS* 31, Holl-Dummer 1980, p. 220 : ὁμοίως φρονοῦσι τῇ ἁγίᾳ καθολικῇ Ἐκκλησίᾳ), et ceux qui, comme Sabellius, resserraient la Trinité dans les limites d'une seule personne (*Trinitatem in unius personae angustias cogunt*, Jérôme, *Lettre* 41, 3), ou baptisaient au nom du Père, du Fils et de Montan (Basile, *Lettre* 188, 1 : « Ils n'ont pas été baptisés ceux qui ont été baptisés dans les noms que la tradition ne nous a pas appris »).

§ 118. 2. *qui s'intitule* : cette toute petite remarque pourrait n'être qu'une intervention de Jérôme. On sait qu'il a milité pour

supprimer le nom de Salomon du titre du *Livre de la Sagesse* :
aussi peut-on déceler une sorte d'insistance voulue dans le *qui
inscribitur* de notre texte ; Salomon, disait-il, n'a écrit que trois
livres, les *Proverbes*, l'*Ecclésiaste*, le *Cantique* (Préface aux Livres
de Salomon, *PL* 29, 405 C). Dans les œuvres de Didyme venues
au jour il y a une cinquantaine d'années, j'ai relevé l'emploi
presque constant du nom de Salomon quand il s'agit du Livre de
la Sagesse (Références prises dans *SC* et *PTA*, éditions des
commentaires dits de Toura : *Gen.Comm.* 32, 3 ; 213,4 ; *Ps. Comm.*
I, 12, 14 ; *Job Comm.*II, 120, 18 ; *Eccl. Comm.* IV, 238, 21 ; V, 288,
6 ; *Zach. Comm.* 192, 18 ; — deux fois « Sagesse » seule : *Gen.
Comm.* 3, B ; *Ps. Comm.* III, 190, 26). L'intervention de Jérôme
apparaît donc bien intentionnelle. — Mais un autre problème se
pose au philologue qui doit établir le texte : celui du mot *panaretos*,
écrit en caractères latins et accompagnant ici *sapientia* dans les
mss BCΔ. Le mot est corrompu en *paraclitus* dans C, et en
poneretur dans J, ms. de Lorsh du IXᵉ s. ; il se trouve en grec,
πανάρετος, dans le seul ms. I, *Pierpont Morgan 496* de l'an 1488.
Il est évident que ce mot grec n'est pas né dans l'imagination
d'un copiste latin, ni au Vème siècle, ni *a fortiori* au XIIème. Il
doit donc remonter à Jérôme lui-même et, au delà, à Didyme. A
cela rien d'impossible, car un groupe de mss de la Septante (cf.
Septuaginta, XII, 1, éd. Ziegler, p. 95) porte, dans le titre du *Livre
de la Sagesse*, le mot de πανάρετος et Jérôme ne l'ignorait pas.
Il l'ignorait d'autant moins que Didyme était coutumier du mot
pour désigner le *Livre de la Sagesse* (cf. *Zach. Comm.* 151, 27 ;
160, 10 ; 293, 24) et qu'il était naturel qu'il l'eût employé dans
notre texte. D'autres Pères ont employé l'expression ἡ πανάρετος
toute seule, pour renvoyer au Livre ; ainsi, v.g. CHRYSOSTOME,
Job Comm., IV, 14, 12, *SC* 346, p. 234 ; et d'autres encore, cf.
LAMPE, s.v. Dans notre texte, il y a du flottement, car les mss
BCΔ ne portent pas *libro qui* ; il faudrait donc lire : *in Sapientia
quae inscribitur panaretos*, (« dans la Sagesse qui porte le titre de
Panaretos »), tandis que les deux autres familles de mss nous
offrent, sous des variantes qui le disqualifient quelque peu, un
texte qui se ramène à : *in libro qui Sapientia inscribitur* (« dans le
livre qui porte le titre de Sagesse »). Les copistes ont hésité :
certains ont opté pour la première formule, dont le verbe a pu
leur paraître impropre ou mal placé (d'où les variantes du mot

inscribitur), d'autres ont peut-être créé la deuxième en ajoutant *libro qui* alors qu'ils supprimaient le mot incompris de *panaretos*.... Nous optons ici sans hésitation pour la première formule, celle qui inclut πανάρετος/*panaretos*, que nous écrivons en grec comme l'ont fait nos mss pour plusieurs autres mots, comme l'ont fait avant eux, pensons-nous, Jérôme et Didyme.

§ 139. 1. *filietas* : C'est presque à regret, faute d'un mot meilleur, que nous traduisons *filietas* par le mot français de *filiation*, car il nous semble que Jérôme, aux prises ici avec le mot grec υἱότης, a voulu marquer une différence entre *filiatio* et *filietas*, le second de ces mots convenant mieux au Fils tandis que le premier conviendrait aussi à l'Esprit. La distinction entre les deux modes d'origine du Fils et de l'Esprit — origine commune mais non semblable, nous dirions aujourd'hui *procession* pour les deux et *génération* seulement pour le Fils — ne serait pas rendue par les deux mots français de *filiation* et *filialité*, l'un marquant un lien, l'autre plutôt un état. Il faut encore attendre pour trouver la formulation conceptuelle exacte à ce sujet ; Didyme n'y est pas parvenu. Marius Victorinus, un latin légèrement antérieur à Didyme, avait distingué, mais cela ne nous avance guère, une filiation selon la vérité, selon la nature, selon l'adoption. Au sujet qui nous occupe, il s'exprimait ainsi : « L'Esprit Saint, par son acte propre, diffère du Fils, tout en étant lui-même le Fils, comme le Fils, par son acte propre, est différent du Père, étant pourtant lui-même le Père, selon l'être » (*Ad Cand.* 31, *SC* 68, p. 172 ; trad. Hadot). On voit ici la subtilité d'esprit requise pour traiter correctement de ces hautes vérités, et l'on peut se demander si, en employant le mot de *filietas*, Jérôme n'a pas voulu s'y exercer...

§ 148. 1. On trouvera un ample développement de ce paragraphe dans *De Trin.* III, 34, 960-961. Si Didyme est si prolixe dans le *De Trin.*, c'est qu'il avait à répondre à une objection des hérétiques, que le texte de saint Jean (7, 39) cité par le *De Sp.S.* ne nous laisse pas percevoir. En effet, notre texte comporte ici un participe (*non erat Spiritus datus*) qui n'existe pas dans le grec. La Bible latine, comme la syriaque aussi, en introduisant *datus* évite une difficulté, que les hérétiques ne manquaient pas de soulever et qui peut se formuler ainsi : « Si le Saint Esprit n'existait pas encore, c'est qu'il est une créature ! » A quoi, le *De Trin.*

répond en proposant une juste interprétation du texte johannique : c'est que le Saint Esprit n'était pas connu et que, de notre point de vue, être connu, c'est exister ; nous disons que Dieu existe, quand nous le connaissons. La comparaison du *De Trin.* avec le *De Sp.S.* nous conduit à soupçonner Jérôme d'avoir introduit de lui-même le « *datus* » dans le texte de Didyme.

§ 148. 2. Dans nos mss, le texte des huit premières lignes de ce paragraphe a été tellement bouleversé que nous sommes obligé de lui consacrer une note assez longue, qui reprend pour les besoins de cette édition ce que nous avions déjà élucidé dans *KYRIAKON* (1970), p. 378. Voici : des gloses abondantes ont dû être répandues dans les marges des tout premiers exemplaires-archétypes des familles α (AVΘ) et β (MY, mais pas dans w), ce que confirment déjà les variantes, notées à l'apparat, de la fin du § 147 ; mais la famille γ (BCΔ) en a été préservée. C'est donc sur la famille γ que nous appuyons notre texte. Ce qui suit est le texte de α, puis de β, tels qu'on les trouve dans les mss :

α : *quae postea pro nomine eius sufferre poterant sed aliqua ex parte tradens eis illa quae maiora erant in posterum differens commendans et illa quae in futurum tempus ideo distulit ut reliqua disciplina spiritus sancti sui quae tunc non poterant nisi primitus in nostro capite magisterium et forma crucis praeiret * quia aduentum dominicae passionis nondum erat spiritus datus quia iesus nondum fuerat glorificatus quid est iesum nondum honorificatum. Glorificari dicens....*

β : *quae postea...* etc. jusqu'à *praeiret* * comme dans α, puis : *quaecumque enim sufferre poterant tradens eis in futurum tempus reliqua distulit quae sine disciplina spiritus sancti scire non poterant quia aduentum dominicae passionis non erat datus hominibus spiritus sanctus euangelista dicente non erat spiritus cuiquam datus quia iesus necdum erat glorificatus (honorificatus Y). Glorificari dicens....*

On pourra lire la note de Migne à cet endroit (*PG* 39, 1062, n.76) qui trahit la difficulté de Vallarsi et des anciens éditeurs à mettre de l'ordre parmi les mss qu'ils avaient sous les yeux.

§ 159. 1. Les éditions antérieures et les familles α et β de nos mss ajoutent ici deux lignes contenant une série de formules où

l'insistance à employer, pour l'Esprit Saint, le verbe « procéder »
permet de mettre en doute leur authenticité didymienne, nous
l'avons assez dit. Mais, du point de vue paléographique et codi-
cologique, cette série de formules inauthentiques a été fortement
bousculée au cours de la transmission : un homoiotéleute a fait
passer l'élément final avant celui qui devait le précéder. Jérôme
n'est ici responsable en rien, v. *Introduction*, ch.VIII, « Les interpolations », p. 114-115. Il faut remarquer que la famille BCΔ ne
comporte pas ce passage et que cela entraîne d'un seul coup, dans
la tradition, l'inexistence de cette phrase dans plus de quarante
mss (quatre familles) sur la soixantaine qu'on dénombre. Mais ce
fait, indécelable pour les éditeurs antérieurs, ne pouvait pas les
troubler ; ils ont aimé l'interpolation pour le tranchant de ses
affirmations, ils y ont trouvé les mots où leur esprit pouvait se
reposer comme en un territoire connu... des mots honorables, de
bonne réputation, mais anachroniques ! On verra une interpolation
semblable au § 230.

§ 177. 1*. Faut-il lire en latin *propter Spiritum* ou *per Spiritum* ?
Vallarsi, sur la foi de ses manuscrits, a choisi *propter*, et Migne
l'a suivi. Sur la foi de nos manuscrits, nous choisissons *per*, et
nous n'en dirions rien si ces deux prépositions n'avaient pas fait
l'objet d'une controverse dont la note de Mingarelli auprès du *De
Trin.* II, 11, 665-666 est l'écho. Pour nous, Didyme a employé ici
per, comme il l'a fait un peu plus loin (§ 193) en citant le même
texte de *Rom.* 8, 11 ; nos manuscrits sont unanimes pour § 193
et la certitude qu'ils nous apportent rejaillit obligatoirement ici
sur § 177, car cinq mss contre quatre nous donnent le droit d'opter
en faveur de *per*, ce que Vallarsi, dénué de Yw BΓΔ, ne pouvait
pas faire. Or Mingarelli a relevé dans le *De Trin.* que Didyme
avait reproché aux hérétiques d'avoir falsifié *per* en *propter* pour
les besoins de leur cause. On comprend alors la nécessité de
longues notes pour essayer de résoudre la pseudo-contradiction
didymienne (au sujet de *Rom.* 8,11) entre le *per* du *De Trin.* et le
propter du *De Sp.S.* En fait les mss grecs de *Rom.* fournissent les
deux versions διὰ τὸ (*propter*) et διὰ τοῦ (*per*).

§ 206. 1. Didyme se rend compte qu'il s'est laissé détourner de
son sujet par les hérétiques et qu'il a laissé en plan à cause d'eux
l'explication d'Isaïe qui contient, disait-il (§ 197), « des leçons sur

l'Esprit Saint ». Mais ce passage d'*Isaïe* 63,7-12, quoi que Didyme en pense, nous paraît de prime abord peu en rapport avec le problème de l'Esprit Saint. Pour Didyme, au contraire, il paraissait tout indiqué pour fournir les arguments scripturaires dont il avait besoin. Il s'agisssait en effet d'un texte pneumatologique de l'Ancien Testament très net, jugeait-il : « les prophètes...ont obtenu la connaisance de la vérité », § 197 ; ainsi le jugeait aussi son époque, si l'on veut bien se rappeler que Grégoire de Nysse, p. ex., le considérait comme le témoignage d'une théophanie exceptionnelle et disait que *Jean* (12,41) l'avait rapporté au Seigneur et Paul (*Act.*28,25) à l'Esprit Saint, tous deux ayant visé les Juifs infidèles (*C. Eun.* II, *PG* 45, 553 ; Jaeg. II, 2 p. 393-394). Didyme saura donc trouver dans ce texte, on aurait envie de dire « saura y mettre », un développement sur le Sauveur du monde, un autre sur l'errance-châtiment des Juifs et un autre sur « l'Homme Seigneurial » ; il accrochera le tout assez artificiellement à l'action de Dieu, qui, après avoir essuyé mépris et trahison de la part des hommes, en a été irrité en son Esprit Saint, et au lieu de les châtier violemment, leur fait miséricorde et les sauve en activant en eux l'Esprit Saint qui leur permet de redevenir des fils. — Soit ! Le propos est plus spirituel que théologique. Mais Didyme pense (§ 213-214) avoir montré par là « la communauté de l'Esprit avec Dieu » et « l'union de la Trinité ». Grégoire de Nysse, au même endroit, reconnaît aussi qu'une théophanie, qui est une vision de Dieu, ne peut se dire que s'il y a, tout ensemble, le Père, le Fils et l'Esprit Saint. On voit que Didyme n'est pas seul à élaborer sa doctrine du Saint Esprit à partir du prophète Isaïe. Mais cela ne nous empêche pas de trouver beaucoup d'artifice dans la construction pneumatologique de ces quelques pages de notre Traité. Nous gardons l'idée d'une pièce rapportée, faite d'avance, et que Didyme a tant bien que mal raccordée à l'ensemble.

§ 223. 1. Cette remarque vient de Jérôme le traducteur. Le texte grec d'Isaïe ne comporte qu'un verbe, ἀθετήσωσι, dont le sens ordinaire dans la Septante comporte l'idée de « refus », de « rejet », de « transgression », si bien que l'on peut dire de quelqu'un : « il méprise la loi », quand il la rejette ou quand il la viole : c'est, selon le contexte, une question d'intensité. Jérôme, la

première fois, en § 198, dans la citation intégrale d'Isaïe, a traduit
le grec par *praeuaricabuntur*, mais cette fois-ci en § 223, face à la
libre interprétation de Didyme commentateur, il pensa d'abord
pouvoir lui-même employer le verbe *spernere* (mépriser), mais se
rendit compte assez vite qu'il fallait une expression plus forte ; il
se reprit donc en dictant à son scribe cette incise que le texte a
gardée : *siue quod melius habetur in graeco « qui praeuaricatur »*
(« ou ce qui rend mieux le grec « celui qui trahit » »). Il ne songea
pas à recourir à l'hébreu, en dépit de ses préventions bien connues
contre la Septante. Quelques lignes plus bas, il reprend le verbe
spernere et apporte la précision *spernere uel praeuaricari*, mais
Didyme n'a certainement utilisé que le verbe grec ἀθετέω.

§ 227. 1. Cf. *supra*, § 87. L'expression *dominicus homo*, qui traduit le grec ὁ κυριακὸς ἄνθρωπος, sert à Didyme pour caracté-
riser le Seigneur dans son humanité. Elle ne doit pas provoquer
de chicane, § 230 (c'est donc que certaines étaient déjà venues
jusqu'à Didyme !). L'expression est également employée par Athanase, Grégoire de Nysse, Épiphane, et d'autres. Elle ne doit pas
donner lieu à une interprétation dualiste de la personne du Christ.
Didyme s'en défend ici (*non quod alter et alter sit*). Car pour le
raisonnement, on est bien obligé de considérer les deux aspects,
divin et humain, mais, ce faisant, en parlant d'un autre « aspect »,
on ne vise pas une autre « personne ». L'expression ne parut pas
claire à tous les esprits. Augustin, qui s'en servit 1-16 (*De div.
quaest.* 83, 36, 2, *CC* XLIV A, p. 56, li. 55), eût préféré ne pas
le faire, quoique l'expression lui parût défendable (« *quamvis non-
nulla possit ratione defendi* » : *Retract.* I, 19, 8, *CC* LVII, p. 59).
Voir note de Vallarsi, (dans Migne *PG* 39, 1076-1077, note 21),
qui prend même à témoin S.Thomas d'Aquin. — Sur l'interpolation glissée dans ce paragraphe, voir *supra, Introduction*, ch. VIII,
p. 71 et la note suivante du § 230. — Sur l'expression chez Didyme,
cf. A. Gesché, *La christologie du « commentaire sur les Psaumes »
découvert à Toura*, Gembloux 1962, p. 80-90.

§ 230. 1. Par suite de l'omission, dans la famille γ (BΓΔ), du
membre de phrase *qui totus Christus unus est Iesus Filius Dei*,
Vallarsi, impressionné par le fait que tous les éditeurs l'avaient
omis, s'est demandé (*PG* 39, 1073, note 25) si ce n'était pas une
glose introduite après coup par Jérôme ou tout autre. C'était

assez bien vu, mais il ne pouvait pas fonder son jugement sur le comportement de l'ensemble des mss. Nous avons dit nos raisons d'en faire une interpolation dans les familles α et β (*supra*, p. 116). Mais on conviendra que tout le § 230 est d'une facture et même d'une christologie bien plus embarrassées que ce que Didyme a pris soin d'écrire jusqu'à présent.

§ 239 (et suivants). 1. Il faut, à partir d'ici, lire Didyme avec attention jusqu'au § 242. Il échafaude, en effet, à partir de l'Écriture, une anthropologie que Gennade lui reprochera vigoureusement par la suite. A tort ou à raison ? Il est difficile de se prononcer. D'abord parce que le vocabulaire de Didyme, calqué souvent sur celui de l'Écriture Sainte, ne comporte pas la précision didactique que l'on attendrait d'un professeur. Puis parce que le *De Sp.S.* est une traduction latine, le latin n'ayant pas la richesse de vocabulaire du grec. Ensuite, parce que toute la pensée de Didyme n'est pas dans le seul *De Sp.S.* ; il faudrait faire comparaître à côté des textes du *De Sp.S.* ceux du *De Trin.* et des Livres découverts à Toura : vaste entreprise, que A. Gesché a partiellement menée à bien en étudiant le *Commentaire des Psaumes* de Toura.

Il eût été, certes, profitable de connaître le commentaire d'*Eccl.* 3, 21, passage évoqué ici par Didyme lui-même, mais le Papyrus de Toura est tellement déchiqueté à cet endroit que l'on ne peut pas en tirer grand chose, tout au plus cette évidence que Didyme fait une différence entre le « pneuma » de l'homme et celui de la bête et que le « pneuma » du premier est associé, autant que le laissent conjecturer quelques mots perdus, à l'expression « royaume des cieux ». Le choix du mot πνεῦμα, indistinctement, pour les deux sortes d'êtres que sont les animaux et les hommes, est conforme à ce que nous allons trouver dans le *De Sp.S.* — Entrons donc maintenant dans la discussion dont nous donnent l'occasion ces quelques §§ 239-242 + 255 du *De Sp.S.*

Nous devons remarquer ceci : les citations de *Jac.* 2, 26, *Act.* 7, 59, et *Eccl.* 3, 21, fournissent à Didyme le mot de *spiritus* pour désigner l'*âme* (*anima*), l'âme en tant qu'elle s'oppose au corps et qu'elle l'anime. En grec, c'est évidemment le mot de πνεῦμα qui est sous-jacent ; mais comme ce mot ne convient pas de la même façon aux hommes et aux bêtes, Didyme, rappelant que, selon l'Ecclésiaste, le *pneuma* de l'homme va en haut tandis que celui des bêtes va en bas (§ 239), nous invite par avance à la réflexion qu'il fera au § 253, à savoir que l'Écriture s'est exprimée ici d'une manière particulière et légitime, connue des dialecticiens, par *homonymie* (des réalités différentes portent un même nom), ce qui permet de ne pas trébucher (§ 254) quand on lit l'Écriture. Il faut donc considérer les réalités diverses sous le nom unique. — La pensée de Didyme ira, dans les paragraphes suivants (§ 240 etc.), découvrir les réalités différentes qui se cachent sous le mot *esprit* dans l'Écriture.

La première est celle même d'*esprit*, et cela nous paraît une évidence. Mais Didyme a mis à part l'âme et l'Esprit Saint. Si bien que nous sommes en présence de trois éléments dans l'homme : l'Esprit Saint, l'âme et l'esprit. Quelle est l'identité de chacun ? Pour l'Esprit Saint, pas de difficulté. Mais pour l'âme et l'esprit ? quelle différence faire entre eux ? Didyme n'est pas très explicite. Il donne l'impression au § 240 de réduire l'âme à un rôle subalterne, puisque, assimilée au corps, elle ne saurait saisir ce qui est « enfoui au plus profond du cœur » et que, pour cela, il faut l'« esprit ». Il apparaît donc que l'*âme* n'est qu'un principe de vie, ou si l'on veut un élément moteur, et qu'au niveau où elle se trouve elle n'a pas de fonction intellectuelle. La fonction intellectuelle est remplie par l'esprit. Quant à l'*esprit*, la réalité qui se cache sous le mot est (§ 240) l'esprit lui-même au sens courant du terme, l'élément substantiel qui, dans l'homme, pense, connaît, réfléchit (en grec νοῦς).

Muni de ces trois éléments : Esprit Saint, âme, esprit, que l'Écriture, pense-t-il, lui a confirmés, Didyme rencontre le texte de I *Thess.* 5, 23 : « Qu'intègre soit votre esprit, votre âme et votre corps ». Il y trouve évidemment la confirmation de l'apport des textes précédents, à condition toutefois de ne pas prendre l'*esprit* pour l'*Esprit Saint*. L'*âme* est nommée en second, après l'*esprit*, et Didyme reconnaît que c'est bien son nom et qu'elle est bien à sa place. Vient ensuite le corps, ici désigné en troisième lieu, sans que cela soit relevé par Didyme. Mais Didyme a cette parole imprudente : « de même que l'âme est différente du corps, de même aussi l'esprit est différent de l'âme ». Quelle différence y a-t-il donc entre l'esprit et l'âme ?

On sait que le passage de *I Thess.* 5, 23 a donné lieu à une
explication difficile à toutes les époques : quelle différence, en effet,
mettre entre l'esprit et l'âme, si, par formation première, l'on est
imbu de la doctrine aristotélicienne qui fait de l'âme un principe
de vie et de pensée ? Les exégètes modernes font remarquer que
cette énumération tripartite, *esprit, âme, corps,* n'est pas habituelle
à saint Paul et n'est pas non plus celle de la philosophie grecque
où l'âme est rationnelle (encore que certains ne craignent pas de
faire appel ici à une influence grecque : cf.v.g. la 1ère édit. de la
Bible de Jérusalem en fasc.) ; il faut en conséquence, pensent-ils,
reconnaître en saint Paul un phénomène de rédaction (un « élément
de rhétorique », *B. Rigaux*) et non un enseignement ; chaque terme
(esprit, âme, corps) peut désigner, suivant le contexte, une part
de l'homme tout entier. A. GESCHÉ dit très bien, *(La christologie
du « Commentaire sur les Psaumes » découvert à Toura,)* p. 129,
n.2 : « dans les composés chaque élément concerne le tout, et
celui-ci n'existe qu'en raison des éléments qui le composent ».
Didyme, dans son interprétation, est mû par le respect de la
Parole inspirée, respect qui se satisfait d'un très court littéralisme ;
il n'a donc pu que se ranger ici derrière la « lettre » du texte
paulinien, sans exprimer des distinctions ou des précisions qui
eussent rendu à l'âme son rôle entier d'animation et de réflexion.
La précision capitale aurait été de dire (comme il l'a bien fait
ailleurs dans son œuvre), ou de laisser penser que l'âme n'avait
pas pour effet la seule mobilité animale, mais que c'était d'elle
aussi que dépendait la rationalité, puisque, à l'inverse des bêtes,
l'âme de l'homme monte en haut ; mais, dans ce passage, Didyme
ne l'a pas dit. Si bien que, imposant ici la configuration d'une
âme dont la nature est limitée à vivifier le corps, Didyme assigna
trois parties dans l'homme : l'esprit, l'âme et le corps, assuré de
ne pas être dans l'erreur puisqu'il était couvert par l'autorité de
l'Apôtre. On se reportera, pour démêler les différents aspects de
cette question épineuse du tri- ou du di-chotomisme chez saint
Paul et les Pères à H. de LUBAC, *Théologie dans l'Histoire, I. La
Lumière du Christ*, Paris (Desclée de Brouwer) 1990, IIème partie :
Anthropologie tripartite, p. 117-147. Voir aussi le commentaire de
I Thess. 5,23 par B. RIGAUX, dans la coll. Études bibliques,
Gabalda, 1956, p. 596-600. Et sur l'anthropologie de Didyme dans
les « *Psaumes de Toura* », A. GESCHÉ, *l.c.* p. 125-134.

Avec les précisions que nous avons suggérées et qu'il n'a pas dites, Didyme eût échappé aux anathèmes que proféra contre lui, au siècle suivant, Gennade de Marseille. Celui-ci lui reproche d'avoir établi une différence entre l'âme et l'esprit, *De ecclesiasticis dogmatibus,* 20, *PL* 42, 1216 : « *Non est tertius in substantia hominis spiritus, sicut Didymus contendit* ;... » Si Gennade a paru sévère, c'est qu'à son époque l'enjeu était l'unité du Christ, battue en brèche si l'on eût pu distinguer dans le Christ deux âmes, en somme deux Christ. Il faut lire, pour éclairer le sujet, MINGA-RELLI, *De Didymo commentarius,* II, 4, *PG* 39, 184-186, où l'on verra, entre autres arguments, comment une distinction apportée par LACTANCE, *De opif. Dei,* 18, entre *animus* et *anima* aurait pu servir à sauver Didyme des foudres de Gennade, car, dit-il, l'*esprit* ne se distingue pas de l'*âme* par la substance, mais par le mode d'agir, ce qui permet de conclure que l'opération d'un être spirituel peut être multiple sans donner lieu à multiplier son être même.

§ 249. 2. Pour ce texte de *Phil.* 3, 3, il y a une véritable opposition entre le *De Trin.* II, 11, 664 B et le *De Sp.S.* En *De Trin.*, Didyme revendique la formule οἱ Πνεύματι Θεοῦ λα-τρεύοντες, (nos qui *Spiritui Dei* servimus, « nous qui servons *l'Esprit de Dieu* ») ; mais ici, dans le *De Sp.S.*, il écrit : « qui *spiritu Domino* servientes » (« nous qui servons *en esprit le Sei-gneur* »), formule qu'il reproche précisément aux hérétiques dans le *De Trin.*, car ils disent : οἱ πνεύματι Θεῷ λατρεύοντες, « nous qui servons *Dieu en esprit* » ; et Didyme fait remarquer l'astuce des hérétiques qui n'ont eu qu'à changer une seule lettre (Θεῷ > Θεοῦ) pour changer la portée de la citation. Or AMBROISE, *De Sp.S.* II, 6, 46, adopte la formule du *De Trin.* avec la remarque sur les hérétiques et ne suit pas le *De Sp.S.* de Didyme sur ce point. Un seul de nos mss, C, porte à lire *Spiritui Dei,* mais c'est une correction savante et isolée dont on ne peut tenir compte, et que contredit le développement didymien qui suit. Au reste, les vieux manuscrits latins du N. T. lisent unanimement de la même manière que le *De Sp.S.* Pour régler ce problème de discordance entre les deux textes de Didyme, il semble qu'on doive faire appel tout simplement à l'acquisition de certaines connaissances nou-velles durant le temps écoulé entre les deux rédactions.

§ 255. 2. Ce *troisième* dans l'homme a posé bien des questions. Surtout après le § 242 où il est question de l'âme et de l'esprit,

comme ici, mais en termes un peu différents : en § 242, « l'esprit
est différent de l'âme », et celle-ci « est appelée de son nom spécial
à sa place » ; or sa place est celle que lui donne saint Paul, d'être
apparemment intermédiaire entre l'esprit et le corps (1. esprit ; 2.
âme ; 3. corps) ; ici, en § 255, « l'esprit se rapporte à l'âme de
l'homme ou à son esprit, à celui qui est le troisième dans l'homme,
ainsi que nous avons déjà dit ». Il y a ici l'intention de rapprocher,
sinon d'identifier, l'âme et l'esprit (*animam hominis uel spiritum*) :
dans ces conditions, ils ne feraient qu'un ; quel est donc le
troisième ? L'Esprit divin dont il est question au § 241, puis 242 ?
cela ne paraît pas possible puisque l'Esprit Saint n'a pas à être
« préservé dans l'intégrité ». Les « trois » seraient donc, selon la
nomenclature didymienne : 1. le corps ; 2. l'esprit ; 3. l'âme (ou :
1. le corps ; 2. l'âme ; 3. l'esprit).

§ 272. 1. Au terme du livre, Didyme retrouve exactement les
idées qui lui ont servi à l'ouverture : il est périlleux d'avoir
entrepris un ouvrage touchant au Saint Esprit, car le risque de
blasphémer est grand et quiconque l'aura fait à l'encontre soit du
Père, soit du Fils, soit de l'Esprit encourra les foudres qui tombent
des textes sacrés. Pour sa part, avec ses petits moyens, il a fait
de son mieux. Il demande donc à son lecteur de purifier ses
intentions et de croire à la droiture des siennes ; qu'on tienne
compte des choses dites plus que de la manière dont il les a dites ;
il n'a pas voulu plaire, mais il a voulu être fidèle à l'Écriture. —
Cette conclusion est d'une homme simple et sans détour. Didyme
aura les mêmes accents et les mêmes pensées dans d'autres de ses
livres : qu'on lise les deux derniers chapitres (35 et 36) du Premier
Livre (*PG* 39, 437 s.) ou le dernier chapitre du Deuxième Livre
du *De Trin.*, on retrouvera le même ton, une semblable humilité,
une même horreur affichée de l'hérésie.

INDEX SCRIPTURAIRE

Un chiffre marqué d'un exposant indique une allusion.

INDEX DES EXPRESSIONS ET MOTS GRECS
laissés par saint Jérôme dans la traduction latine

NOTE A PROPOS DE L'INDEX

La réalisation de cet Index répond à deux préoccupations : la première, celle de réunir en une table le vocabulaire de pneumatologie de Didyme, dont nous avons assez dit le caractère inchoatif pour qu'il retienne notre attention. Il ne faut pas, en effet, lui prêter des mots qu'une théologie plus avancée créera dans la suite et se plaira dès lors à mettre en lumière ; on trouvera ici, selon la présence ou l'absence des mots, les limites à garder pour interpréter la pensée de Didyme. La seconde de nos préoccupations regarde Jérôme : le vocabulaire du traducteur, quand il s'agit de délicates notions véhiculées pour la première fois d'une langue dans une autre, a son importance, on le voit bien dans la correspondance de Jérôme avec Damase. D'autre part, ces pages de l'activité du traducteur n'ont pas été prises en compte par le *Thesaurus Sancti Hieronymi* du Cetedoc : notre index ne le doublera donc pas. A défaut de moyens informatiques appropriés, nous avons ratissé le texte à la main, mais abondamment. Nous pensons n'avoir laissé de côté que des éléments de langage insignifiants, en dehors des mots outils qu'il n'était pas question de relever ici. Ainsi, auteur et traducteur antique comparaissent ensemble. L'utilisateur de l'Index y trouvera occasion de les mieux connaître l'un et l'autre, l'un par l'autre.

Nous attirons l'attention sur quelques mots importants, dont la mention, plus fréquente, apparaît comme un substrat de l'univers mental de Didyme, à cette époque de sa vie. On réunira ainsi, avec ceux qui leur sont associés par le sens, les mots-clés que sont, pour prendre quelques exemples, *Spiritus* et *spiritus* (493 et 83 occurrences), *impleo* et *plenus* (27 et 28 occ.) pour l'action du Saint Esprit, *substantia* et *natura* (90 et 60), *sapientia* et *scientia* (104 et 35), *uirtus* et *sensus* (44 et 18), *mitto* (au sens trinitaire) et *nomen* (35 et 47), *sermo* et *intellectus* (62 et 33), *creatura* et *angelus* (60 et 35), *cor* et *corpus* (42 et 31), *bonus/bonum* et *malus/malum* (58 et 3), etc. Ce dernier cas de la quasi inexistence de *malus* en dit long sur certaines préférences inconscientes de notre aveugle. On considérera aussi comme des limites de sa pensée ou de ses préoccupations du moment la rareté du mot *essentia* (4) qui, pourtant, est chez d'autres, dans les mêmes années, d'un emploi courant en langage trinitaire, celle du mot *persona*, dont la mention unique n'est peut-être pas didymienne dans notre traité, ou encore celle du mot *spes* qui n'apparaît que trois fois, alors que *fides*, la vertu parallèle, sonne haut et fort 27 fois.

Dans la liste qui suit, les chiffres renvoient aux paragraphes et aux lignes des paragraphes. Incidemment, les occurrences ont été indiquées en italique.

Pour les mots qui reviennent très souvent (*Deus, Spiritus Sanctus, Pater, Filius, Dominus*), on s'est contenté d'indiquer le nombre des occurrences, tout en distinguant par un exposant (') le nombre de ceux qui proviennent d'une citation de l'Écriture.

Un chiffre répété indique la répétition du mot sur la même ligne.

INDEX DES NOMS PROPRES ET MOTS ASSIMILÉS

INDEX DE MOTS LATINS

abluo 15,3
abscondo 83,6'
abstineo 195,12
absum 277,11
abundantia 52,2
abundanter (-tissime) 53,8'; 76,4; 93,11
abunde 174,1; 231,1; 269,1
abundo 39,1; 43,10'
accedo 121,3
acceptabilis 46,3
accidens 109,7
accipio 13,6; 22,11'; 25,5; 42,3. 5; 46,5; 49,6; 53,2; 62,8'; 63,2; 64,2. 5; 75,5; 92,1; 93,1; 143,3; 144,3'; 146,10'; 148,9'. 10'; 154,3; 156,4; 157,3; 163,3'. 3; 164,3. 4; 165,3. 4. 5; 170,2'. 3'. 8; 173,4'; 178,2'. 3'; 195,10'; 208,13; 223,8; 224,5; 228,6'; 229,3. 6; 230,1; 238,6. 7. 8; 248,9; 254,4; 257,2; 263,5 (± 50 occ.)
acquiro 105,5'
additamentum 8,3; 73,13; 246,3; 246,5
adduco 95,3; 174,4; 226,1
adipiscor 199,1
aditus 260,5
adiungo 151,3; 252,4
adiuuo 146,2
administratio 75,6

administratorius 62,6'; 63,9. 10'; 64,8; 244,4'
administro 12,7
admirabile 51,13'
admiror 221,2
admixtus 202,12
adoptio 139,5; 172,10; 195,13; 196,1
adopto 195,15; 196,4
adoro 250,6
aduentus 6,2; 7,10; 51,7; 125,4; 126,5; 148,3; 197,6. 11
aduersarius 2,12
aequalis 28,2; 63,5; 144,1
aequalitas 89,6; 253,5
aequaliter 161,7
aer 72,3; 155,7
aestimo 36,1; 110,5; 122,2
aeternitas 171,4; 210,10
aeternus 56,2; 65,6; 77,10; 120,4'; 121,3; 180,11; 181,4; 195,2; 207,6; 208,2; 256,6; 265,3
affectus 109,5; 260,8
affirmo 129,2; 133,2
afflatus 48,5'
afflictio 208,9
affluo 38,6
affor (affatus) 67,2
ager 83,2. 6'; 259,1
agnitor 47,7'
ago 178,1'; 195,7'; 260,1; 274,2
ala 210,8

TABLE DES MATIÈRES

SOURCES CHRÉTIENNES

Fondateurs : H. de Lubac, s.j.
† J. Daniélou, s.j.
† C. Mondésert, s.j.
Directeur : D. Bertrand, s.j.
Directeur-adjoint : J.-N. Guinot

Dans la liste qui suit, dite « liste alphabétique », tous les ouvrages sont rangés par nom d'auteur ancien, les numéros précisant pour chacun l'ordre de parution depuis le début de la collection. Pour une information plus complète, on peut se procurer deux autres listes au secrétariat de « Sources Chrétiennes » – 29, rue du Plat, 69002 Lyon (France) – Tél. : 78.37.27.08 :

1. la « liste numérique », qui présente les volumes et leurs auteurs actuels d'après les dates de publication ; elle indique les réimpressions et les ouvrages momentanément épuisés ou dont la réédition est préparée.
2. la « liste thématique », qui présente les volumes d'après les centres d'intérêt et les genres littéraires : exégèse, dogme, histoire, correspondance, apologétique, etc.

LISTE ALPHABÉTIQUE (1-386)

SOUS PRESSE

Apophtegmes des Pères, tome I.
GRÉGOIRE LE GRAND : **Règle pastorale,** tome I et II.
HERMIAS : **Diatribe contre les philosophes païens.**
BERNARD DE CLAIRVAUX : **A la Gloire de la Vierge Mère.**
JEAN CHRYSOSTOME : **L'égalité du Père et du Fils.**
ORIGÈNE : **Homélies sur les Juges.**

PROCHAINES PUBLICATIONS

ÉVAGRE LE PONTIQUE : **Scholies sur l'Ecclésiaste.**
CYRILLE D'ALEXANDRIE : **Lettres festales,** tome II.
CÉSAIRE D'ARLES : **Œuvres monastiques,** tome II.
BERNARD DE CLAIRVAUX : **La Grâce et le libre-arbitre - L'Amour de Dieu.**
GRÉGOIRE DE NAZIANZE : **Discours 6-12.**
Livre d'heures ancien du Sinaï.
GRÉGOIRE LE GRAND : **Commentaire sur le 1er Livre des Rois.**
TERTULLIEN : **La Pudicité.**
BASILE DE CÉSARÉE : **Homélies morales,** tome I.
ATHANASE D'ALEXANDRIE : **Vie de S. Antoine.**
MARC LE MOINE : **Traités,** tome I.

Également aux Éditions du Cerf

LES ŒUVRES DE PHILON D'ALEXANDRIE
publiées sous la direction de
R. ARNALDEZ, C. MONDÉSERT, J. POUILLOUX.
Texte original et traduction française.

1. **Introduction générale. De opificio mundi,** R. Arnaldez.
2. **Legum allegoriae,** C. Mondésert.
3. **De cherubim.** J. Gorez.
4. **De sacrificiis Abelis et Caini.** A. Méasson.
5. **Quod deterius potiori insidiari soleat.** I. Feuer.
6. **De posteritate Caini.** R. Arnaldez.
7-8. **De gigantibus. Quod Deus sit immutabilis.** A. Mosès.
9. **De agricultura.** J. Pouilloux.
10. **De plantatione.** J. Pouilloux.
11-12. **De ebrietate. De sobrietate.** J. Gorez.
13. **De confusione linguarum.** J.-G. Kahn.
14. **De migratione Abrahami.** J. Cazeaux.
15. **Quis rerum divinarum heres sit.** M. Harl.
16. **De congressu eruditionis gratia.** M. Alexandre.
17. **De fuga et inventione.** E. Starobinski-Safran.
18. **De mutatione nominum.** R. Arnaldez.
19. **De somniis.** P. Savinel.
20. **De Abrahamo.** J. Gorez.
21. **De Iosepho.** J. Laporte.
22. **De vita Mosis.** R. Arnaldez, C. Mondésert, J. Pouilloux, P. Savinel.
23. **De Decalogo.** V. Nikiprowetzky.
24. **De specialibus legibus.** Livres I-II. S. Daniel.
25. **De specialibus legibus.** Livres III-IV. A. Mosès.
26. **De virtutibus.** R. Arnaldez, A.-M. Vérilhac, M.-R. Servel et P. Delobre.
27. **De praemiis et poenis. De exsecrationibus.** A. Beckaert.
28. **Quod omnis probus libert sit.** M. Petit.
29. **De vita contemplativa.** F. Daumas et P. Miquel.
30. **De aeternitate mundi.** R. Arnaldez et J. Pouilloux.
31. **In Flaccum.** A. Pelletier.
32. **Legatio ad Caium.** A. Pelletier.
33. **Quaestiones in Genesim et in Exodum. Fragmenta graeca.** F. Petit.
34 A. **Quaestiones in Genesim,** I-II (e vers. armen). Ch. Mercier.
34 B. **Quaestiones in Genesim,** III-VI (e vers. armen). Ch. Mercier et F. Petit.
34 C. **Quaestiones in Exodum,** I-II (e vers. armen.).
35. **De providentia,** I-II. M. Hadas-Lebel.
36. **Alexander (De animalibus).** A. Terian et J. Laporte.

ACHEVÉ D'IMPRIMER
SUR LES PRESSES DE
L'IMPRIMERIE CHIRAT
42540 ST-JUST-LA-PENDUE
EN OCTOBRE 1992
DÉPÔT LÉGAL 1992 N° 6633
N° ÉDITEUR : 9450

IMPRIMÉ EN FRANCE